KATE

COFIANT
KATE ROBERTS

KATE

1891–1985

Alan Llwyd

Cyflwynedig i deulu diwylliedig a charedig
Bryn Ogwen, Bethel, Caernarfon:
Elwyn, Deilwen, Siôn a Manon

Argraffiad cyntaf: 2011

Dymuna'r cyhoeddwyr gydnabod cymorth ariannol
Cyngor Llyfrau Cymru

Llun y clawr trwy ganiatâd Llyfrgell Genedlaethol Cymru
Cynllun y clawr: Y Lolfa

Rhif Llyfr Rhyngwladol:
978 1 84771 393 3 (clawr meddal)
978 1 84771 336 0 (clawr caled)

FSC
Cyhoeddwyd ac argraffwyd yng Nghymru gan
Y Lolfa Cyf., Talybont, Ceredigion SY24 5HE
gwefan www.ylolfa.com
e-bost ylolfa@ylolfa.com
ffôn 01970 832 304
ffacs 832 782

DIOLCHIADAU

Fe ŵyr unrhyw gofiannydd fod llunio cofiant yn dasg aruthrol. Taith hir iawn yw taith y cofiannydd, ac ar y daith honno fe geir troadau fyrdd. Ni fyddwn wedi cyrraedd pen draw'r daith ar fy mhen fy hun – byddai'n ormod o siwrnai o lawer. Cyd-deithiais â llawer un i gyrraedd fy nghyrchfan ar y diwedd.

Hoffwn ddiolch i nifer o bobl ac i sawl sefydliad am roi pob hwb a help imi ar y siwrnai hirfaith hon, ond, yn wir, mae arnaf gymaint o ddyled i gymaint o bobl fel na wn yn iawn ymhle i ddechrau. Er hynny, mae'n rhaid i bob siwrnai gychwyn yn rhywle, a dyna'r man cychwyn gorau i minnau hefyd wrth ddiolch i'r holl bobl hynny a wnaeth y cofiant hwn yn bosibl.

Yn bennaf oll, diolch i Lefi Gruffudd, gwasg y Lolfa, am fynegi diddordeb yn y gwaith o'r cychwyn cyntaf, ac am drefnu fy mod yn cael cymhorthdal teilwng ar gyfer yr ymchwil a'r ysgrifennu gan Gyngor Llyfrau Cymru. Diolch i Richard Owen, Pennaeth yr Adran Grantiau Cyhoeddi yn y Cyngor Llyfrau, ac i Elwyn Jones, Prif Weithredwr y Cyngor, am y cymhorthdal ariannol a gafwyd i lunio'r cofiant hwn. Diolch iddynt.

Yn ystod fy nghyfnod ymchwil, treuliais bythefnos yn y Gogledd, gan aros yn Llanrug. Trefnodd fy nghyfaill J. Elwyn Hughes bopeth ar fy nghyfer yn ystod y bythefnos honno. Gan nad wyf yn gyrru car, aeth â mi i bobman – i Gae'r Gors, i archifdai a llyfrgelloedd yn y Gogledd, i Gaernarfon a Sir Fôn i gyfarfod ag aelodau o deulu Kate Roberts, ac i sawl lle arall. Ni allaf ddiolch digon iddo. Cefais i a Janice, fy mhriod, groeso twymgalon gan Elwyn a Deilwen yn eu cartref ym Methel, Caernarfon. Bu Elwyn yn fwy na chaffaeliad imi; yn wir, ni wn sut y byddwn wedi dod i ben â'r gwaith heb ei gymorth ef. A diolch i Siôn, mab Elwyn a Deilwen, hefyd am fy nghludo i ambell fan. Cymerodd Elwyn ddiddordeb mawr yn y gwaith o'r cychwyn cyntaf, a daeth ar y ffôn ddwsinau o weithiau yn ystod y flwyddyn y bûm yn gweithio ar y cofiant, gan gynnig help a gwybodaeth o bob math imi. I'r teulu hwn y cyflwynir y llyfr.

Bu Cyfeillion Cae'r Gors, yn enwedig Dawn Smith ac Arwel 'Pod' Roberts, yn hynod o garedig, a hoffwn ddiolch iddynt am bob cymwynas. Trefnodd Elwyn fy mod yn cael sgwrs gyda Dewi Tomos, yr hanesydd lleol a Chadeirydd Canolfan Dreftadaeth Kate Roberts, a bu honno'n sgwrs hynod o fuddiol. Dewi yw awdur *Llyfr Lloffion Cae'r Gors* (2009; Cyfres Llafar Gwlad), ymhlith llyfrau eraill, a bu'r llyfr hwn o gymorth amhrisiadwy imi wrth lunio'r cofiant.

Mae'n rhaid i mi ddiolch yn arbennig i deulu Kate. Hyfryd oedd cael sgwrs â Megan Williams, Caernarfon, nith Kate, merch Richard Cadwaladr, ei brawd, am ei modryb enwog. Ond mae'n rhaid imi ddiolch yn arbennig iawn i Nêst a Ken, Llanfair-pwll, Sir Fôn, a Geraint Williams, brawd Nêst, am roi imi'r dyddiaduron a gadwai Kate yn ystod 1940 a 1946, y flwyddyn fwyaf dirdynnol yn ei hanes. Mam Nêst a Geraint oedd Catrin (a briododd Idris Williams), un arall o ferched Richard Cadwaladr, a chwaer Megan. Ni allaf ddiolch digon i Nêst a Geraint am eu cymwynas enfawr. Dyma'r tro cyntaf i gynnwys y ddau ddyddiadur hyn weld golau dydd.

Cefais ambell sgwrs oleuol a difyr gydag R. M. (Bobi) Owen, Dinbych, yr hanesydd lleol, ac anfonodd rai dogfennau defnyddiol a diddorol ataf. Llawer o ddiolch iddo am ei gymorth a'i gymwynasgarwch. Diolch hefyd i Norman Closs Parry am wneud rhai ymholiadau ar fy rhan, ac i John Emyr, awdur *Enaid Clwyfus: Golwg ar Waith Kate Roberts*, am rannu'i adnabyddiaeth o Kate gyda mi.

Hoffwn ddiolch i Islwyn John, Dinbych-y-pysgod, am fy rhoi mewn cysylltiad â Ron Hurlow, Penalun, Dinbych-y-pysgod, a diolch i Ron Hurlow yntau am wneud rhai ymholiadau ar fy rhan ynghylch Betty Eynon Davies. Diolch yn ogystal i Tal Williams, Clydach, am ei gymorth caredig yntau ynghylch cyfnod Kate yn Ystalyfera.

Cefais fy nghludo i'r Llyfrgell Genedlaethol, o wahanol fannau, gan sawl person. Aeth Jon Meirion Jones, Llangrannog, â mi yno ddwywaith, pan oeddem yn aros ym mwthyn Jon ac Aures ar bwys eu cartref, Bryn Dewi. Hoffwn ddiolch hefyd i Robert Rhys, am fynd â mi i'r Llyfrgell Genedlaethol ddwywaith, ac am y sgyrsiau difyr a gawsom ar y daith. Gweithio ar gofiannau yr oedd y ddau ohonom, Robert yn gweithio ar ei gofiant i D. J. Williams, a minnau yn gweithio ar fy nghofiant i Kate Roberts. Bûm yn aros yn Llanilar am bythefnos gyfan, fel y gallwn fynd i'r Llyfrgell Genedlaethol bob dydd i ymchwilio, ac roeddem yn aros y drws nesaf i hen wraig annwyl iawn, Ann Jane Evans. Mynnai Ann fynd â mi i'r Llyfrgell Genedlaethol bob diwrnod, a daethom yn gyfeillion agos, Ann, Janice, fy ngwraig, a minnau.

Fel roedd y gwaith ar y cofiant hwn yn dirwyn i ben, cefais anffawd. Cafodd pob neges a oedd ar fy system ebost ar fy nghyfrifiadur ei lladrata gan hacwyr, a chollais bron i 4,000 o gofnodion. Ymhlith y cofnodion hynny roedd enwau pobl o lyfrgelloedd ac archifdai a oedd wedi fy helpu, ac roeddwn wedi bwriadu enwi'r rhain yn bersonol, ond mae hynny'n amhosibl bellach. Hoffwn ddiolch, yn bennaf, i staff ardderchog a hynaws y Llyfrgell Genedlaethol yn Aberystwyth.

Ac mae'n rhaid diolch yn arbennig i nifer o lyfrgelloedd ac archifdai Cymru am y cymorth amhrisiadwy a gefais ganddynt: Gwasanaeth Archifau Conwy, Archifdy Caernarfon, Gwasanaeth Archifau Dinas Abertawe a Llyfrgell Aberdâr. Hoffwn ddiolch hefyd i Archifdy Gwynedd am ganiatâd i ddyfynnu rhan o lythyr Kate Roberts at Priscie Roberts, Awst 9, 1971.

Llawer o ddiolch hefyd i Nia Peris, gwasg y Lolfa, am ei gwaith gwych ar y llyfr, ac am sawl awgrym gwerthfawr, a diolch hefyd i staff y wasg yn gyffredinol am gynhyrchu llyfr mor gain ar y diwedd.

Dymunaf ddiolch i Robert Rhys hefyd am ddarllen y cofiant hwn ar adeg ei gyflwyno i'r wasg. Awgrymodd nifer o welliannau, a llwyr fanteisiais ar ei awgrymiadau rhagorol. Un arall y mae'n rhaid diolch iddo yw Dafydd Ifans, y gŵr a gatalogiodd yn fanwl holl bapurau Kate Roberts yn y Llyfrgell Genedlaethol. Bu ei lafur enfawr yn gaffaeliad mawr i mi. Ysgafnhaodd fy maich! Ac fe hoffai'r wasg a'r awdur ddiolch i Blaid Cymru, sy'n meddu ar yr hawlfraint ar weithiau a phapurau Kate, am roi caniatâd inni ddyfynnu o'r gweithiau a'r papurau hynny. Llawer iawn o ddiolch yn ogystal i Ganolfan Treftadaeth Cae'r Gors am roi caniatâd inni ddefnyddio nifer o luniau yn yr adran luniau.

Yn olaf, diolch i Janice am hybu, am wrando ac am fod yn amyneddgar!

Y mae un peth arall y dylwn ei grybwyll. Y mae un peth ynglŷn â Kate y mae'n rhaid i mi ei ddatgelu yn y cofiant hwn, rhywbeth yr oedd Kate ei hun yn awchu am gael ei ddadlennu, ond na allai, yn yr oes anoddefgar honno yr oedd yn byw ynddi. Achosodd hyn rwystredigaeth enfawr iddi. Methodd ei ddadlennu yn groyw mewn geiriau plaen, a bu'n rhaid iddi awgrymu'r peth mewn storïau a llythyrau yma a thraw. Rwy'n datgelu'r wybodaeth hon am y rheswm syml fy mod yn *gorfod* datgelu'r wybodaeth hon. Gwaith cofiannydd yw dweud y gwir, a glynu wrth y ffeithiau. Pe bawn yn claddu'r wybodaeth hon, byddai rhywun ar fy ôl yn fy nghyhuddo o beidio â gwneud fy ngwaith ymchwil yn ddigon trylwyr, neu o gladdu'r wybodaeth oherwydd rhagfarn bersonol ar fy rhan. Gan na allai Kate ddweud yr un peth hanfodol hwn amdani hi ei hun yn blwmp ac yn blaen, rhaid gwneud hynny drosti bellach. Gwn mai dyna fyddai ei dymuniad. Ar ben hynny, mae'r wybodaeth newydd hon yn taflu goleuni newydd ar ei holl waith ac ar ei pherthynas â Morris. Roedd Kate yn dymuno i bobl wybod yr un peth hwn amdani, a chadwodd y dystiolaeth ynglŷn â hynny, gyda'r gobaith y byddai rhywun yn y dyfodol yn dod ar ei thraws.

Alan Llwyd
Hydref 2011

LLYFRAU KATE ROBERTS

1925: *O Gors y Bryniau*

1926: *Deian a Loli*

1929: *Rhigolau Bywyd*

1930: *Laura Jones*

1936: *Traed mewn Cyffion*

1937: *Ffair Gaeaf a Storïau Eraill*

1949: *Stryd y Glep*

1956: *Y Byw sy'n Cysgu*

1959: *Te yn y Grug*

1960: *Y Lôn Wen*

1962: *Tywyll Heno*

1963: *Hyn o Fyd*

1967: *Tegwch y Bore*

1969: *Prynu Dol a Storïau Eraill*

1972: *Gobaith a Storïau Eraill*

1976: *Yr Wylan Deg*

1981: *Haul a Drycin a Storïau Eraill*

CYNNWYS

1

CAE'R GORS A RHOSGADFAN
1891–1910

'Digwyddasai popeth pwysig i mi cyn 1917, popeth dwfn ei argraff.'

Kate Roberts, *Y Lôn Wen*, 1960

Rywbryd yn ystod yr haf yn y flwyddyn 1895, symudodd chwarelwr o'r enw Owen Roberts a'i deulu o dŷ cymharol fychan o'r enw Bryn Gwyrfai yn Rhosgadfan, pentref yng nghysgod llethrau Moeltryfan yn ardal y chwareli yn Arfon, i dyddyn o'r enw Cae'r Gors, led tri chae i ffwrdd. Mater o anghenraid oedd y mudo hwnnw o dŷ cyffredin i dyddyn, nid unrhyw fath o arwydd fod teulu Bryn Gwyrfai yn dechrau codi yn y byd. Yr oedd y teulu'n cynyddu, a chan mai chwarelwr cyffredin oedd y penteulu, roedd angen tyddyn arno ef a'i briod i'w helpu i gael y ddau ben llinyn ynghyd. Newydd ei eni, rai misoedd ynghynt, ar Ebrill 15, yr oedd yr ychwanegiad diweddaraf at y teulu, bachgen y rhoddwyd iddo'r enw Evan, ac er bod y tad a'r fam ar fin croesi'r ffin rhwng ieuenctid hwyr a chanol oed cynnar ar y pryd, gallai rhagor o blant ddod.

Owen Owen Roberts a'i ail wraig, Catrin, a'u pum plentyn – dau o briodas flaenorol y naill a'r llall – a drigai ym Mryn Gwyrfai. Bu Owen Roberts yn byw yno oddi ar iddo briodi ei wraig gyntaf, Jane Williams, ym 1870. Ganed wyth o blant i'r ddau, ond bu farw pump ohonynt yn ifanc. Bu farw Jane hithau ym 1883, ar ôl blynyddoedd o waeledd, yn 32 oed, gan adael Owen Roberts, yn ŵr gweddw 32 oed, i fagu'r tri phlentyn a oedd wedi goroesi, Mary, a aned ym 1871, Jane, o'r un enw â'i mam, a aned ym 1875, a mab, Owen Owen, o'r un enw â'i dad, a aned ym 1878.

Ail ŵr Catrin hithau oedd Owen Roberts, a bu'n arddel yr un enw priodasol ddwywaith. Labrwr o'r enw Evan Roberts o'r Groeslon, Llandwrog, oedd gŵr cyntaf Catrin Cadwaladr. Priodwyd y ddau ym 1874, a buont yn byw mewn tŷ o'r enw y Grugan Ganol, yn y Groeslon. Ganed iddynt ferch, a fu farw'n faban, a mab a enwyd yn John Evan ac a anwyd ym 1884. Bu farw Evan Roberts yn 35 oed ar Dachwedd 2, 1884, y flwyddyn y ganed ei fab, a threngodd 'wedi hir nychdod' yn ôl ei garreg fedd ym mynwent Llanwnda. Aeth Catrin yn ôl i fyw gyda'i mam a'i thad wedi i'w gŵr farw, ac ar aelwyd ei rhieni, tyddyn o'r enw Pantycelyn ar gwr pentref Rhostryfan, y cafodd John Evan ei fagu, tra bu'i fam yn gweithio fel bydwraig.

Ym 1890, ar Fedi 27, y priododd Owen a Catrin, ac aeth Owen Roberts â'i briod newydd i'w gartref, Bryn Gwyrfai, i fyw. Roedd merched Owen, Mary a Jane, wedi hedfan y nyth erbyn hynny, a dim ond ei fab, Owen Owen, a breswyliai ym Mryn Gwyrfai gyda'i dad. Roedd Owen Roberts yn 39 oed a Catherine Roberts yn 35 oed adeg eu priodas. Digwyddiad digon cyffredin yn ardaloedd chwarelyddol Arfon oedd ail briodasau o'r fath. Roedd gan barau priod lawer mwy o siawns i drechu tlodi a chyni ar y cyd nag a oedd gan wragedd neu wŷr gweddw ar eu pennau eu hunain. Ac ym Mryn Gwyrfai, ym mis Chwefror 1891, y ganed plentyn cyntaf yr ail briodas, merch y rhoddwyd yr enw Catherine iddi, ond a fyddai'n cael ei galw'n Kate neu'n Cadi gan y teulu o'r cychwyn cyntaf. A hon, Cadi Cae'r Gors, a dynghedwyd i fod yn un o awduron mwyaf Cymru erioed.

Unig bwysigrwydd Bryn Gwyrfai yn hanes y plentyn a dyfodd i fod yn un o brif awduron Cymru oedd mai yno y ganed Kate Roberts, ac mai atgof am y tŷ hwn oedd ei hatgof cyntaf un. Ar ddydd Gwener, Chwefror 13, 1891, y ganed Kate Roberts. 'Does dim tystiolaeth o gwbl yn ei gwaith fod ofergoeliaeth yn rhan o'i natur, ond pe byddai'n ofergoelus, gallai fod wedi beio diwrnod ei geni am iddi gael ei phlagio gan anlwc a'i phlygu gan adfyd drwy gydol ei hoes faith. Ac roedd ei hatgof cynharaf un – fel rhyw fath o ddrwg-argoel arall – yn ymwneud â salwch un o'i brodyr. Yn ôl *Y Lôn Wen*, y 'Darn o Hunangofiant' a gyhoeddwyd ganddi ym 1960, cof cyntaf Kate oedd y cof hwnnw am y meddyg yn dod i Fryn Gwyrfai oherwydd bod ei brawd yn wael: 'Mae golwg bryderus iawn ar mam fel yr â'r meddyg i'r siamber lle mae fy mrawd, iau na mi, yn sâl iawn'.[1] Mae'n bur sicr mai Richard, ail blentyn Owen a Catrin Roberts, oedd y brawd hwn, ac nad oedd Evan eto wedi ei eni. Ganed Richard Cadwaladr – Dic i'r teulu – ar Fehefin 15, 1893, a chafodd ei enwi ar ôl ei daid ar ochr ei fam.

Symudiad digon cyffredin yn ardal y chwareli oedd mudo o dŷ moel – tŷ heb dir ynghlwm wrtho, fel Bryn Gwyrfai – i dyddyn. Roedd newid tai hefyd yn beth cyffredin. Wrth i deuluoedd a breswyliai mewn tai moel luosogi, chwilient am dyddynnod. Symudai rhieni oedrannus o dyddynnod i dai moel ar ôl i'w plant hedfan y nyth, ac ildio'u lle i deuluoedd ifainc. Dyna a wnaeth rhieni Kate ym 1922, symud o Gae'r Gors i dŷ moel o'r enw Maes-teg yn Rhosgadfan. Roedd Kate yn cofio'r mudo hwn o Fryn Gwyrfai i Gae'r Gors yn fyw iawn:

> Yr wyf yn bedair a hanner oed ac yr ydym yn mudo o Fryn Gwyrfai i Gae'r Gors ar draws y caeau. Y mae Mary Williams, sy'n dyfod i helpu mam weithiau, yn cario Evan, y babi, yn y siôl, yn ei llaw mae Richard, fy mrawd arall, tair oed, ac yr wyf innau'n cerdded wrth eu hochr yn cario sosban. Dyna fy help i yn y mudo. Mae dynion yn myned o'n blaenau yn cario'r dodrefn. Yn union o'm blaen mae dau ddyn yn cario gwaelod y cwpwrdd gwydr. Mae'r cwpwrdd yn neidio i fyny ac i lawr yn berffaith gyson. Nid wyf yn cofio cyrraedd Cae'r Gors na mynd i'm gwely am y tro cyntaf yn ein tŷ newydd. O dywyllwch i dywyllwch.[2]

Pentref a grewyd gan y diwydiant llechi oedd Rhosgadfan. Y chwareli a fu'n gyfrifol am y mewnfudo mawr i'r ardal. O blwyfi a phentrefi cyfagos y daeth y rhan fwyaf o'r mewnfudwyr hyn, o Lanwnda a Llandwrog yn bennaf, eraill o ardaloedd pellach, fel Llŷn, Môn ac Eifionydd, a Llŷn yn enwedig. Gwyddai Kate mai pobl o Lŷn yn wreiddiol oedd llawer o drigolion Rhosgadfan. O Lŷn y daeth teulu Betsan Gruffydd, nain Ifan a Geini yn *Traed mewn Cyffion*, nofel hir gyntaf Kate, i ardal y chwareli, a merch o Lŷn oedd Jane Gruffydd, gwraig Ifan, hefyd. O ddiwedd y ddeunawfed ganrif ymlaen y cychwynnodd y mewnfudo hwn i'r ardal, ac erbyn 1860 roedd y rhan fwyaf helaeth o dyddynnod Rhosgadfan wedi eu codi.

Pentref cymharol ifanc oedd Rhosgadfan pan aned Catherine Roberts. Codwyd y tŷ cynharaf yno – Gors Goch Isaf – ym 1790, ac yna, ym 1797, codwyd tŷ arall, o'r enw Rhosgadfan, yn yr ardal, ac mae'n bosibl mai ar ôl y tŷ hwn yr enwyd y pentref. Pentref a godwyd ar dir comin yw Rhosgadfan, a'r tir hwnnw yn dir corsiog, gwael yn aml, fel yr awgrymir gan enwau rhai o dyddynnod y lle, fel Gors Goch Isaf, Glan-gors a Chae'r Gors. Codwyd Cae'r Gors ei hun tua 1833. Erbyn diwedd y bedwaredd ganrif ar bymtheg roedd y pentref ar ei draed, yn gyfan.

Fel y dywedodd Kate ei hun yn *Y Lôn Wen*, 'ymestyniad o bentref Rhostryfan' yw Rhosgadfan.[3] O ran lleoliad, nododd fod pentref Rhosgadfan 'ryw bedair milltir i'r de-ddwyrain o dref Caernarfon', a bod Rhostryfan 'filltir yn nes i'r dref'.[4] Dyma ddisgrifiad Kate o'i hardal yn *Y Lôn Wen*:

Ar lechwedd bryniau Moeltryfan a Moel Smatho y gorwedd yr ardal, a thu hwnt i'r ddau fryn yma y mae Mynyddmawr (ynganer fel un gair a'r acen ar y sillaf olaf ond un), yr eliffant hwnnw o fynydd sydd a'i drwnc yn y Rhyd-ddu. Tu hwnt i hynny mae'r Wyddfa. Ar y chwith, rhyw bymtheng milltir i ffwrdd, ymestyn yr Eifl i'r môr. Ar y dde, rhed y gwastadedd i gyfeiriad Bangor ac ymdoddi'n un â Sir Fôn, i'r llygad beth bynnag. O'n blaenau mae Môr Iwerydd, Afon Menai a Sir Fôn, ac yn nes atom na hynny, Traeth y Foryd, Dinas Dinlle a thref Gaernarfon, a phant o dir rhyngom a hwy. Ar ddyddiau clir gellir gweled bryniau Iwerddon.[5]

Peth naturiol oedd i Owen a Catrin Roberts symud o dŷ moel i ddyddyn. Ar ddyddyn y magwyd y ddau, Owen ym Mrynffynnon, tyddyn bychan yn ymyl chwarel Cors y Bryniau, a Catrin ym Mhantycelyn, tyddyn ar gwr Rhostryfan ac mewn rhan o'r ardal a elwid yn 'Caeau Cochion'. Tyddyn nodweddiadol o ddyddynnod ardal y chwareli oedd Cae'r Gors, gyda'i chwe acer o dir. Hanner ffermwyr o ryw fath oedd y tyddynwyr-chwarelwyr, neu ffermwyr oriau sbâr, gyda'r gwragedd yn aml yn dwyn pen trymaf y baich. Y chwarel oedd eu prif gynhaliaeth, ond gallai'r fasnach lechi fod yn hynod o anwadal, gan greu'r hyn a elwid yn 'fyd gwan', sef dirwasgiad economaidd yn y fasnach.

Ni wyddai Kate lawer iawn am deulu ei thad. 'Nid oeddent hwy yn hanfod o'r cyffiniau, er na ddaethent o bell,' meddai.[6] Ni chlywodd ei thad yn sôn am ei hynafiaid erioed, er y byddai'n mynd i Lŷn weithiau i gladdu rhai aelodau o'i deulu. 'Symudodd fy hen daid a'm hen nain o du fy nhad o ochr Garn Fadryn, yn Llŷn, i Lanllyfni i gychwyn, ac oddi yno ymhen tipyn, ni wn faint, i ochr Moeltryfan,' yn ôl Kate.[7] Nid yw Kate yn olrhain hanes ei theulu ar ochr ei thad yn fanwl yn Y Lôn Wen, ond enw'r hen-daid hwn oedd Robert Owen (c. 1876), ac enw'i hen-nain cyn priodi oedd Elin neu Eleanor Hughes (1794–1885). Priodwyd y ddau yn Eglwys Llaniestyn yn Llŷn ar Dachwedd 23, 1816. Un o feibion Robert ac Elin Owen oedd Owen Roberts (1827–1904), ac ar Fai 29, 1849, yn Eglwys Llanwnda, priododd Catherine Owens (1829–1917). 'Un o'r Waun-fawr oedd fy nain, mam fy nhad, ond fe'i clywais hi yn dweud unwaith mai o Sir Fôn y daethant i'r Waun-fawr,' meddai Kate am Catherine Roberts. Mab Owen a Catherine Roberts oedd Owen, tad Kate. Symudodd Owen a Catherine Roberts i ddyddyn bychan o'r enw Brynffynnon yn ymyl chwarel y Cilgwyn, ac yno y ganed tad Kate ym 1851. Roedd chwaer o'r enw Mary (1830–1927; Jones ar ôl priodi), neu 'Malan Pen Lôn', fel y câi ei galw, gan Owen Roberts, ac roedd Kate yn ei chofio: 'Aeth rhai o deulu fy nhaid a'm nain i fyw i ochrau Llanrug, a chofiaf chwaer i'm taid o Lanrug yn dyfod i'w gladdu, hen wraig dlos iawn, a chanddi wallt gwyn fel gwlân y ddafad, llygaid fel dwy eirinen a bochau cochion glân'.[8] Bu i'r hen wraig hon fyw nes ei bod yn 97 mlwydd oed, meddai Kate, yn hollol gywir.

Enw taid Kate ar ochr ei mam oedd Richard Cadwaladr, mab Cadwaladr Ffowc, crydd yn ôl ei alwedigaeth, ond crydd tlawd iawn yn ôl ei orwyres. Symud i'r ardal o dŷ o'r enw Ty'n Drain neu Dyddyn Drain yn Llanaelhaearn, wrth odre'r Eifl, a wnaeth y teulu. Yr oedd Cadwaladr Ffowc yn byw ym Mhengroeslon yn Rhostryfan gyda'i wraig Anne, hen-nain Kate, a'u mab Richard Cadwaladr yn ôl Cyfrifiad 1841. Roedd Richard Cadwaladr yn ddeunaw oed ar y pryd. Ymhen chwe blynedd roedd wedi priodi merch o'r enw Catrin Robinson, yn Eglwys Llanwnda. Chwarelwr yn chwarel Llanberis oedd Richard Cadwaladr cyn priodi, a Catrin Robinson yn llaethwraig yn Sir Fôn. Aeth y ddau i fyw i Bantycelyn a magu tyaid o blant yno, 13 i gyd, er i un plentyn, Henry, farw yn ifanc iawn. Un o blant Pantycelyn oedd Catrin neu Catherine Cadwaladr, a aned ar Dachwedd 14, 1854, er mai ym Mhant Coch, Rhostryfan, lle'r oedd chwaer i'w mam yn byw, y cafodd ei geni. Hi oedd mam Kate.

Mewn tyddyn o'r enw Cefn Eithin, nid nepell o'r Groeslon a Llanwnda, y cafodd Catrin Robinson, nain Kate, ei geni, a hynny ar ddydd Gŵyl Ifan, 1823. Merch Hugh ac Ellen Robinson, Cefn Eithin, oedd Catrin, a Hugh Robinson yntau yn ŵyr i William Robinson, Plas Mawr, Y Groeslon, a gafodd ei eni ym 1729. Fel hen wraig y cofiai Kate amdani hyd yn oed pan oedd yn blentyn. Roedd ar fin cyrraedd oed yr addewid pan gafodd Kate ei geni, a bu farw yn 89 oed ym 1912, a Kate, erbyn hynny, ar ddechrau ei hail flwyddyn yng Ngholeg y Brifysgol ym Mangor. Roedd ei thaid, Richard Cadwaladr, wedi marw ym 1895, yn fuan iawn ar ôl i'w ferch a'i fab-yng-nghyfraith symud i Gae'r Gors, a dim ond cof plentyn ohono a oedd gan ei wyres. Ond roedd yn cofio'i nain, Catrin Cadwaladr, yn iawn. Yr oedd yn gadarn o gorff ac yn gadarn o ran personoliaeth, ac roedd ei Chymraeg hefyd 'yn gadarn a chyhyrog'.[9] 'Yr oedd rhyw lymder yn ei hwyneb – efallai mai yn ei henaint y daeth, a byddai arnaf fi ofn y llymder hwnnw braidd,' meddai Kate amdani.[10] Nodwedd arall a berthynai i'w nain oedd y ffaith na allai oddef ffolineb, nodwedd a oedd yn eiddo i Kate yn ogystal. Fel hen wraig gynnil a darbodus y cofiai Kate amdani, cynnil ond nid llawgaead. Casâi wastraff o bob math, ac ni chaniatâi unrhyw foeth neu gysur iddi hi ei hun, ond roedd yn hynod o garedig wrth eraill, ac yn ystyriol o dosturiol. Rhoddodd sofren felen i Kate pan oedd ar fin cychwyn yn y Coleg ym Mangor, pensiwn pedair wythnos iddi ar y pryd, a chafodd yr wyres sawl coron neu hanner coron ganddi wedyn. Bu'n garedig wrth eraill hefyd, y tu allan i'r teulu:

> Pan oedd ei mab, f'ewythr Harri, yn y coleg yn y Bala, deuai â myfyriwr arall adref gydag ef i aros dros y gwyliau, rhywun heb dad neu fam, neu heb gartref, a hynny fwy nag unwaith. Pan ddaeth myfyriwr hollol amddifad yno un tro, fy nain a aeth i'r dref i brynu ei grysau iddo. Diamau gennyf ei bod fel llawer o bobl yr oes honno yn gymdogol yn ei dyddiau cynnar. Cofiaf un stori a glywais gan fy mam, stori a lynodd yn fy nghof oherwydd ei thristwch. Yr oedd cymdoges i'm nain yn wael dan y diciâu ers tro. Wedi i'r dynion fyned i'r chwarel yn y bore, rhedodd fy nain yno i edrych sut yr oedd pethau arni, a'i chanfod wedi marw ar lawr y siamber a phlentyn bach pedair oed yn crio yn y gwely. Amlwg fod y wraig wedi teimlo'n sâl ar ôl i'w gŵr fyned at ei waith, a'i bod wedi codi, a bod gwaed wedi torri yn ei brest.[11]

Ac yng Nghae'r Gors y magwyd Kate. Aeth yno ym 1895 gyda'i rhieni, ei dau frawd, Dic ac Evan, a'i dau hanner brawd, Owen a John Evan. Roedd ei dwy hanner chwaer, Mary a Jane, yn oedolion pan aeth Kate o Fryn Gwyrfai i Gae'r Gors, ac nid oedd yn arbennig o agos at y naill na'r llall, oherwydd y gwahaniaeth oedran rhyngddynt. Roedd un brawd arall i ddod. Ar Ebrill 13, 1898, ganed bachgen arall i Owen a Catrin Roberts, David Owen Roberts. Roedd Owen Owen, yn 13 oed, eisoes yn gweithio yn y chwarel y flwyddyn y cafodd Kate ei geni, ac i'r chwarel yr aeth John Evan hefyd i ddechrau, cyn symud i Lerpwl i weithio yn y diwydiant cotwm. Wedi i'r ddau adael Cae'r Gors, gadawyd Owen a Catrin Roberts gyda'u plant eu hunain yn unig i'w magu ar yr aelwyd, Kate a'i thri brawd o waed crwn cyfan, Richard, Evan a David, neu Dei fel y câi ei alw gan bawb. Hwn oedd gwir deulu Kate, ac roedd y teulu bellach yn gyflawn. Yng Nghae'r Gors yn unig y bu'r teulu'n grwn. Yno yr oedd byd cyfan Kate, canolbwynt ei holl gread, ac roedd y syniad hwn o fyd cyfan, cyflawn i fod yn bwysig iawn iddi yn y dyfodol.

Bywyd caled oedd bywyd y tyddynwyr a'u gwragedd. Daeth Kate i sylweddoli yn raddol fod ei rhieni wedi gweithio'n ddiarbed o galed drwy eu bywydau, ond i blentyn, lle delfrydol oedd Cae'r Gors:

> Yr oedd byw ar dyddyn yn fagwraeth dda i blentyn, nid yn unig i'w gorff ond i'w gymeriad. Câi ddigon o le i chwarae, deuai i gysylltiad ag anifeiliaid, ac yr oedd digon o waith yn ei aros bob amser, bwydo'r ieir a glanhau eu cytiau, carthu'r beudy, tynnu grug ar y mynydd i wneud sylfaen i'r das adeg cynhaeaf, hel cerrig yn y gwanwyn ... a chario gwair ar y pen adeg cynhaeaf gwair ... Yr oedd digon o amser i chwarae wedyn,

ac i ddarllen ac i ddysgu adnodau a phenillion, ac i baratoi ar gyfer yr arholiad sirol a'r cyfarfod llenyddol.[12]

Y capel oedd canolbwynt y gymdeithas. Mynychai Kate yr Ysgol Sul a'r cyfarfodydd plant yn rheolaidd, ac âi i seiat yn ystod yr wythnos ac i oedfa ar y Sul. Bob Nadolig cynhelid cylchwyl lenyddol yno. Cynhelid y cyfarfodydd llenyddol hyn ar brynhawn a nos Nadolig a'r noson flaenorol, ac ymunai Rhosgadfan a Rhostryfan yn y gylchwyl, lle ceid cystadlaethau o bob math. 'Dau beth yr edrychid ymlaen atynt ym mhrif gyfarfod y gylchwyl nos Nadolig fyddai'r araith bum munud ac anerchiadau'r beirdd,' meddai.[13] Soniodd am y gylchwyl lenyddol yn *Traed mewn Cyffion* ac yn *Tegwch y Bore*.

Er i Kate ddweud iddi gael magwraeth dda yng Nghae'r Gors a Rhosgadfan, bywyd caled ydoedd mewn gwirionedd, mewn lle agored, gerwin:

> Yr oedd yn waith caled i'r tyddynnwr a'i wraig. Yr oedd y chwarel yn bell gan amlaf: cerddodd fy nhad chwe milltir bob dydd am saith mlynedd a deugain i chwarel y Cilgwyn. Anodd wedyn oedd gwneud dim wedi cyrraedd gartref, ond swpera'r gwartheg.[14]

Y caledi hwn a asiai'r gymdeithas ynghyd. Roedd yr ymdrech i gadw tlodi draw yn creu cymdogaeth glòs, gydweithiol, gyd-ddibynnol ac annibynnol, wrth i gymydog bwyso ar gymydog, ac wrth i aelodau'r teulu rannu'r gwaith a rhannu'r baich. Er gwaethaf y tristwch fe geid difyrrwch a diddanwch:

> Wrth edrych yn ôl ar fywyd y tyddyn, fe'm llenwir weithiau â thristwch wrth gofio am y caledi, y prinder a'r llafur a gafodd chwarelwyr y chwareli bach. Dro arall cofiaf am y cloddiau pridd yn llawn grug a llus ac eithin, cofiaf am y menyn a'r bara da, yr aelwyd ddiddos a'r sgwrsio gyda'r nos pan droai cymydog i mewn, y storïau digrif a'r troeon trwstan yr adroddid amdanynt, aroglau gwair newydd ei ladd, siffrwd gwair sych wrth ei droi, ie, ac aroglau tomen dail, a daw â hapusrwydd imi. Ond yn bennaf dim, cofiaf am y teulu hapus, cyn ei chwalu, y llinynnau tyn a'n cadwai wrth ei gilydd er gwaethaf pob helyntion, ac er edrych arno o bell heddiw, o bellter ffordd ac o bellter amser, yno yr wyf o hyd a'm gwreiddiau yn ddwfn iawn yn ei ddaear.[15]

Roedd y sgwrsio gyda'r nos hwn yn rhan hanfodol o ddiwylliant Rhosgadfan a Rhostryfan. Crewyd tri llenor gan y traddodiad hwn o storïa, Glasynys, Richard Hughes Williams a Kate ei hun. Dyma'r union draddodiad a ddarluniwyd yn 'Marwolaeth Stori' yn *Te yn y Grug*. Glasynys oedd Owen Wynne Jones, a aned yn Rhostryfan ym 1828. Lluniodd nofel, *Dafydd Llwyd neu Ddyddiau Cromwel* (1854), ond fe'i cofir yn bennaf am ei gyfraniad i'r llyfr *Cymru Fu*. Hynafiaethydd a chasglwr llên gwerin oedd Glasynys; casglai chwedlau llafar gwlad a hen straeon gwerin, ac wedyn eu hailysgrifennu. Ganed Richard Hughes Williams, neu Dic Tryfan, yn Rhosgadfan tua 1878, a chyhoeddodd ddau gasgliad o storïau byrion, *Straeon y Chwarel* (dim dyddiad) a *Tair Stori Fer* ym 1916. Roedd Kate yn ymwybodol iawn o'i chefndir diwylliannol a'i hetifeddiaeth lenyddol. Cyhoeddwyd ysgrif o'i gwaith ar Owen Wynne Jones, 'Glasynys', yn *The Arvonian*, cylchgrawn Ysgol Sir Caernarfon, ym 1909, a gwyddai hefyd fod Cadwaladr Ffowc, ei hen-daid, wedi'i gladdu yn ymyl bedd Glasynys ym mynwent Llandwrog. Bu hefyd yn trafod gwaith Richard Hughes Williams yma a thraw trwy gydol ei bywyd.

Er i Kate fynnu mai magwraeth dda i blentyn oedd magwraeth ar dyddyn, roedd marwolaeth yn rhan o'i magwraeth. Roedd traean o garreg fedd a dducpwyd o fynwent Llanwnda yn garreg aelwyd yng Nghae'r Gors, a'r ddwy ran arall wedi eu gosod y tu cefn i resel y gwartheg yn y beudy. Carreg er cof am Lewis Jones, Llanwnda, a fu farw ar Orffennaf 2, 1836, yn 29 oed, oedd y garreg, ac ar un o'r rhannau a geid y tu cefn i'r rhesel naddwyd yr englyn anghywir hwn:

> Gorff a'r galon oeraidd gu – y mae'r gwên
> A'r gwyneb yn llygru.
> I mae breichiau wedi brychu,
> Tan garchar y ddaear ddu.

Priododd Anne Jones, gweddw Lewis Jones, ei hail ŵr, Owen Jones, ym 1841, ac aeth y ddau i Gae'r Gors i fyw. Claddwyd Anne Jones gyda'i gŵr cyntaf, Lewis, wedi iddi farw ym 1889, a chodwyd carreg fedd newydd i'r ddau. Cludwyd yr hen garreg fedd i Gae'r Gors, ac yno yr oedd o hyd pan aeth Owen a Catrin Roberts i'r tyddyn ym 1891. 'Byddwn yn eistedd am oriau ar ymyl y rhesel i ddarllen hyn, dyma fy nghysylltiad cyntaf â barddoniaeth reit siŵr,' meddai Kate, a dyna'i chysylltiad cyntaf â marwolaeth hefyd, o bosibl.[16] Marwolaeth oedd yr un peth na ellid dianc rhagddo yn ardal y chwareli. Bregus oedd bywyd, a pheryglus oedd y chwareli. Roedd y tyddynnod yn llaith ac yn afiach yn aml, ac roedd y ddarfodedigaeth yn rhemp drwy'r ardaloedd hyn, yn ogystal ag afiechydon eraill o bob math. Bu Kate yn dioddef oddi wrth grydcymalau drwy'i hoes bron, a bu un o'i brodyr yn dioddef o'r diciâu. Digwyddai damweiniau yn fynych yn y chwarel, llawer ohonynt yn rhai angheuol. Ac roedd yr ofn y gallai damwain neu anffawd ddigwydd unrhyw awr, unrhyw ddydd, yn crogi uwchben y chwarelwyr a'u teuluoedd. Bu bron i dad Kate golli ei fywyd:

> Un tro, cyn fy ngeni i, aeth i wneud rhywbeth uwchben y twll yn yr awr ginio,

llithrodd y trosol o'i law a syrthiodd yntau i lawr i'r twll. Ond bu'n ddigon hunanfeddiannol i geisio gafael mewn darn o graig, ac fe lwyddodd. Cryn orchest oedd gallu dal ei afael felly â'i ddwylo, hyd oni ddeuai rhywun i'w waredu. Ond fe wnaeth, er y tystiai ei fysedd beth a gostiodd yr ymdrech iddo. Modd bynnag, nid ei fysedd a ddioddefodd eithr ei gefn. Diamau iddo ei daro wrth ddisgyn. Y pryd hwnnw eid â chwarelwyr a g[â]i ddamwain adref mewn bocs tebyg i arch ond heb gaead arno. Dyma gychwyn fy nhad adref, nifer o ddynion a'r bocs. Gwrthododd yntau'n bendant fynd i'r bocs, ond daliodd y dynion i gerdded gydag ef a chario'r bocs. Yr oeddynt yn ddigon call i wybod y gallai fod wedi brifo'i ben hefyd. Ymlaen y cerddai fy nhad, ac ni roes i mewn hyd onid oedd o fewn ychydig ffordd i'w gartref, ac yntau wedi diffygio'n llwyr erbyn hynny. Bu gartref am un mis ar ddeg wedi'r ddamwain hon, a bu ei heffaith ar ei gefn am byth.[17]

Os bu Owen Roberts yn lwcus, nid felly Moses Evans, gŵr Mary, merch hynaf Owen Roberts a hanner chwaer Kate. Bu farw mewn damwain yn y chwarel dridiau cyn Nadolig 1912, yn 39 oed.

Gŵr tawel ond gweithiwr caled oedd tad Kate. Yr oedd hefyd yn weithiwr cydwybodol, gofalus. 'Pan wnâi fy nhad ryw swydd o gwmpas y tŷ neu'r caeau, fe'i gwnâi ar gyfer y ganrif nesaf, gan mor solet y byddai,' meddai Kate.[18] Roedd yn ŵr cryf a gwydn, a chymerai ddiddordeb mawr ym mhroblemau'r diwydiant llechi, fel ei fab, Richard Cadwaladr, ar ei ôl. Roedd yn ŵr darllengar, er nad llengar. 'Darllenai bob ysgrif yn y papurau Cymraeg a ddôi i'r tŷ, rhyw dri phapur bob wythnos,' yn ôl ei ferch.[19] Roedd Owen Roberts yn barod bob amser i estyn help llaw i gymydog, ac arhosai ar ei draed i weini ar gleifion yr ardal. Os etifeddodd Kate rai o nodweddion ei thad, ei wydnwch corfforol a'i gydwybodolrwydd uwch ei waith, yn ogystal â'i barodrwydd i estyn cymorth i eraill, oedd y tair nodwedd amlycaf o'i eiddo i'w ferch eu hetifeddu.

'Nid yw cyn hawsed dweud hanes fy mam, yr oedd yn gymeriad cymhleth ac anghyson,' meddai Kate.[20] Roedd yn agosáu at ei deugain oed pan gofiai Kate hi gyntaf. Gweithiodd hithau hefyd yn galed drwy'i holl fywyd, ond yn wahanol i'w gŵr, ni fyddai byth yn gorffwys. Dynes arw, werinol oedd Catrin Roberts:

> Yr oedd fy mam yn ddynes blaen iawn ei thafod, os cynhyrfid hi gan rywbeth. Pan fyddai wedi cynhyrfu dywedai'r gwir plaen, ac nid mewn gwaed oer. Siaradwn am ddoethineb, neu y gallu i ddal ein tafod, yn aml fel rhinwedd mawr. Nid rhinwedd ydyw bob amser. Dibynna ar ein synnwyr o'r hyn sy'n gyfiawn, ac mae'r bobl a chanddynt synnwyr o gyfiawnder yn gweld anghyfiawnder yn sydyn ac yn dweud y gwir, costied a gostio. Ystyr dal y tafod yn bur aml ydyw methu gweld anghyfiawnder,

ac ystyrir pobl fel hyn yn ddoeth. Fy mhrofiad i o fywyd ydyw fod pobl ddoeth yn aml iawn yn fradwrus.[21]

'Dweud y plaendra' y galwai Catrin Roberts ei ffordd ddiflewyn-ar-dafod o ddweud y gwir noeth, fel y gwelai hi ef. Gallai fod yn bigog ei hymadrodd yn aml, ond roedd ganddi hefyd gyfoeth o eirfa a thoreth o ymadroddion bachog a chofiadwy, yn ogystal â thafod ffraeth. Fel gwraig werinol, blaen ei thafod a gwreiddiol ei hymadrodd y cofiai'r llenor a'r newyddiadurwr Gwilym R. Jones amdani. Fe'i gwelai pan fyddai'n hel newyddion ar gyfer *Yr Herald Cymraeg* o gwmpas Rhosgadfan yn y 1920au. Roedd Gwilym R. Jones a Catrin Roberts yn trafod prinder newyddion printiadwy ar gyfer *Yr Herald* yn yr ardal:

"Wrth gwrs, y mae newyddion na fentrwch chi mo'u printio nhw tua Chaernarfon 'na."

"Fel beth?" holais innau yn fy jargon newyddiadurol.

"O mae yma ambell ferch wedi bod yn y llwyn cyn bod yn y llan, fel y byddan nhw'n deud," ebe hi, "ond (a dyma'i sylw gwreiddiol hi) pe bai yna grocbren wrth bost y gwely fe fyddai hyn yn mynd ymlaen, 'y ngwas i!"[22]

Cymeriad cryf oedd mam Kate, cryf o ran personoliaeth a chryf o ran cyfansoddiad, fel Owen Roberts. Hi a reolai'r aelwyd, a phresenoldeb gwan iawn yw Owen Roberts yn *Y Lôn Wen* mewn gwirionedd. Y fam a roddodd i Kate ei chryfder cymeriad, a dylanwad y fam sy'n peri mai mamau a merched a gwragedd yw'r cymeriadau cryfaf yn ei gwaith llenyddol. Gan ei mam y cafodd Kate ei thafod plaen hithau, ei geirwiredd a'i hiaith gyhyrog, idiomatig, gref. Etifeddodd dri pheth arall gan ei mam yn ogystal. 'Nodwedd arall a berthynai i'm mam oedd tosturio wrth y dyn ar lawr, neu rywun anffodus,' meddai.[23] Roedd y ferch hefyd yn meddu ar y gallu i dosturio wrth eraill. Etifeddodd yn ogystal onestrwydd ei mam:

Ni buasai'n ceisio gwneud neb o ddimai. Gwell fyddai ganddi golli arian. Dychrynai gan ofn methu talu ei dyledion. Methai gwragedd chwarelwyr glirio eu dyledion yn y siopau yn aml, oherwydd y cyflog bychan a'r talu bob mis. Poenai hyn lawer ar fy mam, ond gofalai na wariai'r hyn a g[â]i am foethau, neu grwydro, ond mynd a thalu fel y medrai i bawb o'r hyn a oedd ganddi. Wedi i'w phlant ddyfod i ennill, llwyddodd i dalu i bawb, a'r unig beth a'i poenai y diwrnod y llwyddodd i wneud hynny, oedd nad oedd ei mam hi ei hun yn fyw iddi gael dweud wrthi. Un o'i dywediadau wedi iddi orchfygu oedd, 'Mi fedra i gerdded drwy'r ardal yma a dimai ar ben fy mys.' Cymeraf mai ystyr hynny oedd nad oedd arni'r ddimai i neb.[24]

Bu Kate yn gweithredu'r egwyddor hon, yr egwyddor o dalu'r ffordd, trwy ei bywyd, ac fe ddôi adegau yn ei bywyd pryd y câi'r egwyddor ei phrofi i'r eithaf.

Roedd Catrin Roberts hefyd yn wraig ddiwylliedig iawn:

Un o'r beirdd y clywais i sôn amdano gyntaf yn fy hen gartref oedd Eben Fardd, a hynny trwy ddamwain. Yr oedd fy rhieni wedi prynu ei weithiau, a gasglwyd gan Hywel Tudur, a'r pryd hynny os byddid yn talu chweugain am lyfr, yr oedd yn rhaid i chi gael gwerth eich pres allan ohono. Yr oedd mam wedi dysgu llawer ohono ar ei chof, a byddem ninnau'n clywed y darnau hynny yn bur amal.[25]

Etifeddodd Kate werthoedd ei rhieni a gwerthoedd ei chymuned, a bu'n byw ac yn gweithredu yn ôl y gwerthoedd hynny drwy ei holl fywyd.

Roedd yr ymdrech yn erbyn tlodi ac angen yn ymdrech ar y cyd ar ran y teulu, ac fe atgyfnerthid ymdrech y teulu gan yr ardal yn gyffredinol. Roedd y cydymdrechu hwn yn creu closrwydd teuluol ac agosrwydd cymdogol ar yr un pryd. Ar adeg cynhaeaf, rhôi'r chwarelwyr y gorau i'w gwaith am brynhawn cyfan, a cholli cyflog yn y fargen, er mwyn mynd i helpu cymydog i gario gwair. Atgof am adeg cynhaeaf yw un o atgofion mwyaf hoffus Kate yn *Y Lôn Wen*:

Mae hi'n fore poeth ym mis Gorffennaf, diwrnod cario gwair. Bydd nhad a ffrindiau o'r chwarel yn dyfod adre' tua hanner dydd, ac mae tipyn o gymdogion wedi dŵad yn barod ac wedi dechrau troi'r gwair. Yr wyf yn clywed sŵn y cribiniau yn mynd yr un amser â'i gilydd i gyd a'r gwair yn gwneud sŵn fel papur sidan. Cyn mynd allan i'r cae yr wyf yn mynd i'r tŷ llaeth unwaith eto i gael sbec ar y danteithion. Mae rhesiad hir o ddysglau cochion ar y bwrdd yn llawn o bwdin reis a digonedd o wyau ynddo, ac wyneb y pwdin yn felyn ac yn llyfn fel brest y caneri sydd yn ei gats wrth ben y bwrdd. Mae ei oglau a'i olwg yn tynnu dŵr o'm dannedd. Yr wyf yn meddwl tybed a fydd digon i bawb. Nid ydym i fod i ofyn am ragor o flaen pobl ddiarth.[26]

Cofio am gynaeafau'i phlentyndod a'i hieuenctid a'i sbardunodd i ysgrifennu *Y Lôn Wen*. Yn rhifyn Mehefin 18, 1947, o'r *Faner*, mae hi'n dwyn i gof adeg y cynhaeaf yng Nghae'r Gors a thyddynnod cyfagos, ond nid dymunol mo'r atgof i gyd. Meddai, gan feirniadu'r gyfundrefn addysg ar yr un pryd:

Ddechrau'r wythnos diwethaf yr oeddynt yn lladd gwair yn y cae ger y tŷ â thractor a bydd aroglau lladd gwair yn dwyn fy ieuenctid yn ôl imi yn gynt na dim, ond nid gyda hyfrydwch. I rai mae cae gwair dan ei wneifiau yn farddoniaeth ac yn dwyn atgofion hyfryd iddynt. Eithr byddaf fi yn cysylltu cynhaeaf gwair ag arholiadau, a rhegen yr ŷd hefyd, a chofio am y dyddiau pan fyddai'n rhaid imi fod â'm trwyn ar y maen, ac yn methu gweld ei bod yn deg imi orfod astudio areithiau rhyw Rufeiniwr a ymfflamychai yn erbyn ei gyd-seneddwr, a phobl eraill yn rhodianna'n braf hyd y llwybrau. A phan oeddwn blentyn ddigon mawr i sylweddoli pethau, amser o boen oedd cynhaeaf gwair.[27]

Roedd adeg y cynhaeaf yn amser difyr i blant, ond gallai fod yn adeg o bryder i'r chwarelwyr-dyddynwyr, fel y gwyddai Kate o brofiad:

> Hyd y cofiaf ym mis Mai y caem y tywydd brafiaf, a thywydd gwlyb a gaem fis Gorffennaf, yn aml iawn, neu dywydd ansicr[,] yr hyn oedd waeth i ddyddynnwr a chwarelwr. Byddai ef â'i lygaid ar yr awyr drwy gydol y bore, a gadawai'r chwarel a cherdded y tair milltir adref i gario'i wair. Fe dduai'r awyr a deuai i fwrw a dyna ddiwedd ar gario gwair y diwrnod hwnnw a cholli cyflog hanner diwrnod. Yr oedd "Duw yn gynnil iawn o'i bethau da" y pryd hwnnw. Mae'n wir bod hyfrydwch i blentyn gael neidio ar ben y das a c[h]ael te cynhaeaf gwair a phwdin reis a chwarae ymguddio tu ôl i fydylau. Hyfrydwch wedi tyfu'n hŷn, oedd clywed s[ŵ]n ellyllaidd mesuredig y bladur a gweled symudiadau rheolaidd y pladurwyr, clywed sŵn sidanaidd y gwair sych wrth ei droi, yr hwyl a'r chwerthin a'r pryfocio.[28]

Hel atgofion am yr hen gynaeafau fel hyn, gan weld y difyrrwch a'r diflastod, a'i sbardunodd i 'feddwl y dylwn ddechrau sgrifennu fy atgofion'.[29]

Y brawd yr oedd Kate agosaf ato oedd Dei, ei brawd ieuengaf. Teuluoedd lluosog oedd teuluoedd ardaloedd y chwareli ym mlynyddoedd plentyndod Kate, a châi'r plant hynaf y dasg o ofalu am y plant lleiaf, fel y gallai'r fam fwrw ymlaen â'i gwaith. Kate a gafodd y gwaith o ofalu am ei brawd ieuengaf Dei, a magodd lawer arno, gan greu cwlwm annatod-dynn rhyngddi ac ef. Y cof am yr agosatrwydd hwn rhyngddi a'i brawd oedd un o'i hatgofion anwylaf a mwyaf gwerthfawr:

> Yr wyf yn saith a hanner oed, yn eistedd yn y lôn wrth ymyl y llidiart. Mae carreg fawr wastad yno, a dyna lle'r eisteddaf yn magu fy mrawd ieuengaf, Dafydd, mewn siôl. Yr wyf yn eistedd gymaint yno fel fy mod wedi gwneud twll hwylus i'm traed. Mae'n ddiwrnod braf. O'm blaen mae Sir Fôn ac Afon Menai, Môr Iwerydd yn ymestyn i'r gorwel, Castell Caernarfon yn ymestyn ei drwyn i'r afon a'r dref yn gorff bychan o'r tu ôl iddo. Mae llongau hwyliau gwynion, bychain yn myned trwy'r Bar, a thywod Niwbwrch a'r Foryd yn disgleirio fel croen ebol melyn yn yr haul. Nid oes neb yn mynd ar hyd y ffordd, mae'n berffaith dawel.[30]

Ailgreodd yr atgof hwn yn *Tegwch y Bore*, wrth sôn am Gymun cyntaf Bobi:

> Yr oedd y Cymun yn urddasol, a'r dyfynnu adnodau yn addas iddo. Yr oedd yn drueni gan Ann dros y rhesiad plant a eisteddai o flaen pawb. Yr oedd y derbyn hwn yn fwy

na derbyn yn gyflawn aelodau. Yr oedd yn dderbyn i gymdeithas rhai hŷn, yn droi cefn ar blentyndod ac ar ddiniweidrwydd. Daeth y garreg yn ôl, a theimlai wallt esmwyth Bobi ar ei hwyneb pan oedd yn fabi mewn siôl ar ei braich a hithau'n eistedd ar y garreg. Y gwallt fel blodyn menyn heb agor ac yn cau fel cwpan am ei ben. Y hi yn synfyfyrio ac yntau yn pwyntio bys at rywbeth bob munud – rhyw ryfeddod newydd o hyd i weiddi "W" arno.

Rhwng 1896 a 1904, bu Kate yn ddisgybl yn Ysgol y Cyngor, Rhostryfan. Yno, i raddau, y dechreuodd fagu atgasedd tuag at anghyfiawnder o bob math. Yn *Y Lôn Wen*, mae'n adrodd amdani yn cael y gansen gan y prifathro am wrthod achwyn ar un o'i chyd-ddisgyblion. Mae hi'n cael bai ar gam, ond, meddai, 'mae fy nhu mewn yn gweiddi gan gynddaredd yn erbyn anghyfiawnder'.[31]

Ym 1904, enillodd Kate ysgoloriaeth i'r Ysgol Sir yng Nghaernarfon. 'Chwech ysgoloriaeth a roddid y pryd hynny, ac nid oedd golwg y cawn gwmpeini i fynd i'r ysgol, oblegid, er bod lle yn yr ysgol drwy dalu, yr oedd £6 y flwyddyn a'r taliadau ychwanegol am lety, llyfrau ac ati yn arian mawr a chyflog chwarelwr yn fychan,' meddai yn *Atgofion*.[32] Owen, un o feibion y Ffridd Felen, sy'n ennill yr ysgoloriaeth yn *Traed mewn Cyffion*: 'Yn y flwyddyn 1899 enillodd Owen ysgoloriaeth i'r Ysgol Sir. Gan mai dim ond chwech a gâi ysgoloriaeth y pryd hynny, a chan ei fod ef yn gorfod cystadlu yn erbyn plant y dref, ac yn gorfod ysgrifennu yn Saesneg, yr oedd hyn yn gryn gamp'. Roedd yn gryn gamp i Cadi Cae'r Gors hefyd.

Canlyniad y llwyddiant hwn oedd hyrddio'r Kate ifanc o fyd cyfarwydd, diogel Cae'r Gors i fyd dieithr:

> Yr oedd yn rhaid imi letya yn y dref gan fod y tair milltir i stesion y Dinas, ddwywaith y dydd, yn ormod imi, yn enwedig yn nyddiau tywyll y gaeaf. Saeson pur oedd y rhan fwyaf o'r athrawon gydag enwau fel Standring, Garret, Keeling, Philipson, a Ffrancwr o Guernsey oedd y prifathro; a hyrddiwyd fi o gartref ac ardal lle na fedrai neb Saesneg i ganol y Seisnigrwydd hwn.[33]

Canlyniad hyn oedd magu atgasedd ynddi tuag at y gyfundrefn addysg, sef yr union gyfundrefn y byddai hi, yn y dyfodol, yn gweithio o'i mewn. Roedd y gyfundrefn honno yn Seisnig, yn Brydeinig-imperialaidd ac yn feddyliol unffurf. Pechod anfaddeuol oedd cael golwg wahanol ar bethau, a mynegi barn annibynnol, fel y cofiai Kate yn rhy dda:

> Dysgid inni ddigon o hanes Cymru yn y chweched dosbarth. Cymraes heb Gymraeg oedd yr athrawes. Un wythnos rhoes draethawd inni i'w ysgrifennu ar Edward I fel

gwladweinydd. Gwyddwn y disgwylid inni ganmol doethineb y brenin hwnnw am uno Cymru a'r Alban â Lloegr. Ond cymerais i yr olwg arall, a dweud ei bod yn amhosibl cyfuno'r Alban a Chymru efo gwlad mor annhebyg â Lloegr. Pan gefais y traethawd yn ôl, gwelais mai pedwar marc allan o ugain a gawswn amdano. Galwodd yr athrawes fi i'r llawr, rhoes dafod iawn imi am ddweud ffasiwn beth. Doedd gen i ddim hawl i'w ddweud. Torri i grio wnes i.[34]

Yn y cyfnod hwn hefyd y dechreuodd fagu diddordeb mewn gwleidyddiaeth. 'Yr oedd gennym ni blant ddiddordeb mewn gwleidyddiaeth,' meddai yn *Atgofion*.[35] Mynychai Kate a'i chyd-ddisgyblion gyfarfodydd gwleidyddol yn y dref, a chofiai fynd i wrando ar Lloyd George yn areithio yn y Pafiliwn yng Nghaernarfon, er na chofiai ddim gair o'i araith, 'gan fy mod yn poeni wrth feddwl am drannoeth a'r gosb'.[36] Efallai fod ganddi ddiddordeb mewn gwleidyddiaeth, ond ni cheid unrhyw ogwyddiadau pendant ganddi tuag at lenyddiaeth yn ystod ei chyfnod yn yr Ysgol Sir yng Nghaernarfon, ac eithrio ei hysgrif ar Glasynys yn *The Arvonian*, efallai, a drama a gyfieithodd o'r Saesneg i'r Gymraeg oddeutu ei chyfnod yn y chweched dosbarth yn yr ysgol, neu yn fuan wedi hynny, drama ddirwest wael, hen-ffasiwn o'r enw *The Bottle* (1847) gan T. P. Taylor. Ceir copi o'r cyfieithiad yn Archif Prifysgol Bangor, ond ni fynnai i neb grybwyll y cyfieithiad hwn, oherwydd bod ganddi gywilydd ohono.

Gadawodd Ysgol Sir Caernarfon ym 1910. Llwyddodd ym mis Mehefin 1910 i basio'r arholiad mynediad i Brifysgol Cymru. Llwyddodd hefyd i ennill anrhydedd yn yr arholiad Cymraeg, dosbarth hynaf, yn Ysgol Sir Caernarfon a'r wobr gyntaf o dan nawdd yr Ymddiriedolaeth Geltaidd, ac enillodd yn ogystal dystysgrifau uwch y Bwrdd Addysg Canol mewn Cymraeg, Hanes, Lladin a Saesneg. Roedd hi bellach â'i bryd ar fynd i Goleg Prifysgol Cymru ym Mangor.

2

COLEG Y BRIFYSGOL, BANGOR
1910–1913

'Mwynheais bob munud o'm dyddiau coleg. Yr oeddwn yn ifanc ac yn wirion,
a'r dyfodol heb fod yn poeni dim arnaf.'

Kate Roberts, 'Coleg Bangor – 1910',
Y Dyfodol, Awst 1969

Ym mis Hydref 1910 aeth Kate i Goleg Prifysgol Gogledd Cymru, Bangor, y coleg prifysgol agosaf at ei chartref. Coleg ar ei dwf oedd Coleg Bangor ar y pryd. Ym 1884 y sefydlwyd Coleg y Gogledd, yng ngwesty'r Penrhyn Arms ym Mangor. Yn ystod tymor cyntaf y Coleg roedd 58 o fyfyrwyr yno, a 63 erbyn yr ail dymor. Roedd addysgu merched yn rhan o bolisi'r Coleg o'r dechrau, a merched oedd tua thraean y myfyrwyr cyntaf, ond tueddent i fod yn ferched i weinidogion, rheithoriaid neu fasnachwyr, ac yn Lloegr y derbyniasai myfyrwragedd cyntaf y Coleg eu haddysg gynnar, nid yng Nghymru. Ar y llaw arall, o blith myfyrwyr y Coleg rhwng 1885 a 1890, roedd pymtheg yn feibion i chwarelwyr.

Erbyn tro'r ganrif roedd llawer o anniddigrwydd yn bod ynghylch anaddasrwydd a lleoliad adeilad gwreiddiol y Coleg, yn enwedig wrth i rif y staff a nifer y myfyrwyr gynyddu, yn ogystal â chymhlethdod cyfreithiol ynglŷn â'r les. Roedd angen adeilad newydd, adeilad ehangach, mwy cynhwysfawr. Bu'r trafodaethau a'r paratoadau ar gyfer codi adeilad newydd ar safle newydd, Penrallt a rhan o Barc yr Esgob, ar y gweill o droad yr ugeinfed ganrif ymlaen. Ym 1909, y flwyddyn cyn i Kate fynd i Fangor, 350 oedd rhif y myfyrwyr, er i'r nifer ostwng i 317 erbyn 1913, blwyddyn ei hymadawiad â'r Coleg.

Pan aeth Kate i Fangor, roedd y gwaith o godi'r adeilad newydd yn prysuro tua'i derfyn, ond mynychu darlithoedd yn yr hen goleg a wnâi yn ystod ei misoedd cyntaf yno. 'Ychydig a gofiaf am yr hen goleg, ond ein bod mor dynn yno â matsus mewn blwch,' meddai ymhen blynyddoedd.[1] Cofiai hefyd am 'yr orymdaith i'r Coleg newydd trwy strydoedd Bangor yn dda iawn'.[2] Agorwyd yr adeilad newydd yn swyddogol ar Orffennaf 14, 1911, gan y Brenin, Siôr V, mewn sbloet o Brydeindod.

Aeth Kate i Fangor i astudio Cymraeg fel ei phrif bwnc. Pennaeth yr Adran Gymraeg ym Mangor oedd John Morris-Jones. Sefydlwyd yr Adran ym 1888, pan oedd y Coleg yn bedair oed, a phenodwyd John Morris-Jones yn ddarlithydd yn yr Adran ym mis Ionawr 1889. Fe'i dyrchafwyd yn Athro ar yr Adran bum mlynedd yn ddiweddarach. Ym 1909 penodwyd Ifor Williams yn ddarlithydd yn yr Adran. Pynciau eraill Kate ym Mangor oedd Lladin a Hanes Cymru. Ei hathro Lladin oedd Dr E. V. Arnold, a benodwyd yn ddarlithydd ym Mangor ym mlwyddyn gyntaf y Coleg – gŵr, meddai Kate, 'y byddai arnom ei ofn drwy waed ein calon'.[3] Yr hanesydd mawr J. E. Lloyd a ddarlithiai iddi ar Hanes Cymru, ond nid oedd yn ddarlithydd ysbrydoledig. Yn ôl Kate: 'Ni allem ddweud bod dim neilltuol yn null John Edward Lloyd o ddarlithio, heblaw ei bod yn bleser edrych ar foneddwr a'i nodiadau mewn llyfr â chlawr lledr, mor goeth ag ef ei hun'.[4] Cafodd, yn ôl ei thystiolaeth hi ei hun, 'addysg drwyadl' yn y ddau bwnc.[5] Ond, yn ystod ei blwyddyn gyntaf, 'y peth a werthfawrogais fwyaf oedd darlithiau J. F. Rees (a ddaeth wedyn yn brifathro Coleg Caerdydd) ar gyfnod y Tuduriaid a'r Stiwardiaid'.[6]

O blith yr holl athrawon hyn, Syr John Morris-Jones a ddylanwadodd fwyaf arni. Roedd yn darlithio arni o'r flwyddyn gyntaf un, ond ni ddaeth i'w adnabod yn dda yn ystod y flwyddyn honno:

> Y cof cyntaf sy gennyf am Syr John Morris-Jones yw yn yr hen Goleg i lawr wrth y cei mewn ystafell lawer rhy fychan i'r dosbarth Inter, a phawb mor glòs yn ei gilydd â matsus mewn blwch, mor anghysurus o glòs fel nad oedd modd cymryd nodiadau i lawr, a minnau'n teimlo na fedrwn byth ddysgu dim dan y fath amgylchiadau. Wedi mynd i'r Coleg newydd ym mis Chwefror 1911, yr oedd pethau'n well, er bod y dosbarth Inter yn fwy o gynulleidfa nag o ddosbarth. Nid adwaenem ein gilydd ac nid oeddem ddim nes i ddyfod i adnabod yr athrawon.[7]

Cwrs tair blynedd oedd y cwrs ym Mangor ar y pryd, gyda'r cwrs hyfforddiant i athrawon yn ogystal â'r cwrs anrhydedd, y neilltuid blwyddyn ar ei gyfer, yn gynwysedig yn y tair blynedd hynny. Ac yn ôl Kate:

> … yr oedd rheol, os oeddech yn mynd yn syth i'r coleg ar ôl gwneud Arholiad Uchaf

y Bwrdd Canol, heb fod yn athro neu athrawes am flwyddyn, na chaech ddechrau ar eich cwrs hyfforddiant hyd eich ail flwyddyn, a rhoi dwbl yr amser i wneud ymarfer dysgu (*school practice*). Caech wneud hynny yn eich blwyddyn gyntaf. Golygodd hynny i mi fod fy mlwyddyn gyntaf yn un ysgafn iawn, a chan fy mod yn gwneud yr holl gwrs hyfforddiant yn fy nwy flwyddyn olaf ynghyd â gwaith gradd, fod y blynyddoedd hynny yn rhai caled.[8]

Gan fod y flwyddyn gyntaf honno yn un weddol ysgafn iddi, teithiai gyda'r trên bob dydd o Gaernarfon, yn hytrach nag aros mewn hostel. Roedd hynny hefyd yn rhatach iddi, ond ni allai gadw at drefniant o'r fath yn ei hail flwyddyn, ac ar ôl iddi fynd 'i fyw yn yr hostel y flwyddyn wedyn gwelais beth a gollaswn yn fy mlwyddyn gyntaf; collais y pleser o fod yng nghymdeithas agos i gant o'm cydfyfyrwyr'.[9] Roedd rhyw 80 o ferched yn aros yn yr hostel fawr (*University Hall*) a deunaw o rai eraill mewn hosteli llai yng Nghaederwen a Chae Derwen Villa. 'Yr oedd y nifer yma,' meddai Kate, 'yn ddigon bychan inni fod yn hapus. Adwaenem bawb ein gilydd, ac yr oedd y rhan fwyaf ohonom, fel yn y Coleg ei hun, yn siarad Cymraeg'.[10]

Roedd rheolau'r Coleg yn rhai hynod o haearnaidd a chaethiwus. Roedd disgyblaeth yn hanfodol. Rhaid oedd gwarchod moes a pharchusrwydd y merched ifainc diamddiffyn hyn, a gwarchod anrhydedd ac urddas y Coleg ar yr un pryd. Yn ôl Kate:

Yr oedd yn rhaid i bawb fod i mewn am saith y nos. Caech ganiatâd i ddyfod i mewn yn hwyrach os byddai gennych reswm digonol dros hynny. Weithiau byddai merched yn dianc allan i garu, os byddai ganddynt ffrindiau i agor ffenestr iddynt i ddychwelyd. Delid ambell un weithiau, a byddai cerydd a chosb. Ni chaech siarad yn rhy hir gyda dyn o fyfyriwr yng nghynteddau'r coleg ychwaith. Os gwnaech hynny am ragor na'r deng munud rhwng darlithiau, a gwneud hynny'n aml, yna fe gaech gerydd gan warden y neuadd. Saesnes oedd hi. Caem fynd i'r Gymdeithas Gymraeg ar nos Wener, ond byddai'r warden yno rhag ofn i chi fynd allan gyda bachgen yn lle mynd i'r Gymdeithas, neu gael eich hebrwng yn ôl gan un o'r bechgyn.[11]

Seiliodd Kate ei drama *Ffarwel i Addysg*, drama aflwyddiannus yng nghystadleuaeth y ddrama yn Eisteddfod Genedlaethol Bangor, 1931, ar ei chyfnod yn fyfyrwraig ym Mangor, gan ymosod ar reolau llym y Coleg a'r hostel lle'r arhosai. Yn y ddrama mae Gwen Prisiart, myfyrwraig yng Ngholeg Bryn Afon – y Coleg ar y Bryn – wedi cael ei diarddel o'r Coleg. Merch i chwarelwr, Rhisiart Prisiart, yw Gwen, a nith Sara Prisiart, sy'n cadw tŷ i'w brawd. Yn y drydedd act mae'r tad yn trafod y gwarth y mae Gwen wedi ei ddwyn ar y teulu, a'r fodryb yn ceisio achub ei cham:

> Rhisiart: Ac mae Gwen wedi ei throi o'r Coleg.
>
> Sara: Ydyw, ond rhaid i ti gofio nad ydyw'r byd ddim ar ben wedi i rywun gael ei droi o'r Coleg. Diolch i bod hi'n dwad adre'n fyw. Fydd neb yn cofio am hyn ymhen mis.
>
> Rhisiart: Mi gofia i amdano fo byth.
>
> Sara: Na, mi ddoi drosto fo'n gynt nag wyt ti'n i feddwl.
>
> Rhisiart: Na, 'dw i ddim yn meddwl. Ac mi fydd arna i g'wilydd codi 'mhen tua'r chwarel yna. 'R'ydw i wedi bod yn sôn cymaint am Gwen. Mi gân' hwyl braf am 'y mhen i rwan … beth wnaeth Gwen i haeddu'r ffasiwn beth?
>
> Sara: Dim ond peth wnest ti a minnau ugeiniau o weithiau cyn bod yn i hoed hi – mynd allan i garu.
>
> Rhisiart: Mae'n rhaid i bod hi wedi gwneud rhywbeth gwaeth na hynny.
>
> Sara: Naddo, naddo, ond dyna'u rheolau nhw.
>
> Rhisiart: Beth ydyw i rheolau nhw felly?
>
> Sara: Wel, d'ydyn' nhw ddim i fynd allan efo hogiau ac aros allan yn hwyr a phethau felly.[12]

Ni allai rheolau caethiwus y Coleg ladd asbri ieuenctid yn llwyr. Roedd bwrlwm o fywyd cymdeithasol ym Mangor ar y pryd, a manteisiodd Kate a'i chyfoedion yn llwyr ac yn llawn ar y cymdeithasu a'r cyfeillachu a geid y tu allan i'r ystafelloedd darlithio. Er mai Saesneg oedd prif iaith y Coleg, câi'r Cymry Cymraeg gyfle i gymdeithasu yn eu hiaith eu hunain yng nghyfarfodydd y Gymdeithas Gymraeg neu'r 'Cymric', a sefydlwyd yn wreiddiol ym 1897. Sefydlwyd Eisteddfod y Myfyrwyr, neu'r Eisteddfod Ryng-golegol, yn yr un flwyddyn. Byddai John Morris-Jones yn gweithredu fel pwyllgorddyn a beirniad bob tro y dôi'r Eisteddfod Ryng-golegol heibio. Yn ogystal â'r cymdeithasau diwylliannol a geid yn y Coleg, fel y Gymdeithas Ddrama, y Gymdeithas Lên a Dadl a'r Gymdeithas Gorawl, ceid cymdeithasau chwaraeon hefyd, a chwaraeid pêl-droed, rygbi, hoci a chriced ar feysydd y Brifysgol.

Y cyfarfod cyntaf o'r Gymdeithas Gymraeg i Kate a'i chydefrydwyr fod ynddo oedd y cyfarfod a gynhaliwyd ar Hydref 21, 1910. Newydd ennill y Gadair yn Eisteddfod Bae Colwyn y flwyddyn honno yr oedd R. Williams Parry, un o gyn-fyfyrwyr y Coleg, am ei awdl 'Yr Haf', ac fe'i gwahoddwyd i annerch y myfyrwyr newydd yng nghyfarfod y Gymdeithas. Roedd yr anerchiad, yn ôl cylchgrawn y Coleg, 'yn llawn o yspryd Cymreig', a dilynwyd anerchiad Williams Parry gan ddadl ar y testun 'y dylid cael ymreolaeth i Gymru'.[13] Cofiai Kate am yr ochr gymdeithasol hon gyda hoffter ac anwyldeb:

> Cyfarfodydd difyr oedd cyfarfodydd y *Cymric* y pryd hynny, er na chofiaf fawr amdanynt, ac yr oedd paratoi ar gyfer y 'Steddfod mewn pwyllgorau yn ddiddanwch mawr. Yn y pwyllgorau hyn gwelech John Morris-Jones yn bwyllgorddyn ac nid yn athro yn mwynhau jôc cystal â'r un ohonom ac yr oedd ei feirniadaethau yn y 'Steddfod yn bleser pur.[14]

Roedd gwaith Kate wedi trymhau a chynyddu erbyn dechrau'r ail flwyddyn oherwydd ei bod yn gorfod dilyn y cwrs hyfforddi athrawon i ennill ei thystysgrif addysg ar ben ei gwaith gradd. Gan fod y dosbarth *Intermediate*, sef dosbarth y flwyddyn gyntaf, mor fawr – gyda 93 o fyfyrwyr – 'doedd y myfyrwyr ddim yn adnabod ei gilydd yn dda. Erbyn yr ail flwyddyn, fodd bynnag, daethant i adnabod ei gilydd yn well, a dod i adnabod John Morris-Jones yn dda ar yr un pryd. Roedd Kate yn cofio'i hen Athro yn fyw iawn:

> Ei ddull o drafod fyddai gwneud i rywun gyfieithu am yr awr gyfan, gyda'r canlyniad y byddai pawb yn anelu at y seti ôl. Ond âi'r Athro yno ar eu holau a gofyn i rywun, *Have you translated yet?* Nid oedd wiw i neb wadu rhag ofn iddo gael ei ddal. Gwelodd rhai ohonom mai'r peth gorau oedd eistedd ym mhen blaen yr ystafell, a chafodd llawer ohonom ryddhad drwy wynebu'r gwaethaf. Byddai'n cerdded ôl a blaen ar hyd yr ystafell wrth ddarlithio gan egluro geiriau. Edrychai wrth ei fodd pan fyddai'n egluro rhyw ymadrodd melys a gâi dan ei ddant, a gwenai'n hoffus ar y neb a fyddai wrth ei ymyl. Weithiau caech gerydd a wnâi i chwi deimlo'r un faint â phishyn tair. Cofiaf iddo unwaith ofyn am darddiad y gair *cant*, ac i minnau ateb mai o'r Lladin *centum* y deuai gan ddyfynnu llyfr bach Mr. S. J. Evans, *The Latin Element in Welsh*. *Yes*, meddai. *No*, meddai wedyn, gan gerdded ac egluro yn hamddenol o gwmpas y desgiau. Yna daeth yn ôl ataf fi wedi gorffen, a dweud yn geryddgar, *Don't you tell anybody again that Welsh 'cant' comes from Latin 'centum'*. Parodd hyn lawenydd mawr i ddynion y dosbarth a buont yn curo eu traed am hir, yn falch mae'n siŵr fod un o'r merched yn cael cerydd am dro; dim gwahaniaeth a oedd yr un a dderbyniodd y cerydd yn deisyfu i'r ddaear ei lyncu.[15]

Llafarganu barddoniaeth, cerddi caeth yn enwedig, a wnâi John Morris-Jones wrth ddarlithio, a defnyddiai farddoniaeth hefyd i esbonio geiriau a chystrawennau. Roedd yr Athro yn hoff iawn o farddoniaeth Goronwy Owen, ac fe'i dyfynnai yn aml. 'Mae'n rhaid i mi gydnabod mai clywed J Morris Jones yn darllen Goronwy Owen a wnaeth imi feddwl yn fawr o'm cenedl,' meddai Kate wrth Saunders Lewis ugain mlynedd a rhagor ar ôl ei dyddiau coleg.[16] A phan fyddai'n meddwl am lais goslefus ei hen Athro gynt, fe'i clywai yn adrodd gwaith Goronwy Owen:

> Y llinellau o'r ystafell ddosbarth a glywaf fi byth yn fy nghlustiau ydyw:
>
> Disgwyl a da y'm dysger,
> Yn araf a wnaf fy Nêr.
>
> Medraf bob amser ei ddynwared dim ond dweud honna wrthyf fy hun.[17]

Yn *Tegwch y Bore*, mae Ann yn ysgrifennu at ei ffrind coleg, Dora, ac yn gofyn iddi a ydyw'n cofio 'fel y byddai'r Athro yn llafar ganu' yr union gwpled hwn o eiddo Goronwy Owen. Ac nid dyna'r unig gyfeiriad cudd at John Morris-Jones yng ngwaith Kate. Ar ddiwedd *Stryd y Glep* mae Ffebi yn cofio'n sydyn 'linell a glywais mewn darlith gan ryw athro coleg dros chwarter canrif yn ôl', a chyda'r llinell honno o waith Siôn Cent, 'Gobeithiaw a ddaw ydd wyf', y daw'r nofel i ben.

Trwy astudio'r Gymraeg yn fanwl ym Mangor y daeth Kate i wir werthfawrogi iaith ei chartref a'i chynefin. Daeth i sylweddoli nad iaith gwerin dlawd ardaloedd y chwareli mohoni, ond iaith tywysogion, uchelwyr a beirdd, a chanfod urddas a harddwch ei hiaith yn y Coleg a'i gwnaeth yn genedlaetholwraig. Erbyn i Kate gyrraedd ei thrydedd flwyddyn roedd y dosbarth Cymraeg yn llai fyth, a châi'r ychydig fyfyrwyr a oedd ar ôl fwy o sylw personol yr Athro a gwell, manylach addysg yn sgil hynny:

> Wedi mynd i'r Dosbarth Anrhydedd nid oeddem ond chwech yn gwrando arno, a phleser pur oedd mynd yn ddyfnach ac yn ddyfnach trwy ei arweiniad i guddfannau trysorau'r iaith Gymraeg, *Y Llyfr Du*, yr arysgrifau a'r *glosses* – pethau tywyll iawn. Trwy ei egluro manwl, golau ef, deuai hyd yn oed y rhai hyn yn eglur. Nid egluro gair trwy ei gyfieithu y byddai yn awr, eithr turio ar ei ôl i'w wraidd a dangos ei berthnasau yn yr iaith fodern. I mi, rhôi hynyna urddas yn yr iaith Gymraeg, a thrwy John Morris-Jones ac Ifor Williams ... y deuthum i i weld gogoniant a harddwch iaith fy nghartref a bod ei thras yn bendefigaidd, peth na'm gadawodd byth oddi ar hynny. Ar hynyna y mae fy nghenedlaetholdeb wedi ei sylfaenu. Efallai y byddai ... yn syndod i'r ddau athro mawr yma eu bod wedi creu cymaint o genedlaetholwyr ac o aelodau o Blaid Cymru wrth ddadansoddi geiriau'r iaith Gymraeg.[18]

Un o gyfoedion Kate yn y Coleg oedd David Ellis, mab fferm Penyfed, Tŷ Nant, ger Corwen, bachgen tal, pryd golau, addfwyn o ran personoliaeth a direidus o ran natur. Wedi ei eni ar Chwefror 1, 1893, roedd yn iau na Kate o ryw ddwy flynedd. 'Daeth David Ellis i Fangor yn ifanc iawn, yn

17 oed, ac oblegid rheol arbennig ynglŷn â'r cwrs hyfforddi athrawon, yr oedd yn rhy ifanc i gymryd y cwrs hwnnw,' meddai Kate, ac roedd y ddau, felly, yn rhannu'r un anfantais.[19] Roedd David Ellis, neu Dei, yn un o'r myfyrwyr hynny y daeth Kate i'w adnabod yn well yn ystod ei hail flwyddyn yn y Coleg, a buont yn fwy cyfeillgar fyth â'i gilydd yn ystod y drydedd flwyddyn, gan fod y ddau ohonynt ymhlith y chwech a berthynai i'r Dosbarth Anrhydedd. Parhaodd cyfeillgarwch y ddau hyd at ddechrau 1915, cyfeillgarwch a oedd yn ddigon clòs i'w galluogi 'i rannu cyfrinachau â'n gilydd'.[20] Ceisiodd Kate gelu un ffaith drwy ei hoes, sef ei bod hi a David Ellis ar un cyfnod yn gariadon.[21]

Roedd cysylltiad, trwy briodas, rhwng teulu Penyfed a theulu Kate. Priododd ewythr Kate, y Parchedig Henry neu Harri Cadwaladr, â Catherine, merch Humphrey a Jane Ellis, Yr Hendre Ddu, ger y Bala. Mae Kate yn sôn am Catherine Cadwaladr yn *Y Lôn Wen*. 'Cof bychan iawn,' meddai, 'sy' gennyf amdani, oblegid bu hi farw ymhen blwyddyn ar ôl fy nhaid'.[22] Ym 1896 y bu farw Catherine Cadwaladr, a'i chladdu yn Llanwnda. Rhieni Humphrey Ellis, tad-yng-nghyfraith Harri Cadwaladr, oedd David a Catherine Ellis, ac roedd y David Ellis hwn yn fab i Thomas Ellis, a oedd yn hen hen-daid i David Ellis, cyfaill Kate.

Roedd David Ellis yn gynganeddwr medrus ac yn fardd addawol erbyn i Kate ac yntau ddod i adnabod ei gilydd. Yn y Coleg y dechreuodd gynganeddu, a lluniodd ei englyn cyntaf oll, 'Coleg Newydd Bangor', ym mis Chwefror 1911:

> Gadarned nodded iddo – hyd ffordd wen
>   Geridwen gâr rodio;
>   Addurnawl y wedd arno,
>   Glain y bryn, miragl ein bro.[23]

Roedd David Ellis yn gynganeddwr ffraeth hefyd, fel y cofiai Kate:

> Buan iawn y daeth pawb i wybod am ei allu i gynganeddu. Bob hyn a hyn deuai stori
> am rywun wedi anfon darn o gywydd neu ryw gwpled i eisteddfod y Coleg o ran hwyl.
> Mewn cystadleuaeth rieingerdd cafwyd hyn:

> Gyda Gwen ymhen y mis
> Cei rodio drwy'r cae rwdis.

Ar gystadleuaeth cywydd i'r *Nos*, cafwyd dwy linell yn unig:

Tremiaf, mi ganaf i'r gwyll,

Myn Diaw – y mae'n dywyll.

Un wedi mynd yn nos arno.[24]

Enillodd David Ellis goron yn Eisteddfod y Coleg ym 1913. Testun cystadleuaeth y gadair oedd 'Yr Alltud' neu 'The Exile', gan y gellid anfon cerdd Gymraeg neu Saesneg i'r gystadleuaeth. Cerdd Saesneg gan fyfyrwraig o'r enw E. A. C. Lloyd-Williams a enillodd y gadair, ond rhoddwyd coron arbennig i David Ellis oherwydd iddo lunio awdl hynod o gelfydd. Wedi goroesi y mae llun o'r ddau fardd buddugol yn eistedd ochr yn ochr â'i gilydd ar lwyfan yr eisteddfod yn ystod defod y cadeirio a'r coroni, gyda Syr John Morris-Jones yn sefyll ar un pen yn y llun a Kate ar y pen arall.[25]

Gyda David Ellis y cafodd Kate ei phrofiad cyntaf ym myd newyddiaduriaeth:

Yn ein blwyddyn olaf yn y Coleg gofynnodd Mr. (y pryd hynny) Ifor Williams i David Ellis a minnau ysgrifennu hanes digwyddiadau'r Coleg bob yn ail wythnos i'r Brython. Câi ef hwyl arni, yn enwedig wrth ddisgrifio gêm bêl-droed. Pan oedd y Coleg Normal a'r Brifysgol yn gyfartal, 'Cyfartal Normal â ni', meddai ef. Deuai cynganeddu'n rhwydd iddo ac yn sydyn. 'Entro ffau yr Inter Phil' meddai wrth fynd i mewn i'r ystafell arholiad yn y pwnc hwnnw yn ei flwyddyn gyntaf.[26]

Ysgrifennai David Ellis yn Y Brython dan y ffugenw 'Macwy'r Diffwys'; 'Macwyes y Bryn' oedd ffugenw Kate. Anfonai'r ddau adroddiadau ar amryfal weithgareddau'r Coleg i'r papur: chwaraeon, Eisteddfod y Myfyrwyr, cyfarfodydd y Gymdeithas Gymraeg a'r Lit. and Deb., ac yn y blaen. Ond disgwyliai'r ddau gael tâl am eu gwaith:

Penderfynasom ofyn am anrheg gan gwmni'r Brython ar ddiwedd y chwarter cyntaf, chwarter Nadolig 1912, sef ychydig o gardiau Nadolig preifat Cymraeg. Digwilydd-dra ieuenctid oedd ein cais, ond bu cwmni'r Brython yn ddigon caredig i roi inni ddwsin. Yr oedd yn beth mawr inni yn 1912 gael cardiau â'n henwau ni ein hunain wedi eu hargraffu arnynt. Anfonwyd samplau inni i'r Coleg, ond daeth y parsel wedi i David Ellis fyned adref ar y gwyliau, a minnau'n aros ymlaen i wneud ymarfer dysgu yn un o ysgolion Bangor. Agorais y parsel a gwneud fy newisiad fy hun, a'i anfon ymlaen iddo yntau wedyn.[27]

Roedd adroddiadau Kate i'r Brython yn llawn hwyl, hiwmor ac asbri, ac yn llawn o gyffro ieuenctid. Dyma hi, ar ddechrau ei blwyddyn olaf yn y Coleg, yn cyflwyno adroddiad ar ddau o gyfarfodydd y Gymdeithas Lên a Dadl:

Cafodd y Lit. & Deb., fel y'i gelwir, gychwyn da iawn ... Yn y cyfarfod cyntaf, cafwyd
dadl ar *Ymreolaeth i Iwerddon*. Fe gawsai'r ynys honno ymreolaeth ers talm pe Lit. &
Deb. Coleg y Gogledd fyddai Tŷ Cyffredin Prydain Fawr. Yn y cyfarfod dilynol,
penderfynwyd drwy fwyafrif mawr nad yw hunanladdiad i'w gyfiawnhau.[28]

A dyma'i hadroddiad ar un o gyfarfodydd y Gymdeithas Gorawl. Eisoes yr
oedd Kate yn cael blas mawr ar ysgrifennu rhyddiaith:

> Cafwyd cyfarfod hwyliog o'r Gymdeithas Gorawl nos Wener. Y dernyn a genir y
> flwyddyn hon yw *The Death of Minnehaha* (Coleridge Taylor). Achoswyd cryn gyffro
> yn y cyfarfod drwy i'r *Grand Piano* gychwyn i lawr oddiar y llwyfan gyda thwrf. Yn
> ffodus, ni niweidiwyd neb. Ymddengys i hyn effeithio ar leisiau cantorion ochr y
> merched, oblegid yn ddiweddarach clybuwyd ambell i ysgrech yn gymysg â'r canu.[29]

Achlysur o bwys mawr ar y calendr colegol oedd yr wythnos ryng-golegol, a
gynhelid o gwmpas Gŵyl Ddewi bob blwyddyn. Cynhelid nifer o weithgareddau
yn ystod yr wythnos, ond Eisteddfod y Myfyrwyr oedd uchafbwynt yr achlysur. Yn
ystod ei blwyddyn olaf yn y Coleg roedd Kate yn aelod o bwyllgor yr eisteddfod, a
David Ellis yn un o ddau ysgrifennydd cyffredinol y pwyllgor hwnnw. Disgrifiwyd
y paratoi gogyfer â'r achlysur yn fywiog iawn gan Kate, ganol Chwefror 1913, er
bod ôl geirfa newyddiadurol y cyfnod ar ei harddull:

> Swn prysur baratoi sy yn yr awyr ymhob cyfeiriad. Mae rhai a'u holl fryd ar
>
> Bitchfforch a baton a chor
>
> Ac yn awr ac yn y man fe adseinia muriau'r Coleg gan leisiau
>
> Sydd cyn ddyfned a'r môr
>
> Neu cyn uched a thoriad y wawr.
>
> Ymprydio a rhedeg yw hanes rhai ereill, er bod yn ystwyth o gorff ac yn ysgafndroed
> yn yr ymdrechfeydd celyd sydd wrth y drws. Mae wythnos Gwyl Dewi ar ein
> gwarthaf unwaith yn rhagor, a dyma ystyr yr holl baratoi. Dyma wythnos gorffwys
> ynghanol gwaith, ac nid ar ei ol fel arfer, – dyma Elim yr anialwch. Dylai fod gan ein
> peldroedwyr obeithion cryf erbyn yr amser hwnnw, oblegid rhoisant gurfa i Brifysgol
> Lerpwl ddydd Mercher diweddaf.[30]

David Ellis a ddisgrifiodd afiaith a chyffro'r wythnos ryng-golegol ei hun,
wythnos ryng-golegol olaf y ddau:

> Erbyn hyn, y mae wythnos oreu y flwyddyn drosodd, a'r dyddiau blin yn neshau.
> Ni ŵyr ond y neb a all ei deimlo hyfrydwch wythnos yr *Inter-Coll*. Dyma'r adeg y
> mae gwahanol Golegau y Brifysgol yn dyfod at ei gilydd, a'r adeg hefyd pan fydd
> llyfr a darlith yn cael llonydd am eiliad, a phryd y gwêl pob myfyriwr fod rhywbeth

yn y byd heblaw llyfr. Lleihawyd ein dyddiau afiaith eleni, ysywaeth, gan yr awdurdodau.

Prynhawn dydd Iau, aethom i gyd yn orymdaith drwy heol fawr Bangor i groesawu y rhai a ddaeth atom o Aberystwyth. Nid oedd derfyn ar ffurfiau a lluniau y gwahanol wisgoedd a ddefnyddiwyd, tra yr oedd y lleill yn tynnu cerbydaid o'r dieithriaid gyda rhaff hir, gref, ac yr oedd "dyledswydd mul," ddydd Iau beth bynnag, yn waith anrhydeddus. Yna cafwyd ymgyrch rhwng y ddau Goleg ar faes y chwarae, a chyda'r Soccer ni oedd y buddugwyr. Bore drannoeth, nid oeddem mor lwyddiannus gyda'r Hoci. Bu Aber yn drech na ni, er fod yr ymgyrch yn galed. Colli hefyd ddarfu Clwb Hoci y Merched a Chlwb Rugger y Dynion yn Aber.

Nos Wener, bu "Gwyl y Pebyll" yn llwyddiant eithriadol.

Nos Sadwrn, cynhaliwyd ein hymgomwest, a pherfformiwyd y ddrama *Myfanwy, neu yr Amser Gynt* yn dda iawn. Yr oedd rhai o'r cymeriadau yn ddigrif tros ben, yn enwedig *Shon y ddima* a *Thwm Tylwyth Teg*, a chymerodd y lleill eu rhan yn ganmoladwy iawn hefyd. Yma hefyd y buom yn croesawu cynrychiolwyr Caerdydd ac Aberystwyth. Un peth oedd yn milwrio yn erbyn ein hysbryd, – nid oedd popeth mor Gymreig ag y dymunem iddo fod. Yng Ngwyl Ddewi, o bob amser, dylai iaith a thraddodiadau Cymru gael y lle blaenaf, ac os nad yw'n heniaith yn deilwng o'i llefaru yn yr wyl, y mae y dathliad yn mynd yn ofer.[31]

Roedd cyfnod Kate yn y Coleg yn prysur ddod i ben. Yng ngwanwyn 1913 aeth ati i gasglu tystlythyrau ar gyfer ymgeisio am swyddi. Cafodd dystlythyr gan Athro Addysg y Coleg, R. L. Archer, yn ei chymeradwyo ar gyfer swydd athrawes, tystlythyr arall gan M. Williams, yr hyfforddwraig wnïo, yn nodi bod Kate wedi cwblhau cwrs wyth mis o wnïo yn y Coleg, a thystlythyr hefyd gan John Morris-Jones yn ei chymeradwyo ar gyfer dysgu Cymraeg. Yn ôl John Morris-Jones:

Miss Katherine Roberts attended my Intermediate and Ordinary classes during the two sessions 1910–12; and her work was always very satisfactory. She usually took a high place in class examinations, though not always doing herself justice in the examination room; and I formed a good opinion of her ability ...

Miss Roberts has a thorough practical knowledge of Welsh; and her three years' training at Bangor has equipped her with the scientific knowledge which is necessary to a teacher of the subject. She has acquired a wide knowledge of Welsh literature; and is acquainted with the methods and results of modern Keltic philology.[32]

Roedd Ifor Williams yn llawer mwy craff, er iddo yntau hefyd gydnabod mai sefyll arholiadau oedd ei man gwan. Meddai, wrth ei chymeradwyo am swydd fel arolygwraig gyda'r Bwrdd Addysg, flynyddoedd yn ddiweddarach, gan sylwi hyd yn oed ar ei gallu i ysgrifennu rhyddiaith:

Years ago when she was a student in the Welsh Department of this college under Sir John Morris Jones and myself I looked upon her as the most brilliant student we had ... Her Welsh prose was excellent.

In the University examination Miss Roberts was awarded a Second Class, because she did not attempt the whole paper. There was no doubt as to the first class quality of the work she sent in; but the examiners based their decision on the total aggregate of marks instead of on quality; to my great disappointment our most brilliant student got a second.[33]

Nid gor-ddweud yr oedd Ifor Williams, er mwyn i Kate gael y swydd. Drigain mlynedd yn union ar ôl iddi raddio ym Mangor, cofiai mai ganddi hi yr oedd 'y radd orau ond un mewn Cymraeg yn 1913 (ar fin cael y dosbarth 1 meddai Ifor Williams wrth brifathro Ysgol Caernarfon E. P. Evans yn 1917)'.[34]

Roedd nifer o gymwysterau ar gyfer dysgu ganddi bellach, gradd Anrhydedd yn y Gymraeg, Lladin a Hanes fel pynciau atodol, a thystysgrif yn nodi iddi ddilyn cwrs dwy flynedd, 1911–13, i'w hyfforddi'n athrawes, gan nodi iddi hefyd basio arholiad Cerddoriaeth y Bwrdd Addysg fel rhan o'i chwrs hyfforddiant ar gyfer dysgu. Yn ystod ei thair blynedd yn y Coleg, ehangwyd ei gorwelion a helaethwyd ei gwybodaeth. Daeth i wybod am deithi ei hiaith yn drylwyr wrth ddilyn cyrsiau Gramadeg a Ffiloleg John Morris-Jones a chwrs Ifor Williams ar y Llydaweg. Daeth yn gyfarwydd â champweithiau llenyddol mawr ei chenedl, fel Pedeir Keinc y Mabinogi, Llyfr Du Caerfyrddin, gwaith Dafydd ap Gwilym, mewn cwrs ar ei ben ei hun, a gwaith nifer o gywyddwyr eraill yn *Y Flodeugerdd Newydd*, a gyhoeddwyd dan olygyddiaeth W. J. Gruffydd ym 1909, flwyddyn cyn i Kate fynd i Fangor. Aeth Kate i Goleg Bangor yn Gymraes wladgarol a daeth oddi yno yn genedlatholwraig o Gymraes.

Gadawodd Kate y Coleg ar ddiwedd Mehefin 1913. Cyfnod hynod o hapus oedd cyfnod y Coleg iddi, meddai, ac roedd yn gyfnod dedwydd am resymau arbennig. Un o fydoedd cyfan, cyflawn Kate oedd y Coleg. Yn ystod ei thair blynedd yn fyfyrwraig, perthynai i ddau fyd gwahanol iawn a châi'r gorau o'r ddau fyd: byd y teulu yng Nghae'r Gors a byd y myfyrwyr – Kate a'i chyfoedion – yn y Coleg ym Mangor. Ond byd dros dro yn unig oedd yr ail fyd, a byddai angen y byd cyntaf arni fel angor, fel harbwr, wrth i'r ail fyd lithro o'i gafael a hithau yn hwylio ymaith ar drugaredd y gwynt, fel llong yn gadael tir. Cofnodwyd diwrnod olaf Kate a'i chydfyfyrwyr yng Ngholeg Bangor ym mhennod gyntaf ei nofel hunangofiannol *Tegwch y Bore*. Yn y bennod honno mae Ann a'i ffrindiau wedi ymgynnull yn y fyfyrgell i ffarwelio â'i gilydd cyn gadael diogelwch y Coleg i wynebu'r byd mawr eang:

> Yr oeddynt i gyd yn gyfan yn y fyfyrgell. Fe fyddent i gyd ymhell oddi wrth ei gilydd nos yfory, ond yr oedd cyfanrwydd heno yn bod, yn rhywbeth i'w roi yn y bocs yn gyfan chwedl Dora.

Roedd Kate yn ymwybodol mai byd dros dro oedd byd y Coleg. Dihangfa o fyd ydoedd mewn gwirionedd, a pharadwys ffŵl. 'Mi'r oedd yn rhaid inni rywdro ddarfod efo'r bywyd tŷ gwydr yna yn y coleg, lle'r oedd pob dim mor berffaith,' meddai Ann wrth ei ffrind Bess Morris, eto yn *Tegwch y Bore*. Fel pob perffeithrwydd, perffeithrwydd yng ngafael yr anrheithiwr amser, chwalwr pob byd cyfan, oedd perffeithrwydd dyddiau coleg. Dyma'r cyfnod hefyd pryd yr oedd breuddwydion a gobeithion ieuenctid yn gyfan, cyn i amser a gofalon bywyd chwalu'r rheini hefyd yn chwilfriw mân. Wrth i Ann hel meddyliau ynghylch priodi a dysgu, 'ymhyfrydai ei chalon yn ysbryd rhydd a dihidio am yfory "Awdl yr Haf," y darnau a ysgrifennent yn albwm y naill a'r llall yn y coleg,' meddir yn y nofel. Cadwyd albwm Kate o'r cyfnod hwnnw, sef cyfnod y Coleg a dechrau dysgu, gan y teulu, ac mae'n llawn o ysbryd rhydd a dihidio pobl ifainc y cyfnod, gan gynnwys dyfyniadau o awdl 'Yr Haf'.

Ei pharatoi ar gyfer y dyfodol, gan ei harfogi â'r Gymraeg yn ei grym a'i gogoniant, a wnaeth ei thair blynedd ym Mangor, ond gadawodd ei dyddiau coleg eu hôl arni mewn ffordd arall hefyd – ei gadael i ysgwyddo baich o euogrwydd drwy'i bywyd. Gwyddai'n rhy dda mai gwaith caled ei rhieni, *aberth* ei rhieni, mewn gwirionedd, a'i cadwai yn y Coleg. Roedd Kate yn freintiedig tra oedd ei rhieni yn orthrymedig. Ei gwynfyd hi oedd adfyd ei rhieni. 'Mi fedra i grwydro tipyn rŵan,' meddai mam Ann yn *Tegwch y Bore*, ac fe wyddai Ann i 'drwch y blewyn ystyr y gair "rŵan" – nid oedd angen arian am ei haddysg hi bellach'. Meddai Gwen am ei thad yn *Ffarwel i Addysg*: 'Mae o wedi aberthu i roi addysg imi ac mae'r addysg honno wedi dangos imi mai ffolineb yw'r aberth, neu'r hyn sydd yn symbylu'r aberth. Mae addysg yn dechrau yn y pen rong … y nhad ddylai gael i ddysgu gynta beth ydyw addysg'. Roedd chwarelwyr y cyfnod yn awyddus i'w plant gael addysg er mwyn gwella'u byd a'u hachub rhag gorfod crafu bywoliaeth. Mae agwedd Rhisiart Prisiart, tad Gwen, yn *Ffarwel i Addysg* yn nodweddiadol o agwedd chwarelwyr a oedd yn dyheu am gael gwell byd i'w plant. 'D'oes arna i ddim eisiau Gwen yn mynd i weini hyd yn oed pe tasa hi heb gael diwrnod o addysg,' meddai. Gweini, yn ôl Rhisiart Prisiart, a laddodd fam

Gwen, ac roedd yn benderfynol o achub ei ferch rhag tynged o'r fath: 'Pe tase hi wedi cario llai o fwyd moch a chodi llai o feichiau trymion mi fasa'n fyw heddiw. Ac r'oeddwn i wedi meddwl gweld i merch hi'n cael B.A. a chael lle mewn Ysgol Ganolraddol'.

Mewn gwirionedd, roedd euogrwydd Kate yn euogrwydd deublyg. Teimlai'n chwithig mai hi, yr unig ferch o ail briodas ei rhieni, yn hytrach na'i brodyr a gafodd addysg brifysgol. Roedd hynny, yn y cyfnod hwnnw, yn groes i'r drefn. Yn ei gweithiau mae hi'n aml yn trosglwyddo'r baich euogrwydd hwn i eraill, er mwyn ei ysgafnhau a'i gyfiawnhau iddi hi ei hun. Deian sy'n ennill ysgoloriaeth i fynd i'r Ysgol Ganolraddol yn *Deian a Loli*, nid Loli, sy'n gorfod mynd i weini; Owen a Twm sy'n mynd i'r coleg yn *Traed mewn Cyffion*, ac mae Twm yn mynd yno gan wybod 'na châi fynd i'r adran hyfforddi yn ei flwyddyn gyntaf heb fod yn ddisgybl athro cyn hynny', yn union fel Kate. Ac meddai Ann yn *Tegwch y Bore*, gan gofio mai ar Dei ei brawd y seiliwyd Bobi:

> Mi fûm i am dair blynedd yn y coleg, yn byw mewn hawddfyd, yn cael bwyd da, heb boeni am ddim, ac wedi fy nghau oddi wrth anhapusrwydd pawb arall. Yn ystod y flwyddyn ddwaethaf o'r tair yna, yr oedd Bobi yn y siop yn y dre, yn ddim ond hogyn, ac yn cael bywyd hollol wahanol i mi. Rŵan yr wyf yn gweld yr anghyfiawnder – yr anghyfiawnder cyntaf na chafodd o ddim mynd ymlaen efo'i ysgol, ac efallai mai dim ond ychydig farciau a'i cadwodd rhag hynny. Mae'r peth yn fy nghyhuddo fel poen yn fy aed, yn curo bob munud.

Teimlai Kate, felly, fod arni ddyled i'w rhieni am iddynt aberthu i roi addysg iddi, a bod blynyddoedd o ddysgu plant o'i blaen. Ni allai siomi ei rhieni. A hyd yn oed pe bai hi yn dymuno hynny, ni allai feddwl am briodi ychwaith. Fel y dywedodd Ann wrth Mrs Ifans, ei gwraig lety ym Mlaen Ddôl, yn *Tegwch y Bore*: 'Mae ar mam eisiau imi ddal ymlaen i ddysgu plant, er mwyn imi dalu am fy addysg. 'Does neb i fod i feddwl am briodi ar ôl costio cymaint, yn ôl mam'.

Ym mis Mehefin 1913 roedd un byd cyflawn wedi ei ddryllio. Roedd yn rhaid i Kate bellach greu byd newydd iddi ei hun, a hwnnw'n fyd oedolion. Roedd yn pellhau fwy a mwy oddi wrth fyd ei phlentyndod yng Nghae'r Gors, ond wrth bellhau oddi wrtho, roedd hi hefyd yn agosáu ato fwy a mwy. Yn wir, ni adawodd Gae'r Gors erioed.

3

MISS KATE ROBERTS B.A.
1913–1917

'... a minnau yn Ystalyfera mewn uffern o ysgol.'

Kate Roberts at Saunders Lewis, Hydref 1, 1928

Ni fu'n rhaid i Kate aros yn hir cyn cael swydd. Cafodd le ar unwaith yn Ysgol Elfennol Dolbadarn yn Llanberis. 'Er mwyn cael deufis o gyflog cyn dechrau'r tymor ysgol cyffredin, dechreuais ar fy ngwaith yr wythnos gyntaf o Orffennaf yn union wedi i'r Coleg gau,' meddai.[1] Dechreuodd ar gyflog o £60, 'cyflog llwgu hyd yn oed yn 1913', yn lle £75, gan nad oedd wedi gweithio fel athrawes cyn mynd i'r Coleg.[2] Er nad oedd y cyflog yn ddigonol, o leiaf yr oedd yn ddechreuad. Wedi byw ar garedigrwydd ei rhieni am dair blynedd, roedd yn awyddus i gael swydd ar unwaith er mwyn cael dechrau ennill, hyd yn oed os oedd y swydd honno yn israddol i'w galluoedd a'i chymwysterau. Ond gallai bellach deimlo'n llai euog ynglŷn â chael addysg ar gorn caledwaith ei rhieni. Ar Awst 30, 1913, i ddathlu bod cyfnod Kate yn y Coleg ym Mangor ar ben a'i bod bellach yn ennill ei bwyd ei hun, prynodd ei mam anrheg iddi:

> Yr oedd gan mam fymryn o bres wedi i mi ddechrau ennill, ac nid oedd angen iddi boeni'i phen i gael yr arian arferol i dalu pris y coleg ddim rhagor. A dyma hi'n cael rhyw swae bach – peth amheuthun iawn iddi – a mynd i lawr i Gaernarfon y prynhawn Sadwrn yma. Pan ddaeth adref, yr oedd ganddi anrheg i mi a'm brawd ieuengaf, pymtheg oed, sef llyfr emynau i ni ein dau ... Dyna'r arwydd cyntaf ein bod yn dechrau codi yn y byd am wn i. Yr oeddem ein dau wedi synnu braidd ... Beth bynnag unwaith y cawsom ef, yr oedd gennym feddwl y byd ohono, a bu gennym feddwl y byd ohono byth. Yr oedd yn fwy nag anrheg, yr oedd yn arwyddo dechrau cyfnod newydd.[3]

Ni soniodd lawer am ei chyfnod yn Ysgol Elfennol Dolbadarn, a hynny, meddai, am ei bod 'wedi sôn yn anuniongyrchol am y flwyddyn honno mewn lleoedd eraill'.[4] Roedd T. Rowland Hughes yn un o'i ddisgyblion yno, ond ni wnaeth lawer o argraff arni ar y pryd. Bachgen swil a thawel oedd T. Rowland Hughes yn yr ysgol, ac ni allai Kate weld bod unrhyw allu arbennig yn perthyn iddo, er bod peth graen ar y darnau byrion a ysgrifennai. Un o'r 'lleoedd eraill' hyn oedd *Tegwch y Bore*. Blaen Ddôl y nofel yw Dolbadarn, a dyma ysgol gyntaf Ann Owen. Seiliwyd Richard Edmund, cariad Ann, yn rhannol ar David Ellis. 'Bachgen tal tenau, ei wallt yn llwyd-winau amhendant, ei lygaid, na ellid dweud eu lliw, yn ddwfn yn ei ben,' yw Richard Edmund, a hynny yn dwyn i gof ddisgrifiad Kate o David Ellis fel '[b]achgen tal, pryd golau' yn ei hysgrif amdano.[5] Cadwodd Kate y cof am ei charwriaeth fer â David Ellis yn fyw drwy seilio Richard Edmund ar ei hen gariad coleg. Yn y nofel mae Richard Edmund yn byw gyda'i hen ewythr oherwydd ei fod wedi colli ei rieni. Nid plentyn amddifad oedd David Ellis, ond collodd ei fam ar ddiwedd ei flwyddyn golegol gyntaf, pan oedd yn ddeunaw oed. Bu farw Elizabeth Alice Ellis ar Orffennaf 6, 1911, yn 43 oed.

Achlysurol oedd y cysylltiad rhwng Kate a David Ellis bellach. Clywodd gan rywun ei fod yn gofalu am Ysgol Dinmael, yn ymyl ei gartref, am ysbaid, yn absenoldeb y prifathro, a oedd yn wael ar y pryd. Derbyniodd lythyr oddi wrtho ym mis Mai 1914, a chafodd beth o'i hanes. Gadawodd Ysgol Dinmael i fynd i Langollen, ac aeth o Langollen wedyn i Fae Colwyn. Yno yr oedd bellach 'yn llefain, yn bloeddio, yn curo ac yn pastynu ac yn chwythu bygythion a chelanedd drwy'r dydd', a byddai'n ganmil gwell ganddo fod yn ôl yn y Coleg:

> Ni fûm byth ym Mangor ar ôl gadael y Col., ond bwriadaf fyned y Llungwyn.
> Disgwyliaf 'Y fun a wnaeth wayw'n fy ais' ys dywedai D. ap G. i fyny. Bydd gennyf
> hiraeth am yr hen Goleg weithiau, yn enwedig am hen glassroom yr Hons. Welsh.
> Buasai'n fil gwell gennyf orfod 'translatio' y Llyfr Du i J.M.J. na rhoi Observ. Lesson
> i'r cnafon hyn. Blwyddyn i'r adeg yma yr oedd y *Segomaros*, y *gloss on Venatio*, y *Gwyr*
> *a aeth Gatraeth* a'r *J. ten PKelt*tnta*, *Sk. tantah* ac yn y blaen ar ein calonnau'n drwm, a
> chwithau'n codi gyda'r ehedydd i boeni'ch henaid hefo nhw, a'r dorf yn cyd gyfarfod
> yn y corridor i adrodd ei helynt. Ond O, y Wynfa Goll. O na chawn fyned drwy'r
> helynt eto.[6]

Erbyn mis Mai 1914 roedd Kate yn barod i symud ei phac. Fe'i cynghorwyd gan brifathro ysgol sir i roi'r gorau i'w swydd yn Llanberis. Barn y prifathro hwnnw oedd 'mai lleiaf y siawns i gael lle mewn ysgol sir po hwyaf yr arhoswn mewn ysgol elfennol'.[7] Yn *Tegwch y Bore*, y prifathro sy'n cynghori Ann i adael Blaen Ddôl ac anelu'n uwch:

> "Mi fasa'n anodd imi gael lle gwell i aros."
>
> "Naci, chwiliwch am ysgol arall, er mwyn i chi gael mynd o ryw dwll fel hwn."
>
> "Ond – ond –"
>
> "Na, 'does arna i ddim eisio i chi fynd oddi'ma, ond mi'r ydach chi'n haeddu lle gwell, a mae Blaen Ddôl fel rhyw fwgwd am wyneb rhywun; mae'r byd yn symud yn i flaen, ond 'dydi Blaen Ddôl ddim …"

Lluniodd prifathro Ysgol Dolbadarn, J. E. Jones, dystlythyr iddi ym mis Mai yn canmol ei gwasanaeth fel athrawes ddosbarth ac fel hyfforddwraig wnïo. 'She is a very able and intelligent Teacher, and maintains good discipline, and the progress of her class has been quite satisfactory,' meddai amdani.[8] Ond nid oedd angen gradd i oruchwylio gwersi gwnïo mewn ysgol fach leol, a dechreuodd Kate chwilio am swydd a oedd yn fwy addas iddi, swydd y gallai ddysgu ei phrif bwnc ynddi. Cofnododd ei phrofiad yn ystod y cyfnod hwn yn *Tegwch y Bore*:

> Penderfynodd yn derfynol nad arhosai ym Mlaen Ddôl ddim hwy na diwedd y
> flwyddyn ysgol, a dechreuodd brynu papurau yn hysbysebu swyddi i athrawon. Daeth
> y papurau hyn â diddordeb newydd i'w bywyd. Nid oedd byth hysbyseb am swydd i
> ddysgu Cymraeg, ond er hynny câi Ann bleser diderfyn wrth ddarllen am y swyddi, a
> meddwl efallai ei bod yn bosibl iddi hi gael rhai ohonynt gyda'i hail bynciau. Eithr nid
> ymgeisiai amdanynt. Gwyddai nad oedd obaith iddi.

'Aeth i deimlo mai ofer fu holl lafur ei rhieni drosti, ac y buasai'n well iddynt hwy a hithau petai hi gartref yn helpu ei mam gyda'r godro a'r corddi a'r pobi a'r golchi,' meddai Ann yn y nofel, ac mae'n bur sicr mai fel yna y teimlai Kate ar y pryd hefyd.

Cyfnod o ansicrwydd ynglŷn â'i dyfodol oedd y cyfnod hwn i Kate, ond buan y byddai cynlluniau a gobeithion miloedd o bobl ifainc yn cael eu malu'n chwilfriw. Ar Awst 4, cyhoeddodd Prydain ryfel yn erbyn yr Almaen. Gyda golwg ar gael swydd yn dysgu Cymraeg mewn ysgol sir, aeth Kate i weld Cyfarwyddwr Addysg Sir Gaernarfon. Cafodd ei chynghori ganddo i gymryd gwaith fel athrawes gyflenwi yn hytrach na chwilio am swydd sefydlog, a chafodd ei hanfon i Gonwy. Cychwynnodd ar ei gwaith fel athrawes dros dro yn Ysgol Ferched Genedlaethol Conwy ar Fedi 14.[9] Un diwrnod cafodd ymweliad annisgwyl:

Un o'r Sadyrnau cyntaf imi fod yno euthum am dro dros Sychnant gydag un o'r athrawesau. Pan ddychwelais cefais syndod o weld yn fy llety, David Ellis. Yr oedd ym Mae Colwyn o hyd, yntau ar waith achlysurol. Daethai i Gonwy ar sgawt i geisio gweld bachgen o Lanuwchllyn a oedd yn y banc yno. Ni chafodd mono, a chlywodd trwy ddamwain fy mod i yng Nghonwy, a chafodd hyd i'm llety. Deellais fod N.C. yn wael erbyn hynny, a'i bod mewn ysbyty yn ymyl ei chartref. Yr oedd gennyf ddigonedd o flodau yn digwydd bod, ac anfonaswn lond bocs ohonynt i N.C. yn yr ysbyty.[10]

N.C. oedd Ellen neu Nellie Cousins o Swydd Gaerhirfryn, a oedd yn fyfyrwraig yng Ngholeg y Santes Fair ym Mangor, a hi oedd 'Y fun a wnaeth wayw'n fy ais', y ferch y bu David Ellis yn ei chanlyn yn ystod ei flwyddyn olaf yng Ngholeg Bangor. Y bore Llun canlynol, derbyniodd Kate gywydd ganddo i ddiolch iddi 'am y fflur a dderbyniasai'r bardd yn "rhec" ganddi Hydref 24:14':

Llyma Ddafydd brydydd brau
Yn faledwr am flodau,
A gafas heb eu gofyn,
O Gonwy ddoe gan y ddyn,
Ddu ei gwallt mal Dyddgu ŵyl,
– Myn enaid mae hi'n annwyl …

Ac i'r fun a garaf i,
Fy anwylyd glaf Neli,
Yn union heb 'run annerch
Y gyrrais hwy â gwir serch …[11]

Gwelodd Kate ei chyfaill ryw ddwywaith neu dair wedyn yn ystod ei chyfnod yng Nghonwy. 'Byddai'n dŵad heb imi ei ddisgwyl, a sgwrsio y byddai am yr hen amser,' meddai, ond roedd ganddo bryderon ar y pryd, ar wahân i'w bryder ynghylch iechyd Nellie Cousins.[12] Un o'i ofidiau, yn ddiamau, oedd y rhyfel. Heddychwr cydwybodol oedd David Ellis, ac mae'n sicr ei fod mewn cyfyng-gyngor ar y pryd ynglŷn â'r hyn y dylai ei wneud.

Bu Kate yn dysgu yng Nghonwy hyd at Dachwedd 16.[13] Dim ond canmoliaeth oedd gan brifathrawes yr ysgol, Margaret A. Jones, iddi. 'She is a quiet kind but firm disciplinarian, a loyal co-worker and has the interest of her school at heart,' meddai; nododd hefyd fod ganddi ddelfrydau uchel, 'and cannot fail to influence for good, those with whom she comes in contact'.[14] Gadawodd Ysgol Ferched Genedlaethol Conwy ac aeth i ddysgu yn Ysgol Fabanod Genedlaethol Llandudno, ac yno y bu hyd at wyliau'r Nadolig. Treuliodd y gwyliau hynny gyda'i theulu yng Nghae'r Gors. Gwawriodd ail flwyddyn y rhyfel, ac erbyn Ionawr 4, 1915, roedd yn dysgu mewn ysgol newydd eto, sef Ysgol Llangystennin, plwyf gwledig nid nepell o Landudno. Bu'n dysgu yno hyd at Chwefror 12. Ceir cofnod yn ei llaw ei hun yn nodi iddi gymryd cyfrifoldeb dros dro am yr ysgol o Ionawr 4 hyd at Chwefror 12.[15] Ar Chwefror 12 hefyd y lluniwyd y cofnod olaf yn ei halbwm llofnodion. Ceir cyfarchion iddi gan nifer o athrawon ac athrawesau yn dymuno'n dda iddi ar gyfer y dyfodol, ac yna ceir y pennill hwn 'With sweet recollections' gan 'The Llangystennin Teachers':

> These last in your album,
>   I (we) have chosen to be.
> To be last in your thoughts
>   Would be painful to me (us).[16]

Ac ar ddechrau mis Chwefror 1915 y gwelodd hi David Ellis am y tro olaf. Roedd Ysgol Sir Ystalyfera yng Nghwm Tawe yn chwilio am athro neu athrawes i ddysgu'r Gymraeg, ymhlith pynciau eraill, ac ymgeisiodd Kate am y swydd. Roedd David Ellis ar ei ffordd i ddal y trên i Fae Colwyn pan aeth Kate allan i bostio'r llythyr cais. A'r cyd-ddigwyddiad hwnnw oedd y cyd-gyfarfyddiad olaf.

Roedd Kate hithau ar y trên i Ystalyfera bron cyn iddi gael amser i hel ei phethau ynghyd. 'Cefais delegram cyn diwedd yr wythnos honno yn gofyn i mi ddechrau yn Ystalyfera ddechrau'r wythnos wedyn, a chyn pen llai na'r wythnos wedi anfon y cais yr oeddwn yn Ystalyfera,' meddai.[17] Pentref diwydiannol yn rhan uchaf Cwm Tawe, rhyw dair milltir ar ddeg o gyrraedd Abertawe, ac yn swatio rhwng Mynydd y Farteg a Mynydd Allt-y-grug, oedd cyrchfan Kate. Yn y dyfodol, yn ei nofel *Tegwch y Bore*, byddai'n mytholegu'r lle, ac yn ei alw yn Ynys y Grug, trwy gyfuno'i enw gwreiddiol, Ynys Tal y Feran, cyn iddo gael ei lygru, ag enw un o'r mynyddoedd a'i cysgodai, Allt-y-grug. Roedd hwn yn symudiad enfawr ar ei rhan. Roedd yn symudiad o ddyffrynnoedd y chwareli i gymoedd y glofâu, ac yn fwy na dim, roedd yn symudiad o fyd cyfarwydd i fyd dieithr:

> Euthum i Ystalyfera ym mis Chwefror 1915, i gymryd lle dyn a aethai i'r rhyfel. Ni wyddwn fod y fath le yn bod cyn cael telegram i'm galw yno yn sydyn. Yr oedd y daith yn bell ac yn ddieithr, a'r iaith yn ddieithr. Ymhen pythefnos wedi imi fynd yno, fe chwaraeid dramâu byrion mewn neuadd. *Y Pwyllgor* gan D. T. Davies oedd un, ac ni fedrais ddeall llawer arni, ac yr oeddwn yn genfigennus wrth y bobl oedd o'm cwmpas

yn rowlio chwerthin. Ond buan iawn y deuthum i ddeall iaith Cwm Tawe. Yr oedd arnaf hiraeth mawr yno ar y cychwyn, ond gan ei bod yn hanner tymor arnaf yn mynd yno, llawenydd mawr i mi oedd fy mod yn cael mynd adre ymhen chwech wythnos. Amser du rhyfel oedd hi, amser y bwyd sâl, prin ac amser y diodde a'r pryderu.[18]

Rhan o ddathliadau dydd Gŵyl Ddewi Cymdeithas y Ddraig Goch, y gymdeithas ddiwylliannol leol, oedd y perfformiad hwnnw o *Y Pwyllgor* a barodd gymaint o rwystredigaeth i Kate. Perfformiwyd y ddrama yn ail ran y rhaglen ar y noson. 'It is certainly one of the most amusing sketches yet written in Welsh, and it was greeted with constant and uproarious laughter,' meddai adroddiad *Llais Llafur* am y noson – pawb ond Kate yn rowlio chwerthin.[19] Ond buan y byddai yn dod i adnabod yr iaith a'r bobl, gan gynnwys aelodau o'r cwmni drama a oedd wedi diddanu'r gynulleidfa i'r fath raddau ar y noson, fel D. George Williams a'r actores amatur leol Jessie Williams.

Yn ôl cofrestr staff yr ysgol, ar Chwefror 10 y cafodd Kate ei phenodi yn athrawes yn Ysgol Sir Ystalyfera. Cadarnhawyd y penodiad yng nghyfarfod llywodraethwyr Ysgol Sir Ystalyfera ar Fawrth 10: 'The Head Master reported that he had appointed Miss Kate Roberts BA as temporary mistress at a commencing salary of £110'.[20] Henry Lewis oedd enw'r athro y penodwyd Kate yn ei le. Ni wyddai Kate pwy yn y byd oedd yr athro yr aeth i Ystalyfera i gymryd ei le, ond roedd yn adnabyddus iawn yng Nghwm Tawe. Brodor o Ynystawe oedd Henry Lewis, ac un o gyn-ddisgyblion mwyaf disglair Ysgol Sir Ystalyfera. Gadawodd yr ysgol i fynd i Goleg y Brifysgol, Caerdydd, lle graddiodd yn y Gymraeg, ac aeth ymlaen wedyn i Goleg Iesu, Rhydychen. Cafodd swydd yn ei hen ysgol ym 1914, ond gadawodd yn fuan iawn i ymuno â'r fyddin, er mai penodiad dros dro oedd ei benodiad yn Ysgol Sir Ystalyfera. Bu'n gwasanaethu yn Ffrainc, fel rhingyll gyda'r Gwarchodlu Cymreig, ac fel is-gapten gyda'r Ffiwsilwyr Brenhinol Cymreig. Ymhen pedair blynedd byddai Henry Lewis yn cael ei benodi yn Athro'r Gymraeg yng Ngholeg y Brifysgol, Abertawe.

Agorwyd Ysgol Sir Ystalyfera ym 1896. Prifathro'r ysgol pan aeth Kate yno i ddysgu oedd Henry Rees. Brodor o Alltwen, Pontardawe, oedd Henry Rees, ac fe'i penodwyd yn brifathro Ysgol Sir Ystalyfera ym mis Mai 1913. Brawd iddo oedd Frederick E. Rees, arolygwr ysgolion dan Gyngor Sir Morgannwg, a gŵr a fynychai gyfarfodydd llywodraethwyr yr ysgol yn awr ac yn y man. Gŵr anhyblyg, llym ei ddisgyblaeth oedd Henry Rees, a rheolai ei ysgol â llaw haearn.

Pan aeth Kate i Ystalyfera ym mis Chwefror 1915 roedd bron i 250 o ddisgyblion yn yr ysgol, a chafodd ei phenodi i ddysgu Cymraeg a Daearyddiaeth yn bennaf. Ar wahân i'r prifathro, roedd pedwar athro a phedair athrawes ar y staff. Byddai Kate yn rhannu'r gwersi Cymraeg gyda gŵr o'r enw Ben T. Jones, Kate yn dysgu'r dosbarthiadau isaf a Ben T. Jones yn cymryd gofal o'r dosbarthiadau uchaf. Brodor o Lanbedr Pont Steffan a raddiodd yn y Gymraeg yng Ngholeg y Brifysgol, Caerdydd, oedd Ben Jones. Enillodd radd M.A. ym 1915, am draethawd ar fersiwn Cymraeg Llawysgrif Peniarth 44 o *Historia Regum Britaniae*, Sieffre o Fynwy. Ond nid y gwersi Cymraeg yn unig a rennid gan y ddau. Yn ôl arolwg a wnaed o'r ysgol ar Fehefin 8, 1915: 'Two m[e]mbers of the permanent staff (Mr. Ben Jones and Miss Roberts) have shared the instruction of these classes during the past session and it is gratifying that the staff difficulties have thus been overcome and no interruption of the physical training work has been permitted'.[21] Rhai o'r dosbarthiadau ymarfer corff oedd 'these classes', a bu'n rhaid i'r ddau ofalu am y gwersi hyn oherwydd bod yr athro ymarfer corff hefyd wedi ymuno â Lluoedd ei Fawrhydi.

Ar y staff hefyd roedd dwy athrawes a ddaeth yn fuan iawn yn ffrindiau pennaf i Kate, Betty Eynon Davies a Margaret Price. Un o ferched y Parchedig Timothy Eynon Davies (1854–1935), gweinidog gyda'r Annibynwyr, oedd Betty Eynon Davies. Ei henw iawn oedd Betty Eveline Davies, ond mabwysiadodd enw ei thad fel ei henw canol. Brodor o Aberteifi oedd T. Eynon Davies, ac ar ôl gweinidogaethu mewn gwahanol gapeli yn ne Cymru, bu'n weinidog yn Llundain, yn East Finchley a Finsbury Park. Bu'n weinidog yn Eglwys Elgin Place, Glasgow, ac wedyn yn Beckenham a Wood Green yn Llundain. Cyhoeddwyd llyfr, *Sermons Preached in Elgin Place Congregational Church, Glasgow, on the Occasion of T. Eynon Davies Entering Upon His Ministry as Pastor of the Church, 1891*, dan olygyddiaeth Henry Allon a T. Eynon Davies, ar achlysur ei sefydlu yn weinidog ar yr eglwys honno.

Yn yr Alban ac yn Llundain y treuliodd Betty Eynon flynyddoedd ei magwraeth. Cafodd ei geni ar Chwefror 12, 1883, ac felly roedd yn 32 oed ym mis Chwefror 1915, ac yn hŷn na Kate o wyth mlynedd. Cafodd ei haddysgu yn Park School, Glasgow, rhwng 1894 a 1896, a rhwng 1896 a 1904 derbyniodd ei haddysg yn y 'Kepplestone Ladies School', ysgol grach a bonedd yn Beckenham, Llundain. Lleolid yr ysgol, a hysbysebid fel 'ysgol ar gyfer merched i wŷr bonheddig', ym Manordy Kelsey yn Beckenham. Enillodd radd B.A. mewn Ffrangeg yn Llundain ym 1905. Bu'n dysgu mewn ysgolion yn Llundain rhwng 1906 a 1912, gan gynnwys ei hen ysgol yn Kepplestone, Beckenham, yn ystod tymor y Pasg 1906, ac fe'i penodwyd yn athrawes yn Ysgol Sir Ystalyfera ar y diwrnod cyntaf o Ionawr, 1913. Roedd Betty Eynon yn athrawes Ffrangeg ardderchog, ond gallai hefyd ddysgu Saesneg, Llenyddiaeth Saesneg a Lladin.

Merch soffistigedig iawn oedd Betty Eynon, a'i chefndir yn hollol wahanol i gefndir gwerinol a gweddol dlodaidd Kate. Yn ogystal â bod yn soffistigedig roedd hi hefyd yn hynod o ddiwylliedig. Cafodd ddylanwad aruthrol ar Kate gyda'i diwylliant eang a'i hagwedd gyfandirol eangfrydig. Seiliodd Kate sawl un o gymeriadau ei storïau a'i nofelau ar Betty Eynon. Betty Eynon yw Miss Williams yn *Tegwch y Bore*. Disgrifir Miss Williams fel 'Cymraes ddiwreiddiau heb wybod yr iaith', ac ni allai Betty Eynon siarad Cymraeg, er y gallai ddeall llawer wrth ei chlywed ac wrth ei darllen, oherwydd iddi gael ei magu y tu allan i Gymru.

Roedd Betty Eynon wedi cael magwraeth foneddigaidd, freintiedig, a theimlai Kate yn anesmwyth, os nad yn israddol, yn ei chwmni yn aml. Roedd yn gwisgo'n fwy chwaethus ac yn fwy ffasiynol na neb yn Ystalyfera. Yn ôl *Tegwch y Bore*:

> Y Sul cynt gyda'i ffrog sidan ddu gwisgasai Miss Williams sanau sidan piws, y rhai cyntaf i Ynys y Grug eu gweld erioed. Y gwahaniaeth mwyaf yn siwtiau'r ddwy yn awr oedd fod brethyn siwt Miss Williams o ansawdd lawer gwell nag un Ann, ond yr oedd toriad y ddwy llawn cystal â'i gilydd.

Yn y rhan o'r nofel lle mae Miss Williams wedi gwahodd Ann i ddod i aros gyda hi a'i rhieni yn Llundain, ceir portread byr o Betty yn ogystal â dadansoddiad o'r berthynas rhwng y ddwy, a honno'n berthynas bell ac agos ar yr un pryd:

> Yr oedd Ann wedi derbyn cynnig ei chyd-athrawes gyda diolch cynnes a gwerthfawrogol – yr oedd i fynd i'w chartref i aros y noson honno hefyd a dychwelyd ddydd Sul. Modd bynnag, yn awr yn y trên, buasai'n well ganddi fod yn myned ar ei phen ei hun. Ni chodai'r teimlad hwn o unrhyw deimlad anniolchgar eithr am na fedrai fyth deimlo'n gartrefol gyda'i chymwynaswr. Yr oedd yn ymwybodol o hyd ei bod yng nghwmni rhywun uwch na hi, wedi ei magu yn wahanol, yn hŷn na hi o ychydig flynyddoedd, ac yn hŷn na hi o lawer yn ei phrofiad o'r byd ac o ddysgu plant. Tybiai Ann ei bod rywle o gwmpas ei deg ar hugain oed, ac yr oedd deheurwydd ac effeithiolrwydd i'w weld yn ei holl osgo a'i dull o siarad. Eto, nid oedd ei hymddygiad at Ann yn un nawddogol o gwbl. Amlwg ei bod yn awyddus iawn i'w helpu, ac yn deall ei hamgylchiadau. Ond yr oedd y gwahaniaeth rhyngddynt, gwahaniaeth cefndir gan mwyaf, yn blino Ann, yn myned ar ei gwynt, ac yn ei chaethiwo.

Roedd gagendor enfawr rhwng Kate a Betty o safbwynt eu cefndir a'u magwraeth. Wedi ei magu yn Llundain yn bennaf, agwedd Saesnes oedd gan Betty, nid agwedd Cymraes, yn union fel yr oedd agwedd Miss Williams at y rhyfel 'yn hollol fel Saesnes wladgarol'. Ond er bod rhai pethau yn wahanfur rhwng y ddwy, roedd pethau eraill yn eu tynnu'n nes at ei gilydd:

> Osgoai Ann siarad am y rhyfel â hi, ac am lawer peth arall ynglŷn â'i chartref na allai Miss Williams fyth eu deall. A barnu oddi wrth ei dillad, amheuai Ann a allai ei ffrind ddeall byw o'r llaw i'r genau o gwbl. Deuent agosaf at ei gilydd wrth sôn am lyfrau, yn enwedig pan soniai Ann am lyfrau Cymraeg, a bu'r ddwy yn agos iawn at ei gilydd y prynhawn hwn wrth gerdded hyd rostiroedd y fro. Yn wir yr oedd Ann yn ei hoffi ac yn edmygu ei diwylliant.

Agorodd Betty Eynon feddwl yr athrawes ifanc o'r Gogledd; ehangodd ei gorwelion, a helpodd, yn ddiarwybod i Kate, i greu llenor ohoni, neu o leiaf i roi iddi lawer iawn o gefndir ar gyfer y dyfodol. Hi a'i cyflwynodd i rai o glasuron mwyaf yr iaith Saesneg, a thrwy'r blynyddoedd, mewn sawl llythyr o'i heiddo at Kate, byddai Betty yn cymeradwyo llyfrau yr oedd wedi eu darllen iddi. Llenyddiaeth oedd y man canol rhwng y ddwy, y bont a gysylltai ddau ddarn o dir hollol wahanol i'w gilydd. Mae Miss Williams yn *Tegwch y Bore* yn byw llenyddiaeth. Wrth i Ann adrodd hanes ei thaith ar y mynydd agored, rhwng dau gwm, gyda'i ffrind Dora wrth Miss Williams, 'Mi allasai Emily Bronte fod wedi gosod ei nofel yn fan'na,' yw sylw Miss Williams. Miss Williams hefyd sy'n rhoi benthyg un o nofelau Thomas Hardy i Ann. 'Dyna iti Miss Williams rŵan, mae hi'n gwybod am bethau y tu allan i'w gwaith hi yn yr ysgol, mae hi'n gwybod am lenyddiaeth, ac am wledydd eraill fel y maen' nhw heddiw, a mae hi'n meddwl o hyd am rywbeth arall i wybod amdano fo,' meddai Ann wrth Dora. 'Cofia, mae hi wedi 'i magu yn ymyl Llundain, a mae hynny yn addysg ynddo'i hun,' yw ateb Dora.

Ffrind mawr Lora Ffennig yn *Y Byw sy'n Cysgu* yw Linor Ellis. Ar Betty Eynon Davies y seiliwyd Linor hefyd. Ac yn union fel yr oedd Ann yn teimlo 'ei bod yn wladaidd ei hymddangosiad' wrth ochr Miss Williams yn *Tegwch y Bore*, felly hefyd y mae Lora yn teimlo yn ymyl Linor:

> Pan aeth Lora a'r plant i'r stesion i gyfarfod â Linor, teimlai Lora ei bod yn hynod siabi yn ei hen ffrog gotyn, wrth ochr ei ffrind a edrychai fel petai newydd gerdded allan o fambocs ac nid o drên. Edrychai'n drwsiadus yn ei siwt ysgafn o las tywyll, gyda het a menig ac esgidiau i gyd-fynd â hi, a'i sanau neilon. Yr oedd Linor Ellis yn wraig

weddw ifanc, wedi colli'i gŵr yn y bomio a fu ar Lundain, ac yntau yn y gwasanaeth tân, a hithau erbyn hyn yn athrawes hŷn mewn ysgol. Yr oedd golwg lewyrchus arni o'i bag dillad hyd ei bag llaw.

Cymraes ddiwreiddiau yw Linor hefyd, ac ystyriai hynny yn fantais mewn bywyd yn hytrach nag yn llyffethair. Meddai wrth Lora:

> Dyna'r gwaetha o fyw yng nghanol pobol sy wedi cyd-dyfu efo'i gilydd o'r un gwreiddiau. 'U busnes nhw ydi dy fusnes dithau. Maen nhw'n cymryd gofal ohonot ti pan fyddi di mewn rhyw helynt, a maen nhw'n cymryd gofal ohonot ti pan fyddi di ar y ffordd i uffern, uffern yn ôl 'u barn nhw, felly. Y nhw sy'n gwarchod dy foesoldeb di. Rydw i wedi fy nadwreiddio, does neb yn poeni ydw i'n byw'n anfoesol ai peidio.

Betty Eynon hefyd oedd yr ysbrydoliaeth y tu ôl i Melinda, ffrind Bet yn *Tywyll Heno*, yr un sy'n picio 'i'r Cyfandir fel y piciwn i i'r dre',' yn ôl Bet, a'r ffrind sy'n addo dod â ffrog newydd iddi bob tro y mae'n mynd i Baris. Mae Melinda, fel Miss Williams a Linor, yn gwisgo'n hynod o ffasiynol, a Bet, eto fel y lleill, yn teimlo braidd yn dlodaidd yn ei hymyl:

> Daeth Melinda i ganu'n iach cyn mynd i ffwrdd. Gwisgai ddillad newydd; côt dri chwarter o frethyn gwyrdd cynnes a sgert yr un fath; het ffelt yr un lliw. Fe ddeuai adref efo phynnau o ddillad newydd eraill. Ni wenwynwn wrthi; dyna'i phleser …

Un o brif nodweddion y tair fel ei gilydd, Miss Williams, Linor a Melinda, yw caredigrwydd, un o nodweddion amlycaf a harddaf Betty Eynon. Ac yn union fel y mae Miss Williams yn ehangu gorwelion diwylliannol Ann yn *Tegwch y Bore*, mae Melinda yn ymestyn ffiniau llenyddol Bet yn *Tywyll Heno*. 'Wyddost ti, mae yna fardd mawr yn Ffrainc sy'n addoli pechod,' meddai Melinda wrth Bet, gan sôn am Charles Baudelaire.

Ar Betty hefyd y seiliwyd hen ffrind ysgol prif gymeriad y stori 'Dewis Bywyd', stori y byddai'n ei llunio ymhen rhyw hanner canrif, a cheir yma eto gyferbynnu rhwng dau fyd:

> Gwyddai Almaeneg a Ffrangeg yn dda, ac yr oedd wedi crwydro llawer ar y Cyfandir. Nid oedd mynd yno yn awr yn ddim iddi ond megis croesi i Sir Fôn. Am funud aeth ei dychymyg hithau i'r Almaen, er na buasai erioed yno, a gwelodd holl gerddorion mawr y wlad honno yn byw, yn cyfansoddi, yn dioddef. Yr oedd y peth mor fyw iddi â phe gwyddai eu hanes i gyd. Meddyliodd mor gyfyng y bu ei byd hi bob amser; aros gartref a mwynhau ei dawelwch.

Ffrind arall Kate yn Ystalyfera oedd Margaret Price, neu Grettie, merch o Sir Frycheiniog. Cafodd ei geni ar Ragfyr 1, 1887, ac o ran oedran roedd yn y canol rhwng Kate a Betty Eynon. Bu'n ddisgybl yn Ysgol Sir y Merched, Brycheiniog, rhwng 1900 a 1906, ac yn fyfyrwraig yng Ngholeg y Brifysgol, Aberystwyth, rhwng 1906 a 1910. Graddiodd ym 1910, ac fe'i penodwyd yn athrawes yn Ysgol Sir Ystalyfera ar Ionawr 1, 1912. Dysgai Saesneg fel ei phrif bwnc, a Ffrangeg, Arlunio ac Arithmetig fel ei phynciau atodol. Yn wahanol i Betty Eynon, gallai Grettie siarad Cymraeg, ond roedd peiriant llofruddio'r gyfundrefn addysg wedi peri ei bod yn llawer mwy cartrefol yn siarad Saesneg.

Ffrindiau anghydnaws oedd y ddwy hyn i Kate ar lawer ystyr, yn enwedig Betty Eynon, y teimlai Kate ei bod braidd yn ei chysgod. Brethyn cartref Cymreig oedd Kate o'i chymharu â gwisgoedd ffasiynol mwyaf diweddar a mwyaf drudfawr Paris Betty Eynon. Ac eto, roedd y tair hyn yn anwahanadwy yn ystod y cyfnod y bu Kate yn Ystalyfera. '[Â]i fy nwy ffrind a minnau i Abertawe weithiau ar brynhawn Sadwrn, ond nid yn aml gan na chaniatâi fy nghyflog i ddim,' meddai Kate yn *Atgofion*.[22] Nid i Abertawe yn unig yr âi'r tair. Crwydrent y fro ar droed yn aml. Aeth Kate a'i ffrindiau am dro i Lyn y Fan Fawr rywbryd ym 1916, gan gerdded o Ystalyfera i Ystradgynlais i ddal y trên oddi yno i Ben Wyllt, a cherdded wedyn o orsaf Pen Wyllt i Lyn y Fan Fawr. Collasant yr unig drên yn ôl i Ystradgynlais, a bu'n rhaid iddynt gerdded yr holl ffordd yn ôl, pum milltir ar hugain o daith drwy Abercraf, Penrhos a Chwmgïedd, nes cyrraedd Ystalyfera am un ar ddeg o'r gloch y nos. Cofiai, ymhen blynyddoedd, am dro arall yr aeth hi a'i ffrindiau arno:

> Tro arall a fyddai gennym ar Sadyrnau oedd dringo dros ysgwydd y Farteg i rai o bentrefi Cwm Dulais, Seven Sisters, etc. Cofiaf inni wneud hyn yn nechrau 1917, cyn dechrau'r iâeth ofnadwy honno, pan oedd gwynt y dwyrain wedi deifio a duo pob blewyn ar y ddaear, a'r ddaear ei hun fel craig. Wynebem erwinder y gwynt wrth fyned a chofiaf inni orwedd ar y ddaear galed, ddim ond i weld a oedd hi'n gynhesach wrth y ddaear, a chanfod ei bod. Yr oedd un tŷ bwyta swyddogol yn Seven Sisters, a chawsom fwyd yno. Ond gan ei bod mor oer, rhoes gwraig y tŷ de inni yn y gegin, gan na chyneuasai dân yn y parlwr. Yn y gegin yr oedd tri o lowyr newydd ddychwelyd o'r gwaith. Yn lle aros yno wrth y tân, aethant allan i'r oerni, am eu bod yn swil, am wn i, ac amharodd hynny ar ein pleser o yfed te.[23]

Cymerodd Kate gryn dipyn o amser i gael ei thraed dani yn Ystalyfera. Addawodd gadw mewn cysylltiad â David Ellis, ond ni lwyddodd i ddal at ei haddewid am rai misoedd. 'Bûm beth amser heb gael llety sefydlog yn Ystalyfera; yr oedd gwaith yr ysgol yn newydd ac yn galed, a'r ardal yn ddieithr,' cofiai.[24] Ond ymgartrefodd yno yn y pen draw, gan letya mewn tŷ o'r enw Dolywern yn Clare Road. 'Ni wyddwn am enw Ystalyfera pan geisiais am le yno, ac nid anghofiaf fyth fy hiraeth am gartref yno, yn ystod fy hanner tymor cyntaf. Ond fe ddeuthum i hoffi'r sir a'i phobl, a daeth Morgannwg yn ail gartref i mi,' meddai Kate ymhen blynyddoedd.[25]

O'r diwedd, rywbryd yn ystod haf cynnar 1915, cafodd gyfle i anfon gair at David Ellis. Anfonodd lythyr ato i'w lety ym Mae Colwyn, ond roedd David Ellis wedi gadael Bae Colwyn erbyn hynny a mynd i ddysgu yn Ysgol Ramadeg Morpeth yn Northumberland. Gyrrwyd llythyr Kate ymlaen ato gan ei hen wraig lety ym Mae Colwyn. Bu David Ellis yn dysgu yn Morpeth ers mis Ebrill. Roedd yr un mor ddireidus, a'r un mor atgofus, ag erioed:

> Y mae *Hons. Welsh* o ddefnydd mawr yma, yn enwedig y Bardd Cwsc. Yr wyf wedi rhegi a diawlio mwy nag a wneuthum ers talwm, nid am fod llawer o angen, ond am fy mod yn teimlo rhyw hyfrydwch nefolaidd mewn dweud 'diawl' lond ceg, a neb i'm deall. Bu bron imi ddychryn un *class* i farwolaeth drwy alw ar ysbrydion y fall mewn Cymraeg gloyw un dydd.[26]

Derbyniodd Kate un llythyr arall ganddo, ar Orffennaf 7, 1915, yn llawn o'i helyntion fel athro, a hwnnw oedd ei lythyr olaf ati.

Roedd Ystalyfera, a Chwm Tawe yn gyffredinol, yn fwrlwm o ddiwylliant yn ystod y cyfnod hwn, bwrlwm o ddiwylliant yng nghanol hirlwm diwydiant yn aml. Pentref diwydiannol oedd Ystalyfera ar y pryd, gyda'i rwydwaith o lofeydd, fel pwll glo Wern Fawr a glofa Tir-bach, a'i weithiau haearn a thunplat, ond roedd gwaith yn y gweithiau tun yn afreolaidd oherwydd prinder bariau ac asid, a gwaith yn y pyllau glo yn afreolaidd oherwydd bod y dociau yn rhy brysur yn sgil y rhyfel. Âi bywyd yn ei flaen er hynny, ac roedd Ystalyfera yn ferw o weithgarwch cymdeithasol, yng nghanol prinder a gerwinder yr amseroedd, fel y cofiai Kate:

> Tu allan i'r ysgol yr oedd digon o bethau i fynd â'n bryd. Cymdeithas y *Ddraig Goch*, er enghraifft, cymdeithas o ryw 400 o aelodau a gynhelid yn Gymraeg un wythnos ac yn Saesneg wythnos arall. Caem ddadleuon a darlithiau a phob math o gyfarfodydd, ac yr oedd y gymdeithas yn hyfryd.[27]

Ffurfiwyd Cymdeithas y Ddraig Goch ym 1902, a bu'n rhan anhepgor o fywyd cymdeithasol a diwylliannol Ystalyfera fyth oddi ar hynny. Câi aelodau'r Gymdeithas gyfle yng nghyfarfodydd y Ddraig Goch i weld a chlywed rhai o Gymry mwyaf amlwg y dydd, gan gynnwys rhai o brif feirdd a phrif lenorion y genedl. Roedd sawl cwmni drama yn Ystalyfera ei hun yn ystod cyfnod Kate yno, a nifer o gwmnïau eraill mewn pentrefi cyfagos. Llwyfennid dramâu Cymraeg yn Neuadd Ganol Ystalyfera yn gyson. Gweinidog Capel yr Annibynwyr, Pant-teg, oddi ar 1891 oedd y Parchedig a'r Prifardd Ben Davies, un o'r Beirdd Newydd ac enillydd Coron yr Eisteddfod Genedlaethol ddwywaith a Chadair yr Eisteddfod Genedlaethol unwaith ar ddiwedd y bedwaredd ganrif ar bymtheg. Perfformiwyd dramâu o'i waith, *Cartre'r Glöwr* ac *Yr Hen Dŷ a'r Tŷ Newydd*, yn ystod cyfnod Kate yn Ystalyfera. Yn ogystal â llwyfannu dramâu lleol, câi pobl Ystalyfera gyfle i weld y ffilmiau di-sain diweddaraf yn y Coliseum, a hefyd y 'Pathe's Animated Gazette of War and News Films'. Roedd sinema arall yno hefyd, sinema'r Premier, ac weithiau cynhelid cymanfaoedd canu a chymdeithasau pobl ifainc yno. Cynhelid eisteddfodau a chyngherddau lleol yn ogystal, yn enwedig o gwmpas y Nadolig.

Buan y cafodd Kate ei sugno i ganol y trobwll hwn o brysurdeb cymdeithasol a diwylliannol. Ar Dachwedd 30, 1915, cynhaliwyd cyfarfod yng Nghapel Jerusalem i anrhegu Peter Jones, cyn-reolwr glofa Tir-bach, a'i deulu ar achlysur eu hymadawiad â'r ardal. Yn ôl *Llais Llafur*:

> The programme showed that there was an inexhaustible amount of talent in the church for it was practically all contributed by the members – the chief sketch of the evening being composed and dramatised by Miss Roberts, B.A. ... "Wanted, a Housekeeper by a Bachelor." The role of bachelor was taken by Mr. John Morgan, B.Sc., and the applicants were Misses M. Price, B.A., K. Roberts, B.A., and Mrs Taliesyn Lloyd. The sketch and the natural manner in which it was acted evoked much merriment.[28]

Roedd y Kate ifanc, yn sicr, yn llawn hwyl a hiwmor.

Ar y diwrnod cyntaf o Ragfyr, 1915, roedd Eluned Morgan, y llenor o Batagonia, yn annerch aelodau Cymdeithas y Ddraig Goch:

> On Wednesday night Y Ddraig Goch, assembling at Jerusalem Vestry, under the chairmanship of Mr. Ben Jones, M. A., enjoyed a rare treat, namely a lecture by Eluned, on the subject, "Nehemiah." Lovers of "yr hen iaith" thoroughly enjoyed the feast of classic Welsh, while the treatment of the theme was most impressive.[29]

Cofiai Kate, a eiliodd y diolchiadau ar y noson, am yr achlysur hwnnw ymhen blynyddoedd. Ni allai gofio pa bryd yn union y bu Eluned yn siarad yng Nghymdeithas y Ddraig Goch nac am beth y siaradai, ond cofiai bethau eraill. Cafodd Kate ei gwahodd ganddi i gael swper gyda hi a chyda'r teulu lle'r arhosai. Yn ystod y swper dywedodd Eluned wrthi yr hoffai iddi ddod i Gaerdydd i fwrw'r Sul ati rywbryd. 'Nid oeddwn yn meddwl cyn hynny ei bod yn cymryd dim diddordeb ynof,' meddai Kate.[30] Roedd Eluned yn byw yng

Nghaerdydd gyda Mair ap Iwan, merch Michael D. Jones, sefydlydd y Wladfa ym Mhatagonia. Ni feddyliodd Kate ragor am y peth nes iddi gael llythyr rywbryd tua diwedd mis Ebrill neu ddechrau mis Mai yn ei gwahodd i ddod ati i fwrw'r Sul yng Nghaerdydd. Ym 1916 y bu hyn, felly. Roedd Kate wrth ei bodd, er ei bod braidd yn nerfus hefyd. Ni allai fod yn gwbl gartrefol yng nghwmni Eluned Morgan. Hwnnw oedd ei hymweliad cyntaf â Chaerdydd.

Roedd hwn yn wahoddiad rhyfedd. Nid oedd Kate yn awdures adnabyddus o gwbl ar y pryd. Dim ond athrawes gyffredin oedd hi, heb ddangos unrhyw fath o ogwydd tuag at lenydda. Fodd bynnag, dechreuodd deimlo'n fwy cysurus yng nghwmni Eluned Morgan, ond nid yn hollol gysurus:

> Er ei bod yn siarad Cymraeg yr un fath â minnau, dynes wedi ei magu mewn gwlad
> wahanol ydoedd ac mewn amgylchiadau gwahanol, ac yn naturiol yr oedd rhyw
> ddieithrwch rhyngom. Nid yw pobl o ddwy wlad wahanol, er iddynt siarad yr un iaith,
> yn medru bod yn gartrefol yng nghwmni ei gilydd y troeon cyntaf y maent yn cyfarfod,
> ac nid oedd y gwahaniaeth yn yr oed yn help, ond yr oedd wedi bod yn garedig iawn
> wrthyf.[31]

Athrawes ifanc 25 oed oedd Kate ym mis Ebrill neu Fai 1916, ac Eluned Morgan yn 46 oed, bron ddwywaith yn hŷn na hi. Ac eto, er y gwahaniaeth rhwng y ddwy o ran cefndir ac oedran, roedd natur anturus a harddwch corfforol Eluned Morgan yn atyniadol iddi:

> Yr oedd Miss Eluned Morgan yn ddynes hardd iawn, yr oedd ganddi gorff tal hydwyth
> a gwallt rhyfeddol. Erioed yn fy mywyd ni welswn wallt mor winau – nid wyf am
> ddweud *brown*. Nid gwallt cringoch ydoedd, eithr gwallt o liw siocled perffaith a
> hwnnw'n donnog, wedi ei wneud yn gocyn ar dop y pen, fel yr oedd y ffasiwn y
> pryd hynny, ac yn gorwedd yn grwn o gwmpas ei hwyneb. Eithr yr oedd un peth
> a'i rhwystrai rhag bod yn hardd iawn. Yr oedd rhyw nam ar ei llygad ac yr oedd yn
> dueddol i edrych fel pe bai yn edrych dros ben rhywbeth.[32]

Roedd Kate, gyda'r sylwgarwch miniog, synhwyrus hwnnw a oedd mor nodweddiadol ohoni, wedi storio'r darlun hwn o Eluned Morgan yn ei chof am hanner can mlynedd yn union.

Ni ddaeth y flwyddyn newydd â newyddion da i Kate yn Ystalyfera bell, nac i'w rhieni gartref yn Rhosgadfan. Ar Ionawr 24, 1916, yn Neuadd y Dref, Bangor, ymunodd Dei â'r fyddin. Ei oedran ar y pryd oedd dwy ar bymtheg oed, gan mai ar Ebrill 13, 1898, y cafodd ei eni, ac felly, bron i dri mis cyn cyrraedd ei ddeunaw oed, roedd yn rhy ifanc i ymrestru yn y fyddin. Ymunodd ag Ail Fataliwn y

'King's Liverpool Regiment', o'r 'Salonica Forces'. Achosodd penderfyniad Dei i ymuno â'r fyddin wewyr meddwl mawr i Kate ac i'w theulu, ac roedd y boen a'r pryder yr un mor fyw iddi bron i ddeugain mlynedd yn ddiweddarach, pan ysgrifennodd *Tegwch y Bore*, ag ydoedd ym 1916:

> Ar ôl dychwelyd ym min tywyllnos o'i thro, yr oedd llythyr yn ei haros oddi cartref; Huw, ei brawd, wedi ysgrifennu i ddweud bod Bobi wedi ymuno â'r fyddin. Cafodd y fath ergyd wedi darllen y newydd, fel y teimlai mai wedi ei ladd yr oedd Bobi, ac am funudau lawer teimlai mai wedi ei ladd yr oedd. Yna, daeth siom i gymryd lle'r teimlad hwnnw, siom fod Bobi wedi gwneud y fath beth heb fod yn rhaid iddo – nid oedd ond dwy ar bymtheg a hanner oed – a rhoi'r fath boen i'w rieni. Dywedai Huw fod ei thad a'i mam yn torri eu calonnau yn lân. Yr oedd hithau yr un fath, ond ni feiddiai feddwl bod y boen yr un faint iddi hi, er ei bod yn gwybod ei bod yn un fawr iawn.

Ddiwedd Ionawr 1917, cafodd Kate wybod, trwy lythyr oddi wrth ei brawd Evan, 'fod Dafydd wedi cychwyn i Salonica er dydd mawrth [*sic*]' a bod ei fam a'i dad 'yn rhait ddrwg'.[33] At y llythyr hwnnw y cyfeirir yn *Tegwch y Bore*. Roedd y tad hefyd ar fin ei chychwyn hi am Lerpwl, wedi iddo gael gwaith yn Canada Doc.

Bedwar diwrnod ar ôl i Dei ymuno â'r fyddin, ymunodd David Ellis â'r Corfflu Meddygol yn y Rhyl, er na wyddai Kate ddim byd am hynny ar y pryd. Bu'n dysgu yn Ysgol Ramadeg Morpeth hyd at ddydd Nadolig 1915, yn swyddogol. Yn naturiol, ymuno â'r Corfflu Meddygol a wnaeth Richard Edmund yn *Tegwch y Bore* hefyd, gan mai ar David Ellis y seiliwyd y cymeriad hwnnw.

Ym mis Chwefror 1916, trawyd Ben Jones yn wael, a bu'n absennol o'r ysgol am rai wythnosau. Rhoddodd hyn fwy o bwysau o lawer ar Kate. Ar ben hynny, roedd yr ymdrech ryfel yn hawlio llawer iawn o sylw ac egni'r athrawon. Ffurfiwyd cangen o Gymdeithas Gynilo'r Rhyfel yn yr Ysgol Sir ym 1916, gyda Betty Eynon a Ben Jones yn ysgrifenyddion iddi. Cesglid arian ar gyfer pob math o gronfeydd, cronfeydd ar gyfer milwyr a morwyr, ac ar gyfer eu teuluoedd, a dechreuodd Kate hithau gyfrannu tuag at yr ymdrech ryfel:

> Ffurfiwyd cwmni drama bychan, a byddem yn mynd o gwmpas i actio er cael arian at gysuron y milwyr. Dyma rai oedd yn y cwmni, D. R. Williams (brawd Dr. Stephen J. Williams), D. George Williams (tad Islwyn Williams), Silas Evans, W. J. Hopkin, Margaret Price, Betty Davies a minnau. Byddem yn actio'r *Canpunt, Wel! Wel!* a *Dyrchafiad Arall i Gymro* (W. J. Gruffydd).[34]

Ceir cyfeiriad at y cwmni drama hwn yn *Tegwch y Bore*, yn y sgwrs ynglŷn â'r rhyfel rhwng Ann a'i ffrind coleg, Dora. Wedi i Ann ddweud nad oedd o blaid y rhyfel, ac nad oedd yn ei ddeall nac yn gwybod dim byd, 'dim ond bod gen i rai yr ydw i'n i caru i mewn ynddo fo, a fedra i ddim dweud dim yn i herbyn nhw', mae Dora yn ei chyhuddo o fod yn ddiasgwrn cefn, 'neu fasach chi ddim yn helpu'r rhyfel mewn ffyrdd eraill'. Cyfeirio at y cwmni drama 'sy'n mynd o gwmpas i hel pres i'r sowldiwrs' y mae Dora, sef y cwmni yr oedd Kate ei hun yn perthyn iddo, ac mae Ann yn y nofel yn troi tu min ar ei ffrind:

> "Ylwch yma Dora, dyna sy'n fy nghadw fi'n gall. 'Rydw i'n dysgu lot, 'rydw i'n cael cwmpeini pobol glên, ac nid helpu'r rhyfel ydi rhoi mymryn o gysur i'r hogiau sydd yn y ffosydd."

Aeth Kate a'i ffrindiau, Betty Eynon a Grettie, ati i lunio dramâu ar gyfer y cwmni newydd. Betty Eynon oedd y ddramodwraig, ond nid oedd yn ddigon rhugl ei Chymraeg i lunio'r un ddrama ar ei phen ei hun, a Kate a gafodd y gwaith o gyfieithu neu addasu'r ddeialog i'r Gymraeg. Fel y dywedodd wrth J. E. Caerwyn Williams ymhen blynyddoedd, ei rhan hi 'fyddai helpu gyda'r ddeialog'.[35] Lluniwyd dwy ddrama ar y cyd yn ystod cyfnod Ystalyfera gan y tair, *Y Canpunt* a *Wel! Wel!*, ac un ar y cyd rhwng Betty Eynon a Kate, *Y Fam*.

Ar nos Fercher, Mawrth 1, perfformiwyd *Y Canpunt* yn y Coliseum fel rhan o ddathliadau Gŵyl Ddewi Cymdeithas y Ddraig Goch. Hysbysebwyd y ddrama ymlaen llaw yn *Llais Llafur*:

> Heblaw yr adrodd a'r canu fe roddir perfformiad o ddrama newydd – "Y Can'punt." Y mae'r ddrama hon wedi ei hysgrifenu gyda'r amcan arbenig iddi gael ei chwarae yn[g] nghyfarfod Nos Gwyl Dewi. Barnwn y dylai'r ardal deimlo dyddordeb neillduol yn y ddrama hon, am y rheswm fod ei hawdwyr yn trigo yn ein plith, ac yn adnabyddus i bawb bron. Cyfansoddwyd hi gan dair o aelodau ffyddlonaf y Ddraig Goch, sef Miss K. Roberts, B.A., Miss Margaret Price, B.A., a Miss Betty Davies, B.A., y tair fel y gwelir yn athrawesau yn yr Ysgol Sir.[36]

Roedd y Coliseum dan ei sang ar y noson, a llongyfarchwyd y cwmni ar safon uchel ei berfformiad. Yn ôl *Llais Llafur*: 'Miss Jessie Williams as "Meri Myfanwy" evoked roars of laughter, while the stately dignity of "Mrs. Davies" (Miss M. Price), and the superior qualifications of "Angelina" (Miss K. Roberts) will not soon be forgotten'.[37] Yn fuan iawn wedi hynny, perfformiwyd y ddrama yng Nghwmllynfell, a chafodd dderbyniad gwych.

Gan nad oedd ei Chymraeg yn ddigon da, ni chymerodd Betty Eynon ran yn ei drama ei hun. Chwaraewyd rhan un o gymeriadau'r ddrama gan seren leol o'r enw Jessie E. Williams, o Wern House, Ystalyfera, actores amatur a oedd hefyd yn gweithio'n galed er mwyn yr ymdrech ryfel. 'Miss Williams has worked hard with a great many movements for the purpose of aiding war-charities,' meddai ei phapur lleol amdani.[38] Fel Kate, roedd ganddi hithau hefyd frawd yn y fyddin.

Roedd gan Kate hefyd frawd arall yn y fyddin, yn ogystal â Dei. Aeth Evan i Lerpwl i weithio ym 1914, ac ymunodd yn y man ag un o gatrodau'r ddinas. Cymerodd ran yn lladdfa fawr y Somme ym mis Gorffennaf 1916, a derbyniodd y teulu delegràm oddi wrth y Swyddfa Ryfel ym mis Gorffennaf: 'Private Roberts reported dangerously ill, 9 July in 2 Stationery Hospital Abbeville. Gun shot wound arm'.[39] Ni wyddai neb ar y pryd beth oedd gwir gyflwr Evan, ond, mewn gwirionedd, roedd mewn cyflwr difrifol. Aeth darn o shrapnel drwy'i ysgyfaint a llechu yn ymyl ei galon, a chafodd ei glwyfo hefyd yn ei fraich. Roedd ei fywyd mewn perygl mawr, a bu'n rhaid iddo gael sawl llawdriniaeth. Erbyn dechrau Awst, roedd wedi cyrraedd Ysbyty'r Brifysgol yn Southampton. Pan symudwyd Evan i Ysbyty Cwrt Sart yng Nghastell-nedd wedyn, am gyfnod byr, cafodd Kate gyfle i fynd yno i'w weld.

Roedd gan Kate, felly, lawer o bethau i boeni yn eu cylch ym 1916. Ac ar ben popeth, roedd y sefyllfa yn yr ysgol yn llai na delfrydol. Ceir arwyddion ei bod yn anniddig ac yn anhapus yno. Yn ôl cofnodion cyfarfod Mehefin 14, 1916, o Fwrdd y Llywodraethwyr: 'A letter was read from Miss Roberts asking the Governors for a testimonial. It was decided that the letter lie on the table'.[40] Ystyr 'to lie on the table' yw gohirio penderfyniad, weithiau gyda'r gobaith y byddai'r cais neu'r mater dan sylw yn diflannu. Meddwl am y dyfodol yr oedd Kate, a gofynnodd i Fwrdd y Llywodraethwyr am lythyrau cymeradwyaeth, oherwydd y byddai angen tystlythyrau o'r fath arni pan fyddai'n ymgeisio am swyddi eraill. Ceir awgrym o un peth a oedd yn ei phoeni yng nghofnodion cyfarfod Gorffennaf 12, 1916, o Fwrdd y Llywodraethwyr: 'The report of the Board of Education on the Physical Instruction was again discussed together with the request of the Glamorgan Education Committee that the suggestions in the report be put into practice. It was proposed by Mrs Lloyd & seconded by Rev Ben Davies that a Physical Instructress be appointed in the place of the present Temporary Mistress (Miss Kate Roberts)'.[41] Ac mae'r cofnod uchod yn cyfeirio at y cofnod canlynol yng nghyfarfod Mehefin 14, 1916 (lle mae Kate yn gofyn am dystlythyr):

Physical Instruction. A letter was read from Mr [Mansel] Franklen calling attention
to the recommendations in the Board of Education report on Physical Instruction
and Expressing the wish of the Education Committee that these recommendations if
possible be put into practice. It was decided to defer the matter for a month.[42]

Hawdd gweld beth oedd yn poeni Kate ar y pryd. Roedd Henry Rees yn
gwneud iddi orweithio, a theimlai hithau ei fod yn cymryd mantais ohoni. Ben
T. Jones a Kate a arferai ofalu am y gwersi ymarfer corff, ar y cyd, ond aeth
Ben Jones yn wael ym mis Chwefror, ac am rai wythnosau bu'n rhaid i Kate
ysgwyddo dwy swydd, yn ogystal â chyflawni myrdd o fân ddyletswyddau eraill
a dysgu pynciau eraill. Ar ben hynny, roedd tyndra mawr yn bodoli rhwng Kate
a'i phrifathro, a rhwng Kate a'i frawd, F. E. Rees. Y mae straeon am y ffordd y
cafodd Kate ei thrin gan y ddau hyn wedi goroesi yng Nghwm Tawe. Roedd
rhagfarn yn ei herbyn gan Henry Rees yn syml am mai Gogleddwraig oedd hi.
Cymraes fach gyffredin o berfeddion cefn gwlad Cymru oedd Kate yn ei olwg, ac
roedd ei agwedd tuag ati yn drahaus. Felly hefyd ei frawd. Ond gallai Kate fod yn
hynod o benstiff ar adegau, a'r peth gwaethaf y gellid ei wneud gyda Henry Rees
oedd herio'i awdurdod.

Roedd Kate yn sicr yn chwilio am swydd arall, sef swydd darlithydd
Cymraeg yn y Coleg Normal ym Mangor. Ar Fehefin 15, ddiwrnod ar ôl i
Fwrdd y Llywodraethwyr gyfarfod, ysgrifennodd Henry Rees dystlythyr yn
canmol gwasanaeth Kate yn yr ysgol dros gyfnod o chwe thymor. Dywedodd ei
bod wedi rhoi gwasanaeth gwerthfawr i'r ysgol trwy ddysgu pynciau ar wahân i'w
phrif bwnc, 'particularly Geography, History and Drill'.[43] 'I have much pleasure
in strongly recommending her claims to the appointing Authority for the post of
Welsh Lecturer at the Bangor Normal College,' meddai.[44] Roedd athrawon yn
hynod o brin yn y cyfnod, oherwydd bod y fyddin yn hawlio'r dynion, ac efallai
fod Bwrdd y Llywodraethwyr yn anfodlon gollwng Kate am na allent fforddio
ei cholli. Os felly, a oedd Henry Rees, yn groes i lywodraethwyr yr ysgol, yn
gweithredu'n annibynnol, gyda'r gobaith y câi wared â hi? Roedd y gwrthdaro
mawr hwn rhwng y ddau i barhau.

Ni chafodd Kate y swydd yn y Coleg Normal, ac aeth bywyd yn ei flaen
fel cynt, a pharhai hithau i gymryd rhan yng ngweithgareddau cymdeithasol a
diwylliannol Ystalyfera. Ar nos Fercher, Hydref 25, 1916, cynhaliwyd noson
gylchgrawn gan Gymdeithas y Ddraig Goch, gyda Ben T. Jones, Llywydd y
Gymdeithas, yn llywio'r gweithgareddau. Yn ôl adroddiad *Llais Llafur*:

This was a magazine evening under the direction of Miss B. Davies, B.A., Miss K.
Roberts, B.A., and Miss M. Price, B.A., all members of the County School staff. The
programme contained items on various interesting topics, and the following is a list
of the subjects and of the members who took part: A short lesson on "Cynghanedd,"
Tarennydd; Science Gleanings, Mr. John Morgan, B.Sc.; Short Story (English), Miss
M. Price, B.A.; National Poetry (selections), Miss Taliesyn Lloyd; Article "Dringo'r
Wyddfa," Mr. D. G. Williams; Short Story (English)[,] Miss B. Davies, B.A.; Article,
"A Plea for Rumania," Mrs. Dr. Lewis; Welsh Poetry (selections from the Rev. J. J.
Williams's prize ode "Y Lloer"), Mr Ben T. Jones, M.A.; Short Story (Welsh)[,] Miss
Roberts, B.A.; Editorial Notes (prepared by the Editorial Board). All the items were
well received by the audience, especially the "Short Stories" written by the three lady-
teachers, each of whom revealed a remarkable gift in delineating different types of
character, and in the skilful weaving around them interesting episodes of everyday life.[45]

Mae'r cofnod yn bwysig oherwydd y mae'n profi bod Kate wedi llunio stori fer
ym 1916, flynyddoedd cyn iddi ddechrau ymroi i lenydda o ddifri. Efallai mai
fersiwn cynnar o un o'i straeon diweddarach oedd stori Kate, ond mwy na thebyg
mai ymarferiad ar gyfer y noson ydoedd, er bod gallu'r tair athrawes i bortreadu
cymeriad a gweu digwyddiadau cyffredin bywyd bob dydd o'u hamgylch yn
ddisgrifiad perffaith o waith y Kate aeddfed. Yn ddiarwybod iddi hi ei hun, roedd
Kate yn paratoi ar gyfer y dyfodol.

Pan wawriodd 1917, dal i rygnu ymlaen yr oedd y rhyfel. Ar Ionawr 26,
anfonodd Kate lythyr at berthynas iddi, Hughie E. Williams, a oedd yn gwasanaethu
yn Ffrainc, gan arwyddo'r llythyr fel 'Auntie Kate'. Gobeithiai y deuai terfyn
buan ar y rhyfel, a dywedodd ei bod 'mewn gohebiaeth a'r County School yn
Merthyr, ond nid wyf yn siwr iawn a af ai peidio'.[46] Dywedodd mai

... temporary during the war wyf yma. Ond bydd yn gas iawn gennyf ymadael ag
Ystalyfera[.] Rwyf yma ers dwy flynedd agos, ac mae imi lu o gyfeillion.[47]

Hyd yn oed os oedd yn casáu'r ysgol a'i phrifathro, roedd yn hoff iawn o
Ystalyfera. Ond ar ddechrau 1917, roedd Kate yn pryderu:

Nid oes llawer o hwyl sgrifennu arnaf. Rwyf i lawr yn y dumps. Mae mrawd iengaf
ar y ffordd i Salonica. Nid yw yn 19 eto, ac mae yn hynod o delicate. Mewn ffaith,
pan ymunodd flwyddyn yn ol gallasem ei gael yn rhydd oherwydd ei iechyd. Ond
mynnodd gael aros gyda'r fyddin. Poenaf yn arw yn ei gylch. Mae mrawd arall wedi
cael ei discharge ac adre ar hyn o bryd – y shrapnel o hyd yn ei lung.[48]

Roedd gan Kate le i bryderu. Ym mis Mawrth 1917, cafodd teulu Cae'r Gors
newyddion drwg am Dei. Ar Fawrth 4, 1917, anfonodd caplan Wesleaidd o'r

enw James Smith lythyr at Catrin Roberts i ddweud wrthi fod ei mab wedi cael ei glwyfo gan ffrwydrad bom:

> I am sorry to have to inform you that your son, Pte Roberts 37404 R.A.M.C. has been wounded by the bursting of a shell. This happened on Thursday last … His wounds are in the right leg and left arm. Altho' severe, I do not think that there is anything to fear. Both doctors & nurses are fully assured that he will pull thro'.[49]

Ar yr un diwrnod yn union, gyrrwyd llythyr arall ati, y tro hwn oddi wrth G. D. Whitaker, ac ynddo fwy o fanylion:

> Your son asked me to write to you today and say he was getting along nicely. You will know that he has been wounded. It was a bomb from an enemy aeroplane …
> His right arm is fractured & he was also hit in the left leg. I have seen him each day & the Methodist chaplain who comes here at intervals calls to see him. I went in to say goodnight to him & while I was there he said the Lord's prayer so naturally & it was his second night when he was slightly feverish & I am sure it was a habit which you had taught him. He often speaks of you & wanted me to let you know he was better so that you should not worry.[50]

Anfonodd G. D. Whitaker lythyr arall at Catrin Roberts ar Fawrth 12. Er bod gobaith y gallai Dei ddychwelyd i'w wlad ei hun yn weddol fuan, roedd y llythyr hefyd yn cynnwys newyddion drwg iawn:

> When he is strong enough he will come home on a hospital ship. His arm is healing very well but so far his leg has not done so well. If it does not show improvement before long it may be necessary to amputate the lower part of his leg. I hope it will not prove so.[51]

Anfonodd Evan gopi o ail lythyr G. D. Whitaker at Kate, a dywedodd wrthi mewn ôl-nodyn fod eu mam am iddi ysgrifennu llythyr at Dei. Anfonodd Kate air ato ddiwedd Mawrth. 'Gobeithio yn fawr dy fod yn gwella boyo,' meddai, ac fel y llun a dynnodd Wmffra o filgi yn gafael yng ngwar cwningen yn ei lythyr at ei wraig yn 'Y Llythyr', un o'i storïau cynharaf, roedd Kate wedi tynnu pedwar llun digon plentynnaidd i ddifyrru Dei.[52] Dyheu am fod yn ôl yng Nghae'r Gors ei phlentyndod gyda'i brawd bach yr oedd Kate, yn enwedig ar adeg mor ingol yn hanes y ddau, a phlentyn oedd Dei iddi o hyd. 'Mi edrycha i ar ol y gath iti wedi mynd adra a mi ofala y cei di ddigon o lythyrau a fferins,' ychwanegodd.[53]

Fel y rhagwelodd G. D. Whitaker, bu'n rhaid torri coes Dei i ffwrdd. Anfonodd nyrs o'r enw C. Macnaughton-Jones lythyr at Kate ar Fawrth 17, bron i bythefnos cyn y llythyr optimistaidd a chysurlon hwnnw a anfonasai Kate at ei brawd. Ar ôl Mawrth 29 y derbyniodd Kate lythyr C. Macnaughton-Jones, ac roedd ynddo newyddion dirdynnol: 'He was very seriously wounded – & I regret much to be obliged to tell you, we were forced to amputate his right leg above the knee'.[54]

Ailgrewyd y cyfnod pryderus hwn yn *Tegwch y Bore*, gan bwyso'n drwm ar gynnwys y llythyrau hyn:

> Yr un oedd y newyddion a ddeuai am Bobi o'r naill wythnos i'r llall. Ond yr oedd un cysur yn hynny. Yr oedd yn wydn ac yn dal ei dir. Hyd y dydd pan anfonodd y caplan i'w chartref i ddweud ei fod yn ofni y byddai'n rhaid torri coes Bobi i ffwrdd, eu bod yn gobeithio na byddai raid, ond ei fod yn obaith gwan. Yn union ar ben hynny, daeth llythyr yn uniongyrchol iddi hi i Ynys y Grug oddi wrth bennaeth yr ysbyty, yn dweud eu bod wedi gorfod torri ei goes, ei fod cystal â'r disgwyl, a'u bod yn gobeithio y gallent gadw'r fraich, fod Bobi wedi gofyn iddi anfon at ei chwaer i dorri'r newydd, ac nid at ei rieni, a gofyn iddi hi wneud hynny.

Erbyn mis Mawrth, yn ôl cofnodion cyfarfod Bwrdd y Llywodraethwyr ar Fawrth 14, roedd Kate yn paratoi i ymadael â'r ysgol: 'The Clerk raised the question of Miss Roberts' increment inasmuch as she terminated her engagement in July next. It was moved by Mr D. T. Williams that the increment be allowed until July'.[55] Yng nghyfarfod Mehefin 13, 1917, wedyn: 'A letter was read from Miss Roberts asking whether the Governors still adhered to their resolution of July 1916. It was unanimously agreed to abide to the resolution of last year'.[56] Yn yr un cyfarfod, cofnodwyd bod Clara Brown o Folkestone wedi cael ei phenodi yn athrawes ymarfer corff a choginio, ond daeth y penodiad yn rhy hwyr i Kate.

Yr ochr gymdeithasol i fywyd Ystalyfera oedd yr unig ddihangfa a gâi Kate yn ystod y cyfnod gofidus hwn. Cynhaliwyd tair noson o gyngherddau a dramâu, rhwng Mawrth 19 a Mawrth 21, 1917, gan Gymdeithas y Ddraig Goch yn y Coliseum i godi arian ar gyfer teuluoedd milwyr a morwyr a oedd yn gwasanaethu yn y Lluoedd Arfog. Ar nos Lun perfformiwyd drama W. J. Gruffydd, *Dyrchafiad Arall i Gymro*, 'the characters being represented by Miss M. Price, B.A., Miss B. Davies, B.A., Miss K. Roberts, B.A., and Messrs. D. Geo. Williams, D. R. Williams, M.E., W. J. Hopkin, Dd. Jenkins and Silas Evans (stage manager)'.[57] Felly roedd Betty Eynon wedi magu digon o hyder erbyn hynny i actio yn y Gymraeg. Perfformiwyd *Y Canpunt* eto ar nos Fercher. 'The comedy was written by the three ladies who took part,' meddai adroddiad *Llais Llafur*, ond Kate a Margaret Price yn unig a enwir fel aelodau o'r cast.[58] Ar nos Sadwrn, Mehefin 2, 1917, aeth cwmni drama Cymdeithas y Ddraig Goch i Gwmllynfell gyfagos i berfformio'r ddwy ddrama, eto er mwyn codi arian ar gyfer cronfa'r milwyr a'r morwyr. Efallai mai'r achlysur hwn, neu'r perfformiad blaenorol ym 1916, a gofiai Kate flynyddoedd yn ddiweddarach:

Cofiaf inni fynd i Gwmllynfell unwaith i actio, ac yr oedd rhyw soffa bach simsan y gallai dau eistedd arni yn perthyn i'r neuadd. Gan fod eisiau lle i dri eistedd wrth ochrau ei gilydd yn *Y Canpunt*, cymerodd S.E. [Silas Evans] forthwyl a hitio un pen o'r soffa i ffwrdd, rhoi bocs lemonêd wrth y pen a gorchuddio'r cwbl efo darn o ddefnydd cyrten.[59]

Ar Ebrill 10 anfonodd Dei lythyr at y teulu i'w cysuro. Roedd ei goes, meddai, 'wedi gorphen mendio yrwan ac y mae fy mraich yn dwad yn mlaen yn ardderchog'.[60] Ddeuddydd yn ddiweddarach anfonodd lythyr arall at deulu Cae'r Gors. Swniai yn galonnog:

Wel mi ydw i wedi colli fy nghoes dde ond peidiwch a phoeni y maent am fi [*sic*] ngwneud yn A1. Nid wyf fi yn poeni o gwbl yn nghylch dim byd ond meddwl am gael dod drosodd i Loegr, a fydd hynu ddim yn hir. Aros wrth fy mraich y maent, cofiwch y mae fy nghoes wedi gorphen mendio, yr wyf yn medru ysgwyd y stwmp fel fynof fi yrwan.[61]

Roedd Dei, yn sicr, wedi bod dani'n ddifrifol ac wedi dioddef yn enbyd, yn fwy o lawer nag y dywedai wrth ei deulu. Anfonodd lythyr, heb ddyddiad ynghlwm wrtho, at Kate:

Bum o dan saith oparation y chwech wythnos gyntaf y bum yn yr Hospital yma, ond hitia befo mi rydw i fel deryn bach mor llawen ar [*sic*] gôg ac yn meddwl am ddim ond am "The next boat for Blighty" a dyna sydd wedi fy nal i fynu ar hyd yr amser.[62]

Anfonodd Kate lythyr ato ar Fehefin 18. Gobeithiai ei fod yn gwella, ac y byddai ei fraich yn dod yn well yn fuan iawn. 'Fe boenais lawer yn dy gylch,' meddai wrtho.[63] Ac er mai llythyrau chwaer hŷn at ei brawd bach yw'r llythyrau hyn at Dei, maent hefyd yn llythyrau mamol o ran agwedd a chywair: '… pan ddoi di adre mi gawn hwyl iawn boyo. Mi gei hynny lici di o bres poced gennyf ac mi fyddwn yn bownd o wneud rhywbeth i ti'.[64] Yn yr un llythyr soniodd fod Evan yn meddwl mynd i ryw goleg yn Lerpwl i ddysgu mynd yn glerc, gan na feddyliai ei fod yn ddigon da i fynd i'r siop gwt sinc a gadwai islaw Cae'r Gors. Addawodd Kate y byddai'n mynd i weld Dei yn yr ysbyty lle bynnag y byddai wedi iddo ddod yn ôl. 'Mae'n debyg mai i Brighton y cei dy anfon,' meddai, gan mai i'r fan honno 'y maent yn anfon pawb sydd wedi eu clwyfo yn eu breichiau a'u coesau'; ac ar ddiwedd y llythyr ceir pum llun digon di-glem o anifeiliaid doniol yr olwg a'r geiriau '"Puzzle find" beth yw'r creaduriaid yma' oddi tanynt.[65] Naïfrwydd yng nghanol gwallgofrwydd.

Nid ar y ffordd yn ôl i Brydain yr oedd Dei y mis Mehefin hwnnw, fodd bynnag. Erbyn wythnos olaf y mis yr oedd ar fwrdd llong ysbyty, yr *H.M.H.S. Valdivia*, ac ar ei ffordd i Ynys Malta o Salonica. Yno y bu, yn Ward 4, Ysbyty Cottonera. Yn un o'i lythyrau at Kate – llythyr diddyddiad arall – mynegodd ei ryddhad o gael gadael Salonica y tu ôl iddo: 'Wel diolch fy mod wedi gadael Salonica, achos yr oedd y llonga awyr yma yn dod drosodd bob dydd a wyddat ti ddim pa funud y buasa bomb yn disgyn ac yn chwythu y lle i fynu'.[66] Ac fe ddisgrifiodd yn union beth a ddigwyddodd iddo pan gafodd ei glwyfo, gyda pheth hiwmor grotésg:

> Mi eis ddigon uchal yn yr awyr pan y ces fy nghlwyfo ac yr wyf yn cofio fy hun yn disgyn fel briksan, a hitio ochr fy mhen nes yr oedd fy nanadd i yn siwrwd. Y mae darna o esgyrn yn dal i ddod allan o fy mraich fuasa ti yn licio i mi ddod a darn adra i ti, y mae genyf ddarn o shrapnel.[67]

Hawdd dychmygu effaith y geiriau hyn ar y chwaer hŷn hynod o sensitif ac agored i argraffiadau.

Anfonodd Dei ragor o lythyrau at y teulu ym mis Gorffennaf, ond o ganol y mis ymlaen dechreuodd newyddion gofidus iawn gyrraedd Cae'r Gors. Ar Orffennaf 17, anfonodd y Swyddfa Ryfel delegràm at fam Kate: 'Regret report 81019 Pte D O Roberts 2 Garrison Lpool Regt dangerously ill, suffering dysentry [*sic*]. Hospital not stated'.[68] Anfonwyd nodyn arall ar bapur swyddogol y fyddin i Gae'r Gors ar Orffennaf 18, er mai ar Orffennaf 14 y lluniwyd y nodyn, gyda'r neges 'is still seriously ill suffering from Compound Fracture of the arm, and Right Leg amputated'.[69] Ac eto, roedd llythyrau Dei at ei deulu yn adrodd stori wahanol. Ysgrifennwyd llythyr ar ei ran at ei rieni gan W. Lewis, Cymro di-Gymraeg o Abertawe, yn eu hysbysu ei fod yn gwella. Anfonodd lythyr at Kate hefyd, eto yn llaw W. Lewis, i ddweud ei fod yn gwella a'i fod wedi cael ei drosglwyddo i ysbyty arall. Hwn oedd ei lythyr olaf at Kate, ac roedd yn llawn gobaith:

> Well Dear Sister ... I don't think the time will be very long now before we'll see one another again in the dear old Country, I have just wrote to Mother telling her how I am getting on[.] I hope she won't worry herself to [*sic*] much, because I told her that I am a lot better. I am sorry that this letter is rather short[.] I shall write more when I hear from you, so now I will draw to a close wishing you the best of health ...

Ac fe'i harwyddwyd 'Davie … your Affectionate Brother'.[70]

Ar Orffennaf 23 anfonodd Sister Downey lythyr at Catrin Roberts, o Ysbyty Milwrol Imfarfa yn Malta:

> I am very sorry to write to tell you that your son Pte Roberts is dangerously ill. I think this afternoon he is a trifle better & hope that it may continue poor little man, he is such a good patient.
>
> I think it is only right to let you know that at present we have very little hopes for him, the Drs have done almost every thing that it is possible to do for him, & of course you know while there's life there's hope & we must just hope for the best you know.[71]

Cyrhaeddodd neges arall, dyddiedig Gorffennaf 25: 'still dangerously ill midnight 21.7.17'.[72] Ond tra oedd bywyd roedd gobaith, a glynu fel gelen wrth y gobaith bregus hwnnw a wnaeth teulu Cae'r Gors. Cafodd Catrin Roberts rywun i lunio llythyr Saesneg yn ei henw:

> Dear Sir,
>   Received following Telegram yesterday from your office
>   "Liverpool 4069. 17/7/17. Regret report 81019 Pte D O Roberts 2 Garrison Lpool Regt dangerously ill suffering dysentry [sic]. Hospital not stated"
>   The following is the address of our son Pte D O Roberts *37404*
>
> 2 Garr Batt KLR
> No 1 Canadian Stationery [sic] Hospital,
> Salonica
>
> Please note the difference in the number. Is it not likely that there is a mistake[?]
>   Will you kindly enquire and let us know as soon as possible.[73]

Ond 'doedd dim camgymeriad. Yn ôl cofnod swyddogol y fyddin ynghylch ei farwolaeth, nodir manylion David Owen Roberts fel '(81019) Private. 2nd Garrison Battalion. The King's (Liverpool Regiment) formerly (37404) 3rd Battalion Royal Welch Fusiliers'. Ar y diwrnod olaf o Orffennaf, derbyniodd Catrin Roberts delegràm o Preston ac ynddo'r neges y bu'r teulu yn arswydo rhagddi: 'Regret report 81019 Pte D O Roberts L'pool Regt. died from dysentery. July 27th'.[74] Roedd pob gobaith bellach ar ben.

Gadawodd yr holl frys-negeseuon swyddogol-oeraidd hyn o du'r Swyddfa Ryfel argraff annileadwy ar Kate. Y mae'n bur sicr mai cofnodi ei hymateb ar y pryd i'r brys-negeseuon ingol hyn ynghylch cyflwr peryglus wael ei brawd a wnaeth yn *Tegwch y Bore*:

Pan welodd Ann lythyr oddi cartref ar ei bwrdd cinio, a hithau heb ateb eu llythyr blaenorol, gwyddai fod rhywbeth yn bod. Rhuthrodd i'w agor, a syrthiodd ei llygad yn gyntaf ar lythyr y Swyddfa Ryfel a amgaeasid yn llythyr ei mam – "Robert Owen wedi ei glwyfo yn ddifrifol yn beryglus wael." Nid oedd dim yn llythyr ei mam ond dweud eu bod wedi derbyn y newydd drwg hwn – dim gair i ddweud sut y teimlai na dim. Wedi ei ddarllen, teimlodd Ann ei chnawd yn oeri ar odre ei gwallt, a'r oerni yn mynd i lawr dros ei hwyneb a'r peth nesaf a wyddai oedd ei bod wedi disgyn ar lawr ac yn ceisio siarad a methu.

Yn yr un modd, ar y telegràm a hysbysodd deulu Cae'r Gors ynghylch marwolaeth Dei ar Orffennaf 27 y seiliwyd yr olygfa lle mae Jane Gruffydd yn derbyn telegràm Saesneg ynghylch marwolaeth ei mab Twm yn *Traed mewn Cyffion*.

Yn ôl cofnodion Ysgol Sir Ystalyfera, ar Orffennaf 23, 1917, y gadawodd Kate ei swydd, rhyw bedwar diwrnod cyn marwolaeth Dei. Bu'r mis Gorffennaf hwnnw yn fis dieflig iddi. Nid gadael yr ysgol o'i gwirfodd a wnaeth Kate, ond cael ei diswyddo:

On Tuesday afternoon a meeting of the Governors of the Ystalyfera County School was held, Col. Gough presiding. Amongst other matters considered was the dismissal of Miss Kate Roberts B.A. It was decided to ask the headmaster to allow an extension to enable Miss Roberts to obtain another post, but Mr. Rees stated he could not see his way clear to adopt such a course. There was a feeling that on account of circumstances Miss Roberts' services should be retained for some months, as her two brothers had been wounded in action. It was eventually decided to hold another meeting on Tuesday next to consider the general position of the school.[75]

Claddwyd llawer o'r dystiolaeth ynglŷn â diswyddo Kate, ond mae'n amlwg fod y berthynas rhyngddi a Henry Rees wedi dirywio y tu hwnt i unrhyw obaith am gymod erbyn mis Gorffennaf. Henry Rees a ddiswyddodd Kate, ac ni fynnai ei helpu mewn unrhyw ffordd. Caeodd yr ysgol am yr haf ar ganol yr helynt. Cyfarfu aelodau Bwrdd y Llywodraethwyr ar Fedi 12, 1917, ac yn ôl un cofnod: 'A letter from Miss Roberts, Miss Davies & Miss Price was read. It was decided to let the letter lie on the table'.[76] Ni ddadlennwyd cynnwys y llythyr, ond mae'n bosibl mai llythyr o brotest ydoedd gan y tair ynglŷn â'r ffordd y cawsai Kate ei thrin gan Henry Rees.

Yn ôl cofnodion cyfarfod Medi 12, 1917, talwyd £10:11:6 i Kate ym mis Awst, a hwnnw oedd y taliad olaf iddi. Erbyn cyfarfod Hydref 10, roedd enw Clara Brown ar y llyfrau. Ni pharhaodd Grettie na Betty Eynon yn hir yn yr ysgol ar ôl ymadawiad Kate. Margaret Price a ymddiswyddodd gyntaf. Yn ôl cofnodion cyfarfod Rhagfyr 12, 1917: 'The Head Master reported that Miss Price had tendered her resignation as to take effect on Dec. 31st 1917'.[77] Hefyd, yn yr un cyfarfod: 'Further letters were read from the Rev Eynon Davies & Mr Owen Price but no action was taken'.[78] Mae'n amlwg fod rhyw ddrwg yn y caws, a bod tad Betty Eynon a thad Margaret Price wedi anfon gair o gŵyn at Fwrdd y Llywodraethwyr, ac mae'n debyg fod y gŵyn honno yn ymwneud â Henry Rees mewn rhyw ffordd neu'i gilydd. Nodwyd yng nghofnodion cyfarfod Gorffennaf 10, 1918, fod Betty Eynon hefyd wedi ymddiswyddo, a'i bod yn bwriadu gadael ar ddiwedd y tymor hwnnw.

Daeth cyfnod byr Kate yn Ystalyfera i ben. Daeth i adnabod rhai o athrawon yr ysgol yn dda, yn enwedig Betty Eynon Davies a Margaret Price. Roedd hefyd yn hoff iawn o Ben T. Jones, a luniodd dystlythyr iddi ar Fai 5, 1917, i'w chymeradwyo ar gyfer dysgu mewn ysgolion uwchradd yn y dyfodol. Ar wahân i'w gwaith fel athrawes, cyfrannodd yn sylweddol tuag at fywyd cymdeithasol a diwylliannol Ystalyfera, fel y cydnabu Ben T. Jones: 'Apart from her scholastic duties, Miss Roberts entered fully into the social and literary activities of the place; she is a fluent public speaker in English and Welsh, and as a lecturer she has rendered invaluable services to the different literary societies in this district'.[79]

Daeth i adnabod rhai o'r disgyblion yn dda hefyd. Ymhlith y bechgyn a ddysgai roedd dau o lenorion enwog y dyfodol, Islwyn Williams, y storïwr, a Gwenallt, y bardd a'r ysgolhaig. Roedd Islwyn Williams, meddai Kate, 'yn sefyll allan mewn deall mewn dosbarth o blant go anneallus'.[80] Ffefryn mawr gan Kate yn ystod ei chyfnod yn Ystalyfera oedd tad Islwyn Williams, David George Williams, aelod blaenllaw o Gymdeithas y Ddraig Goch, ac aelod hefyd o'r cwmni drama yr oedd Kate a'i dwy ffrind yn perthyn iddo, ac 'un o ddynion mwyaf diwylliedig Sir Forgannwg, gŵr mwyn, hynaws, bonheddig, gŵr o ymddiried, "dyn ffein" fel y dywed pobl y De,' meddai Kate amdano.[81]

Un o'i disgyblion disgleiriaf oedd David James Jones, y dôi Cymru i'w adnabod fel Gwenallt yn y dyfodol. Roedd y disgybl hwn yn holi ei athrawes yn ddi-baid, cymaint oedd ei ddiddordeb yn y Gymraeg, ac roedd 'yn gwybod y cynganeddion a rheolau barddoniaeth y pryd hwnnw'.[82] Daeth Gwenallt yn un o'i chyfeillion oes. Ar Awst 20, 1917, anfonodd lythyr at Kate i gydymdeimlo â hi ar farwolaeth Dei, gan amgáu penillion o waith ei dad er cof amdano. Ceisiodd Gwenallt gysuro'i gyn-athrawes: 'Er i'r dwymyn di-dderbyn-wyneb [sic] larpio ei gorff, eto melys meddwl na allodd hi anafu yr enaid gwyn a befriai yn ei lygaid siriol'.[83] Teimlai'n flin ei bod yn ymadael ag Ystalyfera, a diolchodd iddi am ei harweiniad a'i hysgogiad:

> Treuliasom lawer orig felys yn swyn barddoniaeth, a chawsom lawer awr euraid
> yng nghwmni'r gynghanedd ber. Prudd meddwl na chawn yr un munud eto. Erys
> eich cynghorion ynglŷn ar [sic] iaith Gymraeg byth ar fy nghôf, ac er anghywired fy
> Nghymraeg, eto y priodolaf ei hychydig ragoriaethau hi ichwi yn fwy na neb arall.[84]

Ac yng nghwmni'r gynghanedd y portreadwyd ei gyn-athrawes ganddo yn ei nofel hunangofiannol, *Plasau'r Brenin*, ym 1934, a chofio amdani yn adrodd gwaith Goronwy Owen yr oedd, yn union fel yr oedd Kate wastad yn cyplysu Goronwy Owen a'i hen Athro hithau, John Morris-Jones:

> Cofiai [Myrddin Tomos] am athrawes mewn Ysgol Sir, ei llygaid duon trist; ei llais
> Gogleddig, wylofus. Clywai hi yn adrodd darnau o Gywydd y Farn Fawr, ac yn
> enwedig y darn hwn:
>
> Wrth ei fant, groywber gantawr,
> Gesyd ei gorn, mingorn mawr;
> Corn anfeidrol ei ddolef,
> Corn ffraeth o saernïaeth nef.

Roedd Dei yn ei phlagio o hyd. Ni châi ddianc rhag ei farwolaeth. Ar Fedi 2, 1917, anfonodd y nyrs a fu'n gofalu amdano yn ystod oriau'r nos, merch o ardal Rhydychen o'r enw K. M. Fairfax-Taylor, lythyr at fam Kate yn disgrifio oriau olaf ei mab:

> I expect you know how your boy passed away. About an hour before he died he asked
> me for a cup of tea – he would always like that, rather sweet, of course I was glad, as he
> was able to take so very little nourishment. But he was only able to take very little, for
> he was failing fast, & I sent for the doctor, and everything possible was done for him.
> He passed away very peacefully that evening, soon after the Bugle had sounded the
> 'Last Post', & he lay there holding my hand murmuring that one word 'Mam', thinking
> of you to the last till he became unconscious.
>   The night before that evening, he was very ill, & at 4 a.m. took my hand & said
> 'Comfort me, comfort me', and then we said hymns together, very slowly & I asked
> him if he knew 'Jesus, Lover of my soul' as I know that is one of the favourite Welsh
> hymns – with its beautiful 'Aberystwyth' tune. He said it all through in Welsh &
> seemed pleased & then he wanted to say he'd been a bad boy since he was in the Army,
> & how he'd not said his prayers as you had taught him. And then I can tell you I found

it difficult to keep my voice steady to tell him that would make no difference at all when you saw him again … Then he asked to say 'Our Father' with me in English & then he repeated it alone in Welsh. After that he lay quite quiet holding my hand, looking straight in front of him as if he saw you all, smiling …[85]

Cyfnod cymysg iawn oedd cyfnod Kate yn Ystalyfera. Hoffai bobl Ystalyfera a Chwm Tawe, hoffai fywyd cymdeithasol a diwylliannol y cylch, a hoffai lawer o athrawon yr ysgol. Ar brydiau, roedd yn hapus iawn yno, yn crwydro'r fro gyda Betty Eynon a Grettie, ac yn treulio prynhawniau Sadwrn yn Abertawe gyda'r ddwy yn edrych ar y ffasiynau diweddaraf yn ffenestri'r siopau. Roedd wrth ei bodd gyda Chymdeithas y Ddraig Goch, a chafodd lawer o hwyl a diddanwch gyda chwmni drama'r Gymdeithas. Teimlai ei bod yn rhan o gymdeithas fyw, a bod ganddi gylch o gyfeillion triw. Dau beth yn unig a fwriai gysgodion dros ei hapusrwydd, a'r rheini'n gysgodion trwm, tywyll – yr ysgol a'r rhyfel, ac yn enwedig y ffaith fod dau o'i brodyr yn ymladd yn y rhyfel. Wedi iddi weld Evan yn cael un o'i ffitiau ar un o'i hymweliadau â Rhosgadfan un tro, a hynny oherwydd effaith hir-barhaol y shrapnel a lechai yn ei gorff, 'Fe aeth ei weled a mi yn ol ddeuddeng mlynedd at amser y meddyliwn fy mod wedi ei anghofio – pan oedd pedwar o'm brodyr yn y fyddin, nhad oddicartre, mam yn edrych ar ol y tyddyn ei hunan, a minnau yn Ystalyfera mewn uffern o ysgol,' meddai Kate wrth Saunders Lewis.[86] Gwasanaethodd ei dau hanner-brawd, John Evan ac Owen Owen, hefyd yn y fyddin, ond Dei ac Evan yn unig a aeth dros y dŵr. Oni bai am gymdeithas gynnes, gymwynasgar a chyfeillgar Ystalyfera a Chwm Tawe, byddai Kate wedi mygu. 'Fe effeithiodd trymder y blynyddoedd hynny yn fawr arnaf,' meddai wrth Saunders Lewis eto, a chofiai fod ganddi 'lun ohonof fy hun a dynnwyd pan ymadewais ag Ystalyfera, mewn cwmni, ac yr wyf cyn deneued â bran ynddo'.[87]

Ymhen blynyddoedd helaeth, adeg Nadolig 1957, ar ôl iddi dderbyn cerdyn Nadolig gan Ben T. Jones a llythyr gan Betty Eynon, torrodd argae'r blynyddoedd, a ffrydiodd yr atgofion hapus yn unig yn ôl iddi:

Cerdyn oddi wrth B.T.J., heb glywed oddi wrtho ers blynyddoedd, na'i weld ychwaith. Mor falch oeddwn! Nid oeri y mae cyfeillgarwch, ond amser a lle sy'n gwneud inni anghofio. Meddwl amdano gyda'r un hyfrydwch ag a wnawn gynt. Mor braf oedd y dyddiau hynny, yr un dyddiau ag y sonia B. amdanynt yn ei [l]lythyr, a dyna'i geiriau hithau. Ond yr oeddem yn ifanc y pryd hynny, dyna'r gwahaniaeth.[88]

4

ABERDÂR
1917-1920

'Ni raid i Gasnodyn ofni na werthfawrogir Miss Roberts yn Aberdar.
Mae'n ennill serch pawb yma.'

Y *Darian*, Hydref 24, 1918

Nid i Ferthyr Tudful yr aeth Kate o Ystalyfera ond i Aberdâr, tref ddiwydiannol arall, rhyw bedair milltir i'r de-orllewin o Ferthyr. Gadawodd fywyd pentrefol Ystalyfera am fywyd trefol Aberdâr, a gadael ardal wledig weddol denau ei phoblogaeth am dref ddiwydiannol weddol boblog o 55,007 o drigolion erbyn 1921, bedair blynedd ar ôl iddi symud yno. Roedd Aberdâr yng Nghwm Cynon yn llai Cymreigaidd o lawer nag Ystalyfera yng Nghwm Tawe. Roedd tua 59% o drigolion Aberdâr yn medru'r Gymraeg ym 1911, ond wedi i'r boblogaeth godi o 50,830 ym 1911 i 55,007 ym 1921, 49.3% oedd canran y siaradwyr Cymraeg. Er gwaethaf y gostyngiad rhwng 1911 a 1921, roedd hanner y boblogaeth, 29,942 i gyd, o hyd yn medru'r Gymraeg.

Cafodd Kate swydd yn dysgu Cymraeg yn Ysgol Sir y Merched, Aberdâr, ond disgwylid iddi hefyd ddysgu Daearyddiaeth a Hanes. Dechreuodd yn yr ysgol ym mis Medi 1917. Ysgol gymharol ifanc oedd yr ysgol hon. Rhan o Ysgol Ganol Trecynon oedd Ysgol y Merched o 1896 hyd at 1913, ond roedd mwy o ddisgyblion nag y gallai'r ysgol eu cynnal yn ystod y blynyddoedd hynny, ac adeiladwyd ysgol newydd sbon ar gyfer y merched. Agorwyd yr ysgol newydd, Ysgol Sir y Merched, Ffordd Cwm-bach, yn swyddogol ar Fedi 4, 1913.

Penodwyd Albanes o'r enw Margaret S. Cook yn brifathrawes yr ysgol, a hi oedd prifathrawes Kate trwy'r holl flynyddoedd y bu'n dysgu yno. Yn wir, bu yno hyd ei hymddeoliad ym 1942. Athrawes wrth reddf ac wrth rym oedd

Margaret Cook. Roedd yn un o'r athrawesau hynny yr oedd byd addysg wedi ei
meddiannu, addysg yn anad dim ac uwchlaw popeth. Modd i feithrin cymeriad a
phersonoliaeth yr unigolyn oedd addysg iddi, cyfrwng i ddatblygu annibyniaeth
meddwl, i fagu gwerthoedd cadarn ac i fyw yn ôl canllawiau mwyaf moesol a
mwyaf egwyddorol bywyd. Cadwai ddisgyblaeth lem ar ei hysgol. Lluniodd un
o'i disgyblion, F. Ray Evans, bortread byw ohoni:

> Miss Cook did not moralise about goodness, she did not preach about doctrine – but
> exhibited goodness in her daily life, and instead of preaching doctrine, she used as
> values and touch-stones, the standards, which in her were more than the habits arising
> from mere custom. They stemmed from deep spiritual beliefs, from a faith that was
> serene and sure, a faith which helped her to withstand the storms and stresses of life, to
> face fundamental difficulties with simplicity and definiteness. Her character was built
> upon the granite rock of sound principle and had its foundation in her unshaken belief
> in the doctrine of Christ.[1]

Ym 1917 penodwyd Dorothy Rees yn athrawes yn yr ysgol, yr un flwyddyn
yn union ag y penodwyd Kate. Dair blynedd yn ddiweddarach ymunodd Winifred
Rees, chwaer Dorothy, â'r staff, ac ymhen dwy flynedd arall, 1922, penodwyd
Gwladys Jones yn athrawes yno. Y rhain oedd ffrindiau gorau Kate yn yr ysgol
o'r cychwyn cyntaf, a pharhaodd y cyfeillgarwch hwnnw am weddill eu hoes, er
mai oes fer a gafodd Gwladys Jones. Roedd gan Winifred Rees gof byw o'r adeg
y daeth i adnabod Kate:

> Pan ddeuthum i Ysgol Ramadeg y Merched, Aberdâr, yn 1920 i fod yn athrawes
> Saesneg, Miss Kate Roberts oedd pennaeth yr Adran Gymraeg yno. Ei chyfeillgarwch
> a wnaeth yr argraff gyntaf arnaf, ac mae gen i reswm da dros gofio hynny. Yn ystod
> fy misoedd cynnar yr oeddwn un tro yn trafod un o enwogion fy nyddiau coleg yn
> Ystafell y Staff. Crybwyllais wall ieithyddol a wnaeth y person hwnnw wrth siarad
> Saesneg, a rhois i'r bai, yn ddifeddwl, ar y ffaith ei bod hi'n Gymraes. Disgynnodd
> tawelwch sydyn ar y gwrandawyr, a throdd pob llygad tuag at Miss Roberts. Ond ni
> ddwedodd ddim, a chafodd pawb anadlu drachefn. Dwedwyd wrthyf wedyn fy mod yn
> ffodus fy mod innau hefyd yn Gymraes, neu byddwn wedi cael gwybod yn fuan beth
> oedd y profiad o godi gwrychyn Miss Roberts.[2]

Aeth Kate i Aberdâr mewn galar, ac aeth yno heb fod yn adnabod neb.
Symudiad trist oedd hwn ar ei rhan, a gallai'n rhwydd fod wedi casáu Aberdâr
o'r cychwyn cyntaf, trwy gael dechreuad mor ddirdynnol yno. Mewn ysgrif a
gyhoeddwyd ym 1952, 'Fy Hen Lyfr Emynau', cofiai Kate am y ddau lyfr emynau

hynny yr oedd ei mam wedi eu prynu ym mis Awst 1913, un bob un iddi hi a'i brawd Dei, a oedd yn bymtheg oed ar y pryd, ar ôl i Kate ennill ei gradd ym Mangor a dechrau gweithio:

Ymhen rhyw ddwy flynedd helaeth, cyn diwedd 1915, ymunodd fy mrawd â'r fyddin heb yn wybod i neb, a'r peth cyntaf bron a wnaeth fy mam oedd 'morol am ei lyfr emynau o'r Capel. Ond yr oedd rhywun wedi gweld ei wyn arno, wedi ei ddwyn, ac ni welwyd byth mohono, ffaith galed nad anghofiodd fy mam mohoni hyd ei bedd. Ymhen llai na dwy flynedd wedyn, Gorffennaf 26, 1917, ymadawn ag Ystalyfera am byth, ac i gofio fy ymadawiad, rhoes Ysgol Sul Jeriwsalem anrheg imi o lyfr emynau hardd mewn lledr da wedi ei glustogi. Drannoeth, gannoedd lawer o filltiroedd o'i gartref, bu farw perchennog ifanc partner fy hen lyfr emynau, cyd-ddigwyddiad rhyfedd.[3]

Cyn iddi gael unrhyw fath o gyfle i ymgartrefu yn Aberdâr, bu'n rhaid i Kate ddychwelyd i Ystalyfera i dreulio deuddydd yno. Gan mai cymdeithas a arferai gwrdd yn ystod misoedd yr hydref a'r gaeaf oedd Cymdeithas y Ddraig Goch, methwyd trefnu cyfarfod ffarwél i Kate cyn iddi ymadael ag Ystalyfera, ond daeth nifer o ffrindiau ynghyd i ffarwelio â hi yn swyddogol ar nos Sadwrn, Hydref 20. Cadeiriwyd y cyfarfod ffarwél, yn eironig ddigon, gan Frederick Rees:

On Saturday last a number of friends met together in Jerusalem Vestry, with Mr. F. Rees as chairman, to greet Miss Kate Roberts, B.A., late of the Ystalyfera County School, and to show their appreciation of her personal qualities and her services to the place, by presenting her with a dressing case … All the speakers expressed their regret at the d[e]parture of Miss Roberts from Y[s]talyfera, and thanked her for the good work she had done in connection with the County School, the Sunday School and various literary societies of the place. All bore witness to the great popularity Miss Roberts had won in little over two years, and hoped that she would find equal happiness in Aberdare.[4]

Ar y Sul canlynol, Hydref 21, yng Nghapel Jerusalem cyflwynwyd Beibl hardd i Kate ar ran yr Ysgol Sul, a llyfr emynau mewn rhwymiad cain ar ran y dosbarth o bobl ifainc y bu yn eu dysgu yn y capel, sef y llyfr emynau hardd y cyfeiriodd Kate ei hun ato, ond nid ym mis Gorffennaf y bu hynny. Diolchwyd iddi am ei gwasanaeth i'r capel yn ystod ei chyfnod yn Ystalyfera.

Er nad oedd Aberdâr mor Gymreigaidd nac mor gymdogol glòs ag Ystalyfera, fe geid yn y dref un caffaeliad mawr, sef Cymdeithas Cymrodorion Aberdâr. Trwy dde Cymru ar y pryd ceid cymdeithasau tebyg, un ymhob tref neu ardal bron. Cymdeithasau llenyddol a diwylliannol oedd y rhain, a pharhad, i bob pwrpas, o'r hen gymdeithasau Cymreigyddion gynt. Yn ystod y bedwaredd ganrif ar bymtheg, fe geid yng nghylch Aberdâr gymdeithasau fel Cymreigyddion Hirwaen Wrgant, Cymreigyddion Brynhyfryd a Chymreigyddion y Carw Coch, a naturiol oedd i nifer o Gymry brwd ddod ynghyd yn Ysgol Ganolraddol Aberdâr ar Hydref 4, 1907, i sefydlu Cymdeithas Gymraeg newydd. Ym 1916, flwyddyn cyn i Kate gyrraedd y cwm, sefydlwyd Cymrodorion y Plant, is-gangen o'r Gymdeithas y bu Kate Roberts yn bur weithgar ynglŷn â hi.

Dilynid yr un drefn yng nghyfarfodydd y Cymrodorion o'r cychwyn cyntaf. Bob pythefnos y byddai'r Cymrodorion yn cwrdd, a hynny dros dymor y gaeaf bob tro, o fis Hydref hyd fis Mawrth, ac ar nos Wener, fel arfer. Pobl leol yn unig a gymerai ran yn y cyfarfodydd cyntaf, ond, o fis Ionawr 1909 ymlaen, dechreuwyd gwahodd pobl o'r tu allan i Gwm Cynon i siarad. Tri achlysur pwysig ym mlwyddyn y Cymrodorion oedd Swper Gŵyl Ddewi, pan wahoddid Cymry amlwg i annerch aelodau'r Gymdeithas, y wibdaith flynyddol a chyfarfod y Nadolig, pan geid noson o ddramâu yn aml.

Pan aeth Kate i Aberdâr ym 1917, yr oedd Cymdeithas y Cymrodorion ar ei hanterth. Er iddi fwrw'i llid a'i llach ar aelodau'r Gymdeithas ar brydiau, am fod mor hen-ffasiwn a chul, cofiai am y gymdeithas gydag edmygedd o edrych yn ôl o bellter ar ei chyfnod yn Aberdâr:

> Y pryd hynny yr oedd bywyd diwylliannol byw iawn yn Aberdâr. Yr oedd yno Gymdeithas Cymrodorion a digon o dalent ynddi, pobl a wyddai beth oedd curiad gwaed llenyddiaeth yng Nghymru ar y pryd, a cheid darlithiau gwych gan bobl fel Dr. Vaughan Thomas, Dr. R. T. Jenkins, Gwili ac eraill. A phan eid ati i gael rhaglen leol, yr oedd yno ddigon o ddoniau i fynd ymlaen am oriau.[5]

Cofiai Kate hefyd am ddau o brif gynheiliaid y Gymdeithas. 'Yr oedd D. O. Roberts yn ysgrifennydd trefnus a llwyddiannus, ac Ap Hefin yn fardd y gymdeithas gyda'i englyn ar ddiwedd pob cyfarfod'.[6] Pobl o sylwedd oedd y rhain. Prifathro Ysgol y Gadlys yn Aberdâr oedd David Owen Roberts (1888–1958), gŵr a oedd yn awdurdod ar ddysgu'r Gymraeg. Henry Lloyd, Ab neu Ap Hefin (1870–1946), oedd bardd swyddogol y Gymdeithas i bob pwrpas, brodor o Ddolgellau, Meirionnydd, a symudodd i Aberdâr ym 1891 i weithio fel cysodydd yn swyddfa'r *Darian*. Symudodd i Ferthyr Tudful ym 1893 i weithio yn swyddfa'r *Tyst* ac ym 1902 dychwelodd i Aberdâr i swyddfa'r *Darian* a'r *Aberdare Leader*, cyn iddo fynd ati i sefydlu ei fusnes argraffu ei hun. Ap Hefin a ofalai am golofn farddol *Y Darian*, 'Aelwyd y Beirdd', yn ystod cyfnod Kate yn Aberdâr, a bu'n gyfrifol am y golofn honno am ugain mlynedd i gyd. Roedd hefyd yn athro beirdd a sefydlodd ei ysgol farddol ei hun yng nghylch Aberdâr. Ap Hefin yw awdur yr englyn enwog 'Lliwiau'r Hydref', a gynhwyswyd ym Mlodeugerdd Rhydychen Thomas Parry a sawl blodeugerdd arall, ac ef hefyd a luniodd yr emyn 'I bob un sy'n ffyddlon'.

Roedd Kate wedi trysori un o englynion Ap Hefin ar ei chof. 'Amser y Dirwasgiad oedd yr amser y bûm yn Aberdâr, ac mae'n sicr fod llawer o ddioddef yno,' meddai.[7] Trefnid amryfal weithgareddau i helpu'r di-waith, a chofiai Kate am garnifal a drefnwyd unwaith i godi arian, ond 'daeth yn law taranau mawr pan âi'r orymdaith trwy'r dre nes oedd y dillad lliwgar yn glynu yng nghyrff y perfformwyr'.[8] Yn ôl Kate, lluniodd Ap Hefin englyn ar yr achlysur:

> Mae 'na dalent mewn dwli – a moddion
> Meddwl yn y miri;
> Y sobr i'w gael yn y sbri
> A deigryn yn y digri.[9]

Ond camgofio yr oedd hi, camgofio'r englyn a'r achlysur. Mae'n sicr fod y carnifal wedi digwydd, ond 'Y Jazz Band' oedd teitl englyn Ap Hefin yn wreiddiol, ac fel hyn, yn gywir, yr ymddangosodd yn ei golofn farddol yn Y Darian, rhifyn Chwefror 3, 1927 – heb unrhyw gysylltiad rhyngddo ag unrhyw garnifal:

> Mae yna dalent mewn dwli, – moddion
> Meddwl yn y miri, –
> Y sobr i'w weld yn y sbri,
> A deigryn yn y digri.[10]

Yn wir, wrth iddi ddiolch i'r Parchedig Stafford Thomas am ei ddarlith ar 'Brydyddiaeth Elfed' gerbron y Cymrodorion ym mis Chwefror 1927, llongyfarchodd Ap Hefin ar yr un pryd ar ei englyn i'r 'Jazz Band' yn Y Darian, gan y credai 'fod yr englyn hwn yn un o'r pethau mwyaf artistig a ymddangosodd yn ystod y flwyddyn ddiwethaf'.[11] Englyn cryf yn ei wrthgyferbyniadau oedd englyn Ap Hefin, ac roedd Kate yn meddu ar ddigon o reddf artistig i ganfod hynny.

Cofiai Margaret Cook ei hun am y dyddiau llwm a newynog hynny a ddilynodd y Rhyfel Byd Cyntaf:

> After the war there came dreadful depression and I saw the spirit of the parents change from a proud dislike of the dole to a forced acceptance of it. We were "adopted" I remember by "the Spectator" and had many gifts and benefits from that magazine,

but the spirit of the parents seemed broken, and instead of a proud refusal to take any benefits there grew up a spirit of wanting more all the time. The miners sold everything they possessed before taking the dole. Their savings were all gone, their little houses were sold, but in the end they had to take, and in taking they lost their pride – at least, temporarily.[12]

Dyma'r trydydd cyfnod yn ei bywyd i Kate gael ei hamgylchynu gan dlodi ac eisiau: cyfnod ei phlentyndod a'i hieuenctid yn Rhosgadfan, pan oedd ei rhieni yn ymlafnio byw i gadw'r blaidd draw, cyfnod y Rhyfel Mawr yng ngogledd Cymru ac yn Ystalyfera, a chyfnod y Dirwasgiad yn Aberdâr. A dyma'r trydydd tro iddi ddod i weld mai trwy ymdrech ar y cyd yn unig y gellid trechu cyni a thlodi. Dysgodd hefyd y gallai glowyr y De fod yr un mor falch a'r un mor ddi-ildio â chwarelwyr y Gogledd, a'r un mor benderfynol o gadw'u hurddas yn nannedd newyn a phrinder.

Lletyai Kate yn Awelfryn, Park View Terrace yn Aber-nant yn ystod ei blynyddoedd cynnar yn Aberdâr, cyn symud i rif 46 Wind Street yn ddiweddarach. Ac yn ystod y blynyddoedd hyn, yr ysgol a Chymdeithas y Cymrodorion oedd ei byd a'i bywyd yn y De. Athrawes arbennig iawn oedd Kate yn ôl pob tystiolaeth, athrawes ddisgybledig ac ymroddedig. Un o'i disgyblion yn Aberdâr oedd Olwen Rees, Olwen Samuel ar ôl priodi, a disgybl a ddaeth yn un o ffrindiau pennaf yr athrawes wedi hynny. Cofiai Kate fel 'athrawes a weithiai'n anarferol o ddygn, gyda'r asbri hwnnw sydd yn gwefreiddio'.[13] Roedd hefyd yn athrawes drwyadl, gydwybodol:

> Paratoesai lyfr gramadeg ar gyfer ei dosbarthiadau, gwaith dyfal yn gofyn am lawer
> o egluro manwl. Caem ychydig ohono ar y tro, drwy ei gopïo oddi ar y bwrdd-du.
> Nid oedd llyfrau ysgol o'r fath i'w cael y pryd hwnnw, fel sydd heddiw … Dysgwyd
> i ni'n drylwyr fanylion yr iaith yn ramadegol hyd at ddosbarth pump. Yr oedd gofyn
> gwybodaeth felly gogyfer â'r math o bapurau arholiad a gaem. O gofio am y gwersi
> hynny, hawdd iawn yw i mi ddeall beth a olyga cywirdeb iaith i Miss Roberts. Nid
> gramadeg yn unig a gaem yn y dosbarthiadau isaf, nid oes rhaid dweud.[14]

Astudiai straeon byrion gyda disgyblion y chweched dosbarth, ac roedd hynny'n gaffaeliad mawr yn ôl Olwen Samuel, yn enwedig pan ddarllenai ei straeon hi ei hun i'r dosbarth wedi iddi ddechrau llenydda:

> Buan y daethom i werthfawrogi saernïaeth stori fer, sut yr asiwyd un syniad wrth y
> llall, a beth oedd grym cynildeb. Caem ddadansoddi'r gelfyddyd o ysgrifennu gerbron
> un a wyddai'r grefft. Yr oedd yn astudiaeth werthfawr i'r eithaf, a rhoddodd Miss Kate
> Roberts safonau a seiliau sicr i ni am y gweddill o'n hoes.[15]

Saesneg oedd iaith swyddogol yr ysgol, a Saesneg oedd iaith swyddogol byd addysg yn gyffredinol. Roedd Kate yn gweithio oddi mewn i gyfundrefn a oedd yn llofruddio'i hiaith, a bu'n ymwybodol iawn o hynny trwy gydol ei gyrfa fel athrawes, ac wedi hynny. Arian brad oedd ei chyflog, a'r unig beth y gallai ei wneud oedd gweithio y tu mewn i'r gyfundrefn. Cyflwynai eu treftadaeth Gymraeg i'r plant o flwyddyn i flwyddyn, a mynnodd ddylanwadu ar athrawesau'r ysgol hyd yn oed. Yn ôl Winifred Rees:

> Adnabod Kate a'm gwnaeth yn ymwybodol fy mod yn Gymraes. Roeddwn wedi
> cael fy magu mewn cymdeithas hollol Gymraeg ac wedi cymryd fy Nghymreictod
> yn ganiataol, yn arbennig gan na fuasai rhaid i'n hardal ni ei hamddiffyn ei hun yn
> erbyn dylifiad o estroniaid. Ond taniodd Kate fi â pheth o'i hangerdd ynghylch ein
> gwlad, a dysgais ei bod yn casáu'r goncwest o Gymru gan Edward I mor ffyrnig â
> phe bai wedi digwydd yn 1912 ac nid yn 1282.[16]

Un diwrnod manteisiodd ar absenoldeb y Brifathrawes a'r ddirprwy-brifathrawes i roi mwy o le i'r Gymraeg ym mywyd yr ysgol, fel y cofiai Olwen Samuel yn dda:

> Syfrdanodd bawb ohonom drwy feiddio newid trefn haearnaidd y gwasanaeth
> Saesneg, peth na freuddwydiodd neb ei fod yn bosibl dan orthrwm yr hen
> oruchwyliaeth. Canys gwasanaeth Cymraeg a gawsom ar ei hyd y bore hwnnw, y
> darllen, y weddi a'r emyn fel ei gilydd yn Gymraeg.[17]

Cymerai Kate ran yng ngweithgareddau'r ysgol yn ogystal. O 1920 ymlaen, hi oedd llyfrgellydd yr ysgol, a'i gwaith hi hefyd oedd coluro'r disgyblion pan berfformid dramâu, gyda Winifred Rees yn cyfarwyddo. Cymerai ran amlwg mewn gweithgareddau eraill hefyd:

> Ac yn ei dro, unwaith y flwyddyn, deuai Dydd y Gwobrwyo. Miss Kate Roberts
> a fyddai'n ysgrifennu'r enwau ar dudalen flaen dwsinau lawer o lyfrau gwobr. Os
> gwelsoch erioed ysgrifen Miss Kate Roberts gellwch ddyfalu pam. Ysgrifen glir,
> gymen, yn gweddu plât copor, ac felly y pery hyd heddiw, ysgrifen gyda'r harddaf
> a welwch byth. Yr oedd gan lawer o ferched lawysgrifen dda yn y dyddiau hynny
> yn Ysgol Sir y Merched, Aberdâr. A dyna'r gyfrinach. Dynwared ysgrifen Miss Kate
> Roberts oeddynt. Wedyn, ar ddydd y Mabolgampau, yr oedd yn fawr ei chyfran ar y
> cae. Mae gennyf lun ohoni yn stiwardian ar y cae, yn gwisgo sgert blod, Albanaidd a
> siwmper werdd, a smart iawn yr edrychai.[18]

Hyd yn oed yn y dyddiau hynny, roedd Kate yn arddangos y ddwy ochr i'w phersonoliaeth yn aml. Fe'i hedmygid gan lawer o'i disgyblion, Olwen

Rees yn enwedig. Cadwodd ei hedmygedd o'i hathrawes drwy'i hoes, ac roedd nifer o'r merched a gydoesai â hi yn dynwared ei llawysgrifen oherwydd bod eu hathrawes yn ysbrydoliaeth iddynt. Fe'i hedmygid hefyd gan Winifred Rees, a welodd, fwy nag unwaith, yr ochr gymwynasgar a charedig i'w phersonoliaeth:

> Fe gâi pobl eraill yn ogystal â mi brofi ei chyfeillgarwch a'i gofal, a chofiaf y sylw a gafodd yr athrawes Gymraeg ifanc a ddaeth i gynorthwyo yr un pryd â mi. Kate oedd y gyntaf i sylwi fod ei hiechyd yn pallu ac a'i cynghorodd hi i weld meddyg; ac yna pan fu raid iddi aros mewn sanatoriwm, byddai Kate yn ymweld â hi'n rheolaidd.[19]

Ond gallai Kate fod yn bigog ac yn gas ar adegau, yn enwedig yn ystod ei blynyddoedd cynnar yn Aberdâr, pan oedd marwolaeth Dei yn gwaedu o'r newydd ynddi bob diwrnod, yn glwyf amrwd, agored, a'i hiraeth amdano yn ei chwerwi. Roedd Kate yn gyfuniad o egrwch a charedigrwydd, a gallai'r llaw a agorai mewn trugaredd gau mewn cynddaredd yn rhwydd. Ni chymerai pob un o'i disgyblion ati, a chredai rhai o bobl Aberdâr ei bod yn ffroenuchel fawreddog, a'i bod yn ei hystyried ei hun yn well na hwy. Meddai un o blant Aber-nant, John Samuel:

> Dysgwyd Mam ganddi yn Ysgol Ramadeg y Merched, Aberdâr. Nid oedd gan Mam olwg fawr ar Kate Roberts. Gan ystyried yr enw da oedd ganddi fel awdures, holais mam fwy nag unwaith am y rheswm. Yr unig esboniad a gefais ganddi erioed oedd i Kate Roberts fod 'yn athrawes sur, yn edrych i lawr ei thrwyn ar y dref a'r merched ...' Yn ôl yr hyn a glywais gan eraill o'r cyfoedion, nid profiad unigryw oedd profiad Mam.[20]

A cheir tystiolaethau eraill i ategu'r hyn a ddywed John Samuel. Ond nid pawb o bobl Aberdâr a wyddai am ing enaid yr athrawes ifanc.

Nid oedd modd lliniaru'r ing enaid hwnnw. Un arall a luniodd gerdd farwnad i Dei, ar wahân i dad Gwenallt, oedd y bardd dall a byddar J. R. Tryfanwy, neu John Richard Williams, a aned yn Rhostryfan ym 1867, ond a symudodd i Borthmadog i fyw gyda'i fodryb ar ôl iddo golli ei rieni. Gofynnodd teulu Cae'r Gors iddo lunio cerdd goffa i Dei, a threfnodd Kate iddi gael ei hargraffu gan Ap Hefin. Rhoddodd dâl i J. R. Tryfanwy am ei waith, ond ni ddisgwyliai hynny, er mor dlawd ydoedd. Anfonodd ati ar Hydref 10, 1917, gan amgáu pennill olaf newydd i'r farwnad:

Gwn bod cri Cae'r Gors yn chwyddo
  Fel su leddf yr Hydref gwyw;
Ac nid wyf yn ceisio'i rwystro,
  Canys amser wylo yw:
Trist, yn wir, yw cofio'r dynged
  A wnai'n llesg ein tannau llon;
Ond cawn hedd wrth droi a chlywed
  Alaw Dei dros ael y don.[21]

A lluniodd englyn i Kate yn ogystal:

Iraidd gerdd a rydd y gwynt – i chwi Kate,
  Yn serch cu'r deheuwynt;
 A'r Iôn hael a arwain hynt
 Eich llaw hael – a'ch holl helynt.[22]

Cynhyrfwyd Kate ei hun i lunio cerdd goffa i Dei. Teimlai, mae'n amlwg, fod ganddi ei hatgofion ei hun am ei brawd, ac y dylai'r atgofion hynny gael eu cofnodi. Anfonodd y gerdd, 'Atgof am Ddei', at Tryfanwy i gael ei farn:

Fe siglais lawer ar dy grud
Pan oeddut faban egwan,
Rhyw lawer mwy nid oeddwn i
Nag oeddut ti dy hunan.

Ac atgof ddaw a thi yn ôl
Yn llencyn bach penfelyn
A chwerthin lond dy lygad glâs,
Fel Natur yn y Gwanwyn.

Dringasom lawer gwrych a pherth
I chwilio am nythod adar.
Adwaenut ti ddrws ty bob un,
Adwaenut ti eu trydar.

Adwaenut ti bob rhos a ffridd
Lle tyfai'r llwyni mwyar,
A gwyddut lle'r ymguddiai'r llus
Ar dwyni "Pen y Dalar".

Daw'r adar eto'n ol i'r llwyn
A mwyar ar y perthi
A phlant i gasglu cnau a llus
Ond ti yn ol ni ddeui.

Marwnad draddodiadol, bellter-braich, oedd cerdd goffa Tryfanwy, ond marwnad bersonol, galon-agos, oedd marwnad Kate. Ar ben hynny, ceisiodd Tryfanwy ymyrryd â'i cherdd trwy wthio pennill arall arni. Rhwng y ddau bennill olaf, ychwanegodd y pennill hwn:

A chofiaf di yn mynd i ffwrdd
Wrth gri dy wlad a'th frenin,
A gwn na welwyd glanach llanc
Erioed mewn unrhyw fyddin.[23]

Ail-greu dyddiau eu plentyndod yng Nghae'r Gors a wnaeth Kate, gyda'r pennill cyntaf yn pwysleisio'r berthynas glòs, y cwlwm annatod-dynn, a oedd rhyngddi a Dei. Fel plentyn hynaf yr ail briodas, magodd Kate lawer ar ei brawd ieuengaf, a bu'n fam ac yn chwaer iddo ar yr un pryd. Roedd Kate ar y pryd yn brwydro i fwrw'i galar am ei brawd, a thybiai y gallai geiriau ddod â rhywfaint o ollyngdod iddi. Troes Kate at lenyddiaeth i chwilio am ymwared, a marwolaeth Dei oedd yr ysgogiad, ond yr oedd eto i ddarganfod ei phriod gyfrwng. Ymhen blynyddoedd byddai'n cyfaddef ar goedd mai 'Marw fy mrawd ieuengaf yn rhyfel 1914–18, methu deall pethau a gorfod sgrifennu rhag mygu' a'i cynhyrfodd hi gyntaf i ddechrau ysgrifennu.[24] Ei marwnad i Dei oedd yr enghraifft gyntaf o'r orfodaeth honno arni i ysgrifennu rhag mygu.

Yn Aberdâr y dechreuodd Kate droi ei golygon at ryddiaith hefyd. Ymddangosodd stori ganddi yn rhifyn Tachwedd 21, 1918, o'r *Darian*, stori ryfedd gyda theitl rhyfedd, 'Y Diafol yn 1960'. Mae'r stori yn amlygu nifer o bethau diddorol. Dyma'r paragraff agoriadol:

A mi yn eistedd un hwyrnos gaeaf yn y flwyddyn 1960 wrth dewyn o dân yn fy mwthyn ar ochr Moel Eilian, meddwl yr oeddwn i am yr amser gynt, pan oeddwn i'n athrawes yn Y— ac A—. Beth a gododd yr atgofion hynny ni wyddwn i, ond yr oedd trwch o eira oddiallan a dim ond tewyn o dân oddimewn. Buasai'r "relieving officer" yn hynod o frathog ei eiriau wrthyf y diwrnod hwnnw, ac ar ol ymlwybro adre drwy'r eira a thipyn o neges ar fy mraich eisteddais wrth y tân i wylo – i wylo yn chwerw rhag siom bywyd. Dyna lle'r oeddwn i wedi bod yn athrawes am dair blynedd a deugain, wedi dysgu to ar ol to o blant a'r rheiny'n dysgu to arall erbyn hyn, a dyna fi ar y plwy. Ni chawswn erioed ddigon o gyflog i gasglu arian i fyw arnynt, a methasai Mesur Pensiwn Athrawon 1918 a mynd drwy'r Ty.[25]

Moeltryfan, wrth gwrs, yw Moel Eilian y stori, ac yn ôl yn Rhosgadfan yr oedd Kate eto. 'Y— ac A—' yw Ystalyfera ac Aberdâr, ond rhaid cofio mai edrych yn ôl ar ei bywyd – 'wedi bod yn athrawes am dair blynedd a deugain' – o'r flwyddyn 1960 yr oedd yr athrawes. Bum mlynedd ar ôl graddio ym Mangor, roedd Kate wedi hen syrffedu ar ddysgu, a thrwy gydol ei chyfnod yn athrawes yn Aberdâr, bu'n cicio yn erbyn y tresi a osodwyd arni gan fyd addysg. Roedd y syniad, neu hyd yn oed y posibiliad, na fyddai'n ddim byd mwy nag athrawes trwy gydol ei hoes, hyd at oedran ymddeol, ac ymddeol yn ddibriod at hynny, yn hunllef arswydus, annioddefol iddi. Wyth mlynedd yn ddiweddarach, yn ei nofel anorffenedig *Ysgolfeistr y Bwlch*, y cyhoeddwyd dwy bennod ohoni yn *Y Llenor*, byddai'n mynegi pryder cyffelyb.

'Gwyddwn ped wylwn am byth na ddeuai dim o'r amser gynt yn ol imi,' meddai'r athrawes wedyn.[26] Galaru am ei brawd yr oedd Kate o hyd, ac wylo am yr 'amser gynt' pan oedd y teulu'n gyfan ym myd cyfan Cae'r Gors. Ofn mawr arall Kate yn ifanc oedd ofn cael ei gadael yn dlawd, yn enwedig gan nad oedd cyflogau athrawon yn uchel iawn yn y cyfnod. Cwynai am ei thlodi fel athrawes trwy gydol y blynyddoedd y bu'n dysgu, ac felly yn 'Y Diafol yn 1960': 'Diwrnod arian plwy oedd hi, ac er lleied hwnnw, byddai gennyf damed o enllyn y noswaith honno'.[27] Mae'r athrawes yn clywed cnoc sydyn ar y drws, nes gwneud iddi neidio allan o'i chroen – 'nerfs gwael sydd gan athrawon' – a gollwng 'yr unig gwpan a oedd gennyf ar fy elw yn deilchion i'r llawr', arwydd pendant o'i thlodi, ac enghraifft gynnar iawn o'r cynildeb awgrymog a fyddai'n nodweddu ei harddull yn y dyfodol.[28] Y Diafol a gurodd ar ei drws. Mae'r Diafol yn tynnu at y tân, ac mae'r athrawes yn gofyn iddo a oes annwyd arno. Ac mae'r Gŵr Drwg yn ateb:

> "Oes" ebe yntau, "a rheswm da paham, mae hi'n saith boethach yn Uffern heno nag y bu hi erioed." "Sut felly?" ebe finnau. Ar hyn, siriolodd dipyn a dechreuodd ddadebru. "Wel" ebe yntau, "mae hi'n bendramwnwgl yn Uffern heno. Fe dybiais er adeg y Rhyfel Mawr mai i hyn y deuai, a heno dyma fi'n ddigartre. "Beth" ebe fi mewn syndod. "Ie," ebr yntau, "nid eiddof fi y lle mawr a fu'n eiddo imi unwaith. 'Pwll Diwaelod' y gelwid Uffern ar un adeg, eithr bu cymaint o lenwi ar y Pwll yn ddiweddar, oni ddaeth ei waelod i'r golwg. Mae'r gwŷr a oedd yn gyfrifol am y rhyfel hwnnw ym mhob gwlad wedi cyfarfod a'i gilydd ar waelod y Pwll, a gwae fi o'r awr honno.[29]

Ymosodiad sydd yma ar y rhai a fu'n gyfrifol am y Rhyfel Mawr, ymosodiad, mewn gwirionedd, ar y gwleidyddion a'r rhyfelgwn a aeth â'i brawd Dei oddi arni a chlwyfo'i brawd arall, Evan, a lladd a chlwyfo sawl Dei ac Evan arall drwy'r byd i gyd. Ymateb i ddiwedd y rhyfel yw'r stori. Ddeng niwrnod cyn ei chyhoeddi y bu'r Cadoediad, ond ni cheir unrhyw orfoledd na rhyddhad yn y stori hon, dim ond dicter chwerw.

Mae'r stori ryfedd hon yn ymarferiad mewn arddull a mynegiant yn ogystal, ac yn drwm dan ddylanwad *Gweledigaetheu y Bardd Cwsc*, Ellis Wynne, er enghraifft, y darn canlynol, ar ôl i'r athrawes ofyn i'r Diafol 'pa ddosbarth a gynrychiolir gryfaf yn y Pwll?':

> Mae yno wyr mawr a gafodd swyddi segur yn ol eu hach a'u llinach ac nid yn ol eu gallu; mae yno ddynion a fu'n budr-elwa yn amser y Rhyfel Mawr, ac yn mynd yn filiwnyddion mewn amser bach, a meibion pobl eraill yn marw drostynt yn Ffrainc. Mae yno rai aelodau eglwysig cyfoethog a fu'n llwgu eu gweinidogion, a thybio y gallai pregethwyr roi goreu eu meddwl iddynt hwy oddiar gylla gwag. Mae yno rai dynion a fu'n eistedd ar lysoedd tribunal y wlad yma, yn dwedyd, 'Dos' wrth fab y weddw dlawd; ac yn canfod digon o esgusion dros gadw rhai ereill, gwell eu gwedd a gwell eu hamgylchiadau, adre. Yn fyrr mae yno bawb a fu'n proffesu un peth ac yn byw peth arall, rhai a gredai fod mynychu moddion gras yn cadw enaid, a hwythau'n grintachwyr, yn gribddeilwyr, ac yn enllibwyr.[30]

Gan gofio mai ym 1960 y daeth y Diafol i ymweld â'r athrawes, awgrymir y bydd i'r cof am y Rhyfel Mawr a'i gamweddau barhau am ddegawdau, os nad am byth, ac yn hynny o beth yr oedd yr awdures ifanc yn iawn. Daw'r stori i ben gyda'r athrawes yn deffro o'i hunllef, gan sylweddoli 'mai dyma'r diwrnod yr oeddwn i ddychwelyd i A— ar ol gwyliau haf, 1918'.[31] Dyma un o ymdrechion cynharaf Kate i lunio stori fer, ac mae hi'n bwysig oherwydd hynny.

Dechreuodd Kate ymgolli yng ngweithgarwch diwylliannol Aberdâr yn fuan iawn ar ôl symud i'r dref. Ymdaflodd i ganol bwrlwm gweithgareddau Cymdeithas y Cymrodorion. Roedd yn bresennol yn Swper Gŵyl Ddewi Cymrodorion Aberdâr 1918, a'i gwaith hi ar y noson oedd gwneud te i'r Cymrodorion, ar ôl i'r darlithydd gwadd draddodi ei ddarlith. Darllenodd ei phapur cyntaf gerbron aelodau'r Gymdeithas ym mis Hydref 1918, ar y testun 'Barddoniaeth Gymraeg Ddiweddar', a dyfynnodd o waith beirdd fel Eifion Wyn, T. Gwynn Jones, T. H. Parry-Williams, W. J. Gruffydd, a dau a hawliwyd gan y Rhyfel Mawr, Hedd Wyn a David Ellis, ei ffrind coleg, 'i ddangos beirdd da ar eu goreu'.[32] 'Mae'n ennill serch pawb yma,' meddai adroddiad yn *Y Darian*, ac oedd, roedd Kate yn dechrau ennill ei phlwyf yn Aberdâr, ac yn prysur ddod yn aelod gwerthfawr a blaenllaw o Gymdeithas y Cymrodorion.[33] Nid rhyfedd, felly, iddi gael ei hethol yn aelod o bwyllgor y Cymrodorion am y flwyddyn 1919–20. Ac nid oedd yn athrawes sur yng ngolwg pawb ychwaith.

Cyfnod o gael ei thraed dani oedd ei blynyddoedd cyntaf yn Aberdâr. Gadawodd Ystalyfera yn ddisymwth braidd, a than gwmwl. Roedd Kate yn swil ryfeddol yn y Coleg ym Mangor, a'i chyfnod yn Ystalyfera, trwy anogaeth a chymorth pobl gynnes Cwm Tawe, a roddodd iddi'r hyder i wynebu cynulleidfaoedd a siarad yn gyhoeddus. Roedd bellach wedi bwrw'i swildod, a dechreuodd gymryd rhan amlwg mewn gweithgareddau cymdeithasol a diwylliannol o bob math, nid yn unig yn Aberdâr, ond mewn mannau eraill yn ne Cymru yn ogystal. Er enghraifft, bu'n beirniadu'r gystadleuaeth chwarae drama, ynghyd â dau feirniad arall, yn ystod Wythnos Ddrama Pontardawe, a gynhaliwyd Rhagfyr 13–18, 1920. Llwyfannwyd un ddrama bob noson o nos Lun hyd at nos Wener yn ystod yr ŵyl, a chafwyd dau berfformiad ddydd Sadwrn, saith drama i gyd.

O safbwynt Kate, ni ddaeth y Rhyfel Mawr i ben ym mis Tachwedd 1918. Ni ddaeth erioed i ben. Ar ôl y Cadoediad y clywodd na fyddai David Ellis byth eto yn dychwelyd i Gymru:

> Allan i Salonica yr aeth, ac yr oedd gennyf frawd ieuanc wedi ei glwyfo'n drwm yn Salonica ar yr union adeg yr oedd David Ellis yno. Gallasai fod wedi mynd i weld fy mrawd. Ond fel arall y bu hi; ni chlywais fod David Ellis ar goll hyd ar ôl y cadoediad, pan anfonodd perthynas i mi a oedd yn y Coleg yr un pryd i ddweud wrthyf.[34]

Ar Fehefin 15, 1918, diflannodd David Ellis oddi ar wyneb y ddaear. Gadawodd ei wersyll yn Salonica ar y diwrnod hwnnw, ac ni welwyd mohono byth wedyn. Ni wyddai Kate ddim byd am amgylchiadau David Ellis, nac am ei gyflwr meddyliol, ond roedd yr hyn a ddigwyddodd iddo yn ddirgelwch ac yn drasiedi, ac yn stori drist ryfeddol. Roedd David Ellis yn canlyn merch o'r enw Gwennie Roberts ar y pryd, ond pan ddechreuodd ei llythyrau ato fynd yn llai ac yn llai, dechreuodd bryderu. Troes y pryder yn iselder pan glywodd fod Gwennie Roberts wedi cael cariad arall, a'i bod yn hwylio i'w briodi. Rhwng hynny, a gorfod gweini ar gleifion a oedd wedi cael eu malurio ar faes y gad, collodd Dei, y llanc ifanc doniol a direidus ym Mangor gynt, yr awydd i fyw. Cyn iddo ddiflannu, sylwodd ei gyfeillion a'i gydfilwyr ei fod mewn cyflwr o iselder ysbryd parhaol. Ni ddaethpwyd o hyd i'w gorff, ac ni chafodd y dirgelwch ei ddatrys erioed, ond mae'n bur debyg mai cyflawni hunanladdiad a wnaeth David Ellis.

Ni allai Kate anghofio'r rhyfel, ond ni chafodd gyfle i'w anghofio ychwaith. Ym mis Gorffennaf 1920 anfonodd ei brawd Evan lythyr ati o Rosgadfan. Roedd Catrin Roberts wedi derbyn llythyr gan wraig o'r enw Elizabeth Gregson o Etwall yn Derby ym mis Mehefin. Roedd wedi amgáu hanner dwsin o luniau o fedd Dei yn Malta gyda'r llythyr. Tynnwyd y lluniau gan ei mab, a fu farw o'r ffliw a llid yr ysgyfaint ym mis Rhagfyr 1918, wedi i'r rhyfel ddod i ben, ond newydd dderbyn ei eiddo personol yr oedd Elizabeth Gregson. Roedd Elizabeth Gregson hefyd wedi colli mab arall yn y rhyfel, yng Nghairo ym mis Mai 1918, a chydymdeimlodd â Catrin Roberts yn ei phrofedigaeth hithau. Nid oedd modd dianc rhag marwolaeth Dei, a byddai'n rhaid i Kate yn y dyfodol wneud rhywbeth i liniaru rhywfaint ar ei hiraeth ac i leddfu rhyw ychydig ar ei galar. Un ai hynny neu fygu.

5

Dechrau Llenydda
1921–1925

'Ni wn i am neb sy'n tyfu mor dawel, mor gydnerth, mor sicr, â Miss Kate Roberts.'

Saunders Lewis, 'Celfyddyd Miss Kate Roberts',
Y Faner, Gorffennaf 3, 1924

Ym 1921 y dechreuodd Kate lenydda o ddifri, ac yn Aberdâr y digwyddodd hynny. Erbyn Chwefror 1921, pan oedd yn dathlu'i phen-blwydd yn ddeg ar hugain oed, bu'n dysgu yn Ysgol y Merched ers tair blynedd a rhagor. Roedd bellach yn rhan hanfodol o fywyd diwylliannol y dref ac yn aelod blaenllaw o Gymdeithas y Cymrodorion. Yn wir, Kate oedd Bardd y Gymdeithas am y flwyddyn 1920–1. Yn rhinwedd ei swydd fel bardd swyddogol y Cymrodorion, hi a luniodd yr englyn i Gymru a argraffwyd ar gerdyn aelodaeth y Gymdeithas am y tymor hwnnw, er i gam-brint ymddangos yn y drydedd linell:

> Dy lennyrch rhwng dy lwyni – dy foelydd,
>> Dy filoedd clogwyni;
>> A hirlla[i]s lleddf dy oerlli
>> Yw hafan deg f'enaid i.

Ac yn ystod mis ei phen-blwydd, ar nos Wener, Chwefror 18, 1921, perfformiwyd tair drama yn Neuadd Sefydliad y Gweithwyr yn Nhrecynon, sef *Y Fam*, drama Kate a Betty Eynon Davies, *Y Canpunt*, drama Kate, Betty Eynon a Margaret Price, a *The Matchmaker* (yn Gymraeg), sef drama arall o waith Betty Eynon, '[d]an arolygiaeth y Fonesig Kate Roberts, B.A., Ysgol Sir, Aberdar'.[1] 'Daeth torf ardderchog, mwy lawer na llynedd, i weled y Cymry

yn efelychu Syr Henry Irving ac Ellen Terry,' yn ôl adroddiad *Y Darian*.[2]
Chwaraewyd yr un tair drama yn Aberdâr eto ym mis Mawrth, dan nawdd
Cymdeithas Ddiwylliadol Eglwys Nasareth. Yn wir, gwnaeth Kate lawer i
hybu'r ddrama gyda Chymdeithas y Cymrodorion, a chynhaliwyd nifer o
nosweithiau dramâu gan y Gymdeithas yn ystod ei chyfnod yn Aberdâr.

Ar ddechrau 1921 roedd hi mor brysur ag erioed, gyda'r Cymrodorion
yn enwedig, ond nid yn unig. Penillion o'i gwaith hi, 'Rhaglen a Phrofiad
Cymrodorion Aberdâr', a ganwyd gan gantores leol yng nghinio Gŵyl
Ddewi'r Cymrodorion, a gynhaliwyd yn Ysgol y Gadlas ar Fawrth 4, 1921,
a hi hefyd a arweiniodd ddiolchiadau'r beirdd ar y noson. Dyma'i chyfraniad
ar y noson, cerdd yn dwyn y teitl 'Fy Iaith, fy Ngwlad, fy Nghenedl':

Bob tro y cofiwn Ddewi Sant,
Bydd gwawd mursendod ar fy mant,
Dyma y dydd y cadwn wyl
I gofio Dewi gyda hwyl.
Molir y Cymro ar bob tant,
A iaith y Sais ar enau'r plant.
A chan fod rhagrith o bob tu,
Rwyf fi fy hun yn un o'r llu.
Eto, er gwaethaf hyn i gyd,
Mae Cymru'n well gen i na'r byd.
Ni fynnwn garu unrhyw wlad
Yn well na gwlad fy mam a nhad,
A thyma'r pam y caraf hi –
Ynddi mae'r fro y'm ganed i.
A charaf iaith fy annwyl wlad,
Y hi yw iaith fy mam a nhad.
Dioer fod ynddi ddynion gwael,
Mae ynddi hefyd ddynion hael.
Mae ynddi ddolydd teg a chu,
Bob eilwers a phentrefi du.
Mae ynddi heno lawer bardd
Na welodd ond ei phethau hardd.

Ped alltud heno fawn o'm bro,
Fe fyddai swyn ym mhyllau glo,
Y wlad roes imi'r hiraeth mud
Am dani hi o wledydd byd.

Hiraethwn am gael mynd i Gymru
I weled dim ond simnai bygddu.
Pe gwelwn drosti fwg y bwthyn
Roes gysgod im' pan oeddwn blentyn.[3]

Er mor ystrydebol yw'r gerdd, gyda'i geirfa farddonllyd amlwg, fe geir yma ymdrech gynnar ar ran Kate i geisio cyfleu ei gwladgarwch a'i chenedlaetholdeb. Yr hyn a fynegir yn y gerdd yw mai caru iaith ei mam a'i thad a wnâi Kate, caru iaith ei rhieni ac nid iaith ei gwlad, ac mai ymestyniad o'i brogarwch oedd ei chenedlgarwch ('Ynddi mae'r fro y'm ganed i'). Ac mae yma hiraethu mawr am Gae'r Gors o hyd, oherwydd, meddai, byddai'n falch o weld simneiau pygddu cymoedd glofaol y De pe gallai weld drostynt fwg y bwthyn a roddodd gysgod iddi pan oedd yn blentyn.

Ar ddydd Gŵyl Ddewi ei hun, roedd Kate yn beirniadu'r gystadleuaeth 'Pencil Drawing' yn Eisteddfod Gŵyl Ddewi Abercwmboi! Ym mis Mai bu hi a'r Parchedig J. Seymour Rees yn beirniadu cystadleuaeth y 'chwarae drama' yn Eisteddfod Gadeiriol Adran Dwyrain Morgannwg a Mynwy o Undeb Cenedlaethol y Cymdeithasau Cymraeg. Dyna enghreifftiau pellach o'r ffordd yr oedd wedi ymfwrw i ganol bywyd cymdeithasol a diwylliannol Aberdâr a mannau eraill yn ne Cymru, gan barhau yr hyn a ddechreuodd yn Ystalyfera.

Ym mis Ebrill a Mai 1921 y daeth y trobwynt mawr yn ei hanes a'i gyrfa. Lluniodd dair stori fer yn ystod y ddeufis hyn, un ym mis Ebrill a dwy ym mis Mai, a dyma'i straeon byrion cyntaf oll, ac eithrio, wrth gwrs, y prentiswaith hwnnw o stori Nadolig a luniodd ym 1918 a'r stori anhysbys a ysgrifennodd yn Ystalyfera. Ei stori gyntaf 'swyddogol' oedd 'Y Man Geni', a luniwyd ym mis Ebrill 1921. Fe'i dilynwyd gan ddwy arall ym mis Mai, 'Prentisiad Huw' ac 'Y Chwarel yn Galw'n Ôl'.[4] 'Efallai mai'r peth pwysicaf a ddigwyddodd i mi yn Aberdâr,' meddai Kate ymhen blynyddoedd, 'oedd imi ddechrau sgrifennu straeon byrion'; ym mis Ebrill 1921 y bu hynny, meddai, 'neu'n hytrach dyma'r pryd yr oedd eisteddfod yng Nghaerdydd ac i minnau anfon stori fer i mewn o dan feirniadaeth y Parch. R. G. Berry ac ennill y wobr'.[5]

Roedd bellach wedi darganfod ei phriod swyddogaeth a'i gwir alwedigaeth, ac nid dysgu plant ysgol oedd yr alwedigaeth honno. Bachai ar bob cyfle i ymarfer ei dawn. Pan aeth Cymrodorion Aberdâr ar wibdaith i wlad Pantycelyn ddechrau mis Gorffennaf 1921, Kate a gafodd y dasg o lunio adroddiad ar y daith i'r *Darian*, ac mae brawddeg gyntaf yr adroddiad hwnnw yn swnio'n union fel brawddeg agoriadol stori fer: 'Yr oedd llawer *calon* yn curo'n gyflym amryw ddyddiau cyn Gorff. 9, sef dydd ymweliad Cymrodorion Aberdar a Phantycelyn, a diameu bod llawer *pen* yn curo wrth orffwys ar y gobennydd y noson honno'.[6] Roedd ei doniau llenyddol yn datblygu'n gyflym. Llwyddodd yn ei hadroddiad i ddal naws ac ysbryd lle yn wych:

> Disgynasom spel cyn cyrraedd Llanymddyfri, a cherddasom i gyfeiriad Pantycelyn. I rai na fu o'r blaen eto, fe gerddai iasau i lawr ein cefn wrth neshau at gartref yr athrylith fawr gyfriniol yma a gododd fel seren yn y nos. Daeth y golygfeydd a llawer pennill o'i eiddo i'n meddwl. Gwlad dawel yw'r wlad, a chylch o fryniau isel yn y pellter – gwlad doreithiog mewn coed a chynnyrch arall daear. Hawdd deall ystyr llawer emyn.
> Mae yna wlad eang cyn cyrraedd y bryniau. Nid yw'r bryniau yn pwyso arnoch fel y gwnant yng nghymoedd cul ein gwlad. Mae yma ddigon o le a rhyw eangder diderfyn … Dim rhyfedd i Williams ganu cymaint am *wrthrych* a *lle* tuhwnt i'r bryniau. Gallai tragwyddoldeb a nefoedd yn hawdd fod tuhwnt i'r bryniau hyn.[7]

Mae diweddglo'r adroddiad yn debycach i ddiweddglo stori fer nag i ddiweddglo adroddiad newyddiadurol:

> Wrth syrthio i gysgu y noson honno, dyna lle'r oeddwn yn mynd, mynd yn y charabanc; bryniau a choed o hyd yn y pellter; y cerbyd eto yn dringo yr allt fawr yna cyn cyrraedd Aberhonddu, yn methu cyrraedd y top, a ninnau yn syrthio dros y dibyn i'r dyfnder islaw, ond yn deffro cyn cyrraedd y gwaelod.[8]

Er iddi lunio'i thair stori gyntaf ym 1921, ni chyhoeddwyd yr un ohonynt tan y flwyddyn ddilynol. Roedd Kate, gyda gochelgarwch a diffyg hyder nodweddiadol o awdur ifanc a dibrofiad, am gael barn eraill ar y tair stori cyn mentro dim ymhellach yn y maes, a honno'n farn wrthrychol a diduedd. Anfonodd y tair i gystadleuaeth y tair stori fer yn Eisteddfod Genedlaethol Caernarfon ym 1921. Beirniad y gystadleuaeth oedd R. Dewi Williams, ac ar waelod yr ail ddosbarth y gosododd straeon Kate, a dyfarnu tair stori gan R. Lloyd Jones yn fuddugol. 'Dywedai'r beirniad,' meddai Kate wrth Saunders Lewis, 'nad oeddynt storïau o gwbl, mai math ar lên oeddynt'.[9] Clywodd i Hughes a'i Fab wrthod cyhoeddi'r storïau byrion buddugol oherwydd eu bod yn rhy sâl, ac yn *Almanac y Miloedd* y cawsant eu cyhoeddi yn y pen draw. Ond ni fynnai Kate blygu i'r drefn yn ddi-ildio:

> Nid oeddwn fodlon ar y feirniadaeth ac arhosais hyd amser gwell a beirniad gwell. Toc i chi, fe ddaeth Eisteddfod Manchester a'r Athro W J Gruffydd yn feirniad, ac anfonais y ddwy gyntaf yno. Barnodd yr athro y ddwy yn gydradd oreu, a dywedodd bethau

calonogol iawn amdanynt. Fe roiswn fy ffidil yn to onibae am y calondid yna. Bu'r feirniadaeth honno'n fwy o spardun imi na dim arall.[10]

Llongyfarchwyd Kate ar ei llwyddiant yn Eisteddfod Manceinion gan Gasnodyn yn ei golofn 'O'r Gogledd' yn *Y Darian*, yn rhifyn Tachwedd 10, 1921, o'r papur:

Hyfryd odiaeth gennym oedd ddarllen am lwydd Miss Kate Roberts, B.A., Aberdar ... (Rhosgadfan, Arfon yn wreiddiol, cofiwch chwi!) yn cipio'r wobr ar yr Ystori Ferr yn Eisteddfod Manceinion y Sadwrn o'r blaen, a hynny dan feirniad[a]eth y crafflym Athro W. J. Gruffydd, M.A. – un o'r rhai mwyaf dysgedig yn y gangen hon ar Len ar a fedd y deyrnas. Ond geneth a wyr ei gwaith yn dda bur yw "Kate Roberts," [a] balch yw Gogledd a De wrthi.[11]

Yn wahanol i Gasnodyn, ei hawlio i'r De yn bennaf a wnaeth adroddiad byr ar Eisteddfod Gadeiriol Manceinion yn *Y Darian*. Llongyfarchwyd Kate 'am ennill ar y Stori' yn yr eisteddfod, gan nodi ei bod bellach 'yn adnabyddus mewn llawer cylch yn y De'.[12] A W. J. Gruffydd, felly, a roddodd yr hwb cyntaf angenrheidiol i Kate fel awdures ifanc addawol, ac achub ei gyrfa ar yr un pryd, efallai.

Roedd y tair stori gyntaf hyn yn torri tir newydd yn y Gymraeg, er i eraill – a Richard Hughes Williams yn enwedig – fraenaru'r tir o'i blaen. O safbwynt crefft, ni welwyd dim byd tebyg iddynt cyn hynny, gyda'u mynegiant cynnil, awgrymog a'u Cymraeg rhywiog, graenus – iaith ardaloedd y chwareli yn Arfon ar ei mwyaf cyfoethog a'i mwyaf cyhyrog. Gallai'r awdures newydd hon lunio deialog ystwyth, fyw, a gallai hyd yn oed atgynhyrchu iaith lafar y De yn fedrus-gredadwy, fel yn 'Y Chwarel yn Galw'n Ôl'. Roedd y straeon newydd hyn yn meddu ar hydeimledd dwfn, sylwgarwch mawr a synwyrusrwydd hynod o effro, fel y disgrifiad o ddistawrwydd sŵn yn 'Y Man Geni': 'Nid oedd dim sŵn i'w glywed, dim ond sŵn gwres, a sŵn ambell ddarn rwbel yn syrthio o ben tomen y chwarel i lawr. Ac ni wnâi hynny ond gwneuthur distawrwydd yn ddistawach'. Yn wir, y mae sŵn yn ganolog i'r straeon, fel y darn hwn yn 'Y Chwarel yn Galw'n Ôl': 'Cododd Elin i roi clo ar y drws, ac wrth wneud hynny clywai sŵn traed trwm John ar y palmant, a hwnnw'n darfod yn y pellter. Beth bynnag oedd yn bod, clywai Elin Robaits y sŵn traed hwnnw yn ei chlustiau am hir amser wedi rhoi ei phen ar y gobennydd, ac yn ei dychymyg clywodd ef ganwaith wedyn'. Dyna'r math o gynildeb awgrymog sy'n nodweddu'r storïau. Mae Elin yn clywed sŵn '*traed* trwm' John ganwaith yn ei dychymyg ar ôl clywed y sŵn hwnnw unwaith â'i chlyw, oherwydd, wedi i'w gŵr golli ei goes mewn damwain yn y pwll glo, nid oes ganddi ddewis ond dychmygu clywed sŵn ei ddwy droed. Ac mae'r stori yn cloi gyda'r sŵn traed hwn yn 'darfod yn y pellter draw'. Cyfleir undonedd gwaith a dinodedd gweithwyr oddi mewn i gyfundrefn ddiwydiannol ddidostur yn hynod o fedrus trwy'r dechneg o ailadrodd yn 'Y Man Geni': 'Toc, daeth at ben y twll, a gwelai'r dynion ar y gwaelod yn fychain, bach, ac eto, yr oedd y dynion bychain, bach, yn gweithio'n galed; yn tyllu, yn tyllu, yr un amser, yr un mesur, o hyd, o hyd'. Peth amheuthun oedd y fath feistrolaeth ar ryddiaith Gymraeg, rhyddiaith ag ôl llwch y chwarel ar bob haen ohoni.

Camarweiniol fyddai dweud mai cefndir chwarelyddol sydd i'r tair stori. Mae'r chwarel yn fwy na chefndir iddynt: y mae'n bresenoldeb bygythiol, bythol-barhaol. Mae'r chwarel yn cynnal ac yn dial, yn achlesu ac yn gormesu, ar yr un pryd. Y chwarel, mewn gwirionedd, sy'n rheoli'r chwarelwyr a'u teuluoedd; hi sy'n gwau eu tynged, yn pennu eu ffawd. Mae hi'n wrach sy'n hudo ac yn rheibio, yn llithio ac yn lladd. Caiff Tomos ei hudo o'r ysgol at y chwarel yn 'Y Man Geni', ond mae'n cael y bendro wrth edrych o ben y twll ar y chwarelwyr yn gweithio yn y gwaelod, ac yn syrthio i'w dranc. Yn 'Prentisiad Huw' mae Huw hefyd yn cael ei hudo gan y chwarel, ac yn rhoi'r gorau i weithio mewn siop er mwyn cael mynd i weithio yn y chwarel gyda'i dad, yn union fel y bu Dei, brawd Kate, yn gweithio yn y chwarel gyda'i dad yntau. Yn 'Y Chwarel yn Galw'n Ôl', dial a wna'r chwarel. Er mai damwain yn y pwll glo sy'n peri i John golli ei goes yn y stori, ar Elin ei wraig y mae'r bai yn y pen draw, oherwydd iddi wrthod dychwelyd i'r Gogledd gyda'i gŵr. Mae'r chwarel wedi ei gosbi am ei bradychu, mewn ffordd. 'Ella na fasa hyn ddim wedi digwydd petae ni wedi mynd hannar blwyddyn yn ôl,' meddai Elin. Meistres anfaddeugar, anhrugarog yw'r chwarel yn y straeon cynnar hyn, a hi sy'n rheoli.

Y mae tlodi, a'r ymdrech ddiddiwedd yn erbyn tlodi, hefyd yn thema sy'n ieuo'r tair stori ynghyd. Gwraig weddw sy'n gorfod gweithio'n galed i gadw ei mab yn yr ysgol yw mam Tomos yn 'Y Man Geni', a strancio yn erbyn ymdrech ei fam i roi addysg iddo a wna Tomos, oherwydd ei bod 'yn gorfod gweithio'n galed ag yntau'n ennill dim'. 'Ond mi 'rydach chi'n cofio fel 'roedd hi yn yr hen chwareli yma pan yrris i o yno, dim cyflog jest, a 'ro'n i am dreio cael rhwbath amgenach na'r chwaral i Huw,' meddai Ann Jôs wrth ei chymdoges yn 'Prentisiad Huw'. Dianc rhag byd gwan ardaloedd y chwareli a wnaeth John ac Elin Robaits yn 'Y Chwarel yn Galw'n Ôl', ac er bod llythyrau William Tan y Chwarel at

John Robaits yn dweud bod pethau wedi newid er gwell yn y chwarel, 'Byd gwan fydd yno eto mhen dim gwerth,' meddai Elin wrth ei gŵr hiraethus.

Yn 'Y Man Geni' ceir hefyd ymwybod ag olyniaeth y cenedlaethau, ac ymwybod â dioddefaint y cenedlaethau ar yr un pryd, thema ganolog arall yng ngwaith Kate. Yn 'Y Man Geni', er enghraifft, y mae dwy genhedlaeth gyfan yn rhannu'r un ffawd. Ac yn y stori honno, mae'r man geni ei hun yn arwydd o felltith, yn argoel angau. Y Tomos sy'n brif gymeriad y stori yw'r trydydd aelod o'r teulu i gael ei ladd yn y chwarel, a *chan* y chwarel. Lladdwyd brawd ei dad, yntau hefyd yn dwyn yr enw Tomos, yn y chwarel; enwyd y tad hefyd yn Tomos, ar ôl ei frawd, ac fe'i lladdwyd yntau yn y chwarel yn ogystal. 'Ac mi rodd gin y Tomos cynta fan geni wrth ben i lygad chwith fel fy nau Domos inna,' meddai'r fam a'r wraig weddw ar ddiwedd y stori. Roedd y man geni a'r enw Tomos yn wae ac yn felltith o'r cychwyn cyntaf un.

Yma a thraw mae Dei, brawd Kate, yn llercian yn guddiedig yn y cefndir. Yn 'Prentisiad Huw' mae Huw yn gweithio mewn 'siop frethyn yn y dref' ac yn lletya yno gyda'i feistr a'i chwaer, ond mae'n anhapus yn ei waith oherwydd bod chwaer ei feistr yn rhoi bwyd gwael iddo ac yn ei lwgu. 'Ma'n rhaid cael rhwbath gwell nag uwd a bara llaeth i fagu coesau i redag ar negesi i siopwrs,' meddai mam Huw wrth Mr Huws, y meistr. Stori Huw yn 'Prentisiad Huw' yw stori Bobi yn *Tegwch y Bore*, ac ar Dei y seiliwyd Bobi, fel y gwyddys. Mewn siop ddillad, yn 'torri calico a defnydd', y mae Bobi yn gweithio hefyd, yn union fel mai 'rhwygo calico' yw gwaith Huw yntau, ac fel Huw, caiff Bobi yntau ei lwgu gan ei wraig lety. Pan ymrestrodd Dei â'r fyddin ym 1916, nododd mai 'Draper Assistant' oedd ei alwedigaeth ar y ffurflen ymuno swyddogol.[13] Yn 'Y Chwarel yn Galw'n Ôl', wedi i John Robaits golli ei goes mewn damwain yn y pwll glo, mae ei wraig yn chwilio am waith 'ysgafn' iddo yn y chwarel yn ei hen gynefin. Bu Kate yn aml yn dyfalu pa fath o waith a wnâi Dei pe bai wedi cael byw ar ôl iddo golli ei goes. Ceir awgrym o hynny yn *Tegwch y Bore*, wrth i Ann hel meddyliau ynghylch dyfodol Bobi: 'Y peth nesaf fyddai i Bobi orffen mendio a chael rhyw waith wedi cael coes ffug. Fe roddai hithau bob gewyn ar waith i hel arian iddo i gychwyn ar y gwaith hwnnw'.

Nid y stori fer yn unig a âi â'i bryd yn ystod y cyfnod hwn. Wedi iddi symud i Aberdâr bu Kate yn rhyw fath o ganlyn y Parchedig John Seymour Rees, brodor o Aberaeron yn wreiddiol a gweinidog gyda'r Annibynwyr yng Nghefncoedycymer, yn ymyl Merthyr Tudful ac yng nghysgod Bannau Brycheiniog, ers 1915. Gŵr ifanc a chanddo uchelgais i fod yn fardd ac yn llenor oedd J. Seymour Rees ar y pryd, ac efallai fod ei ddiddordeb yn y stori fer ac mewn barddoniaeth wedi apelio at Kate. Gwyddai rhai o bobl Aberdâr fod y ddau wedi dechrau canlyn, a cheir cyfeiriad cudd at y garwriaeth yn un o golofnau'r *Darian*. Un o golofnau sefydlog *Y Darian*, o 1915 hyd at 1927, oedd 'Llith y Tramp', colofn hwyliog a dychanol yn nhafodiaith y De gan 'Tramp, O.B.E.', sef ffugenw'r Parchedig Tafwys Jones. Yn un o golofnau mis Hydref 1921, soniodd y Tramp am ddamwain a gafodd J. Seymour Rees, neu 'Si-Môr' chwedl yntau, gyda'i feic modur. Ar ddiwedd y llith ceir pum triban. Dyma ddau o'r tribannau hynny, gan gynnwys yr un sy'n enwi Kate:

Digwyddodd tro anniddan
Ddydd Mercher yng Ngwlad Brychan,
Fe dorrodd Seymour Rees ei goes,
Mewn chwerw loes mae'n gronan! …

Yr hyn a'i blina'n arw –
Ymhola cyn ei farw –
Ddaw Miss Kate Roberts at ei wâl
I ddweyd nad yw'n un salw?[14]

Ym 1921, felly, y dechreuodd Kate lenydda o ddifri. Byddai ei hanniddigrwydd yn ei swydd yn cynyddu yn ystod y blynyddoedd i ddod, wrth i'w gwaith creadigol wrthdaro â'i gwaith beunyddiol. Roedd dysgu yn ei hanfod yn fwrn ac yn gaethiwed iddi, ond, yn ogystal, roedd y ffordd y câi'r Gymraeg ei dysgu yn ysgolion sir y cyfnod yn bwnc llosg. Roedd gan Kate ei syniadau ei hun ynglŷn â dysgu'r Gymraeg yn yr ysgolion sir, a rhoddodd fynegiant croyw a chlir i'w syniadau mewn ysgrif faith, 'Y Gymraeg yn yr Ysgolion Sir', a ymddangosodd mewn dau wahanol rifyn o'r *Darian* ddiwedd mis Hydref, 1921. Credai mai camgymeriad oedd dysgu'r Gymraeg trwy gyfrwng y Saesneg mewn ysgolion lle'r oedd y plant yn siarad Cymraeg fel eu hiaith gyntaf. 'Mae siarad Saesneg wrth ddysgu Cymraeg i blant na all siarad fawr o ddim arall yn wrthun o beth,' dadleuai.[15] Ofer hefyd oedd dysgu gormod o ramadeg i blant yr oedd y Gymraeg yn iaith gyntaf iddynt. 'Dylai plant a all siarad ac ysgrifennu Cymraeg yn weddol gael ymgydnabyddu â llên eu gwlad,' meddai, ond

… mae arnom ofn y gŵyr plant Cymru ar ôl pasio eu Senior fwy am Milton,
Shakespeare, Ruskin, Macaulay, etc., nag a wyddant am Oronwy Owen, Elis Wyn,
Huw Morus, etc. Pob croeso iddynt wybod am lên Saesneg – ond iddynt wybod am

lên eu gwlad eu hun yn gyntaf. Gwersi mewn llên Gymraeg a ddylai gwersi'r Gymraeg fod mewn ysgolion o'r natur yma.[16]

Kate y genedlaetholwraig, a Kate yr awdures, rhagor yr athrawes, sy'n llefaru yma. Roedd plant Cymru yn fwy cyfarwydd â gweithiau beirdd a llenorion Saesneg nag â beirdd a llenorion eu gwlad eu hunain oherwydd bod cyfieithu o weithiau Saesneg i'r Gymraeg yn rhan o'r broses o ddysgu'r Gymraeg fel pwnc yn ysgolion y cyfnod. 'Mae dychymyg plentyn yn fyw iawn, ond rywfodd fe lwyddwn ni athrawon yn rhyfedd i fygu'r dychymyg yma drwy droi gweithiau Saeson i'n hiaith ein hun,' meddai.[17] Gwrthwynebu'r chwiw gyfieithu hon a wnâi Kate, gan ddadlau y byddai llunio traethawd yn hytrach na chyfieithu o weithiau Saesneg yn rhoi mwy o gyfle i ddychymyg plentyn a mwy o brawf ar ei allu i ysgrifennu Cymraeg cywir.

Ym 1921, a hithau wedi bod yn Aberdâr ers pedair blynedd, roedd Kate wedi hen sylweddoli bod ganddi dasg anferthol ar ei dwylo, sef dysgu Cymraeg i blant 'yr ardaloedd gweithfaol sy'n deall Cymraeg heb allu neu ynte heb fentro ei siarad'.[18] Dyma'r dosbarth mwyaf anodd i'w ddysgu, meddai. Roedd yn athrawes wych, yn athrawes ymroddgar, weithgar, ond brwydr galed oedd dysgu'r Gymraeg mewn lle fel Aberdâr. 'Gwyr y plant ddigon o Gymraeg i fedru mwynhau llyfr,' meddai, 'ond ysgrifennant Gymraeg gwael'.[19] Roedd gwahaniaeth mawr rhwng plant yr ardaloedd gwledig o gwmpas Aberdâr a phlant y dref ei hun:

> Ar gwrr pob rhanbarth weithfaol ceir ardaloedd lle y siaredir Cymraeg glân gloyw ar yr aelwydydd. Er enghraifft, gall plant Hirwaun, Cwmaman, Trecynon, a Chwm Dâr ysgrifennu Cymraeg difai; eithr ni all plant canol tref Aberdar wneuthur hynny, oherwydd bod dylanwad y Saesneg yn fwy ynghanol y dref.[20]

Gwendid arall o safbwynt dysgu'r Gymraeg fel pwnc oedd diffyg llyfrau da ar gyfer plant ysgol. Roedd digon o rai mathau o lyfrau ar gael, meddai, ond ceid prinder o lyfrau priodol, dengar. Ac roedd rheswm am hynny: 'Yn y gorffennol triniwyd y Gymraeg fel pe bai'n iaith farw neu yn iaith estron yn ei gwlad ei hun,' a pha ryfedd, felly, meddai, 'nad oes gennym ysgrifenwyr storiau heddiw.'[21] A dyna un rheswm pam yr aeth ati, ymhen rhyw ddwy flynedd, i ysgrifennu *Deian a Loli*, 'Stori am Blant', a stori ar gyfer plant yn ogystal.

Ategwyd yr hyn a ddywedodd Kate am ddylanwad y Saesneg ar Gymry Aberdâr mewn erthygl a ymddangosodd yn rhifyn Mawrth 16, 1922, o'r *Darian*. Digon bregus oedd sefyllfa'r Gymraeg yn Aberdâr, fel sawl man arall ym Morgannwg, ac yng Nghymru o ran hynny:

Nid oedd nemor ddim ond Cymraeg yn Aberdar pan weithiem yn y pyllau glo yma.
Faint o Gymraeg sydd yn Aberdar erbyn hyn? Nid oes nemor blentyn yn ysgolion y
dref a fedr eich ateb yn Gymraeg. Nid oes ond ychydig o'r plant a'r bobl ifainc yn yr
eglwysi Cymraeg lluosog sydd yma a fedr ddeall yr iaith y pregethir iddynt ynddi. Onid
Saesneg yw iaith eu cyfarfodydd plant, eu cyngherddau a'u chwaraegerddi? Onid yw
bro Morgannwg wedi ei llwyr Seisnigo? Y mae Mynwy wedi mynd, y mae darnau
helaeth o Forgannwg wedi mynd, Brycheiniog a Maesyfed wedi mynd bron yn llwyr, y
mae Fflint, a Maldwyn a Dinbych yn mynd yn gyflym.[22]

'Ymhen ugain mlynedd eto ni bydd eglwys Gymraeg yn Nyffryn Aberdâr,'
meddai'r adroddiad.[23] Roedd y sefyllfa ym myd addysg yr un mor dorcalonnus, ac
roedd agwedd wrth-Gymreig yn treiddio trwy rai o ysgolion y dref:

Ceisiesid gan ysgolfeistr hen ysgol enwog – ysgol y bu rhai o garedigion goreu Cymru
a'i hiaith yn gwasanaethu ynddi – egluro rhyw gynllun newydd o addysg i athrawon
ysgolion eraill. Wedi iddo glebran ynghylch llawer o bethau, gofynnodd geneth ifanc
iddo – ymha le'r oedd y Gymraeg yn dod i mewn i'r cynllun? A'r ateb diystyrllyd
oedd, nad oedd y Gymraeg yn werth y drafferth na'r amser i'w dysgu, nad oedd yn y
Gymraeg lyfrau oedd yn werth eu darllen.[24]

'Ni chlywsom fod Awdurdod Addysg Aberdar, na rhieni Aberdar, na
Chymrodorion Aberdar, na neb yn Aberdar wedi ei alw i gyfrif,' meddai'r
adroddiad.[25]

Roedd yr ysgolfeistr gwrth-Gymreig hwn wedi peri cryn dipyn o gynnwrf.
Parhaodd y cynnwrf hwnnw yn y papurau am beth amser. Roedd gan awdur 'Llith
Aberdar' hyn i'w ddweud am y sefyllfa, dan y pennawd 'Dirmygu'r Gymraeg', yn
rhifyn Mawrth 30 o'r *Darian*:

Y fradwriaeth fawr yn Aberdar, yn rhai o'r ysgolion, yw bod y peth a elwir yn addysg
ynddynt yn newid hen dref ddwy ieithog, hen dref enwog am ei diwylliant Cymreig,
ac yn ei gwneud yn dref uniaith a honno'n uniaith estron. Pa hyd y goddefwn fel
Cymry ostwng safon deall a moesoldeb ein cenedl yn enw addysg? Pa hyd y goddefwn
amddifadu ein plant o'r etifeddiaeth werthfawrocaf – gwybodaeth o iaith a llen eu
gwlad eu hunain.[26]

Yn ôl 'Llith Aberdar' yn rhifyn Ebrill 6 o'r *Darian*:

Nid oes gan y sawl a ddaw i Aberdâr yn bresennol syniad am yr hyn oedd y lle [10]
mlynedd ar hugain yn ol. Y pryd hwnnw ni chlywid nemor ddim ond Cymraeg ar yr
ystrydoedd. Roedd y pyllau glo yma'n llawn beirdd, llenorion a chanwyr. Llyfrau a
phapurau Cymraeg a ddarllenid. Nid oedd le mwy Cymreigaidd yng Nghymru. Nid

KATE: COFIANT KATE ROBERTS

oedd Saeson ac eraill a ddeuai i'r lle yn clywed dim ond Cymraeg a dysgent Gymraeg eu
hunain yn fuan iawn. Mor wahanol ydyw heddyw. Nid oes nemor un o blant y dref a
wyr Gymraeg. Nid oes gan lawer o'r bobl ifainc iaith o gwbl sydd yn deilwng o'r enw.[27]

Yn y diwedd, penderfynodd Cymrodorion Aberdâr – a Kate yn flaenllaw yn
eu mysg – fod angen ymladd y sarhad. Tuedd aelodau'r Gymdeithas, yn ôl Barcud
y Clochdy yn *Y Darian*, oedd cadw eu Cymreictod oddi mewn i'w cyfarfodydd
a pheidio â chenhadu y tu allan i'w terfynau, 'bodloni ar fwynhau seigiau'r
cyfarfodydd' mewn geiriau eraill, ond bellach 'llawenychwn wrth weled eu bod
am ymysgwyd rhag yr anfri hwn cyn ei myned yn rhy ddiweddar'.[28] Roedd y
Cymrodorion yn barod i weithredu:

Buddiol o beth oedd penderfynu yn y cyfarfod diweddaf – cyfarfod olaf y tymor
– i ofyn i Awdurdod Addysg Aberdâr ofalu bod y Gymraeg yn cael ei haddysgu
yn effeithiol a thrwyadl yn yr Ysgolion, ac na byddont yn cyflogi neb yn athraw
neu athrawes o hyn allan oni fyddont yn gyntaf wedi eu cymhwyso'u hunain i fod
yn athrawon Cymraeg diledryw. Dyna gychwyn da ddigon, a hyderwn na laesa'r
Gymdeithas eu dwylo nes dwyn y farn hon i fuddugoliaeth.[29]

Ymfalchïai Barcud y Clochdy 'fod nifer fawr o athrawon ac athrawesau ein
hysgolion yn Gymry ffyddlon a selog' a bod 'toreth ohonynt yn aelodau disglair
o'r Cymrodorion', ac yn eu plith 'rai na fedd Cymru gyfan mo'u rhagorach'.[30]
Ategwyd y farn hon yn ddiweddarach yn y flwyddyn gan J. Tywi Jones yn ei lith
olygyddol yn *Y Darian*. Bu cwyno yn yr *Aberdare Leader* nad oedd y Gymraeg
'yn cael chwaraeteg [*sic*] yn Ysgol Sir y Merched'.[31] Ymosodwyd yn llym ar
y Brifathrawes 'o dan yr argraff ei bod yn anghefnogi dysgu Cymraeg yn yr
Ysgol', ond ar ôl ymholi ynghylch y sefyllfa, cafwyd bod y cyhuddiadau yn
erbyn Margaret S. Cook yn gwbl ddi-sail.[32] Credai'r Brifathrawes 'mewn dysgu
Cymraeg a'i dysgu'n dda'.[33] Ac yn ôl Tywi Jones:

Dyma'r ffeithiau: ceir yma dair athrawes mewn Cymraeg, sef Miss Kate Roberts, B.A.,
Miss Hawkins, B.A., a Miss Jones, B.A. Trefnir dosbarthiadau i'r Cymry sy'n dysgu
Cymraeg ac i'r Saeson sy'n dysgu Cymraeg ar wahan … Dywedir wrthym hefyd fod
y plant Saeson sydd yno'n dysgu Cymraeg yn frwdfrydig yn y gwaith. Mae hyn eto'n
deyrnged i'r sawl a'i dysg.[34]

Ym 1922 roedd Kate yn dal i gymryd rhan mewn gweithgareddau
diwylliannol yn ne Cymru. Ar Fehefin 5, 1922, y Llungwyn, roedd yn beirniadu'r
gystadleuaeth 'Chwarae Drama', ar y cyd â J. Seymour Rees, yn Eisteddfod
Gadeiriol Adran Dwyrain Morgannwg a Mynwy o Undeb Cenedlaethol y

90

Cymdeithasau Cymraeg. Bu hyd yn oed yn pregethu yng Nghapel Bethania, lle'r oedd yn aelod, yn absenoldeb y gweinidog, y Parch. Robert Richard, oherwydd gwaeledd. Yn ôl adroddiad Barcud y Clochdy yn *Y Darian*, '… clywsom mai hi a fu'n llanw lle'r gweinidog y Saboth diweddaf, a bod ei hanerchiad nos Sul ar "Falchder Cenedlaethol" yn dra godidog'.[35] Manteisiwyd ar y cyfle hefyd i'w llongyfarch ar ei stori fer, 'Yr Athronydd', a oedd newydd ymddangos yn rhifyn mis Mehefin o'r cylchgrawn cymharol newydd, *Yr Efrydydd*, 'un o'r darnau goreu yn yr iaith, o'r math hwn ar lenyddiaeth, yn ddiddadl'.[36] 'Yr Athronydd', a ysgrifennwyd ym mis Mawrth 1922, mewn gwirionedd, oedd yr ail stori o'i gwaith i ymddangos mewn print. Y stori gyntaf 'swyddogol' i Kate ei chyhoeddi oedd 'Prentisiad Huw', a ymddangosodd yn rhifyn Ebrill 1922 o *Cymru*. Dilynwyd 'Yr Athronydd' gan 'Y Chwarel yn Galw'n Ôl', a gyhoeddwyd yn rhifyn mis Gorffennaf o *Cymru*. Roedd Kate bellach yn dechrau ei sefydlu ei hun fel storïwraig dalentog a llawn addewid, ac un o'r rhai cyntaf i ddathlu'i champ oedd ei chyfaill Ap Hefin, a luniodd yr englyn canlynol iddi:

Perchen pum talent delaid, – Kate Roberts,
   Gyd a'i rheibiaeth euraid;
  Hyglyw, trwy hoen byw di-baid
  Ei "Hathronydd", ruthr enaid.[37]

Yr unig stori arall a gyhoeddwyd ganddi ym 1922 oedd 'Y Man Geni', ei stori gyntaf oll, ac yn rhifyn mis Hydref o *Cymru* y cyhoeddwyd honno. Bellach roedd ganddi bedair stori – hanner casgliad i bob pwrpas – wedi ymddangos mewn print.

Dilynwyd y pedair stori gyntaf yn fuan iawn gan bumed stori, 'Newid Byd'. Lluniwyd y stori hon ym mis Hydref 1922, ac fe'i cyhoeddwyd yn rhifyn Ionawr 1923 o'r *Efrydydd*.[38] Ar ôl darllen y stori hon y daeth Saunders Lewis i gysylltiad â Kate am y tro cyntaf erioed, gan sefydlu cyfeillgarwch llenyddol a gwleidyddol rhwng y ddau a barhaodd am drigain mlynedd. Anfonodd Saunders Lewis lythyr ati o Abertawe ar Ionawr 20, 1923, yn datgan edmygedd o'i gwaith:

Mi hoffwn gael dywedyd wrthych gymaint yw'r mwynhad a gaf o ddarllen eich straeon byr chwi. Y mae'r olaf "Newid Byd" yn braw eich bod yn tyfu'n gyflym yn feistres ar y ffurf, ac y mae'n ddigon gwell na dim arall o'r fath a welais i yn Gymraeg. Yn un peth, y mae'r elfen foesol yn mynd yn llai yn eich gwaith, a chelfyddyd a sylwgarwch a hoffter at fywyd fel y mae, boed dda boed ddrwg, yn ennill arnoch fwyfwy, ac i mi dyna'r praw fod y gwir "stwff" ynoch, a'ch bod yn artist mewn difri.[39]

Ceisiodd brocio Kate i anfon stori i'r *Llenor* a therfynodd ei lythyr trwy ofyn iddi dderbyn 'hyn o deyrnged un sy'n gywir iawn yn eich cyfarch yn feistres, ac yn gobeithio eich gweled yn tyfu tu hwnt inni oll, yn wir artist, y prinnaf peth yng Nghymru'.[40]

Cyrhaeddodd llythyr Saunders Lewis ar yr adeg iawn o safbwynt Kate, ac roedd yn ddiolchgar amdano. Ddeuddydd cyn iddo gysylltu â hi, roedd adolygiad dienw ar *Yr Efrydydd* wedi ymddangos yn *Y Brython* yn cyhuddo Kate o ymosod ar Lloyd George yn 'Newid Byd'. 'Dywedir bod y cylchgrawn yn dda ar y cyfan. Fy stori i sydd i gyfrif am yr anaddurn "ar y cyfan" mae'n debig,' meddai Kate, wedi ei chythruddo gan y cyhuddiad.[41] 'Gwelwch felly pa mor galonogol eich llythyr imi'r bore. Ac mae cael hynyna gennych chwi yn fwy o werth na dim,' ychwanegodd.[42] Canmolodd ysgrifau Saunders Lewis yn *Y Llenor*, ac o safbwynt beirniadaeth, credai fod 'gwell golwg ar bethau yrwan efo phobl fel chwi a'r Athro WJG'.[43] Y ddau hyn oedd achubwyr Kate ar ddechrau ei gyrfa, gyda'r gwahaniaeth mai darganfod yr addewid a wnaeth W. J. Gruffydd, ond darganfod yr athrylith a wnaeth Saunders Lewis. Anogodd Saunders Lewis hi i anfon stori i'r *Llenor*, ond ni fynnai Kate wneud hynny heb wahoddiad gan y golygydd ei hun, er bod ganddi ysgerbwd dwy stori yn ei phen. Ac er ei bod yn hynod o falch o gefnogaeth ac anogaeth Saunders Lewis a W. J. Gruffydd fel hyn ar ddechrau'i gyrfa, roedd yn ymwybodol iawn mai dysgu ei chrefft yr oedd hi a bod gwendidau yn ei gwaith. 'Mae un bai mawr ar "Newid Byd". Mae'n anghyfartal,' meddai.[44]

Cafodd Kate gyfle i ddiolch i W. J. Gruffydd am ei hwb a'i help ar achlysur cyhoeddi ei gyfrol, *Ynys yr Hud a Chaneuon Eraill*, ym 1923. Adolygwyd y gyfrol ganddi yn rhifyn Mawrth 8, 1923, o'r *Darian*, a chafodd gyfle i ymarfer ei doniau fel beirniad llenyddol yn yr adolygiad. Canmolodd ragymadrodd Gruffydd i'r gyfrol, a chlodforodd hefyd ei ffyddlondeb i'w weledigaeth bersonol ef ei hun. 'Ni phaentiwyd mo'r weledigaeth i blesio neb,' meddai.[45] Dywedodd bethau craff iawn am lenyddiaeth yn gyffredinol ac am farddoniaeth W. J. Gruffydd yn benodol, a mynegodd y pethau hynny yn blwmp ac yn blaen, heb ofni sathru ar gyrn ei chyfoeswyr:

> Mae llawer o wirionedd yng ngherddi'r Parch. T. E. Nicholas, ond ni ellir eu galw'n farddoniaeth pa mor onest bynnag y gall yr awdur fod. Hanner llenyddiaeth yw'r ffordd y dywedir peth. Ac i ni mae'r ffordd a ddewisodd W. J. Gruffydd yn dangos ei fod yn wir artist. Dengys y dansoddol (abstract) drwy'r sylweddol (concrete). Tynnodd ddarlun i ddangos y gwirionedd.[46]

Rhinwedd arall ym marddoniaeth Gruffydd oedd ei ffyddlondeb i fywyd a'i deyrngarwch i'r gwir. 'Mae yn y llyfr ddisgrifio bywyd fel y mae, ac nid fel yr hoffem iddo fod, fel y gwelir yng "Ngwladys Rhys" a "Thomas Morgan yr Ironmonger",' meddai.[47] Yr adolygiad hwn, mewn gwirionedd, oedd tocyn mynediad Kate i glwb dethol *Y Llenor*. Anfonodd W. J. Gruffydd air ati i ddiolch am yr adolygiad gan ei gwahodd ar yr un pryd i anfon stori ato ar gyfer y cylchgrawn, 'ac felly anfonais hi iddo ar ei hunion,' meddai Kate wrth Saunders Lewis ar Fawrth 14, ddeuddydd ar ôl iddi dderbyn llythyr W. J. Gruffydd.[48] Y stori honno, a oedd newydd ei chwblhau ganddi, oedd 'Y Llythyr', ac ymddangosodd yn rhifyn yr Haf o'r cylchgrawn.

Tua'r cyfnod hwn, ddechrau 1923, dioddefodd Kate argyfwng personol o ryw fath. Os bu'n pregethu ym Methania ym 1922, erbyn 1923 roedd wedi cefnu ar y capel. Ceir peth goleuni ar yr argyfwng ysbrydol hwn yn ei hanes mewn nifer o lythyrau a anfonwyd ati gan y Parchedig William Davies, Bootle, ei chyn-weinidog ym Methania. Ysgrifennodd at Kate ar Chwefror 7, yn gresynu ei bod wedi gadael Bethania, a cheisiodd egluro'r gwahaniaeth rhwng crefydd gyfundrefnol a chrefydd yr ysbryd iddi. Cysylltodd â hi eto ar Fawrth 19 i ymddiheuro iddi am roi'r argraff o ddiffyg cydymdeimlad â hi yn ei lythyr blaenorol, gan ddweud ei fod yntau hefyd yn gwybod cryn lawer 'am diroedd gwae', ond iddo sylweddoli mai da oedd Duw yn rhoi Crist drosto, a bod popeth a wna Duw, felly, yn dda.[49] Anodd gwybod yn iawn beth oedd union natur yr argyfwng personol hwn yn hanes Kate, ond y mae'n weddol sicr fod a wnelo colli ei brawd yn y Rhyfel Mawr â'r mater mewn rhyw ffordd neu'i gilydd.[50]

Rhwng Ionawr a Rhagfyr 1923, cyhoeddwyd gwaith hir cyntaf Kate, stori am efeilliaid o'r enw Deian a Loli, fesul pennod yn *Y Winllan*, cylchgrawn y Wesleaid Cymraeg ar gyfer plant. Anfonodd gopi o'r stori at ei mentor newydd i gael ei farn. Yr oedd gwir angen hyder a hwb arni yn ystod y cyfnod ffurfiannol hwn yn ei gyrfa:

> A dwedyd y gwir, credaf fy mod yn anonest gyda phob ysgrifennu o feiddof. I mi,
> mae ol ymdrech ar bob stori a sgrifennais, ac maent yn fylchog iawn oherwydd f'anallu
> i ddisgrifio manylion, y peth yna sydd mor gryf yn storïau Katherine Mansfield. Do, fe
> ddarllenais un gyfrol o'i heiddo, a theimlais fy mod tua'r un faint a thair ceiniog wen. Y
> hi yn anad neb a wnaeth imi deimlo nad oes gennyf y syniad lleiaf beth yw stori fer.[51]

Er gwaethaf cefnogaeth Saunders Lewis, ni theimlai unrhyw awydd ysgrifennu o gwbl ar y pryd. Ysgrifennodd stori newydd i'r *Llenor*, 'Pryfocio', oblegid iddi addo, 'ac mae arnaf ofn imi ysgrifennu llawer stori arall am fy mod wedi addo, neu am y buasai bywyd yn Aber Dar yn annioddefol ar wahan i hynny,' meddai, yn enwedig gan mai 'ychydig iawn o bobl ag ynddynt reddf lenyddol ysydd yma'.[52] Fel John Robaits yn 'Y Chwarel yn Galw'n Ôl', roedd hiraeth yn ei hysu, ac yn ei bro ei hun yr oedd ei hysbrydoliaeth, nid yng nghwm ei halltudiaeth:

> Adref yn Rhosgadfan y teimlaf fi y medrwn ysgrifennu er mwyn ysgrifennu. Wrth edrych o'n ty ni ar yr haul yn ymachlud dros Sir Fon ac yn taflu ei lewych ar Fenai, wrth glywed chwerthin chwarelwyr yn myned oddiwrth eu gwaith, wrth weled brwdfrydedd chwarelwyr ynglyn a chôr y chwarel, ac wrth weled tristwch bro pan leddir chwarelwr wrth ei waith, teimlaf fod yna rywbeth i ysgrifennu amdano wedi'r cwbl. *Ond* pan ddaw meddyliau imi, byddaf ar ganol gwneuthur rhywbeth arall yn wastad, ac ni bydd modd eu hysgrifennu i lawr y munud hwnnw. Pan ddaw'r cyfle, bydd y meddyliau wedi hedeg a'r *mood* wedi mynd.[53]

Ac wrth gwrs, ei gwaith yn yr ysgol – a oedd 'yn lladd pob dyhead sydd ynof at ysgrifennu' – a gâi'r bai am ladd ei gwaith creadigol.[54]

Bu'n rhaid i Saunders Lewis ei swcro a'i sbarduno eto. 'Beth yn y byd sy'n eich blino i sôn nad oes gennych gymhellion gonest i sgrifennu?' gofynnodd.[55] 'Wrth ei waith y mae barnu artist, nid wrth ei gymhellion,' meddai, 'a'r unig onestrwydd yw rhoi ein holl ymennydd yn y gwaith beth bynnag a fo, ein holl ymennydd a'n holl nerth'.[56] Gobeithiai na fyddai iddi roi'r gorau i ysgrifennu am resymau mor ffôl. Dywedodd fod 'dwsin a mwy ohonom ni yn darllen popeth o'ch gwaith ac yn gwybod amdanoch, a bod y cydymdeimlad a'r cyfeillgarwch a enillasoch drwy eich gwaith yn creu byd ehangach nag Aber Dar i chi'.[57] Yn ôl Saunders Lewis, 'nid y merched eraill yn yr ysgol a'r dre, ond Katherine Mansfield a Jane Barlow, sy'n perthyn i chwi drwy ysbryd ac ymdrech ac yn byw yn yr un byd, er mor wael y gwelwch chi eich gwaith o'i gymharu â'u gwaith hwythau'.[58]

Roedd Saunders Lewis yn gefn mawr iddi yn ystod y cyfnod cynnar hwn yn ei gyrfa lenyddol. Ni chollodd Kate yr awydd i greu, er gwaethaf pob rhwystr, fel y prawf y stori 'Pryfocio', a gwblhaodd ym mis Medi ac a ddaeth yn un o'i straeon mwyaf poblogaidd. Cyhoeddwyd y stori yn rhifyn Gaeaf 1923 o'r *Llenor*. 'Son mawr sydd yn Aberdar am stori Miss Kate Roberts yn y Llenor,' meddai Barcud y Clochdy yn *Y Darian*. 'Stori bryfoclyd iawn ydyw,' ychwanegodd, a chlywodd Ap Hefin, meddai, 'yn dweud ei bod wedi peryglu gobaith Miss Roberts am gael gwr'.[59] Hon oedd y stori am Catrin Owen a'i chymdogesau yn lladd ar ddynion, gyda Catrin yn troi ar ei gŵr anystyriol ar ddiwedd y stori, a'r 'Diawl ei hun yn ei hwyneb ar ei ffordd adref'.

Er mor barod oedd hi i ladd ar Aberdâr a'i thrigolion, roedd Kate yn weithgar o hyd gyda'i dosbarth nos ar lenyddiaeth ac â Chymdeithas y Cymrodorion. Roedd ei dosbarth nos yn hynod o boblogaidd, a hithau, yn ôl pob tystiolaeth, yn athrawes benigamp. 'Mae Miss Roberts yn un o lenorion goreu Cymru a chlywsom bod ei dosbarth llenyddiaeth Gymraeg yn Aberdâr yn lluosog a hithau'n athrawes odidog,' meddai'r Parchedig Richard Williams yn *Y Darian* ym mis Tachwedd 1923.[60] Yr un oedd barn Barcud y Clochdy yn yr un papur ac yn yr un mis. 'Ffodus yn wir,' meddai, 'ydyw'r sawl a ddalio'n well ar ddosbarth Cymraeg Miss Kate Roberts a gynhelir tan nawdd y Cyngor Sir, eithr ofnwn mai yn brin y sylweddolir eto gymaint caffaeliad i'r lle ydyw gwasanaeth y ferch ragorol hon'.[61] Yn groes i'w barn hi am drigolion Aberdâr, roedd gan lawer o bobl Aberdâr feddwl mawr ohoni hi.

O'i chwmpas hi y trôi Cymdeithas y Cymrodorion yn aml, ac ym mis Chwefror 1924 cyflawnodd gryn gamp. Llwyddodd i ddenu ei hen Athro ym Mangor gynt, John Morris-Jones, i Aberdâr i draddodi darlith gerbron y Cymrodorion. Edrychai pawb ymlaen yn eiddgar at yr achlysur. 'Yr oedd y son am ei ddyfodiad ef wedi creu tipyn o ddiwygiad ynglŷn a siarad Cymraeg yn y dref,' meddai Barcud y Clochdy.[62] Roedd y Cymrodorion wedi gwahodd John Morris-Jones i ddod atynt unwaith o'r blaen, ond methodd gyrraedd. Fe'i gwahoddwyd eto, ond ni chafodd y Cymrodorion ateb ganddo, a bu'n rhaid i'r Gymdeithas droi at Kate am gymorth mewn cyfyngder. Soniodd am yr achlysur hwnnw ddeugain mlynedd yn ddiweddarach:

> Mae gennyf un atgof hapus iawn am ein hen Athro, a hynny wedi imi adael y Coleg. Dechrau yr ugeiniau ydoedd a minnau yn Aberdâr. Penderfynodd Cymrodorion Aberdâr anfon at Syr John Morris-Jones i ofyn iddo roi darlith ar y delyneg Gymraeg, mi gredaf. Nid atebodd lythyr yr ysgrifennydd a phenderfynwyd gofyn i mi alw yn y Tŷ Coch yn ystod gwyliau'r Nadolig. Felly fu. Yr oeddwn yno yn fore, ac nid oedd Syr John a Lady Morris-Jones wedi codi yn rhy fore. Modd bynnag, yr oedd tân yn y neuadd mewn dim o amser a chinio cynnar ar y bwrdd. Cefais groeso dihafal gan y ddau, a Syr John yn sgwrsio yn braf heb ddim o'r swildod a'i nodweddai yn y Coleg. Ni chofiaf am beth y siaradem ond yr oedd yn sgwrs felys.[63]

Ac fe wyddai'r Cymrodorion mai i Kate yr oedd pob diolch yn ddyledus. Meddai Barcud y Clochdy:

Mae'n debig mai i Miss Roberts y mae Cymrodorion Aberdar i ddiolch am ymweliad Syr John. Y maent yn ddyledus iddi am lawer o fendithion eraill o ran hynny. Sut na buasent wedi ei dewis yn llywydd cyn hyn?[64]

Ar nos Fercher, Chwefror 13, cyfarfu'r Cymrodorion 'a rhyw 500 o bobl eraill' yng Nghapel Bethania i wrando ar Syr John Morris-Jones yn darlithio ar Williams Pantycelyn – nid ar y delyneg Gymraeg.[65] Kate ei hun a gynigiodd y diolchiadau i'w hen bennaeth, a lluniodd Ap Hefin dri englyn iddo. Hwn oedd y cyntaf:

Bri eithaf iaith y Brython, – ac oracl
    Gwerin i'w chyfrinion;
Capten mawr o wŷr mawr Môn,
Yw Syr Morus i'r mawrion.[66]

Cymerai Kate ran flaenllaw yn aml yng ngweithgareddau'r Cymrodorion, ac roedd yn un o brif bileri'r Gymdeithas, heb amheuaeth. Cymerodd ran yn y 'Noson o Senedd' a gynhaliwyd ganol mis Mawrth, 1924. 'Cyfarfod neilltuol o ddifyrrus oedd cwrdd y frawdoliaeth wlatgar nos Wener, Mawrth 14, yn Ysgol y Gadlys,' meddai adroddiad yn *Y Darian*.[67] Pwnc y ddadl ar y noson oedd 'Cyflwyno Mesur Ymreolaeth i Gymru', ac yn ôl *Y Darian* eto:

Mewn araith gref a manol y cyfleodd y Prif Weinidog y Mesur. Gyda llawer o ddigrifwch y canlynodd Gweinidog Addysg. Iwan Goch a arweiniai yr Wrthblaid gyda mesur teilwng o wres a ddibrisiai ymdrech y Prif Weinidog … Miss Kate Roberts, B.A., fel Duces Athol safai gydag Iwan yn yr Wrthblaid.[68]

Lluniodd Kate stori arall ym mis Ebrill 1924, 'Y Wraig Weddw', ac fe'i cyhoeddwyd yn rhifyn Haf 1924 o'r *Llenor*. Bellach roedd ganddi saith stori fer i'w henw, ac erbyn canol yr haf roedd yn meddwl am gyhoeddi ei chasgliad cyntaf o straeon. 'Gyda golwg ar gasglu'r storiau byrion yn llyfr, a ydych yn meddwl fod wyth yn ddigon?' gofynnodd i Saunders Lewis ym mis Mehefin.[69] Roedd wedi cael gair gyda W. J. Gruffydd hefyd, a awgrymodd iddi y dylai gael deuddeg stori, ond anghytunai Kate, gan y byddai 'cyhoeddi llai yn rhatach'.[70] Yn y llythyr hwnnw, dyddiedig Mehefin 8, roedd Kate yn diolch i Saunders Lewis am 'fynd i'r drafferth i sgrifennu ar fy storiau i'.[71] 'Heb ragrithio mae'n rhaid imi ddweyd bod yn dda gennyf, oblegid eich bod yn feirniad mor graff ac yn feirniad mor onest'.[72] Ateb llythyr a aeth ar goll yr oedd Kate, ac mae'n amlwg fod Saunders Lewis yn y llythyr hwnnw wedi mynegi ei fwriad i lunio ysgrif feirniadol ar waith Kate. Ymddangosodd yr ysgrif honno yn rhifyn Gorffennaf 3, 1924, o'r *Faner*,

'Celfyddyd Miss Kate Roberts'. Yr ysgrif hon oedd y datganiad cyhoeddus mawr cyntaf fod Cymru wedi magu gwir athrylith ym maes y stori fer. Bob rhyw dri neu chwe mis, meddai Saunders Lewis, 'fe gyhoedda Miss Kate Roberts stori fer, ac i mi y mae'r straeon hynny yn rhan o lenyddiaeth Gymraeg'.[73] Barnai fod Kate yn mynd o nerth i nerth:

> Ni wn i am neb sy'n tyfu mor dawel, mor gydnerth, mor sicr, â Miss Roberts. Dengys datblygiad cyson ei chrefft allu beirniadol sy'n hynod. Mae pob stori a gyhoedda yn ceryddu'r stori flaenorol, yn ailgychwyn ei phrentisiaeth, yn diosg yr hen, ac yn gafael ar gelfyddyd gadarnach ac ar adnoddau newydd. Pan gasglo hi ei straeon yn llyfr, mi obeithiaf y dyd hi ar ddiwedd pob un ddyddiad ei sgrifennu. Hynny'n unig a amlyga'n iawn y ddisgyblaeth lem, yr ymchwil a'r ymfeirniadu, a fu rhwng pob stori a gyfansoddodd.[74]

Canmolodd gryfder a rhywiogrwydd ei hiaith:

> Y mae ei Chymraeg ar unwaith yn glasurol ac yn fodern. Hynny yw, fe ŵyr hi deithi'r iaith yn llwyr, a cheir ganddi felly gystrawen hen yn ffram i eirfa heddyw, ac ni ellid cyfuno'n well.[75]

Roedd canmoliaeth o'r fath gan neb llai na Saunders Lewis yn hwb aruthrol iddi. Erbyn canol y flwyddyn, fodd bynnag, roedd Kate yn anniddig iawn yn Aberdâr, ac ar ben hynny, roedd yn pryderu am ei mam. O Faes-teg yn Rhosgadfan yr anfonodd ei llythyr o ddiolch at Saunders Lewis. Roedd ei rhieni wedi symud o Gae'r Gors i Faes-teg ers 1922, gan fudo o dyddyn i dŷ moel i ddiweddu eu dyddiau, yn ôl arferiad ardaloedd y chwareli unwaith yr oedd y plant wedi hedfan y nyth. Ond roedd blynyddoedd o orweithio wedi gadael eu hôl ar Catrin Roberts. 'Mae mam yn bur wael ers blynyddoedd, a bu'n wael iawn yn ddiweddar,' ysgrifennodd.[76] Hwnnw oedd y pedwerydd tro i Kate fod gartref ers mis Hydref y flwyddyn flaenorol, a threuliodd ei phythefnos o wyliau Pasg ym 1924 yn gofalu am ei mam ar ryw bum awr o gwsg yn unig bob nos.

Roedd Kate bellach yn dyheu am fod yn nes at ei rhieni, fel y gallai swcro rhywfaint ar ei mam. Bu'n chwilota drwy'r papurau am swyddi, ond yn ofer. Ni welai 'fod ar neb eisiau athrawes mewn Cymraeg yn y Gogledd na'r De,' ac, o'r herwydd, roedd yn bur debyg 'mai mynd i Aber Dar y byddaf y term nesaf eto a byw mewn ofn wrth ddisgwyl llythyr o cartre'.[77] Am nad oedd swydd athrawes Gymraeg ar gael yn unman, penderfynodd, ym mis Gorffennaf, ymgeisio am swydd prifathrawes yn Ysgol Ganol Llanelli, ond aflwyddiannus fu'r cais, a dychwelodd i Aberdâr ar ôl gwyliau'r haf.

Lluniodd stori fer arall ym mis Hydref, 'Henaint', un o'i storïau mwyaf adnabyddus, ac fe'i cyhoeddwyd yn rhifyn Gaeaf 1924 o'r *Llenor*. Bellach roedd ganddi naw o storïau gorffenedig a phrintiedig, digon i gyhoeddi llyfr, ac ar drothwy gwanwyn 1925, cyhoeddwyd ei chasgliad cyntaf o straeon byrion, *O Gors y Bryniau*, gan Hughes a'i Fab, Wrecsam. Erbyn dechrau mis Ebrill, roedd Saunders Lewis wedi derbyn copi o'r llyfr yn rhodd gan Kate. Roedd yn 'llyfr hardd' meddai, o ran 'ei ddiwyg, ei wyneb-ddalen, ei brintio – a bid siwr hardd ei gynnwys'.[78] Bu'n ailddarllen y pedair stori gyntaf y prynhawn hwnnw. 'Y peth sy'n destun balchder i mi yw fy mod yn fore wedi sylweddoli bod athrylith yn eich gwaith a'm bod i wedi dweud hynny nes galw sylw at y peth o'r diwedd gan eraill,' meddai.[79] Roedd yn falch hefyd o weld y cyflwyniad i Dic Tryfan, Richard Hughes Williams.

Anfonodd Kate gopi cyfarch o *O Gors y Bryniau* at nifer o bobl, perthnasau yn ogystal â chyfeillion a gwŷr llên. Erbyn canol Ebrill roedd T. Gwynn Jones wedi derbyn copi ganddi. Croesawai yntau hefyd y cyflwyniad i Richard Hughes Williams, ac meddai:

> ... wrth ddarllen eich ystraeon, deellais rywbeth rhyfeddol. Gwybûm eich bod chwi
> yn medru rhoi lleferydd i ryw ysbryd a fu'n ceisio llefaru hefyd trwy Ddic Tryfan,
> ac a fedrodd hynny yn rhyfeddol hefyd, ond nad dyna'i air olaf ef ychwaith. Ac yna,
> dyma'r ysbryd hwnnw – ysbryd bywyd llechweddau mwyn tawel Rhos Tryfan – yn
> gweled geneth fach o'r ardal, ac yn deall mai hi a fyddai leferydd iddo ef, a fedrai ddeall
> a mynegi popeth a fynnai ef, heb golli mymryn o'i baent, na'i gam gymysgu yn unman
> byth.[80]

Yn ôl T. Gwynn Jones, rhoddwyd iddi ddawn ardderchog, a dysgodd grefft ardderchog hefyd. Anogodd hi i ysgrifennu rhyw ddeg neu ddwsin o straeon a oedd heb eu cyhoeddi o'r blaen; byddai hynny, meddai, yn brofiad a brisid gan bob Cymro gwerth yr enw.

Adolygwyd *O Gors y Bryniau* gan T. Gwynn Jones yn *Y Darian* ar ddechrau Mai. 'Cymry glân yw ei chymeriadau hi bob un – chwarelwyr a thyddynwyr Sir Gaernarfon, a glowyr Sir Forgannwg,' meddai.[81] Troeon bywyd pobl gyffredin oedd ei deunydd, ond gallai'r awdures roi arwyddocâd newydd i sefyllfaoedd cyffredin, a pheri ein bod yn dod i adnabod y cymeriadau'n dda. 'Gwyddom droeon bywyd tebyg i'r eiddynt yn burion,' meddai am gymeriadau *O Gors y Bryniau*, 'ond rhaid wrth rywun fel yr awdures i beri cydnabyddiaeth rhyngom â hwy, a byth ar ôl hynny, ni byddant yn union yr un fath i ni ag oeddynt o'r blaen'.[82]

Fe'i clodforodd fel awdures a oedd yn 'feistres ar ei chrefft, wrth y safonau goreu'; 'etifeddodd ei greddf, mynnodd grefft,' meddai.[83] Daeth adolygiad T. Gwynn Jones i ben gyda chyfeiriad at y cyflwyniad hwnnw i Dic Tryfan. Roedd T. Gwynn Jones yn adnabod Richard Hughes Williams yn dda, gan i'r ddau gydweithio â'i gilydd yn swyddfa'r *Herald Cymraeg* yng Nghaernarfon ar ddechrau'r ugeinfed ganrif. Bu farw Dic Tryfan ym 1919, chwe blynedd cyn cyhoeddi *O Gors y Bryniau*, ac wrth iddo gloi'r adolygiad, cofiodd am ei gyfaill gyda chymysgedd o edmygedd a hiraeth:

> Cyflwynir y llyfr i goffadwriaeth Richard Hughes Williams, brodor o'r un ardal a'r awdures. Ystyr hynny, y mae'n debyg, yw iddi ddysgu rhywbeth oddiwrth ei waith yntau a phrydferth yw'r gydnabyddiaeth. Prin y cydnabuwyd ef yn ei ddydd, ac ychydig a wybu am ei ymdrechion ag amgylchiadau digon croes. Dyma ar ei fedd dorch o flodau o Ros Gadfan, a ddygasai oleuni rhyfedd i'w lygaid dyfnion, tawel, a chryndod i'w lais lleddf.[84]

W. J. Gruffydd ei hun a adolygodd *O Gors y Bryniau* i'r *Llenor*. Dechreuodd trwy nodi gwendid a diweddodd trwy nodi glendid a rhagoriaeth. Os oedd gwendid yn y gwaith, y gwendid hwnnw oedd 'dibynnu weithiau ar y cof yn hytrach nag ar y dychymig, ei bod yn rhy barod i wneuthur ffotograff yn lle paentio darlun'.[85] Sylwodd W. J. Gruffydd yn gynnar iawn ar un o nodweddion Kate fel storïwraig, sef ei bod, yn aml, yn croniclo yn lle creu. Er hynny, roedd 'twf sicr ei chelfyddyd o 1921 hyd 1925 yn eithriadol o gyflym'.[86] Roedd *O Gors y Bryniau*, meddai wrth gloi, 'nid yn unig yn anghyffredin, ond yn rhywbeth hollol ar ei ben ei hun yn llenyddiaeth yr ystraeon Cymraeg'.[87] Rhaid oedd edrych ar y llyfr 'fel carreg filltir bwysig yn ein twf llenyddol' oherwydd ei fod 'wedi bwrw holl storiau byrion Cymru hyd yn hyn i'r cysgod'.[88]

Adolygwyd y gyfrol yn ffafriol mewn cyhoeddiadau eraill yn ogystal. Yn ôl 'T.H.J.' (T. Hughes Jones) yn *Y Faner*: 'Llwyddodd yr awdures i uno mewn ffordd anghyffredin sylwi manwl ac ysgrifennu cain − ehangder cydymdeimlad a chynhildeb ymadrodd'. Tynnu sylw at graffter ac ehangder ei sylwgarwch a wnaeth Celt yn y *Liverpool Daily Post*: 'the keenest eye that has looked upon Welsh life for years; and it is not Welsh life only that it sees, but the general life of humanity, with its joys and unendurable sorrows, and silence and passivity, and numbness at the end'. Nid Celt oedd yr unig un i ganmol sylwgarwch miniog-gyfewin Kate. 'Y mae ganddi ddychymyg sy'n treiddio o dan fywyd yr wyneb a llygaid i weled y troion bychan hynny mewn bywyd a besir gan lawer, heb eu gweled o gwbl,' meddai E. Morgan Humphreys yn *Y Genedl*, gan ddilyn yr un trywydd. Cartrefolrwydd y straeon a dynnodd sylw Ernest Rhys yn y *Manchester Guardian*: 'they are close as can be to the soil, touched in with the simplest, homeliest colours, saturated with the Welsh odours and savours that are so real, so full of home-bred reality, yet so hard to convey in art'. 'Llyfr a thair camp arno yw hwn,' meddai adolygydd *Y Brython*, 'camp orgraff, camp ymadrodd, a champ arddull'. Storïau digon cyffredin oedd straeon y gyfrol, ychwanegodd, ac ni fyddai'n anodd cael storïau gwell, ac yng ngrym a graen ei Gymraeg yr oedd gwerth mwyaf y llyfr. Ac yn ôl adolygydd *Yr Herald*, roedd 'camp ar bob stori o'i heiddo', er iddo gondemnio rhai ymadroddion Seisnig fel 'rhoddi pob gobaith i fyny' a 'gwneuthur ei meddwl i fyny'.[89] Nid cyhoeddi *O Gors y Bryniau* oedd ei hunig gamp lenyddol ym 1925. Cyhoeddwyd cyfres arall o storïau ganddi, yn dwyn y teitl 'Loli', fesul mis yn *Y Winllan*, sef hanes Loli wedi iddi adael yr ysgol a dechrau gweithio fel morwyn.

Daeth clod iddi o un lle annisgwyl. Cysylltodd yr ysgolor a'r awdur Llydewig Roparz Hemon (Louis-Paul Némo) â hi mewn Cymraeg glân gloyw ar ddechrau Mawrth, 1925, i ofyn iddi am ganiatâd i gyfieithu 'Y Wraig Weddw' i'r Llydaweg ar gyfer *Gwalarn*, 'sef yr atodiad llenyddol o'r "Breiz Atao"'.[90] 'Bydd yn gyfle i'r Llydawiaid ddyfod i gysylltiad â llên Cymru,' meddai.[91] Roedd eraill, ymhell y tu hwnt i ffiniau Cymru, wedi sylwi ar ei dawn.

Roedd brwydr Cymrodorion Aberdâr i sicrhau tegwch i'r Gymraeg yn ysgolion y cylch yn parhau ym 1925, er bod y sefyllfa wedi gwella yn ôl yr hyn a ddywedodd Barcud y Clochdy yn rhifyn Medi 10 o'r *Darian*. 'Ymddengys i mi fod athrawon y naill ysgol ar ol y llall yn ymegnio i roddi lle anrhydeddusach i'r Gymraeg o fewn cylch eu gwasanaeth,' meddai.[92] Priodolwyd y newid hwn mewn agwedd i ymgyrch y Cymrodorion i wella sefyllfa'r Gymraeg yn ysgolion Aberdâr. Ac eto, roedd angen codi statws y Gymraeg yn ysgolion Aberdâr o hyd, a gofynnodd y Cymrodorion i Kate Roberts, 'y Gymrodor glodwiw', a D. O. Roberts wneud rhagor o ymholiadau ynghylch sefyllfa'r Gymraeg yn yr ysgolion.[93]

Pryderai Barcud y Clochdy, yn un peth, mai 'llymrig ei wala yw'r hyfforddi Cymraeg a geir yn ein hysgolion elfennol ar hyn o bryd, a hynny o ddiffyg diwylliant Cymraeg y mwyafrif o'r athrawon; ac mai'r canlyniad yw bod yn rhaid dioddef y profiad atgas o ddad-ddysgu llawer wedi yr elo'r plant i'r ysgolion canol'.[94] I gywiro'r diffyg hwn ynglŷn ag ysgolion elfennol Aberdâr, meddai'r 'Barcud', 'cymered ein hathrawon, a'r rhai sydd ar fedr bod yn athrawon, fantais y gaeaf hwn ar ddosbarth llenyddiaeth Gymraeg Miss Kate Roberts, B.A.', oherwydd bod y dosbarthiadau hyn yn 'gyfle ardderchog iddynt i'w diwyllio'u hunain ar gyfer dysgu Cymraeg i blant yr ysgolion'.[95]

Penodwyd Kate yn Llywydd Cymdeithas y Cymrodorion am y tymor 1925–6, a hynny'n hwyr yn y dydd braidd o gofio am ei brwdfrydedd a'i hymroddgarwch ynghylch y Gymdeithas. Cyfarchwyd y Llywydd newydd gan Ap Hefin, a oedd yn dymuno 'Llwydd a Nerth i'n Llywydd Ni', yn un o gyfarfodydd y Cymrodorion:

> Dic Tryfan oedd pôr stori, – stori fer
>   Ag ystyr faith iddi;
>   A'i hanes a fu'n heini
>   Stori fer – ystyriaf hi.
>
> Ar ei ol drwy'r chwarelau – aeth geneth
>   I gynnull rhamantau;
>   Iach hyawdledd ei chwedlau – ddug garol
>   O groeso breiniol i "Gors y Bryniau."
>
> Mwynha Saunders mewn syndod – a Gruffydd
>   Graff, a Syr John hynod;
>   Gwêl Tegla ei hud hyglod;
>   Gwyn, â chlych, a gân ei chlod.
>
> Kate Roberts, gyd a'i rheibiaeth, – a flasodd
>   Felyswin llenyddiaeth;
>   Rhan i mi, o rin a maeth,
>   Ragor o'r un rhywogaeth.[96]

Kate ei hun, fel Llywydd y Gymdeithas, a agorodd dymor 1925–6, ddechrau mis Hydref, gyda darlith ar 'Lawenydd Llenyddiaeth', a honno, yn ôl pob tystiolaeth, yn ddarlith ragorol. Yn wir, roedd y Gymdeithas yn ffynnu dan ei llywyddiaeth. Hi, meddai adroddiad yn *Y Darian* ar un o gyfarfodydd y Gymdeithas ym mis Tachwedd, 'sydd yn rhoi cymaint o ysbryd y peth byw yn y Cymrodorion y tymor hwn', gan nodi bod y 'cynulliadau yn lluosocach nag arfer'.[97]

Gyda diwedd 1925 yn nesáu, parhai Kate i fod yr un mor brysur ag erioed gyda'r Cymrodorion. Ddiwedd mis Hydref llwyddodd i gael y Brodyr Francis o Nantlle, y canwyr penillion enwog yn eu dydd, i gynnal cyngerdd, eithriadol o lwyddiannus, yng Nghapel Calfaria yn Aberdâr, gyda Kate ei hun yn llywyddu. Y bore trannoeth y cyngerdd, ar wahoddiad Kate, rhoddodd y Brodyr Francis awr o gyngerdd i Ysgol Sir y Merched. Yn ôl adroddiad *Y Darian* ar ymweliad y Brodyr ag Aberdâr: 'Enynnodd yng nghalonnau'r athrawon a'r merched fwy o serch nag erioed tuag at farddoniaeth Cymru, yn [o]gystal ag awydd i'w trwytho'u hunain yn llwyrach ynddi'.[98] Lluniwyd yr adroddiad hwnnw gan un o gyfeillion mwyaf Kate yn Aberdâr, y Parchedig Richard Williams, ac fe luniodd yr adroddiad ar y ddau gyngerdd heb fod ar gyfyl y naill na'r llall.

Brodor o'r Garnant yn Sir Gaerfyrddin oedd Richard Williams, gweinidog Eglwys Nasareth, Aberdâr, oddi ar 1902, bymtheng mlynedd cyn i Kate gyrraedd y dref. Oherwydd afiechyd, bu'n rhaid iddo roi'r gorau i'w ofalaeth ym 1920. 'Nid wyf i'n cofio Mr. Williams erioed yn iach,' meddai Kate yn ei hysgrif 'Y Parch. Richard Williams, Aberdâr', a gyhoeddwyd yn *Y Traethodydd* ym mis Ionawr 1933.[99] 'Cofiaf,' ymhelaethodd, 'ei fod yn mynd i dref Bath i geisio gwellhad yr wythnos gyntaf wedi imi fynd i Aberdâr'.[100] Ond wedi iddi fod yn Aberdâr am rai blynyddoedd y daeth Kate i'w adnabod ef a'i deulu. 'Yr oedd croeso bob amser yn y Dolwar, eu cartref, a chwmnïaeth hapus yno,' meddai.[101] Treuliodd Kate gryn dipyn o amser ar aelwyd Richard Williams a'i deulu, yn sgwrsio am y byd a'i bethau ac yn trafod llenyddiaeth. Roedd Richard Williams yn 'un o'r ychydig bobl y cyfarfûm â hwynt â'i farn ei hun ganddo ar lenyddiaeth, a honno'n farn go sicr'.[102] Galwai cyfeillion eraill yn fynych yno hefyd, fel Tywi Jones ac Ap Hefin, ac yno y byddent yn aml yn griw bychan dethol – nid annhebyg i'r criw ffyddlon o ffrindiau a pherthnasau a fyddai'n ymgasglu o gwmpas gwely Ffebi yn *Stryd y Glep* ymhen rhai blynyddoedd – yn eistedd wrth draed Richard Williams yn gwrando arno yn adrodd straeon am yr hen amseroedd ac yn trafod pob math o bynciau.

Clywed am gyngerdd y Brodyr Francis yng Nghalfaria a wnaeth Richard Williams. Am y deng mlynedd olaf o'i fywyd bu'n dioddef oddi wrth y crydcymalau, a bu'n gaeth i'w aelwyd. Roedd yn flin ganddo golli'r fath wledd o gyngerdd, yn enwedig wedi iddo 'glywed cyfeillion y rhoddwn y pwys mwyaf ar eu barn a'u chwaeth, yn canmol eu braint mor afieithus'.[103] Gan na fedrai symud cam o'i gartref i wrando ar y Brodyr, symudwyd y brodyr ato ef:

> Eithr trannoeth, er fy llawenydd, bu'n wiw gan y brodyr Francis dalu ymweliad a minnau yn neilltuaeth Dolwar; a theimlaf yn dra dyledus iddynt am eu caredigrwydd. Cefais y fraint o'u clywed yn canu amryw o'u dewis bethau yn ystod y prynhawn, a mwynhau ymgom felys yn eu cwmni o gylch y tân.[104]

Mae'n sicr mai Kate a fu'n gyfrifol am drefnu'r cyngerdd preifat hwn i'w ffrind, ac os felly, roedd yn weithred gwbl nodweddiadol ohoni. Ddeng mis wedi iddo lunio'r adroddiad ar ymweliad y Brodyr Francis ag Aberdâr roedd Richard Williams yn gorwedd yn ei fedd.

Erbyn diwedd 1925, roedd Kate wedi cyhoeddi ei chasgliad cyntaf o storïau byrion, ac roedd *Deian a Loli* yn aros i gael ei gyhoeddi. Bellach, gyda rhai o fawrion llenyddol y dydd, fel Saunders Lewis, T. Gwynn Jones a W. J. Gruffydd, yn frwd eu cefnogaeth iddi, yr oedd dyfodol disglair o'i blaen.

6

MORRIS, KATE A PROSSER
1926–1928

'Gwn y geilw'r byd ni'n ffyliaid. Ond nid yw'n wahaniaeth gennym ni ein dau.'

Kate Roberts at Saunders Lewis, Rhagfyr 8, 1927

Ar ddechrau 1926 roedd Kate yn parhau i fod yn hynod o weithgar gyda Chymrodorion Aberdâr, yn rhinwedd ei swydd fel Llywydd y Gymdeithas, a chyda'i dosbarth nos ar lenyddiaeth Gymraeg, y 'Dosbarth Cymraeg', fel y câi ei alw. Hi a lywiodd gyfarfod y Gymdeithas ar nos Wener, Ionawr 22, pan berfformiwyd tair drama fer gan Barti'r Cymrodorion yn Neuadd Gyhoeddus Heol y Felin, a'i drama hi, Betty Eynon Davies a Margaret Price, *Y Canpunt*, yn un o'r tair. Yn un o'i dosbarthiadau nos ym mis Ionawr, roedd Kate y genedlaetholwraig danbaid 'yn ei huchelfannau yn ysgrafellu'r beirdd am eu gwaseiddiwch i'r mawrion'.[1] Prin y gwyddai ar ddechrau 1926 y byddai ei chenedlaetholdeb yn newid holl gwrs ei bywyd cyn diwedd y flwyddyn ac y byddai Ysgol Haf gyntaf plaid newydd sbon yn selio ei thynged.

Bu blwyddyn lywyddiaeth Kate gyda'r Cymrodorion yn flwyddyn brysur yn wleidyddol ac yn llenyddol, a hynny'n rhannol oherwydd ei harweiniad hi ei hun. Ar ddechrau 1926, lawnsiwyd ymgyrch newydd gan Gymrodorion Aberdâr i sicrhau mwy o chwarae teg i'r Gymraeg ym myd addysg. Ymddangosodd dirprwyaeth o'r Gymdeithas gerbron Pwyllgor Addysg Aberdâr i brotestio 'yn erbyn dewis prif athrawes na wyddai Gymraeg i Ysgol Ferched Cwmbach'.[2] 'Y mae Cwmbach hyd yn hyn yn ardal hollol Gymreig,' meddai adroddiad yn *Y Darian*, ac roedd llawer o'r pethau a ddywedwyd gan aelodau o'r Pwyllgor Addysg 'yn dangos mor anobeithiol yw awdurdodau addysg oni ddeffry Cymru a'u cymryd mewn l[l]aw a hynny'n bur chwyrn'.[3] Ceisiodd Cyfarwyddwr Addysg

Aberdâr dawelu'r dyfroedd trwy honni 'y gallai'r foneddiges a ddewiswyd ddysgu Cymraeg, er na fedrai ei siarad yn llithrig,'[4] ond ni dderbyniai'r ddirprwyaeth esgus gwachul o'r fath:

> Tybed nad ydym, bellach, wedi clywed digon o ryw lol fel hyn. Bu cyn-arolygydd Addysg ger bron y Pwyllgor Adrannol yn ddiweddar yn dinoethi gyd a gwawd deifiol y rhai a gais leoedd yn Ysgolion Cymru ac o'r wyneb i ddweyd wrth Bwyllgorau, "No, I cannot speak Welsh, but I can teach it." Rhai felly yn aml a ddewisir. A oes wlad arall dan haul lle mae'r fath fwncieiddiwch yn bosibl?[5]

Roedd yn hen bryd i Gymrodorion Aberdâr leisio gwrthwynebiad i'r fath 'fwncieiddiwch': 'Na, rhy ddof a thawel yw'r Cymrodorion wedi bod. Dylasent ddeffro'n gynt, a hyderwn y bydd ensyniadau rhai o'r Pwyllgor Addysg y tro hwn yn symbyliad iddynt i wneud mwy nag a wnaethant'.[6] Fodd bynnag, yn ôl adroddiad yn yr un rhifyn o'r *Darian*: 'Siomedig a fu derbyniad y Ddirprwyaeth gan Awdurdod Addysg Aberdar. Ofnir nad oes yno gysgod o barch i Gymro fel Cymro'.[7]

Er i aelodau'r Gymdeithas gael eu siomi gan ymateb negyddol yr Awdurdod Addysg, parhau'r frwydr o blaid cadwraeth a ffyniant y Gymraeg a wnaethant. Ym mis Chwefror 1926, mynegodd y Gymdeithas ei bwriad i alw cynhadledd ynghyd o gynrychiolwyr eglwysi rhan uchaf y dyffryn. 'Y mae dydd ethol cynrychiolwyr y cyhoedd i'r byrddau lleol ar ddyfod, ac yn ol a welsom ofnwn mai personau heb fedru Cymraeg fydd yr ymgeiswyr gan mwyaf, a heb nemor ddim cydymdeimlad a'r cri Cymreig,' meddai J. Tywi Jones, golygydd *Y Darian*.[8] Wedi iddo atgoffa'i ddarllenwyr 'am y derbyniad chwyrn' a gafodd y ddirprwyaeth o'r Gymdeithas gan Awdurdod Addysg Aberdâr, anogwyd y Cymrodorion i fynd 'i'r frwydr etholiadol gan osod rhaglen Gymreig oleuedig gerbron y bobl'.[9] Yr oedd Kate, wrth gwrs, a hithau yn Llywydd y Gymdeithas, yng nghanol yr ymgyrchoedd hyn i sicrhau tegwch i'r Gymraeg yng nghyffiniau Aberdâr.

Yn ystod tymor ei llywyddiaeth, ychwanegodd Kate weithgaredd newydd at raglen flynyddol Cymdeithas y Cymrodorion, sef y 'Noson Gylchgrawn', gan ddilyn yr hyn a gychwynnwyd yng Nghymdeithas y Ddraig Goch yn Ystalyfera gynt. Rhoddwyd enw i'r cylchgrawn hyd yn oed, sef *Y Garreg Ateb*. Noson o berfformiadau, datganiadau a darlleniadau llafar oedd y Noson Gylchgrawn, gydag aelodau'r Gymdeithas yn unig yn difyrru eu cyd-Gymrodorion. Cyfraniad Kate ei hun i'r nosweithiau hyn oedd darllen stori ddiweddar o'i gwaith. Ceid hefyd luniau a gwawdluniau o rai o aelodau mwyaf blaenllaw a ffyddlon y Gymdeithas gan rai a fedrai arlunio – popeth a weddai i gylchgrawn printiedig, mewn gwirionedd. Yn ogystal â diddanu, nod *Y Garreg Ateb* oedd hyrwyddo doniau lleol.

Ceir 'erthygl olygyddol' y rhifyn cyntaf o'r *Garreg Ateb* yn llaw Kate ei hun ymhlith ei phapurau yn y Llyfrgell Genedlaethol. Doniol a hwyliog yw cywair yr erthygl, ac ynddi gryn dipyn o dynnu coes:

> Yn y byd llenyddol mae argoelion y bydd y flwyddyn 1926 yn un doreithiog iawn. Mae yma ddegau o lyfrau yn y swyddfa yma yn disgwyl adolygiad. Nid oes gofod i adolygu yn y rhifyn hwn ond disgwyliwn gael nifer o adolygiadau i mewn i'r rhifyn nesaf. Ymhlith y llyfrau a dderbyniwyd y mae:
>
> Y Gelfyddyd o Chwerthin gan Mr. J. B. James
> Bwyd heb Gig gan T. E. D.
> Yr Ochr Arall i'r Walddiadlam gan Syr Alfred Mond
> Saesneg – Iaith Gwareiddiad y Byd gan Mr. D. O. Roberts.[10]

Byddai aelodau'r Gymdeithas yn deall pob ergyd yn y rhestr o lyfrau dychmygol a ddisgwyliai adolygiad, er enghraifft, gwyddai pawb mai cenedlaetholwr digymrodedd oedd D. O. Roberts, a gŵr diollwng o blaid y Gymraeg.

Cynhaliwyd y Noson Gylchgrawn gyntaf yn Ysgol y Gadlys ym mis Chwefror, a digon nodweddiadol o arlwy'r nosweithiau hyn oedd y ddarpariaeth a gafwyd ar y noson honno: canu, darllen straeon, adrodd cerddi digri, a Kate yn darllen stori 'oedd ddarlun byw o fywyd ei bro'.[11] Yn wir, roedd Kate yr un mor brysur ag erioed ar ddechrau 1926, ac nid gyda nosweithiau'r Cymrodorion a'i dosbarth ar lenyddiaeth Gymraeg yn unig. Âi o gwmpas i ddarlithio gryn dipyn, ac ar ddiwedd Chwefror roedd yn traddodi 'anerchiad penigamp'[12] ar 'Y Stori Fer', ei hoff bwnc bellach, yn Nant-y-moel, ger Pen-y-bont ar Ogwr, gerbron y Gymdeithas Gymreigyddion leol. Yn ôl *Y Darian*:

> Cafwyd darnodiad o stori fer a'i hanfodion, a'i chymharu â stori hir ac [â] nofel. Roedd ei hiaith yn goeth a'i thraddodiad yn hylithr. Dangosodd y modd effeithiolaf i gyfleu syniadau a fyddo'n gafael yn niddordeb y darllenydd. Yr oedd ei chyfarwydd-deb â gweithiau awduron amrywiol genhedloedd yn arddangos diwylliant ac ymchwil eang iawn. Hytrach yn ddigalon oedd ei nodyn olaf parthed gor-oesiad yr heniaith.[13]

Erbyn hyn roedd yn dechrau ennill enw iddi ei hun fel awdures hynod o dalentog, awdures o gryn athrylith hyd yn oed. 'Mynned Cymru benbaladr glywed y ddawn athrylithgar,' meddai'r adroddiad yn *Y Darian*.[14]

Roedd Kate wedi bywiogi Cymdeithas y Cymrodorion, yn sicr. 'Hwn ydyw'r tymor mwyaf llwyddiannus yn hanes y Cymrodorion,' meddai adroddiad

yn *Y Darian* ar ôl i'r Gymdeithas ddathlu Gŵyl Ddewi 1926.[15] 'Gweithgarwch yr
ysgrifennydd, Mr. D. O. Roberts, ac athrylith y llywydd, Miss Kate Roberts, sydd
yn cyfrif am hynny,' ategodd yr adroddiad.[16] Cynhaliwyd noson ddiwylliannol
amrywiol i ddathlu Gŵyl Ddewi yn Ysgol y Gadlys, a chafwyd cryn dipyn o
areithio. Apeliodd y Llywydd, mewn araith fer ar Ddewi Sant, 'at y Cymry am
fwy o gywirdeb a gonestrwydd', dau beth a oedd yn rhan gynhenid o'i natur hi
ei hun.[17] 'Brad yn y Cymry oedd gwadu eu hiaith ac esgeuluso trysorau eu cenedl
eu hunain,' meddai.[18] Roedd Kate hefyd wedi hyfforddi pedair o enethod, 'oedd
wedi eu gwneud eu hunain yn hogiau goreu y medrent', o'i hysgol i actio darn
o anterliwt Twm o'r Nant, *Y Cybydd*.[19] Ym mis Mawrth hefyd y bu'r ysgolhaig
ifanc Griffith John Williams yn darlithio ar 'Y Diwylliant Cymreig' gerbron y
Cymrodorion, gyda Kate yn llywyddu'r cyfarfod. Tynnai bobl o safon i annerch
y Gymdeithas. 'Y mae brwdfrydedd mawr dros ail-ethol Miss Kate Roberts,
B.A., yn llywydd i'r Cymrodorion oherwydd brwydrau yr iaith a fydd yn y
dyfodol agos,' meddai 'T.E.D.' yn ei golofn 'Nodiadau Aberdar' yn *Y Darian*,
gyda'r frwydr aflwyddiannus yn erbyn Awdurdod Addysg Aberdâr yn fyw yn
y cof.[20] Fodd bynnag, nid ymladd brwydrau'r iaith oedd priod swyddogaeth y
Cymrodorion, ond, yn hytrach, hybu diwylliant a hyrwyddo'r ymwybyddiaeth
leol ynghylch gorffennol diwylliannol a hanesyddol yr ardal. I'r diben hwnnw yr
aeth y Gymdeithas ati, eto yn ystod cyfnod Kate fel llywydd, i goffáu'r bardd ifanc
Telynog (Thomas Evans), a symudodd o Aberteifi i gylch Aberdâr i weithio yn y
pyllau glo, ac y bu iddo farw yn bump ar hugain oed ym 1885. Kate Roberts ei
hun a ddadorchuddiodd y gofeb iddo, ar Ebrill 29, ar fur y tŷ y bu Telynog yn byw
ynddo yng Nghwm-bach, a cheir llun trawiadol ohoni hi a'i chyd-Gymrodorion
ar achlysur y dadorchuddio yn rhifyn Mai 27 o'r *Darian*.[21]

Ar ôl iddi gael y fath ymateb brwdfrydig i'w chyfrol gyntaf o straeon byrion,
O Gors y Bryniau, penderfynodd Kate fynd ati i gyhoeddi ail gyfrol o'i gwaith, ar
ei chostau ei hun. Ym 1923, cyhoeddwyd stori i blant o'i heiddo, 'Deian a Loli',
ar ffurf penodau misol yn *Y Winllan*, y cylchgrawn Wesleaidd ar gyfer plant, a gâi
ei olygu gan E. Tegla Davies ar y pryd. Fe'i cyhoeddwyd yn *Y Darian* wedyn,
rhwng Ebrill a Gorffennaf 1925. Roedd wedi anfon copi llawysgrif o rai penodau
o'r gwaith at Saunders Lewis ym mis Hydref 1923 i ofyn a oedd yn ddigon da i
gael ei gyhoeddi. Cadarnhaol oedd ymateb Saunders Lewis:

> Y mae llawer iawn o'ch neilltuolrwydd arddull chwi ynddi, ac yn wir, hynny i mi yw
> ei diddordeb. Am a wn i, bydd hi oblegid hynny yn fwy diddorol i rai fel myfi nag i

blant. Ac y mae'n llawn geiriau byw Sir Gaernarfon, peth sy'n hapus iawn. Mae arni olion amlwg crefftwr y stori fer. Cyfres o straeon byr yw hi yn hytrach nag un stori gyfan. Dyw hi ddim yn waeth am hyn[n]y, ac y mae cynhildeb y stori fer yn y disgrifio cymeriadau, peth sy'n gryfder yn eich gwaith.[22]

Ond gwerthfawrogiad ac ysgogiad gyda rhybudd a gafodd gan Saunders Lewis. Gofynnodd iddi beidio ag ysgrifennu rhagor ar gyfer plant gan nad dyna oedd ei gwir gryfder, ond gobeithiai, er hynny, y câi'r gwaith ei gyhoeddi. Anfonodd Kate air o ddiolch ato. Cytunai ag ef nad oedd yn ei gwir elfen yn ysgrifennu i blant. 'Gwn bod ôl ymdrech ar y stori, oddigerth ar ambell bennod efallai, e.e. y bennod a ddisgrifia eu diwrnod cyntaf yn yr ysgol,' meddai.[23] Ni welai fod angen iddi anfon y penodau eraill ato, oherwydd eu bod, yn nhyb Kate, 'yr un mor ferfedd a'r penodau hyn'.[24]

Pan ddechreuodd Kate feddwl am gyhoeddi straeon Deian a Loli yn gyfrol ym 1923, dim ond newydd ddechrau llunio straeon byrion yr oedd hi, ers rhyw ddwy flynedd, a theimlai fod ganddi lawer i'w ddysgu cyn y gallai lwyr feistroli'r cyfrwng. Erbyn 1926, trwy anogaeth a chefnogaeth nifer helaeth o bobl, yn ogystal â'r derbyniad brwd a gawsai *O Gors y Bryniau*, roedd yn awyddus eto i gyhoeddi'r straeon yn llyfr. Ganol haf, cysylltodd â chwmni argraffu adnabyddus William Lewis yng Nghaerdydd ynglŷn â'r gost o argraffu a rhwymo dwy fil o gopïau o *Deian a Loli*. Erbyn dechrau mis Gorffennaf roedd y cwmni wedi comisiynu'r arlunydd Tom Morgan i baratoi lluniau ar gyfer y llyfr ac wedi rhoi £50 o flaendal iddo. Ym mis Awst talodd Kate hithau flaendal o £50 i'r cwmni ar gyfer argraffu *Deian a Loli* – talp go helaeth allan o'i chyflog, yn enwedig ym 1926, blwyddyn y Streic Gyffredinol, a'r economi yn gwegian ar bob tu.

Mis rhyfeddol o brysur oedd mis Awst 1926 i Kate. Yr oedd hefyd yn un o fisoedd mwyaf cythryblus a chyffrous ei bywyd. Arwydd o'i statws cynyddol ym mywyd llenyddol y genedl oedd y ffaith iddi gael ei dewis i feirniadu tair cystadleuaeth yn Eisteddfod Genedlaethol Abertawe y mis Awst hwnnw. Atal y wobr a wnaeth yng nghystadleuaeth y 'chwedl ysgol', ond dim ond dau a oedd wedi cystadlu. Cafodd 52 o straeon byrion, 'ar unrhyw destun', i'w beirniadu, a rhannodd y wobr rhwng J. O. Jones, sef Gwynfor, yr actor a'r llenor, a J. Iorwerth Williams. Beirniadodd hefyd gystadleuaeth y gyfres o dair stori fer ar destunau gosodedig, a rhoddodd hanner y wobr i J. O. Williams, Bethesda. 'Doedd hi ddim yn fodlon aberthu ei safonau hyd yn oed yn gynnar yn ei gyrfa fel beirniad eisteddfodol. Un o'r testunau yng nghystadleuaeth y tair stori fer oedd 'Arwerthiant', a chafodd Kate ei chyffroi gan y testun. 'A welsoch chwi erioed Arwerthiant lle y gwerthir anifeiliaid a chelfi fferm am fod y perchennog wedi mynd yn rhy hen i weithio ar fferm mwyach, ac yn mynd i fyw i dy moel?' gofynnodd, gan ebychu, 'Dyna i chwi le am stori – rhoi meddyliau'r gwr hwnnw'.[25] Nid dyna'n union thema'r stori 'Cathod mewn Ocsiwn' a gyhoeddwyd yn *Hyn o Fyd* bron i ddeugain mlynedd yn ddiweddarach, ond dyna egin y syniad o lunio stori am arwerthiant o bosib.

Ond bu'r mis Awst hwnnw yn fis o gythrwfwl hefyd. Cododd helynt ym mhapurau Aberdâr ynglŷn â cheisiadau cyson aflwyddiannus y dref i gael yr Eisteddfod Genedlaethol. Gwnaed cais i gael yr Eisteddfod i Aberdâr ym 1922 yn Eisteddfod y Barri ym 1920, ond i Rydaman yr aeth. Gwnaed cais arall yn Eisteddfod Genedlaethol Pont-y-pŵl ym 1924 i gael Eisteddfod Genedlaethol 1926 i Aberdâr, ond Abertawe a enillodd y dydd. Mewn cyfarfod yn Eisteddfod Genedlaethol Abertawe ym 1926, gwrthodwyd cais arall o eiddo Aberdâr i gael yr Eisteddfod, ac i Dreorci yr aeth Eisteddfod 1928. Dyna, felly, dair ymdrech aflwyddiannus o fewn wyth mlynedd i gael yr Eisteddfod i'r dref. Cyhuddwyd pobl Aberdâr o aneffeithiolrwydd a diffyg difrifwch amcan yn eu cais i gael yr Eisteddfod yn *Y Darian*, ac yn yr *Aberdare Leader* yn enwedig. Roedd un llythyrwr, 'Aberdarian', wedi cyhuddo golygydd *Y Darian*, J. Tywi Jones, o ddweud 'that there is a lack of sincerity among us'; ar ben hynny, galwodd gais Aberdâr yn 'national joke'.[26] Un o ohebwyr *Y Darian*, ac nid y golygydd, a gyhuddodd bobl Aberdâr o ddiffyg diffuantrwydd, ond J. Tywi Jones ei hun a atebodd y cyhuddiadau hyn. Methodd y cais i gael yr Eisteddfod i Aberdâr ym 1922, meddai, oherwydd i un o brif gefnogwyr Aberdâr ddweud, gan gyfeirio at Ddyffryn Aman, y byddai 'Mynd a miloedd ar filoedd o bobl i le fel'ny a dim 'drainage' yno i fynd â'n budreddi i ffwrdd' yn gamgymeriad affwysol.[27] Collodd Aberdâr y bleidlais o'i herwydd.

Yn ôl J. Tywi Jones, roedd un o'r rhai a gefnogai gais Aberdâr i gael Eisteddfodau Cenedlaethol 1926 a 1928 wedi bod yn mynd o gwmpas yn dweud, ymhlith pethau eraill: 'Os daw Eisteddfod 1928 i Aberdar, ni bydd diolch i Olygydd y Darian nac i Miss Kate Roberts!'[28] Cyhuddwyd J. Tywi Jones o fod â rhagfarn yn erbyn Aberdâr, yn enwedig gan iddo roi lle amlwg yn *Y Darian* i gais Treorci, a chythruddwyd Tywi Jones gan hynny. Roedd y cyhuddiad yn erbyn Kate yn un mwy cymhleth. Ar ôl i Aberdâr fethu cael Eisteddfod 1922, aethpwyd ati yn fwy taer ac yn fwy trefnus i sicrhau y byddai'r dref yn cael Eisteddfod 1926. Dewiswyd pwyllgor dethol i lunio rhaglen fechan o ryw bedwar neu bump o destunau gosod ar gyfer Eisteddfod 1926, ac ar y pwyllgor hwnnw roedd rhai o athrawon ac athrawesau gorau Aberdâr. Gwahoddwyd Kate i fod yn aelod o'r pwyllgor hwnnw:

> Llwyddasom hefyd i gael gan y pwyllgor ddewis Miss Kate Roberts, B.A., i fod yn un o'r siaradwyr ym Mhontypwl. Gwyddis ei bod hi'n un o lenorion goreu Cymru; yr oedd yn un o feirniaid llên yn Eisteddfod Abertawe, a byddai ei henw a'i dylanwad hi yn unig bron yn ddigon i sicrhau'r Eisteddfod i Aberdar.[29]

Yn ddiweddarach galwyd cyfarfod yn Aberdâr a rhoddwyd gerbron adroddiad y pwyllgor a fu'n darparu'r rhaglen fechan. Nid oedd J. Tywi Jones yn bresennol yn y cyfarfod hwnnw. Gwrthodwyd y rhaglen fechan yn y cyfarfod, a darllenwyd llythyr at y pwyllgor oddi wrth Kate:

> Yr oedd hi ar ei gwyliau yn Rhosgadfan bell yn Sir Gaernarfon, ac ar ei goreu yn sicrhau pleidleisiau i Aberdar. Gan fod y daith ymhell i Bontypwl a'r draul yn fawr, gofynnai yn y llythyr a fyddai Aberdar mor garedig a rhoddi rhyw gydnabyddiaeth iddi tuag at y treuliau. Daliodd rhai ar y cyfle hwn i wrthod ei gwasanaeth, ac ysgrifennwyd ati i ddweud wrthi am beidio a dod a dyna bleidleisiau llu o Ogleddwyr cystal a bod wedi eu taflu ymaith gyd â dirmyg.[30]

Er bod parch mawr tuag ati gan amryw byd o bobl Aberdâr, roedd hefyd wedi creu gelynion yno, oherwydd ei bod, yn un peth, yn rhy blaen ei thafod, yn union fel ei mam. Yn wir, yn ôl J. Tywi Jones, roedd ymddygiad rhai o drigolion Aberdâr tuag ati yn warthus:

> Yr oedd mwy yn y gwrthodiad hwn o wasanaeth Miss Roberts nag sydd ar yr wyneb … Ni roddodd neb erioed wasanaeth gwerthfawrocach na mwy anhunangar i bethau goreu Cymru yn Aberdar nag a roddwyd ganddi hi. Ond sut yr ymddygir tuag ati? Llafuriodd yn galed gyd â'r ddrama ynglyn â'r Cymrodorion, a rhoddodd ei dramâu ei hun yn ddidâl at eu gwasanaeth a gwnaed o £30 i £40 o elw. Mynnai Cymrodorion Aberdar yn awr gael dosbarth Cymraeg mawr un gaeaf, a defnyddiwyd yr arian oedd yn ffrwyth llafur Miss Roberts i dalu cyflog dda i'r Athro Henry Lewis o Abertawe am ddod i ddosbarth Cymraeg yn Aberdar. Gwnai Miss Roberts ei hun cystal athrawes mewn Cymraeg ag a ellid gael, ond sarhawyd hi.[31]

Un broblem ynglŷn â Kate oedd ei gonestrwydd plaen, agored, a'i hannibyniaeth barn. 'Nid yw hi'n ddigon uniongred nac yn gallu "canlyn gyd â ni" bob amser, ac y mae'n rhy wynebagored a gonest i rai yn Aberdar,' meddai J. Tywi Jones, gan ychwanegu y gallai 'nodi enghreifftiau eraill o ymddygiadau yr un mor ddiegwyddor tuagati'.[32] Achub cam Kate oedd bwriad J. Tywi Jones mewn gwirionedd.

Cyhoeddwyd llythyr gan Kate ei hun yn y rhifyn dilynol o'r *Darian*. Eglurodd, i ddechrau, mai heb ei chaniatâd hi y dygwyd ei henw i mewn i'r drafodaeth ar Aberdâr a'r Eisteddfod. Esboniodd fel y cafodd ei dewis yn un o bedwar i siarad o blaid Aberdâr ym Mhont-y-pŵl. Gofynnodd i'r pwyllgor am hanner ei threuliau, sef tua deg swllt ar hugain, i deithio o'r Gogledd i Bont-y-pŵl. Credai Kate y byddai'r pwyllgor wedi caniatáu ei chais ond i Syr Vincent Evans, Ysgrifennydd Cymdeithas yr Eisteddfod, ymyrryd trwy anfon at Bwyllgor Aberdâr i ddweud na fyddai amser i bedwar siarad ac y byddai'n rhaid i Aberdâr fodloni ar dri. Gan mai Kate oedd y siaradwr mwyaf costus, hi oedd yr un i'w hepgor.

Gresyn, meddai, i enw Henry Lewis gael ei lusgo i mewn i'r drafodaeth, gan na wyddai ddim am yr hyn a oedd wedi digwydd yn Aberdâr cyn ei alw i gymryd y dosbarth. Nododd Kate nad oedd ffeithiau J. Tywi Jones yn gywir:

> Mae'n wir i'r noson ddrama roddi £30 yng nghoffrau'r Cymrodorion a chefais innau lythyr caredig iawn oddiwrth yr ysgrifennydd dros y pwyllgor yn diolch imi am "roddi'r Cymrodorion ar eu traed yn ariannol." Dyna ei eiriau. Ymhen ychydig wedyn dywedwyd yn un o gyfarfodydd y Cymrodorion fod rhai o'r bobl ieuainc yn dymuno cael Mr. Henry Lewis i gymryd dosbarth mewn Cymraeg, drwy fod y Cymrodorion yn weddol gefnog rwan ar ol y ddrama … Yn awr arian Pwyllgor Addysg Sir Forgannwg a dalai'r Athro Henry Lewis ac nid arian y Cymrodorion. Ond, clywais i rywun neu rywrai awgrymu nad oedd y tâl yn ddigon, a chan "fod y Cymrodorion yn weddol gefnog ar ol y ddrama," cynhygiwyd eu bod yn rhoi o goff[r]au'r Cymrodorion ychydig yn rhagor i'r Athro neu ynte yn talu ei gostau teithio … Fe wyr pob dyn dall fod gan yr Athro Henry Lewis fwy o gymwysterau na mi i ddysgu Cymraeg ond ni chredaf fod yr hyn a *gymhellodd* y Cymrodorion i gael dosbarth yn dangos ysbryd diolchgar iawn.[33]

Beiodd Kate fethiant Aberdâr i gael yr Eisteddfod ar y ffaith nad oedd y rhan fwyaf o'r bobl a fu wrthi'n hyrwyddo'r ymgyrch i'w sicrhau i'r dref yn malio dim am y Gymraeg. Yr oedd dyfodol *Y Darian*, mewn cyfnod pan oedd arian yn brin, yn ansicr iawn ar y pryd, a mynegodd Kate ei phryder ynglŷn â hynny. A daeth y genedlaetholwraig i'r amlwg wrth iddi ddangos ei gwir deimladau tuag at Aberdâr. Gwyddai, meddai, 'Pe deuai Gabriel o'r nefoedd efo staff o angylion dysgedig i gyho[e]ddi papur Cym[r]aeg yn Ne Cymru, mai aflwyddiant a fyddai hyd yn oed y papur hwn[n]w. Mae'r rhesymau yn rhy amlwg i mi e[u] henwi'.[34]

Ym mis Awst hefyd y digwyddodd rhywbeth a oedd i lywio'i dyfodol a llwyr weddnewid ei bywyd, a bu i'r Blaid Genedlaethol newydd, a sefydlwyd ym Mhwllheli adeg Eisteddfod Genedlaethol 1925, chwarae rhan allweddol yn y digwyddiad tyngedfennol hwnnw. Roedd Pwyllgor Gwaith y Blaid wedi penderfynu cynnal ysgol haf bob blwyddyn, mewn gwahanol leoliadau, i drafod materion yn ymwneud â chenedlaetholdeb a pharatoi'r ffordd ymlaen. Penderfynwyd cynnal yr ysgol haf gyntaf yn hen Senedd-dy Owain Glyndŵr ym Machynlleth, yn briodol ddigon, o Awst 23 hyd at Awst 28, 1926. Yn naturiol ac yn anochel, roedd y blaid newydd hon, a rôi Gymru a'r Gymraeg yn flaenaf, wedi cydio yn nychymyg Kate o'r cychwyn cyntaf, a phenderfynodd fynd i'r Ysgol Haf ym Machynlleth. Roedd yn aros yn Rhosgadfan ar y pryd, yn treulio'i gwyliau haf o'r ysgol gyda'i rhieni.

Ar orsaf drên y Groeslon cyfarfu â gŵr ifanc, syfrdanol o olygus yn ôl pob tystiolaeth, o'r enw Morris Thomas Williams. Roedd yntau hefyd ar ei ffordd i'r Ysgol Haf ym Machynlleth a dechreuodd y ddau siarad â'i gilydd. Daethant yn gyfeillion gan bwyll, a pharhaodd y cyfeillgarwch hwnnw trwy gydol wythnos yr Ysgol Haf. Ymunodd Kate yn swyddogol â'r Blaid Genedlaethol yn Ysgol Haf Machynlleth, ynghyd â phobl fel Cassie Davies, Waldo Williams, Idwal Jones a Gwenallt – ei hen ddisgybl yn Ystalyfera gynt. Ond Morris oedd yr un a dynnai sylw pawb yno, ac mewn sawl Ysgol Haf wedi hynny.

Ganed Morris Thomas Williams yn y Groeslon, Arfon, ar Fedi 24, 1900, yn fab i Morris a Mary Williams. Brodor o Lŷn oedd ei dad, a'i fam yn hanfod o Fôn. Addysgwyd Morris yn Ysgol y Cyngor, Penfforddelen, ac yn Ysgol Sir Pen-y-groes. Roedd ganddo frawd, Dafydd Edmund, saer coed wrth ei alwedigaeth ac un o'r chwech a ddaeth ynghyd i sefydlu'r Blaid Genedlaethol yng ngwesty'r Maes Gwyn ym Mhwllheli, a chwaer, Hannah Mary, a oedd yn athrawes. Ymunodd Morris â'r *Royal Flying Corps* am gyfnod byr ar ddiwedd y Rhyfel Mawr. Aeth yn brentis o argraffwr i Swyddfa'r *Herald Cymraeg* yng Nghaernarfon ym 1920, a bu'n gysodydd yng Nghaerfyrddin ac yn Aberystwyth, lle bu'n gweithio ar y *Cambrian News*, am gyfnodau byr, yna bu'n gweithio ar y *Continental Daily Mail* ym Mharis am bron i flwyddyn, rhwng 1924 a 1925. Bu hefyd yn gweithio am gyfnod byr yn Hull, ar y *Daily Mail*, cyn dychwelyd i Gymru i weithio i gwmni Evans a Short yn Nhonypandy.

Pan oedd Morris yn gweithio ar *Yr Herald* yng Nghaernarfon, roedd newyddiadurwr ifanc o'r enw Edward Prosser Rhys, o ardal y Mynydd Bach yng nghanolbarth Ceredigion, yn gweithredu fel is-olygydd ar y papur. Ym 1920 hefyd, ym mis Ionawr, y symudodd Prosser Rhys i Gaernarfon, a daeth Morris a Prosser yn gyfeillion agos, a mwy nag agos. Bu'r ddau yn cydletya ar un cyfnod, yn rhif 15 Eleanor Street, Twtil, Caernarfon.

Ddwy flynedd yn union cyn Ysgol Haf y Blaid ym Machynlleth roedd

Prosser Rhys wedi achosi storm na welwyd ei thebyg erioed ym myd llenyddiaeth Gymraeg. Enillodd Goron Eisteddfod Genedlaethol Pont-y-pŵl ym 1924 gyda'i bryddest 'Atgof', pryddest a oedd yn trafod rhyw yn gignoeth agored. Roedd yn wyrth fod y beirniaid, Gwili, Crwys a W. J. Gruffydd, wedi gwobrwyo'r bryddest o gwbl, yn enwedig Crwys a Gwili. 'Ystori Llanc Synhwyrus' oedd yr is-deitl a roddwyd i'r bryddest, a thema'r gerdd yw'r modd y mae'r gynneddf rywiol yn ein meddiannu ac yn llwyr reoli ein bywydau, ond mae'r bryddest hefyd yn ymdrech i ddeall swyddogaeth a phwrpas rhyw mewn bywyd, ac i archwilio'r berthynas rhwng cnawd a meddwl. Y trydydd caniad yn y bryddest a siglodd Gymru hyd at ei sylfeini, sef y rhan a drafodai'r berthynas gnawdol – a meddyliol – rhwng dau lanc yn gwbl agored:

> Ein cwlwm tynn! Di, lanc gwalltfelyn, rhadlon,
> > Gwyddost y cyfan a fu rhyngom ni:
> Yr holl ymddiried gonest, a'r afradlon
> > Arfaethau glân a wnaethpwyd ger y lli.
> Haerasom fod y byd yn ddrwg i'w fôn;
> > Mynasem gael y byd o'i fôn yn dda,
> A'i roi mewn moddau byw fel na bai sôn
> > Am wanc neu syrffed fyth ar ddyn yn bla.
> Tyngasom ddiystyru'n greddfau gwael:
> > Nid oedd y Corff ond teml y Meddwl drud;
> Er blysio o Ieuenctid garu'n hael
> > Nid ildiem ni i ddim rhyw gnawdol hud,
> Cans oni chlywem annog pêr o bell
> Ar inni gyrchu at y Bywyd Gwell.

Gwyddai amryw ac amheuai eraill ar y pryd mai Morris oedd y llanc penfelyn, rhadlon yn y bryddest. Yn wir, Morris a berswadiodd ei gyfaill i anfon y bryddest i gystadleuaeth y Goron ym Mhont-y-pŵl cyn y dyddiad cau. Roedd Prosser am roi'r gorau i'r bryddest ar ôl cwblhau'r caniad cyntaf, ond cafodd ei gyfaill berswâd arno i ddal ati nes bod y gerdd yn gyflawn orffenedig. Cyfaddefir yn hollol agored yn y bryddest fod y ddau gyfaill wedi cael perthynas wrywgydiol â'i gilydd:

> Fe gredasom
> > Ninnau, ill dau, fod ein Meddyliau'n lân
> Y noson ryfedd honno, a hunasom
> > A'n clustiau yn ailganu'r santaidd gân;
> Hunasom ... Rywdro hanner-deffro'n dau,

A'n cael ein hunain yn cofleidio'n dynn;

A Rhyw yn ein gorthrymu; a'i fwynhau;

A phallu'n sydyn fel ar lan y llyn ...

Gan fod Morris a Prosser yn gyfeillion mor agos, tynnwyd Kate yn raddol i mewn i'r gyfeillach. Yn ystod y siwrnai honno i Fachynlleth y daeth Kate ar draws Prosser Rhys hefyd. 'Gwelais ef gyntaf a chyflwynwyd fi iddo yng nghyntedd trên lawn rhwng Cyffordd Dyfi a Machynlleth ym mis Medi, 1926, pan oeddem ar ein taith i Ysgol Haf y Blaid Genedlaethol,' meddai Kate ymhen blynyddoedd, ond methodd gyda'r mis.[35] Ym mis Awst 1926 y bu hynny. Gan fod Kate a Morris wedi teithio ar yr un trên i'r Ysgol Haf honno, mae'n fwy na thebyg mai Morris a gyflwynodd Prosser a Kate i'w gilydd. Ble bynnag yr âi Morris, âi Prosser.

Yn Ysgol Haf Machynlleth sefydlwyd Adran y Merched o'r Blaid Genedlaethol, ac etholwyd Kate yn Llywydd ar yr adran honno. 'Nid dibwys o beth yw bod merch o allu, a gweithgarwch a dylanwad personol Miss Kate Roberts wedi gweled yn dda ymuno â'r Blaid,' meddai adroddiad ar yr Ysgol Haf yn *Y Darian*.[36] Penderfynwyd hefyd yn yr Ysgol Haf y byddai Kate yn gofalu am ddudalen arbennig i'r merched ym mhapur swyddogol y blaid newydd, *Y Ddraig Goch*. Roedd Kate bellach wedi dod o hyd i gymdeithas amgenach i'r un a geid yn Aberdâr, cymdeithas o feirdd a llenorion galluog a chenedlaetholwyr ymroddgar a brwd. Trwy'r Blaid Genedlaethol yr enillodd rai o gyfeillion pennaf ei bywyd, Saunders Lewis, D. J. Williams a Lewis Valentine yn enwedig, a bu Cassie Davies, darlithwraig yng Ngholeg y Barri ar y pryd, a Kate yn ffrindiau agos fyth oddi ar ddyddiau cynnar y Blaid. Roedd ymuno â'r Blaid Genedlaethol yn drobwynt mawr yn ei hanes. Yr unig ysgol yr oedd ganddi ddiddordeb ynddi bellach oedd Ysgol Haf y mudiad cenedlaethol newydd.

Erbyn diwedd 1926 roedd Kate wedi ymaflyd o ddifri yng ngwaith y Blaid Genedlaethol. Anfonodd lythyr at Saunders Lewis ar Hydref 10, i sôn wrtho 'am yr hyn a wnaethum a'r hyn ni wnaethum ynglyn a gwaith y Blaid'.[37] Ond cyn troi at faterion yn ymwneud â'r Blaid, diolchodd i Saunders Lewis am ei eiriau caredig am ei gwaith ym mhamfffled Urdd y Deyrnas. Yn y pamfffled hwnnw, *An Introduction to Contemporary Welsh Literature*, a oedd newydd ei gyhoeddi, rhoddodd Saunders Lewis glod aruchel i Kate:

Miss Kate Roberts is not amiable, nor has she the vice of defending her characters. She began by writing one-act plays, but turned from them to the short story, which she practises now with a mastery and technical strength rare in any language. She has studied Maupassant, Tchehov, and perhaps Katherine Mansfield; but her vision is her own, and she is to-day the greatest writer of imaginative prose in Welsh literature. She has style, the incommunicable gift. In her tales the event is often a small thing. Her art is in the delineation of men and women, and she makes them tangible, objective, living beings by her choice of the vivid, sensible impression, full of a startling reality.[38]

'In describing the work of Kate Roberts,' meddai, 'I am driven to use the word: classic'.[39] 'Mae fy nlêd yn fwy i chwi na neb arall yng Nghymru,' meddai Kate wrth ei phrif hyrwyddwr, gan ymwyleiddio yn hytrach nag ymchwyddo.[40] 'Gobeithio y medraf sgrifennu rhywbeth da iawn ryw ddiwrnod,' ategodd, a phe medrai, 'eich geiriau brwd chwi fydd wedi fy symbylu i hynny'.[41]

Soniodd wedyn am ei gweithgarwch gyda'r Blaid Genedlaethol. Bu yn Neiniolen ar nos Lun, Medi 6, ac yno traddododd anerchiad ar faniffesto newydd y Blaid. Sefydlwyd cangen o'r mudiad yn y pentref o ganlyniad i'r anerchiad. Ychydig iawn o bobl a ddaeth i'r cyfarfod, ond ychydig brwd er hynny. Bu hefyd yng Nghaernarfon ynglŷn â gwaith y Blaid. Cynhaliwyd cyfarfod ar y Maes, ond ychydig iawn o bobl a ddaeth i'r cyfarfod hwnnw yn ogystal, oherwydd diffyg trefnu pethau yn iawn. Bwriadai Kate genhadu yn y De hefyd, ac roedd cyfarfod yn Abercwmboi wedi'i drefnu ymhen yr wythnos; arfaethai D. O. Roberts y Cymrodorion a'r Parchedig William Aerwyn Jones, brodor o Lanelli a oedd yn byw yng Nghwmdâr, fynd yno gyda hi. Cyfarfod llwyddiannus oedd hwnnw yn ôl adroddiad yn *Y Darian*:

Gwyddem gryn dipyn trwy gyfrwng y Darian am Miss Kate Roberts, B.A., ac am ei gwaith. Yr wythnos ddiweddaf cawsom y pleser o wrando arni yn Abercwmboi. Daeth yma i sbio'r wlad ar ran Plaid Genedlaethol Cymru, i geisio aelodau i'r Blaid ac i sefydlu cangen. Credaf y bydd tipyn o lwydd ar ei chenadwri yma. Y mae Cymry'n dechrau blino ar eu harwain gan bleidiau estron, ac fel ci Hiraethog yn rhedeg ar ol popeth a dal dim. Diolch am arwyddion eu bod yn meddwl am ddechrau sefyll ar eu traed eu hunain a dilyn eu traddodiadau eu hunain a byw eu bywyd eu hunain. Yr oedd Mr. D. O. Roberts yno hefyd, a chafwyd araith hyodl ganddo yntau. Daethom o'r cyfarfod yn teimlo mai'r ffordd oreu i Gymru dderbyn o eiddo'r byd mawr a rhoddi'n ol iddo oedd bod yn ffyddlon i'w thraddodiadau, ei hiaith a'i llenyddiaeth ei hun i ddechreu.[42]

Yn wir, yn Abercwmboi, pentref mwyaf deheuol Aberdâr, y sefydlwyd y gangen gyntaf o'r Blaid Genedlaethol yn y De.

Roedd y Blaid Genedlaethol yn sicr wedi hawlio enaid a chalon Kate. Gallai yn awr sianelu ei chenedlaetholdeb cynhenid, naturiol a'i chariad tanbaid at yr iaith i gyfeiriad penodol. Roedd ei chenedlaetholdeb bellach yn fwy nag ymdeimlad neu angerdd; roedd yn nod, yn genhadaeth, yn ymgyrch, yn fater gwleidyddol. Bellach roedd ei gwleidyddiaeth yn rhan o'i galwedigaeth. Bu'n siarad yng nghyfarfod Undeb yr Athrawon yng Nghaerdydd, meddai wrth Saunders Lewis, ond nid yn uniongyrchol ar y Blaid. Y mater pwysicaf yn y cyfarfod hwnnw oedd sefydlu cylchgrawn Cymraeg ar gyfer athrawon. Cynigiodd Kate y dylid sefydlu cylchgrawn o'r fath yn ddiymdroi, ond roedd eraill yn fwy gochelgar, a rhoddwyd y mater yn llaw pwyllgor yr Undeb. Bu'n rhaid aros hyd 1928 cyn cael cylchgrawn o'r fath, a sylfaenydd y cylchgrawn hwnnw, y rhoddwyd yr enw *Yr Athro* arno, oedd cyfaill a chyd-Gymrodor Kate, D. O. Roberts, a oedd hefyd yn un o sefydlwyr Undeb yr Athrawon ym 1925.

Cododd ffrae danbaid rhwng Kate a'i phrifathrawes, Margaret S. Cook, hefyd, ac fel hyn yr adroddwyd yr hanes wrth Saunders Lewis:

> Yn ysbryd Machynlleth yr edrychaf fi ar bopeth y dyddiau hyn ac oherwydd hynny ffraeais yn gethin gyda'm prifathrawes ddydd Llun diwaethaf. Yr wyf yma ers naw mlynedd a dyma'r tro cyntaf i hynny ddigwydd. Ac ynglyn a'r Gymraeg y bu. Ymddengys bod arholydd newydd ar y Ffrangeg rwan a'i fod yn un caled iawn. Eleni, methodd llawer iawn o'n genethod ni yn y Ffrangeg – nid oherwydd diffyg hyfforddiant – gwn hynny, oblegid mae'r athrawes Ffrangeg yn un ardderchog – ond oherwydd yr hyn a nodais uchod. Yrwan – mae ar rai o'r genethod a gymerodd Ffrangeg am bedair a phum mlynedd eisieu cymryd Cymraeg a'i wneud mewn blwyddyn, am eu bod yn *gallu siarad Cymraeg*. A chred y brifathrawes – sy'n Sgotreg – y gallant wneuthur hynny. Hynny ydyw, gall y plant hyn – sy'n *weddol* o ran gallu meddwl, basio yn yr hyn y cymerodd i'r lleill bedair a phum mlynedd ato, am fod ganddynt wybodaeth o Gymraeg tafodiaeth. Son am ffromi a gwylltio, wel fe wylltiais hyd at ddagrau.[43]

Roedd dysgu Cymraeg yn y De 'yn faich ofnadwy' meddai,[44] a dyna un rheswm, yn sicr, pam yr ymgeisiodd Kate am swydd athrawes yn y Gogledd yn y cyfnod hwn, ond aflwyddiannus fu'r cais hwnnw. Roedd byd addysg yn dal i wasgu arni, ac yn gwrthdaro â'i gwaith creadigol. Artist rhwystredig oedd Kate yn y cyfnod hwn, a 'doedd dim arwydd o waredigaeth i'w rhwystredigaeth yn unman. Roedd ei gwaith creadigol yn dioddef, a thra cynyddai'r gwaith ysgol, 'lleiaf yn y byd fydd fy awydd i am ysgrifennu'.[45] Roedd 'ar dân eisieu mynd at fy nofel a dangos fel mae bywyd dan gyfundrefn addysg yn culhau bywyd dyn a'i wneud yn dwlsyn heb feddwl o'i eiddo'i hun ac yn gaeth i farn pobl, heb ddigon o ddewrder i wneud dim yn groes i foesoldeb gwlad'.[46]

Nofel arfaethedig yn dwyn y teitl *Ysgolfeistr y Bwlch* oedd y nofel y soniai Kate amdani. Ymddangosodd pennod gyntaf y nofel yn rhifyn Hydref 1926 o'r *Llenor*. Roedd y bennod gyntaf hon yn sgrechian rhwystredigaeth artist creadigol a oedd yn gaeth mewn rhigol. Athrawes o'r enw Jennat Thomas – Kate ei hun i bob pwrpas – oedd prif gymeriad y nofel anorffenedig hon. 'Tri diwrnod oedd er pan agorodd yr ysgol ar ôl gwyliau'r haf, ond edrychai fel tair wythnos i'r athrawes,' meddir yn y paragraff agoriadol.[47] Yn wir, hunllef oedd dysgu i Jennat Thomas bellach: 'Yrwan dymunai ar i rywbeth ddigwydd iddi hi. Edrychai ymlaen i'r dyfodol, a gwelai genedlaethau o blant yn dyfod a mynd trwy ei hysgol, yn priodi, a'u plant yn dyfod ati wedyn, a hithau'n mynd yn groesach ei thymer y naill ddydd Gwener ar ôl y llall'.[48] Roedd Kate ar ddiwedd 1926 yn gweld bywyd yn llithro heibio iddi hithau hefyd, ac fel Jennat Thomas, yn dyheu am i rywbeth ddigwydd iddi, rhywbeth a allai ei hachub rhag crafangau didostur byd addysg. Roedd y cyfle hwnnw ar fin dod. 'Fe orffennir y nofel hon pan gaiff yr awdur gymaint â hynny o hamdden oddiwrth waith ysgol,' meddai'r nodyn chwerw ar ddiwedd y bennod agoriadol hon. Ei gwaith llenyddol a'i chenhadaeth wleidyddol oedd byd Kate bellach, nid byd addysg.

Ymddangosodd pennod arall o *Ysgolfeistr y Bwlch* yn rhifyn Hydref 1927 o'r *Llenor*, a dim rhagor. Roedd yr ail bennod yn ymhelaethu ar bethau a fynegwyd yn y bennod gyntaf. Ofn cael ei gadael ar y silff yr oedd Jennat Thomas: 'Yr oedd yn wyth ar hugain oed, oed mawr i fod heb briodi ynddo yn 1896. Iddi hi yr un fath ag i bawb arall yn ei dydd yr oedd deg ar hugain yn oed i'w wadu i ferch sengl, ac yr oedd hithau yn nesu at yr oed hwnnw'.[49] Ac ym 1926, roedd Kate yn nes at y deugain oed na'r deg ar hugain. Poendod Jennat Thomas ym 1896 oedd poendod Kate Roberts ym 1926: 'Poeni ynghylch y dyfodol yr oedd hi, gweld blynyddoedd o ddysgu plant o'i blaen a gweld y byddai hi ei hun ryw ddiwrnod yn hen ac yn fusgrell, fel yr hen Fiss Huws ei hathrawes yn yr hen ysgol'.[50] Roedd Jennat Thomas, fel Kate hithau, yn casáu dysgu gyda chas perffaith: 'Nid oedd Jennat yn caru'r ysgol … Ni bu ei chalon erioed mewn addysg,' meddir.[51] 'Yr oedd gormod o gaethiwed a rhaid yn perthyn i addysg,' ymsyniai Jennat Thomas, a dyheu am ddianc rhag caethiwed a rhaid byd dysgu yr oedd chwaer-efell Jennat yn ogystal.[52] Mewn geiriau eraill, roedd Kate ym 1926 yn barod i briodi, ac nid oherwydd cariad tuag at ddyn, o reidrwydd, ond oherwydd casineb tuag at ei swydd. 'Nid oedd bywyd llawn i'w gael yn yr ysgol,' meddyliai Jennat eto, ac oherwydd hynny, roedd bywyd, 'fel y deallai hi ef, o'r tuallan'.[53] Credai Kate ei bod yn hen bryd iddi ddechrau byw bywyd.

Anfonodd Saunders Lewis lythyr at Kate ar yr un diwrnod ag yr anfonodd hithau lythyr ato yn cwyno na fedrai fwrw ymlaen â'i nofel. Fe'i rhybuddiodd hi i beidio â gadael i'r Blaid hawlio ei holl oriau hamdden. Rhaid oedd iddi orffen ei nofel, meddai, ac ysgrifennu nofelau eraill wedyn. 'Y mae hynny'n llawn cystal gwaith yn y pen draw i'r Blaid ei hun ag yw sefydlu cangen,' ychwanegodd.[54] Cytunai Saunders Lewis y byddai cylchgrawn ar gyfer athrawon yn beth da, ar yr amod mai rhywun arall, ac nid Kate, a fyddai yn ei olygu, gan mai yn y nofel a'r straeon a'r *Ddraig Goch* yr oedd ei gwaith hi.

Roedd Kate a Morris T. Williams wedi dechrau llythyru â'i gilydd, ac wedi dechrau ffurfio perthynas ddyfnach na chyfeillgarwch yn unig. Ysgrifennodd Kate ato ar Hydref 26, 1926, a hithau newydd dderbyn llythyr ganddo. Mae llythyr Kate yn un rhyfeddol, syfrdanol. Dywedodd, i ddechrau, ei bod yn pryderu am ei mam, a oedd yn wael ar y pryd. Ond nid cywair lleddf oedd i'r llythyr ond tôn orfoleddus. Roedd Kate wedi syrthio dros ei phen a'i chlustiau mewn cariad â Morris. Roedd hefyd wedi cael ei hysbrydoli:

> Ers wythnos rwan teimlaf yn ysgafn galon iawn a daeth rhyw hwyl ac ysbrydoliaeth heibio imi. Medrwn ysgrifennu dwn i ddim faint o bethau. Mae gennyf ddeunydd stori fer newydd; bydd yn rhifyn Nadolig y "Genedl".[55]

Gweithio ar y stori 'Nadolig – Stori Dau Ffyddlondeb' yr oedd Kate ar y pryd, a byddai honno, pan fyddai wedi cael ei chwblhau a'i chyhoeddi yn *Y Genedl Gymreig*, yn stori ffrwydrol, ddadlennol, hunangyffesol. Ysbrydolwyd y stori gan ei pherthynas newydd â Morris, a oedd wedi cyffesu llawer peth wrth Kate yn gynnar iawn yn y garwriaeth. Gallai Kate bellach deimlo'n rhydd i ddweud ei chyfrinachau mwyaf personol hithau wrtho yntau, a theimlai ryddhad mawr o gael gwneud hynny.

Soniodd wedyn am ei gwaith:

> Diolch i chwi am eich geiriau caredig am y "Wraig Weddw". Yr wyf fi yn dywedyd o hyd mai hi yw'r stori oreu yn y gyfrol ... Hefyd mae saernïaeth y "Wraig Weddw" yn well na'r un arall yn fy marn i. Yr oreu gennyf o gwbl yw "Bywyd". Yn rhyfedd iawn "y Wraig Weddw" a ddewisodd M. Nemo (Llydawr ieuanc) i'w chyfieithu i'r Llydaweg.[56]

Yn wir, roedd Kate bellach yn llawn o gynlluniau llenyddol, ac yn barod i droi'n ôl at *Ysgolfeistr y Bwlch*:

Rhaid i mi dreio mynd ymlaen a'm nofel. Yr wyf am ddangos bod bywyd ysgolfeistr yn gyfyngach na bywyd pregethwr hyd yn oed. Ni wiw iddo wneud dim yn erbyn moesoldeb gwlad. Bydd fy ngwron i yn syrthio mewn cariad efo dynes ieuanc ac yntau yn briod ag un arall. Bydd yr ail gariad yn fwy angerddol na'r cyntaf. Ond, oherwydd ei fod yn ysgolfeistr, a bod ei wreiddiau yn ddwfn mewn convention ac yntau yn gymeriad heb fod yn wrol iawn ei diwedd fydd "stand at ease as you were", cyn belled ag y mae ef yn y cwestiwn. Ond yr wyf am wneud iawn am hyn ym mywyd ei fab sy'n mynd trwy'r Rhyfel ac yn torri'r tresi.[57]

Roedd Kate hefyd yn barod i dorri'r tresi a herio confensiwn. Sôn am un math o gariad gwaharddedig a wneir yma, sef carwriaeth y tu allan i briodas, ond roedd math arall i'w gael, a hwnnw'n gariad a ddirmygid gan y byd. At hynny yr oedd Kate yn arwain.

Hiraethai am Ysgol Haf Machynlleth. Yno cafodd brofiad rhamantus, bythgofiadwy:

Onid edrych Machynlleth ymhell? A ydych yn cofio'r noson honno ar lan y Ddyfi a'r lleuad ar y dwr a ninnau yn siarad am y geiriau olaf sydd yn "Jude the Obscure"? Fe saif y noson honno allan fel noson i'w chofio yn fy mywyd.[58]

Ym meddwl Kate ar y pryd, cyfarfyddiad rhwng dau lenor, dau o awduron y dyfodol, oedd y cyfarfyddiad hwnnw ym Machynlleth. Bu'r ddau yn sgwrsio am lenyddiaeth a llenorion, gan roi sylw arbennig i nofel Thomas Hardy, *Jude the Obscure*, mae'n amlwg. Pan gyhoeddwyd y nofel honno ym 1895, achosodd storm o brotest, nid annhebyg i'r cynnwrf a achoswyd gan 'Atgof' Prosser Rhys ym 1924. Condemniwyd nofel Hardy oherwydd ei hanfoesoldeb. Herio confensiwn a thorri'r tresi a wnâi'r nofel honno hefyd yn ei dydd. Ynddi mae Jude yn byw tali gyda'i gyfnither, Sue Bridehead, ac yn cael plant y tu allan i briodas. Mae'r nofel yn ymosod ar y syniad o briodas, ymhlith pethau eraill. Roedd nofel hunangyffesol ar y gweill gan Morris ar y pryd. 'Pa bryd y daw eich nofel chwi allan?' gofynna Kate yn y llythyr, gan ddweud ei bod yn edrych ymlaen yn fawr at ei gweld.[59]

Ac yna, fel ergyd o wn, adroddir yr hanesyn canlynol:

Digwyddodd peth rhyfedd imi wythnos i heno. Siaradwn ym Mhontardawe (cartre D. J. Jones, bardd cadair Abertawe). Arhoswn gyda chigydd a'i wraig. Cefais noson braf iawn. Hen ddisgybl i mi yn Ystalyfera oedd llywydd y cyfarfod a hen ddisgybl imi oedd yr ysgrifennydd. Ond at hyn yr oeddwn am gyfeirio. Yr oedd gwraig y cigydd lle'r arhoswn yn un o'r merched harddaf y disgynnodd fy llygaid arni erioed. Dynes lled dal, heb fod yn rhy dew nac yn rhy deneu, gwallt gwineu – real chestnut a thuedd at donnau ynddo. Croen fel alabaster a'r gwddf harddaf a welais erioed – llygaid heb fod yn rhy brydferth ond yn garedig. Yr oedd yn hynod gartrefol ei ffordd – Cymraes iawn. Bore trannoeth, hebryngai'r mab fi mewn cerbyd i Gastellnedd – cychwyn tua 7.15 a.m. a hithau'n oer. Mynnodd y wraig roi clustog o'r ty odanaf, a lapiodd rug am fy nhraed, rug arall am fy nghorff, a rhoes glamp o gusan ar fy ngwefus. Nid oedd dim a roes fwy o bleser imi. Os byth ysgrifennaf fy atgofion, bydd y weithred hon yno, a'r noson ar lan afon Ddyfi.[60]

Nid dyma'r math o beth y byddai merch yn ei gyfaddef wrth ei chariad ar ddechrau eu carwriaeth. Newydd gyfarfod â'i gilydd yr oedd y ddau. Ond mae'n amlwg fod Morris wedi paratoi'r ffordd i Kate trwy gyfaddef natur ei rywioldeb wrthi. Mwy na thebyg fod Kate wedi clywed sibrydion ynghylch y berthynas rhwng Morris a Prosser yn Ysgol Haf Machynlleth, neu hyd yn oed cyn hynny, a'i bod wedi darganfod enaid o gyffelyb fryd wedi iddi gyfarfod â Morris. Gallai Kate bellach fod yr un mor agored â Morris, wrtho ef yn bersonol o leiaf. Roedd hi am i bobl wybod am natur ei rhywioldeb, ond ni feiddiai ddatgan hynny yn gyhoeddus. Roedd cariad o'r fath yn esgymun ar y pryd, yn waharddedig ac yn ddirmygedig. I berson geirwir, agored fel Kate, roedd gorfod cuddio'r gwir amdani ei hun rhag eraill yn fwrn ac yn faich. Ffrwydrad o ollyngdod oedd cyfarfod â Morris iddi, ond roedd ganddi hefyd bellach gyfrwng y gallai ei ddefnyddio i awgrymu, o leiaf, ei gwir dueddiadau, ac fe wnaeth hynny gan ddechrau ym 1926, yn syth wedi iddi ddod i adnabod Morris. Roedd disgrifiad Kate o harddwch corfforol gwraig y cigydd yn nodweddiadol o ddisgrifiadau tebyg o brydferthwch benywaidd ganddi drwy ei holl waith.

Bu Kate yn ysgrifennu ei hatgofion yma a thraw drwy gydol ei bywyd, ond ni chrybwyllodd stori'r gusan yn unman, na'r noson ar lan y llyn. Ond fe wnaeth hynny yn ei llên. Roedd y profiad a gawsai gyda gwraig y cigydd yn gyffrous fyw yn ei meddwl pan oedd yn gweithio ar 'Nadolig – Stori Dau Ffyddlondeb'. Ynglŷn â'r atgof arall, y noson ar lan yr afon, ymgorfforwyd y profiad hwnnw hefyd mewn stori arall a luniwyd ym 1926, 'Y Golled', er mai llyn yn hytrach nag afon a geir yn y stori honno. Mae Annie yn 'Y Golled' yn penderfynu cael diwrnod gyda'i gŵr Ted, yn un o'u hoff gyrchfannau adeg caru, sef Llyn Creunant:

Eisteddent ar eu lledorwedd ar lan y llyn. O'u blaen yr oedd mynyddoedd mawr yn sefyll fel ceiri rhyngddynt a'r awyr, porffor y grug a melyn yr eithin yn ymdoddi i'w gilydd arnynt ...

Wrth eu traed yr oedd dŵr y llyn yn llepian yn gyson fel cath yn taro ei phawen ar eich glin o hyd i gael eich sylw. Golygfa i'w hyfed ac nid i'w disgrifio ydoedd; golygfa i'ch meddwi ac i'ch gwneuthur yn ben-ysgafn ...

Y mae un peth yn sicr. Fe *fu* Kate yn siarad ym Mhontardawe ar Hydref 19, 1926. Ar ddydd Sadwrn y cyhoeddid *Llais Llafur*, papur sosialaidd Cwm Tawe, a cheir yr adroddiad canlynol yn y papur ar ddydd Sadwrn, Hydref 23, 1926:

Miss Kate Roberts, B.A., of Aberdare County School, formerly of Ystalyfera County School, delivered a very interesting lecture entitled, "Y Stori Fer" to the Literary Guild at Alltwen on Tuesday evening, the chair was taken by Mr Stanley Morgan B.Sc., Alltwen, an old pupil of the lecturer while at Ystalyfera.[61]

Hydref 19 oedd nos Fawrth. Ac felly, nid stori wneud mohoni, ddim hyd yn oed i gael mynediad i fyd Morris a Prosser. Roedd hi'n dweud calon y gwir.

Erbyn mis Tachwedd roedd pethau'n symud yn gyflym ynglŷn â *Deian a Loli*. Bu llawer o ohebu rhyngddi a chwmni argraffu William Lewis ynghylch materion fel pennu pris y llyfr ac argraffu taflenni hysbysebu ar ei gyfer. Ar Dachwedd 20 cysylltodd y cwmni â Kate i roi gwybod iddi y byddai *Deian a Loli* yn barod ymhen yr wythnos, ac erbyn Tachwedd 26 roedd y cwmni wedi anfon 24 o gopïau o'r llyfr ati ar y trên. Cynhyrchwyd mil o gopïau ohono, a mil a hanner o daflenni i'w hysbysebu, a Kate a dalodd am y rheini yn ogystal. Derbyniodd hefyd ddatganiad a bil am £52.8s. ynglŷn â'r llyfr ar Dachwedd 26. Nadolig llwm a wynebai Kate y flwyddyn honno, yn ariannol o leiaf.

Daeth 1926 i ben gyda dau o gyfarfodydd y Cymrodorion. Noson gylchgrawn a gafwyd ar nos Wener, Rhagfyr 3. Darllenwyd nodiadau golygyddol Kate gan un o wragedd y Gymdeithas, a darllenodd Kate ei hun stori fer amserol iawn, 'Y Nadolig', a hi hefyd oedd llywydd y noson. Mae'n debyg mai 'Nadolig – Stori Dau Ffyddloldeb' oedd y stori hon. Oddi ar fis Medi y flwyddyn honno roedd un o'i disgyblion yn Ysgol Elfennol Dolbadarn gynt, T. Rowland Hughes, wedi symud i gylch Aberdâr i ddysgu yn Ysgol Sir y Bechgyn yn y dref, a chyfrannodd ysgrif, 'Diweddglo mewn Drama', i'r noson. Ar nos Wener, Rhagfyr 17, cynhaliwyd cyfarfod olaf y flwyddyn, a chafwyd noson o ddramâu, yng ngwir draddodiad y Cymrodorion.

Wythnos cyn y Nadolig anfonodd Kate lythyr arall at Morris, yn un peth i gydymdeimlo ag ef ar farwolaeth ei fam. 'Ni byddaf fi byth yn gobeithio am ail gyfarfod mewn byd arall, ond gall y meddwl ail gyfarfod unrhyw adeg a'r unig nefoedd sydd gan rai ohonom yw ein hatgofion,' meddai wrtho.[62] Yn yr un llythyr roedd Kate yn trefnu i gyfarfod â Morris ar ddydd San Steffan, un ai yn

Rhosgadfan neu yn y Groeslon. Llythyr wedi'i amgáu gyda chopi o *Deian a Loli* oedd hwn. 'Dyma gopi o'm llyfr, yn tydi'r lluniau yn dlws?' meddai, gyda chryn falchder.[63]

Ymddangosodd y stori yr oedd Kate yn gweithio arni ym mis Hydref, 'Nadolig – Stori Dau Ffyddlondeb', yn *Y Genedl Gymreig* ar drothwy'r Nadolig. Mae hon yn stori ryfedd ar lawer ystyr, yn stori gref, gynnil, ac eto'n stori od. Mae'n awgrymu'n gryf fod Kate, rhwng Awst a Rhagfyr 1926, wedi dechrau dod i adnabod Morris yn dda, a Prosser Rhys hefyd efallai, ac wedi dechrau cael ei dylanwadu gan y ddau – a mwy na dylanwadu, wedi cael ei rhyddhau gan y ddau. Y stori hon, 'Nadolig', oedd cyfraniad Kate i lenyddiaeth 'hoyw' y 1920au yn y Gymraeg. Os gallai Morris fod yn gwbl agored mewn nofel, gallai Kate fod yr un mor agored mewn stori. Y teitl y bwriadai Morris ei roi i'w nofel oedd *Troi a Throsi*, ac er nad oedd Kate wedi darllen y nofel ar y pryd, roedd Morris wedi ei thrafod gyda hi. A beth yn union yw ystyr ac arwyddocâd 'Nadolig – Stori Dau Ffyddlondeb'? Ac a oedd darllenwyr *Y Genedl* yn ei deall?

Olwen Jones, athrawes ifanc chwech ar hugain oed, yw prif gymeriad y stori. Mae hi'n adeg y Nadolig, ac mae Olwen uwchben ei digon, yn llawn hapusrwydd. Un rheswm am yr hapusrwydd hwn yw ei bod ar ei ffordd i aros y trên yr oedd ei chariad Gwilym yn teithio arno. Gwyddai Olwen y byddai Gwilym yn gofyn iddi ei briodi y noson honno, a bwriadai hithau gydsynio i'w briodi. Yr oedd, felly, yn hapus. 'Trwy lygaid yr hapusrwydd hwnnw yr edrychai ar bopeth yn y dref fach brysur hon y noswaith honno,' meddir am Olwen yn y stori. '[M]ae arnaf ofn mai yng ngoleuni fy hapusrwydd presennol yr edrychaf hyd yn oed ar fy mhlentyndod yn awr,' meddai Kate wrth Saunders Lewis, a'r ymadroddi tebyg hwn yn awgrymu, efallai, ei bod wedi cwympo mewn cariad â Morris yn fuan iawn ar ôl i'r ddau gyfarfod â'i gilydd a dod yn gyfeillion.

Mae gan Olwen Jones ffrind ar staff Ysgol Llanwerful, sef Miss Davies. Mae Miss Davies yn ddeunaw a deugain, ac felly yn hŷn o lawer nag Olwen. Pan ymunodd Olwen â staff Ysgol Llanwerful bedair blynedd ynghynt, 'yr oedd ynghanol ei galar ar ôl ei chariad cyntaf Gruffydd, a laddwyd yn y Rhyfel'. Roedd Olwen a Gruffydd yn y Coleg ar yr un pryd. Yma mae'r ddau Ddei, David ei brawd a David Ellis, wedi ymdoddi'n un. Symudodd Kate o Ystalyfera i Aberdâr pan oedd yng nghanol ei galar am ei brawd Dei, ac ar ddiwedd y Rhyfel Mawr y diflannodd David Ellis, wrth gwrs. Wedi iddi ymuno â staff Ysgol Llanwerful, ni chymerai Olwen unrhyw sylw o'r athrawon eraill yn yr ysgol, ac eithrio un – Miss Davies. Safai hi ar wahân i'r lleill. Yn wir, roedd yr athrawon eraill yn ei hosgoi, ac awgrymir, yn gynnil, fod rhywbeth od, rhywbeth ar wahân, rhywbeth gwrthun ac annymunol hyd yn oed, yn ei chylch: 'Nid oedd dim cyfathrach rhyngddi a hwy, a sylwai Olwen hefyd fel y mingamai'r gweddill yn aml pan sonnid am Fiss Davies'. Mae Olwen a Miss Davies yn dod yn ffrindiau, ac mae Miss Davies yn agor ei chalon i'w ffrind newydd. Roedd ganddi gariad unwaith, athro ifanc y bu yn ei ganlyn am ddwy flynedd, ond priododd rywun arall. Torrodd Miss Davies ei chalon, a chysegru ei bywyd yn llwyr i'w chartref ac i'r ysgol.

Ar ôl i Olwen wrando, yn llawn cydymdeimlad, ar Miss Davies yn arllwys ei chalon am awr gyfan, 'gwnaeth beth rhyfedd iawn – rhoes gusan i Olwen ar ei boch'. Roedd hyn wedi dychryn Olwen, 'ond ni allai ei rhwystro'. Ar ôl y tro annisgwyl hwn, y mae Miss Davies yn cael gweddnewidiad yng ngolwg Olwen: 'Gwelai hi nid fel dynes fusgrell, ond dynes yn Hydref ei bywyd. Ac megis y gwelsai hi'r Gwanwyn yn hardd o'r blaen, yn awr gwelai'r Hydref yn hardd. O hyn ymlaen, nid olion harddwch oedd yn wyneb Miss Davies, ond harddwch ei hun'. Mewn geiriau eraill, mwy rhyddieithol, roedd Olwen wedi syrthio mewn cariad â Miss Davies.

O hynny ymlaen, y mae cyfeillgarwch y ddwy yn blodeuo:

Cryfhaodd y cyfeillgarwch onid aeth yn beth prydferth iawn yng ngolwg y ddwy. Nid âi noson heibio heb i Olwen alw yn nhŷ Miss Davies. Âi â'i chrosio gyda hi neu ei gwnïo, ac yn bur aml bac o gopïau i'w marcio. Yr oeddynt yn ddigon cyfeillgar i fedru treulio noswaith gyda'i gilydd heb siarad fawr o gwbl. A chyn mynd adref câi Olwen gwpanaid o de yn ei llaw a theimlai ar y pryd fod hynny'n ddigon o nefoedd i'w chario drwy flwyddyn undonog ysgol. Ni siaradai Miss Davies fyth am ei chariad, ond soniai yn aml am undonedd ei bywyd, a diweddai bob tro trwy ddywedyd faint o heulwen a ddygasai Olwen iddo. Ac i selio hynny bob tro, cusan ar ei boch.

Wedyn, mae Olwen yn cyfarfod â Gwilym, dair blynedd ar ôl marwolaeth Gruffydd, a daw hi a Gwilym yn gariadon. Yn fyrbwyll ddifeddwl, mae hi'n anfon llythyr at Miss Davies gyda'i hanrheg Nadolig iddi, i ddweud wrthi am ei bwriad i briodi Gwilym. Mae Miss Davies yn gwybod am Gwilym, oherwydd bod Olwen wedi sôn amdano wrthi, ond ni fyddai'n gwrando rhyw lawer pan siaradai Olwen amdano. Yn hytrach, trôi at 'ryw destun arall'. Tybiai Olwen ei bod yn atgoffa Miss Davies am ei charwriaeth ei hun wrth iddi siarad am Gwilym fel hyn, ond wedyn mae'n sylweddoli mai cenfigen sydd wrth wraidd dihidrwydd Miss Davies ynghylch ei chariad newydd. Ac wrth iddi sylweddoli hyn, y mae llawenydd Olwen yn lleihau. Mae hi bellach yn teimlo fel Judas. Mae hi wedi bradychu Miss Davies, ac wedi ei chondemnio i fyw gweddill ei bywyd mewn unigrwydd a gwacter: 'Gwelai ddynes o fewn dwyflwydd i'w thrigain yn sefyll yn ei thŷ ar fore Nadolig a bob bore ar ôl hynny byth yn unig'.

Mae'r stori amwys, awgrymog hon yn codi pob math o gwestiynau. Ar un ystyr, stori Morris a Prosser Rhys o chwith sydd yma. Roedd Olwen yn gorfod dewis rhwng un ai Miss Davies neu Gwilym yn y stori, a dewisodd Gwilym, yn union fel y byddai'n rhaid i Prosser ddewis un ai priodi Mary Prudence Hughes, ym mis Ionawr 1928, neu gadw'n ffyddlon i Morris yn unig. Roedd Kate, a Morris yntau, bellach yn gorfod gwneud yr un dewis: dewis rhwng y naill ryw neu'r llall. Ac mae'r stori'n procio ystyriaethau eraill yn ogystal. Aeth y berthynas rhwng Miss Davies ac Olwen, meddir yn y stori, yn 'beth prydferth iawn', ac yr oedd Kate felly yn derbyn, a hyd yn oed yn cymeradwyo, cariad rhwng dau o'r un rhyw. Peth arall diddorol yn y stori yw'r gwahaniaeth oedran mawr rhwng Miss Davies ac Olwen, fel y bwlch mewn blynyddoedd rhwng Kate a Morris: 'O bob cyfeillgarwch a fu ar wyneb daear erioed, dyma'r rhyfeddaf. Yr oedd Miss Davies yn ddeunaw a deugain a hithau yn chwech ar hugain'. Chwech ar hugain oedd oedran Morris ym 1926, pan gyfarfu â Kate. Cynnyrch cyfnod bohemaidd, radicalaidd Kate yw 'Nadolig', a than ddylanwad Morris a Prosser y lluniodd y stori beryglus a rhyfygus hon. 'Yr oeddwn yn perthyn i ddau fyd, byd llyffetheiriol fy ieuenctid, a'r byd newydd a welwn, y clywn ac y darllenwn amdano mewn llyfrau lle na welid bai ar bechod,' meddai Bet yn *Tywyll Heno*. Felly hefyd Kate wedi iddi ddod i adnabod Morris a Prosser. Ond, yn bwysicach na dim, hunangyffesiad cudd, ond amlwg, a geir yn 'Nadolig – Stori Dau Ffyddlondeb'. Dyma'r agosaf y gallai Kate ddod at fynegi'n groyw ei deuoliaeth rywiol.

Erbyn dechrau 1927 roedd *Deian a Loli* ar werth i'r cyhoedd am dri swllt a chwe cheiniog y copi. Mewn gwirionedd, cyhoeddodd Kate *Deian a Loli* yn nyddiau'r Dirwasgiad Mawr yn ne Cymru, gan arddangos yr ysbryd mentrus, anturus hwnnw a oedd mor nodweddiadol ohoni. Cyflwynwyd y llyfr, nid yn annisgwyl, 'I goffadwriaeth fy mrawd Dafydd a fu farw yn y Rhyfel Mawr yn bedair ar bymtheg oed'. A dyna beth yw *Deian a Loli*, mewn gwirionedd, dathliad o blentyndod brawd a chwaer yn un o ardaloedd chwarelyddol y Gogledd, portread cudd o'r berthynas agos ryfeddol a oedd rhyngddi hi a Dei (hanner yr enw 'Deian'), a marwnad hefyd i'r amseroedd a gafwyd ac a gollwyd.

Adolygwyd *Deian a Loli* yn *Y Darian*. 'Medr Miss Kate Roberts roddi ystyr a gwerth ym mhethau "bob dydd" bywyd,' meddai'r adolygydd dienw.[64] Clodforwyd y llyfr yn hael yn yr adolygiad. Roedd y storïau 'wedi eu hysgrifennu'n gynnil ac yn raenus,' ac ni flinid ar eu darllen.[65] Canmolwyd lluniau Tom Morgan hefyd, er mai'r llun ar y clawr oedd y llun 'gwaelaf ohonynt'.[66] Derbyniad da a gafodd y llyfr ym mhapur lleol Kate yn y De, a hynny er gwaethaf yr elfen leol ogleddol a geid ynddo. 'Dylem ddweyd nad oes raid i neb ofni ei roddi yn nwylo plant De Cymru am mai tafodiaith y Gogledd sydd ynddo, oblegid y mae ar ei ddiwedd Eirfa yn cynnwys eglurhad ar eiriau a dywediadau lleol,' meddai adolygydd *Y Darian* wrth gloi.[67] Roedd Kate wedi byw yn ddigon hir yn y De i sylweddoli y gallai tafodiaith Arfon lesteirio cryn dipyn ar werthiant y llyfr, a bu'n ddigon call i egluro ystyr rhai geiriau a allai fod yn ddieithr i ddeheuwyr.

Adolygwyd y llyfr yn fwy llym o lawer yn *Cymru*, gan Ifan ab Owen Edwards, a 'doedd Kate ddim yn hoffi'r adolygiad, fel y dywedodd wrth Saunders Lewis. Dechreuodd Ifan ab Owen Edwards trwy ganmol. 'Llyfr bach deniadol iawn a swynol mewn llawer ffordd' oedd *Deian a Loli*, ac roedd y straeon yn swynol 'yn eu symlrwydd, a bydd y llyfr hwn o fendith i ysgolion'.[68] Ond buan y troes y ganmoliaeth yn feirniadaeth. Roedd yr 'adrannau llafar', sef y ddeialog, mewn tafodiaith, a cham gwag oedd hynny, yn ôl yr adolygydd:

> Dyma felltith llyfrau Cymraeg plant heddiw. Beth pe tae R. L. Stevenson neu Henty wedi ysgrifennu eu llyfrau Saesneg mewn tafodiaith? Pam y rhaid i ni wneud hynny â llyfrau ein plant? Y mae'n rhaid inni ddatblygu iaith lafar syml y gall holl blant Cymru ei deall. Ni cheisiodd Miss Roberts wneud hyn, defnyddiodd iaith Sir Gaernarfon, a chyfyngodd werth y llyfr trwy hynny i'r Gogledd.[69]

Argymell Kate i lunio deialog ffug ac annaturiol yr oedd mewn gwirionedd, a difetha ei gwaith trwy wneud hynny. I gloi ei adolygiad, nawddoglyd braidd, dywedodd fod cynnwys *Deian a Loli* yn dda, ac mai 'ei ddiffyg yw ei dafodiaith a'i ddarluniau'.[70]

Ail-greu ac ail-fyw ei phlentyndod hi ei hun a wna Kate yn *Deian a Loli*. Ar Gae'r Gors y seiliwyd Bwlch y Gwynt, y tyddyn lle mae Elis ac Elin Jôs a'u pum plentyn, Magi, Twm a Wil, a Deian a Loli, wrth gwrs, yn byw, ac ar Foeltryfan y seiliwyd Moel y Grug yn y stori. Roedd Kate eisoes yn mapio'i thirwedd llenyddol hi ei hun. Ni ddywedir ym mha gyfnod y gosodir y stori ac ni cheir unrhyw ddyddiadau ar gyfyl y llyfr, ond hawdd dyfalu mai yn ystod cyfnod plentyndod Kate a Dei y lleolir y cyfan, sef degawd olaf y bedwaredd ganrif ar bymtheg a blynyddoedd cyntaf troad yr ugeinfed ganrif. Ceir prawf o hynny yn y bennod olaf, lle mae Deian a Loli yn ymgeisio am ysgoloriaeth i gael mynediad i'r Ysgol Ganolraddol yng Nghaer Saint (Caernarfon), pan oedd 'yn rhyfel rhwng

Rwsia a Japan', ac yn wir, 'Y Rhyfel rhwng Rwsia a Japan' yw un o destunau'r traethawd y disgwylid i'r ymgeiswyr ei lunio yn yr arholiad i ennill ysgoloriaeth i'r Ysgol Ganolraddol. Ym 1904 yr enillodd Kate ysgoloriaeth i gael mynediad i Ysgol Sir Caernarfon, pan oedd yn dair ar ddeg oed. Ym 1904–5 yr ymladdwyd y rhyfel rhwng Rwsia a Siapan, ac felly, a barnu bod Deian a Loli oddeutu tair ar ddeg, yr un oed â Kate, adeg yr arholiad am ysgoloriaeth, tua 1891 y ganed Deian a Loli, eto fel Kate.

Prentiswaith yw *Deian a Loli*, ond prentiswaith sy'n llawn o addewid, er bod y llyfr hefyd wedi dal naws a hudoliaeth plentyndod i'r dim. Weithiau mae mwy o ôl yr athrawes na'r awdures ar y gwaith. Eglurir yn y paragraff cyntaf mai 'Fferm fechan yw tyddyn, ac mae'n rhaid i dad y plant sy'n byw yno fynd i'r chwarel, neu rywle arall, i ennill pres'. Ar brydiau mae hi'n cyfarch y darllenydd yn union fel pe bai yn siarad â llond dosbarth o blant, er enghraifft: 'Yn yr ardal honno yr oedd plisman plant nodedig iawn. Dyn hel plant i'r ysgol y geilw rhai ohonoch blisman plant' a 'Gellwch ddirnad y canlyniadau'. Ceir sylwadau esboniadol o'r fath drwy'r llyfr. Ceir hefyd sylwadau o'r neilltu ganddi, er enghraifft: 'Yno, ar noswaith oer – ie, ond ni waeth sut noson oedd hi – y ganed Deian a Loli' a hefyd, yr enghraifft fwyaf anfaddeuol o'r cyfan, y disgrifiad hwn o Loli, a ninnau bellach hanner y ffordd drwy'r llyfr: 'Croen tyner iawn oedd ganddi, a gwallt coch; anghofiais ddywedyd hynny wrthych o'r blaen'.

Nid yn y sylwadau o'r neilltu hyn yn unig y daw'r athrawes i'r amlwg yn y llyfr. Y mae safbwyntiau a daliadau Kate fel athrawes hefyd ynddo. Yn wahanol i Deian, plentyn breuddwydiol a llawn dychymyg yw Loli, a'i meddwl yn crwydro drwy'r amser. Wrth wneud 'syms' yn yr ysgol, er enghraifft, 'os byddai sôn am rywun yn cael pedwar afal yn y sym byddai dannedd Loli mewn afal dychmygol mewn munud'. Meddwl mathemategol, clinigol sydd gan Deian, ond dychymyg afieithus, byw sydd gan Loli. Roedd 'y wers syms yn fwrn arni, a rhoddodd ei hathro hi 'i fyny'n "bad job"'. Pan ofynnir i'r plant gyflwyno traethawd llafar ar y testun 'Y Gath', mae Loli yn adrodd stori sy'n llawn dychymyg o flaen y dosbarth. 'Rhyw symol iawn' yw dedfryd yr athro ar 'draethawd' Loli, a dywedodd wrthi ei bod wedi dweud digon, 'heb ddweyd dim am y gath'. Ond mae'r athro yn canmol traethawd llafar ffeithiol-gywir a chwbl ddiddychymyg Lisi Bryn Hermon. Yn yr arholiad i ennill ysgoloriaeth i'r Ysgol Ganolraddol, mae Deian yn dewis llunio traethawd ar 'Y Rhyfel rhwng Rwsia a Japan (yn Saesneg, wrth gwrs)', a Loli'n dewis llunio traethawd ar y testun arall, 'Castell Caer Saint', a hithau newydd ymweld â'r castell y prynhawn hwnnw, ddiwrnod yr arholiad. Traethawd ffeithiol-gywir a luniodd Deian, ond traethawd llawn dychymyg, yn ôl ei harfer, am ei hymweliad â'r castell a luniodd Loli, a Deian yn unig a lwyddodd i gael ysgoloriaeth.

Dychanu a chollfarnu cyfundrefn addysg y dydd yr oedd Kate yn *Deian a Loli*, cyfundrefn heb ynddi fawr o le i ddychymyg plentyn, a honno'n gyfundrefn Seisnig at hynny. Yn ei llith ar 'Y Gymraeg yn yr Ysgolion Sir' ym 1921, condemniodd y rheidrwydd ar blant ysgol a astudiai'r Gymraeg i gyfieithu darnau o'u llyfrau gosod yn un o'u papurau arholiad, er mwyn rhoi prawf ar gywirdeb eu hiaith. Ond, meddai'r athrawes ifanc: 'Os profi gallu plentyn i sgrifennu Cymraeg cywir yw'r amcan, fe gyrraidd ysgrifennu traethawd rhydd yr un amcan, ac ychwaneg'.[71] 'Ni chaiff plentyn gyfle i'w ddychymyg wrth gyfieithu,' meddai, ond 'mewn traethawd caiff ddefnyddio ei ddychymyg a'i roi ar bapur yn ei ffordd ei hun'.[72] Mewn gwirionedd yr oedd Kate yn beirniadu cyfundrefn a barchai ffeithiau a ffigurau uwchlaw dychymyg, yn union fel yr oedd Charles Dickens yn dychanu materoliaeth y diwydiannwr Thomas Gradgrind yn *Hard Times*, gŵr a ddyrchafai ffeithiau ac ystadegau uwchlaw popeth, a gŵr hefyd a wthiai ei werthoedd materol ef ei hun ar ei blant, Louisa a Tom, gan lethu a lladd eu dychymyg.

Roedd adolygydd *Y Darian* wedi sylweddoli mai beirniadu'r gyfundrefn addysg yr oedd Kate yn *Deian a Loli*:

> Fe dâl i rai sy'n gyfrifol am addysg ddarllen am y cosbi parhaus a fu ar Loli yn yr ysgol am fethu a gwneud yr hyn y rhagorai Deian ynddo a'r anallu a welwyd yno i werthfawrogi dychymyg addawol Loli. Ie, oes y gwneuthurwr *sums* yw hon yn yr ysgol a rhy ychydig o lawer, o feithrin y meddwl byw a all ymhyfrydu ym mhethau ceinaf bywyd.[73]

Yr oedd y gyfundrefn addysg hefyd yn gyfundrefn a gredai mewn cosbi plant yn feddyliol ac yn gorfforol, yn feddyliol trwy eu gwawdio, yn gorfforol trwy eu ffonodio. 'A churo'r plant er mwyn cael yr ysgol yn well yr oedd o,' meddir am 'y scwl', yn gyfrwys o ddychanol. Ac ar ben creulondeb emosiynol a chorfforol o'r fath, yr oedd hi'n gyfundrefn Seisnig. 'Siaradai yn Saesneg am y pechod mawr o fyned yn erbyn ei awdurdod ef,' meddir am 'y scwl'. Mewn gwirionedd, yr oedd gan Kate feirniadaeth driphlyg ar y gyfundrefn addysg yn *Deian a Loli*: roedd yn gyfundrefn a oedd yn lladd dychymyg plentyn, yn llofruddio'i iaith ac yn llethu ei ysbryd trwy ei gosbi am y peth lleiaf. 'Ni feddyliodd yr un o'r ddau fod y fath beth yn bosibl – cael slap am wneud yr hyn oedd yn hollol naturiol,' meddir am

Deian a Loli ar ôl iddynt golli prynhawn o ysgol. Yr oedd hi, mewn geiriau eraill, yn gyfundrefn ddieflig.

Yn gynnar yn y stori cyflwynir un o brif themâu Kate fel storïwraig a nofelwraig, sef tlodi, neu'n hytrach, yr ymdrech i orchfygu tlodi, i gael y ddau ben llinyn ynghyd. 'Ychydig o groeso a gawsant ar y ddaear yma i gychwyn, am iddynt ddyfod efo'i gilydd,' meddir yn gynnil. Mam ddigon nodweddiadol o famau'r ardaloedd chwarelyddol yw Elin Jôs, fel sawl un arall o famau llenyddol Kate Roberts, a mam ddigon tebyg i'w mam ei hun. Yn aml iawn, mam Kate oedd mamau Kate. Y frwydr yn erbyn tlodi yw brwydr fawr y mamau hyn, fel mam Deian a Loli. Pryder mwyaf Elin Jôs, wedi geni'r ddau efaill, oedd 'sut i gael digon o fwyd iddynt ac i'r tri phlentyn arall'. I fyd gwan y ganed Deian a Loli. Arferai eu mam fynd â'r tri phlentyn hynaf i lan y môr unwaith bob haf, ond methodd wneud hynny ar ôl geni Deian a Loli. 'Yr oedd y byd yn wannach, ebe hi, ac felly yr oedd yn anos myned a thri o blant hyd yn oed, heb sôn am bump'.

Gwëwyd elfennau hunangofiannol trwy'r llyfr i gyd, gan amlygu yn gynnar iawn yn ei gyrfa un o'i phrif ddulliau o lunio straeon a nofelau, sef trwy droi ffaith yn ffuglen a throi gwir brofiadau yn ddeunydd storïau. Yn aml iawn, tenau yw'r ffin rhwng atgof a dychymyg yn ei gwaith. Meddir am dad Deian a Loli: 'Nid oedd Elis Jôs fawr o ganwr, ond pan fyddai mewn hwyl, ac os darllenasai yr "Eco Cymraeg" nos Wener, cydsyniai i "Canwch 'Ci Llewelyn,' Dada."' Wrth ail-fyw ei phlentyndod yn *Atgofion*, meddai Kate (a cheir cyfeiriad cyffelyb yn *Y Lôn Wen*):

> Yng nghegin Cae'r Gors byddem yn dysgu ein hadnodau ar gyfer yr Ysgol Sul a'r seiat,
> yn gwneud ein tasgau ysgol, yn darllen storïau a phapurau newydd, yn chwarae ludo a
> dominos gyda'r nos, yn gwrando ar nhad yn canu Gelert Ci Llywelyn ar nos Sadwrn,
> yn gwrando ar mam yn dweud hanes ei phlentyndod a storïau ...[74]

Gan droi at un o themâu mawr Kate, mae amser yn elyn ac yn fwgan drwy'r llyfr, yn llechu dan yr wyneb ac yn llercian ymhob twll a chornel. Diflaniad plentyndod yw prif thema'r stori, a diflaniad llawenydd a gwynfydedigrwydd plentyndod at hynny. Yn gyfrwys iawn y cyffyrddir â'r thema ar brydiau: 'Clywsent lawer o sôn am y môr gan Magi, Twm a Wil, a soniai y tri hynny amdano fel y soniai yr hen Wil Huws y Crydd am ei ieuenctid, rhywbeth rhyfeddol o braf, heb obaith ei gael yn ol'. Ac mae amser y chwalwr teuluoedd yma, amser fel drylliwr y byd cyfan. Wrth iddi hel meddyliau ynghylch nefoedd ac uffern, ar

Teulu Pantycelyn. Mam Kate yw'r gyntaf ar y dde. Mae taid a nain Kate yn eistedd yn y canol.

Llun trwy ganiatâd Llyfrgell Genedlaethol Cymru.

Kate yn Ysgol Rhostryfan.

Cae'r Gors, fel y mae heddiw.

Kate yn wyth oed gyda dau o'i brodyr, Evan ar y chwith, Richard ar y dde.
Llun trwy ganiatâd Llyfrgell Genedlaethol Cymru.

Disgyblion Ysgol y Cyngor, Rhostryfan, oddeutu 1900. Kate yw'r ail ar y dde yn y rhes olaf ond un. *Llun trwy ganiatâd Llyfrgell Genedlaethol Cymru.*

Kate, fel *geisha* gyda gwyntyll yn ei llaw, yn y canol yn y rhes gefn, 'Fancy Dress Ball, University Hall, 1912'.

Llun trwy ganiatâd Llyfrgell Genedlaethol Cymru.

Y Ddadl Ryng-golegol, 1913. Kate yw'r ail ar y chwith yn y rhes flaen.

Llun trwy ganiatâd Llyfrgell Genedlaethol Cymru.

Syr John Morris-Jones, Athro Kate yn y Coleg ym Mangor. Bu'n ddylanwad enfawr arni.

Kate, yr ail ar y chwith yn y rhes olaf ond un, gyda chyn-ddisgyblion Ysgol Sir Caernarfon yng Ngholeg Prifysgol Cymru, Bangor, 1910–11.

Llun trwy ganiatâd Llyfrgell Genedlaethol Cymru.

David Ellis yn y Coleg.

Kate, yr ail ar y chwith yn y rhes gefn, gyda'i chydathrawesau yn Ysgol y Merched, Aberdâr, a Margaret S. Cook, y brifathrawes, yn eistedd yn y canol.

Llun trwy ganiatâd Llyfrgell Genedlaethol Cymru.

Kate, yr ail ar y chwith yn y rhes olaf ond un, gyda chyn-ddisgyblion Ysgol Sir Caernarfon yng Ngholeg Prifysgol Cymru, Bangor, 1910–11.

Llun trwy ganiatâd Llyfrgell Genedlaethol Cymru.

David Ellis yn y Coleg.

David Ellis yn ennill y goron yn Eisteddfod Ryng-golegol 1913, gyda John Morris-Jones yn sefyll ar y chwith yn y llun, a Kate ar y dde.

Kate yn y Coleg ym Mangor, yn eistedd ar y grisiau ar y dde, islaw dwy ferch arall, a David Ellis yn eistedd ar y wal yn y cefn, y pedwerydd ar y dde.

Miss Kate Roberts, B.A.

Kate, yn eistedd ar y dde, gyda staff Ysgol
Dolbadarn, Llanberis.
Llun trwy ganiatâd Llyfrgell Genedlaethol Cymru.

Dei a'i dad.

Evan yn filwr.

Owen, hanner brawd Kate,
yn ei wisg filwrol.

Dei yn ei wisg filwrol.

Dei yn Malta.

Y Cwmni Drama yn Ystalyfera.
Llun trwy ganiatâd Llyfrgell Genedlaethol Cymru.

Henry Rees, prifathro
Ysgol Sir Ystalyfera.

Cario gwair yng Nghae'r Gors
tua 1919; Kate yn dal cribyn.

Kate yn athrawes ifanc yn Aberdâr.

Kate gyda rhai o'i disgyblion yn Ysgol Sir y Merched, Aberdâr.
Llun trwy ganiatâd Llyfrgell Genedlaethol Cymru.

Kate, yr ail ar y chwith yn y rhes gefn, gyda'i chydathrawesau yn Ysgol y Merched, Aberdâr, a Margaret S. Cook, y brifathrawes, yn eistedd yn y canol.

Llun trwy ganiatâd Llyfrgell Genedlaethol Cymru.

46 Wind Street, Aberdâr, lle bu Kate yn lletya yn ystod ei chyfnod yn Ysgol Sir y Merched.

Kate a'i brawd Evan.

Llun o Kate a dynnwyd yn Aberdâr.

ôl i'r 'scwl' ddweud wrthi fod plant drwg yn cael eu taflu i lyn yn llosgi o dân a brwmstan, penderfynodd Loli y byddai'n well ganddi fod yn uffern gyda'i mam a'i thad na bod yn y nefoedd heb ei rhieni. 'Dyna oedd y peth mawr, cael bod efo'i gilydd,' meddir. Ond, wrth gwrs, ychydig flynyddoedd ar ôl iddi golli Dei y lluniodd Kate *Deian a Loli*, ac ar ôl i'r ddau gael eu gwahanu am byth. A dyna ddiweddglo Deian a Loli: 'A sylweddolodd Loli am y tro cyntaf na ellid eu galw yn "Deian a Loli" ar yr un gwynt am lawer o amser eto'. Ac y mae yna ystyr arall i'r frawddeg hon. Camwedd arall ar ran y byd addysg oedd gyrru Deian a Loli ar wahân i'w gilydd, a dod rhwng y ddau, yn union fel yr oedd addysg wedi gyrru Kate ar wahân i'w theulu, trwy ei hanfon i Fangor i ddechrau, ac, yn y pen draw, i berfeddion de Cymru.

Byd y stori fer a byd y nofel oedd byd Kate bellach, nid byd addysg. Yr oedd i draddodi darlith ar 'Y Nofel Gymraeg' gerbron Cymrodorion Aberdâr ym mis Ionawr 1927, fel yr eglurodd wrth Saunders Lewis mewn llythyr ato ar Ionawr 18, gan lenwi bwlch yr oedd Saunders Lewis ei hun wedi'i adael yn wag:

> Twn i ddim sut bydd hi tua nos Wener yma. Yr wyf i siarad yng Nghymrodorion Aber Dâr yma ar y nofel. (Eich noson chwi gyda llaw) ac mae arnaf eisieu dweyd rhai o'r pethau yma sy'n corddi yn fy mynwes. Ac mae'r Cymrodorion yma yn gulach na neb y gwn i amdanynt. Byddant yn porthi'r gwasanaeth yn llythrennol pan ddaw rhywun yma i siarad pethau dwl, sentimental. Rhaid i minnau dewi a'm dylni. Buasai'n dda gennyf fod filoedd o filltiroedd o'r lle yma. O buasai'n dda gennyf gael gwared o'r anniddigrwydd yma sy'n fy mlino.[75]

Oedd, roedd Kate yn gwingo gan anniddigrwydd erbyn dechrau 1927, ac yn sgrechian am gael gadael ei swydd a gadael Aberdâr. Cymysgai bellach â phobl fwy radicalaidd eu meddylfryd a mwy eangfrydig eu hagwedd na Chymry canol-y-ffordd Aberdâr, pobl y Blaid Genedlaethol, er enghraifft, llenorion, ysgolheigion a deallusion a oedd am weddnewid Cymru a chwyldroi llenyddiaeth yn llwyr, yn hytrach na rhygnu ymlaen yn yr un hen rigolau. Newydd fynychu cynhadledd Urdd y Deyrnas a Mudiad Cristnogol y Myfyrwyr, Ionawr 3–8, yr oedd Kate, a phan fyddai'n dychwelyd i Aberdâr ar ôl cymysgu â phobl fwy ymholgar a llai traddodiadol hen-ffasiwn, byddai'n dueddol o sathru cyrn trigolion y dref a'r cylch â'i safbwyntiau. 'Prin y sylweddolaf am dipyn fy mod yn newid cwmni wrth ddyfod i Aber Dar, a byddaf yn rhoi fy nhroed ynddi yn gynddeiriog weithiau wrth flino pobl a'm golygiadau ar fywyd,' meddai wrth Saunders Lewis.[76] Rhoddodd enghraifft o'r math o agwedd gonfensiynol yr oedd hi'n gorfod ymladd yn ei herbyn:

> Neithiwr, er enghraifft, yn fy ysgol nos, mentrais ddywedyd na chawn ni na nofel na drama yng Nghymru am nad ydym yn meiddio byw. "Beth ydach chi'n feddwl wrth fyw?" ebe hen ferch dduwiol wrthyf a llond ei llygad o lofruddiaeth. Mae'n debig pe dywedwn yn Aber Dâr beth a olygaf wrth fyw yr alltudia fi i ben draw byd.[77]

Yr hyn a olygai Kate wrth 'fyw' oedd byw bywyd yn llawn, arbrofi â bywyd, ac arbrofi yn rhywiol â bywyd hyd yn oed, hynny yw, byw'n agored ddilyffethair yn ôl greddf a natur, heb ofni rhagfarn na gwg cymdeithas. Byddai'r hyn a olygai wrth 'fyw' yn ddigon iddi gael ei halltudio i ben draw byd, meddai, ac y mae'n amlwg mai'r hyn a oedd ganddi dan sylw oedd cariad rhwng dau o'r un rhyw, y cariad na feiddiai yngan ei enw. 'Nid oedd bywyd llawn i'w gael yn yr ysgol,' meddai yn *Ysgolfeistr y Bwlch*, a chwilio am y bywyd llawn hwnnw yr oedd hi bellach. Cloffrwym oedd yr ysgol; carchar oedd Aberdâr. Ac wrth i Kate sôn fel hyn am y bywyd llawn, efallai y ceir yma awgrym fod rhai o syniadau radicalaidd Prosser Rhys a Morris Williams yn dechrau cael gafael arni. Gan ddilyn llenorion a nofelwyr fel James Joyce, D. H. Lawrence ac Aldous Huxley, credai Prosser Rhys a Morris Williams yn yr hyn a elwid ar y pryd yn 'the Complete Man', y dyn cyflawn, a chwilio am y dyn cyflawn yr oedd Aldous Huxley, yn union fel yr oedd D. H. Lawrence yn chwilio am y cariad cyflawn. Chwilio am gyflawnder rhywiol yr oedd y rhain, hyd yn oed os oedd y cyflawnder hwnnw yn golygu cariad rhwng dau o'r un rhyw, yn ogystal â chariad rhwng dau o ryw gwahanol. Methodd llanc ifanc Prosser Rhys yn 'Atgof' ddod o hyd i'r berthynas gyflawn berffaith, oherwydd, yn un peth, iddo geisio cael ei fodloni gan wahanol fathau unigol o gariad, yn hytrach na chyfuno'r mathau gwahanol hyn. Methodd y berthynas gnawdol nwydus â Mair yn y bryddest gan mai un math o gariad yn unig ydoedd; difethwyd cyfeillgarwch y ddau lanc yn y gerdd, oherwydd ymyrraeth rhyw; a methodd y berthynas rhwng y llanc a'r ferch ar y traeth, gan mai cariad ysbrydol, anghyffwrdd yn unig ydoedd. Byddai'n rhaid cyfuno'r holl brofiadau hyn i greu cariad cyflawn, i greu'r dyn cyflawn a'r bywyd cyflawn.

Ar nos Wener, Ionawr 21, traddododd Kate ddarlith wych gerbron Cymdeithas y Cymrodorion, darlith wreiddiol, herfeiddiol, heriol. Yn wir, cynhyrfodd gryn dipyn ar y dyfroedd llenyddol gyda'r ddarlith, ond roedd llawer mwy o gynnwrf i ddod. Wrth ddarlithio yn Aberdâr, dywedodd mai'r 'peth cyntaf a darawai unrhyw un a studio Llenyddiaeth [*sic*] Gymraeg yw bod gennym ddigon o farddoniaeth ardderchog ond dim prôs'.[78] Bwriodd ei llinyn mesur ar waith nifer o awduron, ysgrifenwyr rhyddiaith y bedwaredd ganrif ar bymtheg yn enwedig. 'Cymeriad i Psycho-analyst' oedd Llew Llwyfo, oherwydd ei fod 'yn hoff iawn o'r ddiod, ac eto sgrifennai nofelau dirwestol'.[79] Bu Daniel Owen, 'prif nofelydd' y Cymry, yn 'ddigon lwcus i fod yn rhy wael i wneud dim ond y[s]grifennu'.[80] 'Yng ngwir ystyr y gair,' meddai, 'nid yw llyfrau Daniel Owen yn nofelau'.[81] 'Yr oedd yn ddisgrifiwr cymeriad dihafal,' ymhelaethodd, 'ond fel ffurfiwr plot yr oedd yn anobeithiol'.[82] Ynglŷn â dyfodol y nofel –

> Nid oedd yn ryw obeithiol iawn. Cyn y gellir nofelydd rhaid i ni fel cenedl fyw. Y mae ein gwreiddioldeb wedi ei ladd gan gyfundrefn addysg estron. Y mae'r gyfundrefn arholiadau yn lladd gwreiddioldeb ein plant. Y mae eisiau llygaid i weld a chalon ddiduedd ar y nofelydd, ac wedi hynny rhaid iddo gael amser i sgrifennu, oblegid rhaid iddo fedru scrifennu llawer yn gyflym. Nid oedd siawns i neb gael hyn yng Nghymru.[83]

Roedd yr artist rhwystredig – yn ogystal â'r athrawes rwystredig – yn dod i'r wyneb eto, a'r gyfundrefn addysg, y gyfundrefn a laddai ddychymyg, eto yn dod dan ei llach.

Am yr eildro o fewn yr un mis, wythnos ar ôl iddi draddodi ei darlith gerbron Cymrodorion Aberdâr, traddododd Kate ei darlith ar 'Y Nofel Gymraeg' gerbron Cymrodorion Caerdydd. Nid oedd Cymrodorion Caerdydd mor raslon wrthi â Chymrodorion Aberdâr. Yn wir, bu'n lwcus iddi ddianc yn groeniach o'r cyfarfod! Yn ôl un o Gymrodorion Caerdydd, mewn adroddiad yn *Y Darian*, 'i'n tyb ni beirniadu nofelwyr a fu ac y sydd oedd yn y rhan fwyaf o'r ddarlith'.[84] Roedd Kate wedi beirniadu Daniel Owen braidd yn hallt, a 'doedd beirniadaeth o'r fath ddim wrth fodd y Cymrodorion. Ac eto, fe gafodd rywfaint o glod am ei darlith: 'Edmygwn ei dull a'i beiddgarwch o ddanfon adre y pwynt, ac yn sicr y mae iddi ddyfodol disglair'.[85] Cydiodd y *Western Mail* yn y stori, a dyfynnodd rai o'r pethau a ddywedwyd gan Kate yng Nghaerdydd. 'While some of the modern Welsh poets, she said, were of the first order, we had nobody who could be placed in the first rank as a prose writer, and she believed with Professor W. J. Gruffydd that the reason for it lay in the fact that we had no national consciousness'.[86]

Yn wir, roedd y ddarlith erbyn hyn yn dechrau dod yn enwog, gan iddi greu tipyn o gynnwrf. Lluniodd Ap Hefin englyn i ddarlith Kate ar 'Y Nofel Gymraeg':

Ar ol ei dawnus drylen – stori fer
Stori fwy yw'r angen;
O'i glân law disgwyliwn lên
Loywach na Daniel Owen.[87]

Ac un o'r rhai a ddarllenodd yr adroddiad am y ddarlith yn y *Western Mail* oedd Saunders Lewis ei hun, gyda chryn syndod. Anfonodd at Kate i'w cheryddu am honni 'nad oes gennym ni ddim awdwr pros o'r radd flaenaf'.[88] Anfonodd Kate lythyr ato gyda throad y post i gywiro'r camargraffiadau a wnaed 'gan ohebwyr dwl papurau newydd'.[89] Efallai i'w thafod lithro pan oedd yn annerch Cymrodorion Aberdâr, meddai, ond dweud nad oedd gan Gymru 'nofelwyr o'r dosbarth blaenaf' a wnaeth yng Nghaerdydd, nid honni nad oedd gan y wlad ysgrifenwyr rhyddiaith o'r radd flaenaf.[90] Ac nid oedd Kate yn ei hystyried hi ei hun yn llenor rhyddiaith o'r radd flaenaf ychwaith. 'Daw ton o ddigalondid drosof wrth feddwl pa mor blentyn[n]aidd a diffygiol ydyw,' meddai am ei gwaith ei hun.[91] Parodd darllen gwaith Tsiecoff iddi gywilyddio 'wrth feddwl imi fod mor haerllug a chyhoeddi llyfr a'i alw yn gyfrol o storiau byrion'.[92]

Ac eto, er mor brin oedd nofelwyr Cymru yn ôl Kate, ym mis Ionawr 1927 roedd copi llawysgrif o nofel bur anghyffredin wedi cael ei hanfon ati, i ofyn am ei barn amdani. Hon oedd y nofel y bu Morris yn trafod ei chynnwys gyda Kate yn Ysgol Haf Machynlleth. Gan ei bod yn nofel mor feiddgar ac mor fentrus-arbrofol, roedd yr awdur am gael barn eraill amdani cyn ei chynnig i gyhoeddwr. Roedd Saunders Lewis wedi derbyn copi drafft o'r nofel o flaen Kate, a thraethodd ei farn am y gwaith mewn llythyr at Morris ar ddechrau mis Medi 1926. Er bod 'arwyddion personoliaeth ac athrylith yn y gwaith,' yn ôl Saunders Lewis, roedd ganddo ddwy gŵyn yn erbyn y nofel.[93] Ei gŵyn gyntaf oedd 'bod y llyfr yn rhy undonog'.[94] 'Byddai mwy o ddialog, a disgrifio yn graffach y cymeriadau eraill yn y llyfr yn gwneud y cwbl yn fwy real yn gystal â mwy diddorol,' meddai.[95] Ei ail gŵyn yn erbyn y nofel oedd 'mater arddull', ac ni wyddai 'am well cyngor ym mater Cymraeg i nofelydd na darllen, ie dysgu ar gôf, baragraffau disgrifio Kate Roberts sy'n ddigymar mewn grym a chynildeb a phendantrwydd a newydd-deb ei ffigurau'.[96] Anfonodd Morris ail ddrafft o'r nofel at Saunders Lewis, ac mewn llythyr ato ddechrau Rhagfyr 1926, awgrymodd y dylai Morris ei hanfon at gwmni Hughes a'i Fab, Wrecsam, gyda golwg ar ei chyhoeddi, er nad oedd yn ffyddiog mewn unrhyw ffordd y câi ei derbyn gan y wasg. 'Bydd arnynt ofn y nofel, am ei bod yn blaen ac am ei bod hefyd mor fewnol a dadansoddol, ac felly'n annhebyg o fod yn boblogaidd na gwerthu llawer,' meddai wrth Morris.[97] Awgrymodd hefyd y gellid cyhoeddi ambell bennod yn *Y Llenor*, pe bai Hughes a'i Fab yn gwrthod ei chyhoeddi.

Un arall a wyddai am y nofel oedd Prosser Rhys, a gwyddai amdani ymhell o flaen pawb arall. Roedd Morris wedi anfon rhannau ohoni at ei gyfaill ar Fedi 23, 1925, pan oedd y gwaith ar y gweill ganddo. Bwriad gwreiddiol Morris Williams oedd anfon *Troi a Throsi* i gystadleuaeth y nofel yn Eisteddfod Genedlaethol 1926, fel y gwyddai Prosser Rhys yn iawn:

> Cymeraf ddiddordeb mawr yn natblygiad dy nofel, a gwn y bydd Saunders yn ei theimlo hi'n fraint ei beirniadu'n fanwl. Prin y bydd dy feirniaid yn Abertawe (os anfoni di hi i'r gystadleuaeth) mewn cydymdeimlad a'th waith. Stori anturiaethau a drawai E.M.H. [E. Morgan Humphreys], a stori ffantastig a apeliai at Degla. Gwyr y ddau mi goeliaf am Lawrence a Joyce a Marcel Proust, a Dorothy Richardson, ond prin y tybiaf eu bod yn caru eu dull. Ac i'w hysgol hwy y perthyni di. Ysgol y meddylegwyr. Bydd yn wiw gennyf weled yr hyn a sgrifennaist yn rhagor o'r gwaith hwn, canys y mae o'n waith mawr yn ddiddadl. 'Portrait of an Artist' arall. Bydd yn fanwl ymhob dim; disgrifia bethau *fel* y trawsant hwy DI. Paid ag ildio i ledneisrwydd na beiddgarwch ffug. Nid oes dim gwerth mewn peth felly. Ceisia fod yn hollol fanwl, ond ar yr un pryd yn ddealladwy ac yn gryno, fel y bydd pob llenyddiaeth dda.[98]

Yn ei golofn 'Ledled Cymru' yn rhifyn cyntaf 1927 o'r *Faner*, a'r nofel bellach yn orffenedig, cyfeiriodd Prosser Rhys ati fel gwaith a oedd yn debycach i waith D. H. Lawrence a James Joyce nag i waith Thomas Hardy a John Galsworthy. Ar Chwefror 3, sicrhaodd ddarllenwyr *Y Faner* nad oedd yn y nofel ddim byd i lygru neb, ond bod ynddi lawer i ddychryn y dosbarth hwnnw o feirniaid llenyddol a gynrychiolid gan bobl fel Meuryn ac aelodau amlwg eraill o Orsedd y Beirdd.

Yn ôl y llythyr a anfonodd Kate at Saunders Lewis ar Ionawr 18, 1927, roedd 'nofel Morris Williams … yn aros wrthyf'.[99] Yr oedd, meddai wrth Saunders Lewis yn y llythyr rhwystredig hwnnw a anfonodd ato ar Ionawr 18, 'yn ol yn uffern ers wythnos ac yn teimlo yr hoffwn chwythu Aber Dar i'r cymylau', ac yn gyffelyb, meddai 'y teimlai Morris Williams yn Hull pan anfonodd y nofel'.[100]

Ar brofiadau bywyd Morris ei hun y seiliwyd y nofel. Morris ei hun yw'r prif gymeriad, Meurig Prisiart, ac eto, er bod Prosser Rhys yn ymddangos yng nghorff y nofel dan yr enw Arthur Morgan, hawdd gweld mai cyfuniad cynganeddol o ddau enw yw enw'r prif gymeriad hwn: 'Meurig/Morris', 'Prisiart/Prosser'. Mewn pentref o'r enw y Glyn (Y Groeslon) y magwyd

Meurig, gyda'i frawd Ianto a'i chwaer Olwen (Dafydd Edmund a Hannah Mary). Argraffwr yw Meurig, fel Morris, a buan iawn yn y nofel y cawn ein mwydo ym meddyliau trythyll ac anllad Meurig. Mae merch y llety lle y mae'n aros yn Nhre'r Ddôl yn corddi emosiynau pur gymysglyd ynddo, wrth iddo'i chwennych a'i chasáu ar yr un pryd:

> Blinodd ar weled merch y tŷ … byth a beunydd. Casâi ei golwg er na fedrai beidio ag edrych arni. Ond yr oedd mor amrwd: ei choesau'n hir a'i sgert yn gwta; fel merch wedi gadael yr ysgol cyn bod mewn oed. Er iddo geisio'i ddarbwyllo'i hun a dywedyd nad oedd y ferch ond unarbymtheg oed, methodd ganddo â meddwl y dylasai edrych fel gwraig llawn dwf. Edrychai Meurig gyda dirmyg ar lun ei bronnau oddi tan ei chôt wen; nid oeddynt lawer mwy na phel chwecheiniog wedi ei thorri'n ddwy. Ni wyddai'n iawn ai eisiau ei meddiannu ai ei lladd oedd arno. Rhyw ddiwrnod byddai fel ei mam, ond pe cymerai ef gleddyf gallai daro ei dwyfron ymaith: ei ddal o dan ei gên ac yna i lawr ag ef. Byddai fel hogan fach wedyn yn lle rhyw hanner yn hanner fel hyn.

Chwilio am y cariad cyflawn a wna Meurig Prisiart trwy'r nofel. Y mae hynny'n golygu cariad at ddyn, cariad at ferch, ac, yn achos Meurig, cariad at ei fam, sef y Cymhlethdod Oedipws a oedd mor boblogaidd gan nofelwyr Saesneg y cyfnod. Nid yw cariad at ddyn, ar ei ben ei hun, yn ddigon, na chariad at ferch ychwaith. Y mae perthynas agos iawn rhwng Meurig ac Arthur Morgan, newyddiadurwr sy'n byw yn Aber Deuddwr (Aberystwyth), cyfeillgarwch sy'n 'rhywbeth dirgel yn myned allan o'r naill i'r llall'. Daeth y ddau, Meurig ac Arthur, i adnabod ei gilydd pan oedden nhw'n byw ac yn gweithio yn ardal y Glyn, cyfeiriad at ddyddiau Caernarfon yn sicr. Yn y dyddiau hynny, roedd cyfeillgarwch neu berthynas y ddau, yn ôl Meurig, 'mor fawr, yn llenwi cymaint ar fy mywyd nes fy moddi fi fel fy hunan'. Bellach yr oedd y ddau yn cael perthynas gnawdol â merched, yn eu hymchwil am y cariad cyflawn.

Cymeriad arall yn y nofel yw gŵr o'r enw Wil Maclachlan, un o gydweithwyr Meurig Prisiart wedi iddo fynd i weithio mewn argraffty ym Mharis (gan ddilyn camre Morris eto), a chydletywr iddo yn y ddinas o ran hynny. Mewn un olygfa yn y nofel mae Meurig Prisiart yn dweud wrth Wil Maclachlan am ei fwriad i 'fynd i'r wlad i aros am ychydig' er mwyn cael trefn ar ei fywyd a'i feddyliau oherwydd ei fod wedi 'troi a throsi llawer yn fy meddwl y dyddiau hyn'. Mae Maclachlan yn gofyn iddo beth sy'n ei boeni, a dyma ateb Meurig:

> Wel dywedaf y gwir wrthyt. Nid yw bywyd yn ddigon cyfan imi; y mae arna'i angen rhywbeth i'w gadw a'i ganoli a chreu cyfundrefn neu undod i mi fy hun a geidw fy mywyd yn gyson a sefydlog. Suro a wna dyn ar fyw iddo fo'i hunan yn unig, ac nid

yw mabolaeth neu gyfeillgarwch yn ddigon, neu y maent yn amhosibl ac annaturiol ynddynt eu hunain.

Ystyr 'cyfeillgarwch' a 'mabolaeth' yn y cyd-destun hwn yw perthynas wrywgydiol, cariad dyn at ddyn, ond yn ôl Meurig Prisiart ei hun, annaturiol ac anghyflawn yw cariad o'r fath ynddo ei hun. Trafod y mater hwn o fywyd cyflawn ac o gariad cyflawn a wneir eto. 'Beth am garu merch ynte?' gofynna Maclachlan iddo. Ac meddai Meurig:

> Nid yw cariad merch yn cyrraedd hyd yr eithaf; ni ellir ymgorffori mewn un holl
> ddyheadau dyn. A dweyd y gwir wrthyt, medrwn garu llawer o ferched, ac onid wyt
> ti'n meddwl pe bai modd cael nifer o wragedd y diwellid llawer dyhead? Canys bydd
> bodlonrwydd heddiw wedi cilio erbyn yfory efallai, a rhyw ddyhead newydd wedi dod
> imi ac felly bydd yn rhaid wrth gyfrwng newydd i'w ddiwallu.[101]

Mewn geiriau eraill, y mae sawl math o gariad yn bod, gan gynnwys cariad rhwng gwrywod, ac ni all un math o gariad yn unig ddiwallu holl ddyheadau dyn.

Nofel sy'n ymdrin â meddyliau a phrofiadau rhywiol gŵr ifanc yw *Troi a Throsi*, fersiwn rhyddiaith o 'Atgof' Prosser Rhys, ar un ystyr. A oedd Kate wedi synhwyro mai Morris a Prosser Rhys oedd Meurig ac Arthur y nofel, a bod perthynas wrywgydiol rhwng y ddau? A dybiai fod y rhannau yn y nofel lle disgrifir profiadau Meurig gyda phuteiniaid ym Mharis yn seiliedig ar wirionedd? Yn wir, a oedd Morris wedi ildio'i *holl* gyfrinachau i Kate ar ôl i'r ddau ddechrau canlyn ei gilydd?

Roedd Kate wedi darllen *Troi a Throsi* cyn gwyliau'r Pasg, gwyliau a dreuliodd gyda'i rhieni yn Rhosgadfan. Cyn hynny, roedd Saunders Lewis wedi rhoi *A Portrait of the Artist as a Young Man*, James Joyce, ar fenthyg iddi, gan fod 'Morris Williams wedi ei ddarllen cyn sgrifennu ei lyfr yntau'.[102] 'Fy anffawd i oedd fy mod yn darllen Joyce ar yr un pryd,' ysgrifennodd Kate at Saunders Lewis,[103] a digon claear oedd ei hymateb i nofel Morris:

> Mae gan Morris Williams lygaid i weled a chryn dipyn o fedr disgrifio. Mae ganddo rai
> cymhariaethau rhagorol. Mae yn onest hefyd, a dyna'r peth hanfodol. Fe ellwch weled
> ei fod yn ymdeimlo â bywyd. Nid ffrilennau llenyddol sydd o gwmpas ei waith. *Ond*,
> ac mae hwn yn ond go fawr, nid oes arbenigrwydd ynddi.[104]

Erbyn dechrau Ebrill roedd Kate wedi anfon y nofel at Hughes a'i Fab, ar gais Morris ei hun. 'Anfonais eich nofel tua phythefnos yn ol i Wrecsam a chefais lythyr oddiyno wedyn yn gofyn am fy marn amdani,' ysgrifennodd Kate at

Morris ar Ebrill 6, o Faes-teg.[105] Dywedodd Kate wrth y cwmni ei bod o blaid ei chyhoeddi. Er bod Saunders Lewis yn cytuno'n llwyr â barn Kate am y nofel, yr oedd yntau hefyd o blaid ei chyhoeddi, a hynny 'er mwyn iddo fynd ymlaen at wneud un arall lle na bydd ef ei hun yn brif fater ei waith'.[106] Mewn geiriau eraill, roedd Saunders Lewis yn gwybod yn iawn mai sôn am ei dueddiadau hoyw ef ei hun yr oedd Morris yn y nofel, a'i bod yn nofel hunangofiannol i bob pwrpas. Gwyddai Kate hefyd.

Traethodd Kate ei barn am y nofel yn y llythyr hwnnw a anfonodd at Morris o Faes-teg, a dywedodd bethau hynod o ddadlennol. Gan ailadrodd yr hyn a ddywedodd wrth Saunders Lewis, ei hanffawd, meddai, oedd ei bod yn darllen *A Portrait of the Artist as a Young Man*, James Joyce, ar yr un pryd ag yr oedd yn darllen nofel Morris:

> Ni ddarllenaswn i y math yma ar nofel o'r blaen, a chyfyd Joyce i dir uchel iawn.
> Y mae eich nofel chwithau yn rhagorol – mae yn onest ac yn ddidwyll. Mae ynddi ddisgrifiadau gwych a chymhariaethau weithiau sy'n hollol newydd a disathr. Y peth mwyaf ynddi yw eich outlook ar fywyd – peth hollol newydd yng Nghymru.[107]

Edmygai, felly, onestrwydd Morris, sef ei gyfaddefiad cwbl agored ynghylch ei wrywgydiaeth, er mai mewn ffuglen y dewisodd ddatgelu hynny. 'Mae arnaf finnau eisiau torri'r tresi a byw fy mywyd fy hun yn lle byw bywyd respectable, twyllodrus fel hyn,' meddai Kate wrtho.[108] Trwy gelu ei gwir rywioldeb, gwyddai Kate ei bod yn rhagrithio ac yn twyllo pobl, a chasâi ragrith a thwyll o bob math. Gwrthodai cymdeithas iddi fod yn hi ei hun, ac roedd hynny yn ei gwneud yn anniddig ac yn rhwystredig. Roedd Morris wrthi'n ysgrifennu drama ar y pryd hefyd, a gofynnodd Kate iddo am gael cip arni.

Bu'n rhaid i Kate dreulio gwyliau'r Pasg ym Maes-teg oherwydd *Deian a Loli*. 'Bwriadaswn fynd i Baris ond fe gefais ffasiwn sioc pan glywais oddiwrth Wm Lewis ddiwethaf fel na fedrwn feddwl am roi rhagor o bwysau wrth fy ngwddf,' meddai wrth Saunders Lewis.[109] Roedd Kate a'r cwmni wedi cytuno mai 25% o ostyngiad a gâi'r llyfrwerthwyr, ond cododd y cwmni'r gostyngiad i draean pris y llyfr heb ymgynghori dim â hi, gan godi'r pris gwerthu i swllt yn lle naw ceiniog ar yr un pryd. Ar ben hynny, ni ddosbarthwyd y taflenni hysbysebu hynny yr oedd Kate wedi talu amdanyn nhw i bob siop lyfrau nac i bob ysgol sir yng Nghymru. Ym mis Mawrth anfonodd y cwmni gyfrif am argraffu *Deian a Loli* ati, gan nodi bod £34.17s.3c. yn ddyledus o hyd, a bod 413 o gopïau o'r mil cyntaf yn dal i fod heb eu gwerthu. Cafodd Kate nodyn pellach gan y cwmni yn diolch iddi am dâl o £54.2s.6c. ar gyfrif *Deian a Loli*, ac yn mynegi'r gobaith y gallai'r gwerthiant wella o fis Ebrill ymlaen wrth i'r sefyllfa economaidd yn gyffredinol wella.

Ysgrifennodd Kate lythyr arall at Morris ar Fai 8. Poenai am gyflwr iechyd ei mam o hyd, ond codai ambell beth ei chalon:

> Dwn i ddim a glywsoch oddiwrth Mr Prosser Rhys am ein taith i Bont y Gwr Drwg ar ol y pwyllgor. Beirniadai ef yno a chawsom ninnau bass yn ei sgil. Nid oes amser rwan imi son am yr hwyl a gawsom. Stori i'w hadrodd pan ddowch i Faes Teg ym mis Awst yw honna.[110]

Yn anffodus, roedd Hughes a'i Fab wedi gwrthod cyhoeddi nofel Morris, er bod Kate wedi dweud wrth y cwmni 'y gwerthai fel "teisennau poeth"'.[111] Gwyddai y byddai natur ei chynnwys yn gwarantu hynny, ond roedd Hughes a'i Fab wedi gofyn i ddau ddarllenydd arall, ar wahân i Kate, am eu barn am y nofel, ac argymell peidio â'i chyhoeddi a wnaeth y ddau. Ni welwyd mohoni yn *Y Llenor* ychwaith. Ceisiodd Kate ddarbwyllo Morris i anfon y nofel at Adran Gymraeg cwmni Foyles yn Llundain, yn enwedig gan nad oedd hithau ychwaith yn rhy hapus gyda Hughes a'i Fab. Roedd *O Gors y Bryniau* wedi gwerthu 2,100 o gopïau erbyn mis Mai, ond dim ond saith bunt a chweugain a gafodd Kate am werthiant y gyfrol. Ac roedd *Deian a Loli* hefyd yn ei phoeni. Nid oedd wedi derbyn yr un ddimai am werthiant y llyfr, a theimlai ei bod wedi gorfod aberthu popeth i dalu am y llyfr. Nid oedd yn fodlon ei byd:

> Yr wyf yn crintachu i dalu amdano o'm cyflog. Ac yr wyf yn grinjian fy nannedd wrth feddwl bod blynyddoedd goreu fy mywyd yn mynd fel hyn. A beth a wnaeth pobl Cymru erioed i mi? O'r nefoedd, dim rhyfedd bod pobl yn cynical. Ond efallai y dylwn ddiolch fod gennyf iechyd ac ynni dibendraw. Ar hyn o bryd â'r ynni hwnnw i geisio rhoi Cymraeg ym mhennau plant pobl rhy ddwl i'w siarad ar yr aelwyd.[112]

Erbyn haf 1927, roedd Kate a Morris yn canlyn ei gilydd yn selog. Roedd Morris wedi gadael Hull a chyrraedd Tonypandy, i weithio i gwmni argraffu Evans a Short, ar ddechrau'r haf. Golygai hynny y gallai weld Kate yn amlach. Erbyn Mehefin 21 roedd Kate wedi darllen ei ddrama. 'Gan i chwi ddyfod mor agos imi, efallai y cawn siarad drosti yn iawn,' meddai wrtho, gan ei wahodd i ddod i Aberdâr: 'Os bydd yn braf gallwn fynd i Benderyn – lle nefolaidd yng nghanol y wlad ryw saith milltir oddiyma'.[113] Ac roedd y garwriaeth yn ffynnu. Anfonodd Morris gerdyn post at Kate ar Orffennaf 24, dydd Sul, i ddweud wrthi y bwriadai ddod i Aberdâr o Donypandy ar y trên ar y dydd Sadwrn canlynol. Ac efallai mai at haf 1927 y cyfeiriai Olwen Samuel, y disgybl yn Ysgol y Merched a ddaeth yn ffrind agos iddi wedi hynny, wrth iddi hel atgofion am ei chyn-athrawes:

> Un diwrnod o Haf, cyfarfûm â Miss Roberts ar brynhawn Sadwrn ynghanol y wlad. Wedi bod yn cerdded godreon Craig y Llyn. Gyda hi yr oedd gŵr tal, golygus, pryd golau, cringoch ei wallt, a glas ei lygaid. Cyflwynodd fi iddo. Mr. Morris Williams oedd ei enw. Nid oeddwn yn syn o'i cholli fel athrawes yn fuan wedyn, er ein bod yn brudd hyd at ddagrau pan ddaeth yr amser iddi ymadael â ni.[114]

Roedd rhywun arall wedi gweld Kate a Morris gyda'i gilydd yr haf hwnnw:

> Yr oedd rhywun wedi fy ngweld ym Mhenderyn efo chwi bythefnos yn ol, ac wedi fy ngweld yn smocio'n gyhoeddus, ac wedi eu siocio'n ddifrifol gan y ffaith.[115]

Roedd Kate bellach yn dechrau cicio dros y tresi.

Bu'n brysur gyda'r Blaid Genedlaethol trwy gydol gwanwyn a haf 1927. Roedd yn dyheu am gael dianc o Aberdâr o hyd, a bu'n ystyried ymgeisio am fwy nag un swydd. Ym mis Mawrth bu'n ystyried rhoi ei henw ymlaen am swydd Arolygydd Ysgolion gyda'r Bwrdd Addysg, a derbyniodd dystlythyrau gan Margaret S. Cook, W. J. Gruffydd ac Ifor Williams. Roedd Kate yn athrawes wych, yn ôl Margaret Cook. 'She is loyal and conscientious ... a woman of strong character and of high ideals,' meddai amdani, gan nodi hefyd ei bod yn genedlaetholwraig frwd ac yn awdures a oedd wedi ei hen sefydlu ei hun.[116] Tynnodd W. J. Gruffydd hefyd sylw at ei phwysigrwydd fel llenor: 'Her short stories have supplied Welsh literature with what it had hitherto lacked – a consistent and understanding criticism of Welsh life in an artistic form'.[117] Erbyn mis Mehefin roedd yn ystyried ymgeisio am swydd darlithydd cynorthwyol yng Ngholeg Abertawe, lle'r oedd Saunders Lewis yn ddarlithydd, ond ni ddaeth dim o'r cynlluniau hyn. Ond nid cael swydd newydd oedd y peth pwysicaf iddi ar y pryd, eithr cael mwy o hamdden i lenydda, oherwydd bod arni 'eisieu ysgrifennu peth wmbreth'.[118] Ddechrau'r haf, roedd Kate yn parhau i fod yn anniddig yn ei swydd, fel y nododd eto fyth mewn llythyr at Saunders Lewis:

> Nid diffyg amser yn gymaint yw'r rheswm bod fy mhin dur yn dwyn cyn lleied ffrwyth y dyddiau hyn, ond rhyw flinder gorthrechol a ddaw drosof wedi bod yn dysgu plant nad yw yn Gymry na Saeson. Gyda digon o amser, a hwyl (ac amhosibl cael hwyl ar derfyn diwrnod ysgol), gallwn ysgrifennu dwy nofel yn hawdd. Mae'r deunydd yn fy mhen.[119]

Un peth a gododd ei chalon yn ystod y cyfnod blinderus hwn, fodd bynnag, oedd y ffaith fod *Deian a Loli* wedi dechrau gwerthu fesul tipyn, a bod William Lewis Cyf. wedi anfon peth arian ati.

Cafwyd enghraifft arall o anniddigrwydd Kate yn ystod haf 1927 pan oedd yn llunio'i beirniadaeth ar gystadleuaeth y 'Chwe stori fer Gymraeg yn ymwneuthur â bywyd Cymreig' ar gyfer Eisteddfod Genedlaethol Caergybi, a oedd i'w chynnal ddechrau Awst y flwyddyn honno. Treiddiodd ei rhwystredigaeth i mewn i'w beirniadaeth. Condemniodd Bwyllgor Llên Caergybi am ddau beth. Roedd gofyn am chwe stori fer mewn lleied â blwyddyn o amser gan storïwyr a oedd yn ennill eu bywoliaeth mewn swyddi llawn-amser, ac felly'n brin o'r amser yr oedd ei angen i lunio straeon byrion o'r safon uchaf, yn beth hollol afresymol. Beirniadodd y Pwyllgor Llên hefyd am awgrymu llwybrau i feddwl y cystadleuwyr, trwy ofyn am storïau yn ymwneud ag agweddau penodol iawn ar y bywyd Cymreig, er enghraifft, 'Bywyd y Pentref' a 'Bywyd y Chwarel'. Afraid dweud mai atal y wobr a wnaeth.

Anfonodd lythyr rhwystredig ac anniddig arall at Morris yn ystod tymor eu carwriaeth, llythyr heb ddyddiad ynghlwm wrtho, a llythyr sydd hefyd yn dangos ei bod yn byw llenyddiaeth, hyd yn oed os na allai fyw trwy gyfrwng llenyddiaeth:

> Erbyn hyn gwn y gwaethaf ynglyn a'm time-table am y flwyddyn nesaf ac ni spariodd fy mhrifathrawes mo'm corff ddim. Mae gennyf waith ddigon i dorri asgwrn fy nghefn. Gweithiais bob awr ginio yr wythnos hon i geisio dodi'r llyfrgell mewn trefn. Ac nid oes swydd fel athrawes mewn Cymraeg i'w chael yn unman am bris yn y byd. Fel yna y teimlaf heno. Bum yn darllen hanes Eustacia Vye yn ei boddi ei hun yn nofel Hardy, a theimlwn y medrwn innau wneud yr un peth. Pa gysur sy mewn bywyd wedi'r cyfan? Dim ond mynd ymlaen fel hyn o hyd heb obaith am newid.[120]

Er bod Kate a Morris bellach yn gariadon, ni allai Morris fygu ei deimladau tuag at Prosser. Ymhlith papurau Kate Roberts yn y Llyfrgell Genedlaethol ceir llythyr rhyfedd, llythyr at 'Edward Prosser Rhys Aber Ystwyth' yn llaw Morris Williams. Nodir ar ddechrau'r llythyr mai 'Yn Nhonypandy, Cwm Rhondda, yr ysgrifennaf hwn ar y pedwerydd dydd ar hugain o Awst, 1927'. Yr oedd y llythyr i gael ei anfon at Prosser ar achlysur marwolaeth Morris, gan y credai, ar y pryd, y byddai'n marw'n ifanc. Dyma agoriad y llythyr:

F'anwylaf Gyfaill,

Pan ddarlleni'r llythyr hwn bydd dy hên gyfaill, Morris o'r Groeslon, wedi dyfod i ben ei den[n]yn a'r "llygad a'm gwelodd ni'm gwel mwyach["]. Odid y byddaf eisoes yn rhan o'r wlad a gerais mor angerddol ac wrth f'ochr bydd fy Mam a 'Nhad ond hollol ddihitio. A chyn hir bydd hên gyfeillion yn adrodd chwedleuon am fy mywyd i a'[u] bywyd hwy.

Cywair rhamantaidd a hunanganolog sydd i'r llythyr, ond y tu ôl i'r rhamantiaeth ceir gwir bryder. Poenai Morris am gyflwr ei iechyd:

Efallai yr aiff blynyddoedd lawer heibio cyn y gweli'r llythyr hwn ond y mae un peth yn sicr – ni fuasai'n syn imi farw unrhyw foment. Y dyddiau diweddaf hyn gwelaf yn berffaith glir fod fy nghalon mewn cyflwr difrifol. Gall unrhyw ddyn gadw cyfrif o guriadau'r gwaed a phethau felly heb gynorthwy o'r doctor ac yr wyf innau fel Barbellion yn rhoi fy mys ar guriadau fy mywyd. Y mae'n debyg mai'r crydcymalau a roddai boenau yn f'ochr ar hyd y blynyddoedd ac o'r diwedd effeithiodd hwnnw'n naturiol ar fy nghalon nes mwyach rhaid imi fod yn ofalus wrth gerdded a chlywaf y dagr yn f'ochr. Ac i orffen am hyn dywedaf fod amryw ddoctoriaid wedi dweyd fy mod yn holliach a phrofasant unwaith yn rhagor nad ydynt yn da i ddim o bwys.

Yna ceir cywair hunanfrolgar, hunanaddolgar, narsisaidd:

Edrychaf yn y drych a sylweddolaf fy mod yn llanc hardd. Y mae fy llygaid yn fawr a llydan fel un yn rhyfeddu at fywyd a meddyliaf am y cyfan hyn yn gymysg a'r pridd.

Ac yn gymysg â'r pryderon hyn ceir cryn dipyn o athronyddu:

Meddyliaf am oes dyn a sylweddoli fyr[r]ed yw wedi'r cyfan ac i'r greadigaeth bychan yw'r gwahaniaeth rhwng deg oed a chant oed. Ond pan ddaw i'r pen nid yw hynny'n llawer o gysur i mi. Gwelaf mor braf ydyw hi ar y rhai a fuont ddigon diniwed neu'n ddigon o freuddwydwyr i fedru credu mewn bywyd arall wedi gadael ohonynt y bywyd. Ond dywedaf wrthyt yn awr, pan na fyddai'n syn gennyf pe trengwn cyn gorffen y frawddeg hon, na newidiais ddim ar fy marn am fyw a bod.

Mae arddull y llythyr yn ymwybodol lenyddol ar brydiau, ac anodd osgoi'r argraff mai Morris yr egin-nofelydd sydd yma yn ymarfer ei grefft:

Ond heno carwn ddwedyd wrthyt pa mor hoff gennyf yw bywyd. Pan edrychaf yn ôl gwelaf y treiglo araf drwy drueni a phan edrychwyf ymlaen ni welaf unpeth amgenach. Ond o'r trueni hwn y mae rhai o leiaf yn cipio'r Da, y llawenydd, y blodyn o ganol y dyryswch. A chefais innau bleser o fywyd. Bum yn un o'r gwyr mwyaf ffodus canys cefais gyfeillion na throediodd eu rhagorach ddaear Cymru. Yn Oes Aur bywyd Cymru, oes y dadeni, cefais fyw ymysg y rhai y pery eu gwaith tra paro'r Gymraeg. Gwyddost amdanynt bob un ac ymostyngaf mewn teyrnged iddynt.

Ar ôl talu teyrnged i'w rieni a mynegi ei chwithdod a'i hiraeth o'u colli, â'r llythyr rhagddo, a dyma Morris o'r diwedd yn dod at wir fyrdwn ei lythyr, sef mynegi ei gariad angerddol tuag at Prosser, y cariad a oedd yn uwch ac yn drech na chyfeillgarwch, ac yn drech na geiriau hefyd:

> Pe ceisiwn ni fedrwn fynegi'r cariad a deimlaf tuag atat ti. Tydi roddodd ail fywyd imi.
> Fe ei di dros yr yrfa i gyd yn dy feddwl ac heno daw deigryn i'm llygaid wrth feddwl
> am hynny ond y pryd hynny ni bydd y cyfan yn ddim i mi. Ni raid imi ymhelaethu
> dim wrthyt ti canys f[e] ddywed dy galon bopeth wrthyt.

Ac eto, yn yr un llythyr mae'n cyffesu ei deimladau tuag at Kate, gan fynegi'r ofn a oedd gan y ddau ar y pryd ynghylch priodi:

> Dywed wrth Kate Roberts yr holl bethau a ddywedais wrthyt. Gwn pe bawn fyw am
> hanner canrif eto a charu merch a phriod na charaf neb gyda'r ymddiriedaeth a'r parch
> fel a fu rhyngddi hi a mi. Efallai mai da i ni beidio cyd-fyw canys buasai arnaf ofn priodi
> rhag ofn difetha ein llawenydd. Gobeithio y bydd ambell atgo am Gwm Nedd a Chraig
> y Dinas ac afon Dyfi a Chastell Dinas Brân yn rhoi llawenydd iddi nes dêl ei dydd
> hithau i ben.

Roedd Morris hefyd yn cofio'r noson ledrithiol honno ar lan afon Ddyfi, noson yr agosrwydd mawr a'r cyffesu agored. Er hynny, cariad a deimlai Morris tuag at Prosser ond parch tuag at Kate, er bod ymddiriedaeth ddofn rhwng y ddau ar yr un pryd. Ond roedd ymddiriedaeth rhwng Prosser a Morris hefyd, a honno'n ymddiriedaeth ddyfnach, fe ellid tybio – 'Ni raid imi ymhelaethu dim wrthyt ti canys f[e] ddywed dy galon bopeth wrthyt'.

Llythyr cymysglyd gan ŵr ifanc ansicr ohono'i hun – ansicr o gyflwr ei iechyd, o'i deyrngarwch a'i flaenoriaeth rywiol – yw'r llythyr hwn, a llythyr hefyd gan ddarpar-lenor a darpar-ddramodydd a obeithiai syfrdanu Cymru â beiddgarwch ei weithiau, yn union fel yr oedd Prosser ei hun wedi ysgwyd Cymru i'w seiliau â'i bryddest 'Atgof' dair blynedd ynghynt. Gobeithiai Morris hefyd beri cynnwrf tebyg â'i nofel, *Troi a Throsi*, ac â'r ddrama yr oedd wedi ei hysgrifennu, *Gwŷr a Gwragedd* (neu *Bywyd Tragwyddol*). Hunanfaldodus a braidd yn ymhonnus yw'r cywair:

> Ie, gwelaf eich darluniau, fy hên gyfeillion ond daw amser pan fyddaf yn ddihitio i'r
> cyfan. Efallai y cyhoeddir fy nofel a bydd sgwrsio amdani; [e]fallai y cyhoeddir y ddrama
> a bydd sôn am honno. Ac yna fe gesgli dithau fy llythyrau ynghyd ac odid eu cyhoeddi
> a rhyfedda llawer un at eu cynnwys. Byddaf innau yn destun ymgomio ac ymddadleu
> mewn Steddfod a thafarn ac efallai y sonia rhywun am fy nghyfraniad i fywyd Cymru …

Bellach mae'n rhaid iddo ffarwelio â'i hen gyfeillion, a bodloni ar y llawenydd a gafwyd unwaith:

> Ond cefais fy llawenydd mewn bywyd, ond y mae'n drist gorfod eich gadael chwi i gyd fy hên gyfeillion. A phe mynnai rhywun wybod pa beth a gredaf ar y terfyn am ein "dyletswydd" mewn bywyd dywedaf yn ddibetrus – Cael llawenydd a boddlonrwydd.

Ac fel hyn y daw'r llythyr i ben:

> Bellach bydd dithau wych a darllen Williams-Parry [sic] ac "Omar Khayam" er fy mwyn, a chofia am un a'th garodd hyd y diwedd, ac a hiraetha am gael dy gyfarfod ti a'r hogia a'r genod mewn hen dafarn i ymgomio ac yfed hyd dragwyddoldeb ond a wyr mai ofer y cyfan. Yn ffyddlon hyd y diwedd mewn l[l]awer tro a dyma'r diwedd i dy hen gyfaill.[121]

Ac mae'r llythyr wedi ei arwyddo 'Morris'. Er gwaethaf yr elfennau hunandybus a glaslancaidd a geid ynddo, llythyr o'r galon oedd hwn, ac ynddo ddatganiad diamwys o gariad Morris tuag at Prosser. Mae'r llythyr hefyd yn taflu peth goleuni ar berthynas Morris a Kate ar y pryd. Erbyn Awst 1927 roedd y ddau yn ystyried priodi ei gilydd, ac y mae'n amlwg hefyd fod Morris a Kate yn cael llawenydd a diddanwch yng nghwmni ei gilydd, ond bod ofn priodi arnynt rhag ofn i hynny ddifa llawenydd y garwriaeth.

Bedwar diwrnod cyn i Morris ysgrifennu ei lythyr at Prosser Rhys, roedd Kate wedi anfon gair at Morris o Faes-teg. 'Onid edrych Llangollen fel petae yn nhragwyddoldeb?' gofynnodd, gan gyfeirio at Ysgol Haf 1927.[122] Yn yr un llythyr nododd ei bod wedi ymgeisio am le yn ddarlithydd yng Ngholeg Aberystwyth, ond ni chredai fod ganddi ronyn o siawns i gael y swydd. Roedd Kate yn ceisio edrych ymlaen i'r dyfodol. Roedd yn stryffaglio yn ystod yr haf hwnnw i lunio'r ail bennod honno o *Ysgolfeistr y Bwlch* a gyhoeddwyd yn *Y Llenor* yn yr Hydref. 'Nid wyf yn credu imi sgrifennu dim erioed gyda chyn lleied o ysbrydoliaeth,' cwynai wrtho.[123] Roedd yn grwgnach o hyd fod yr ysgol yn ei rhwystro rhag llenydda. 'Nid yw'n gas gennyf Aber Dâr, ond fe hoffwn gael rhyw swydd a roddai imi fwy o amser i sgrifennu,' meddai drachefn.[124] Roedd y berthynas rhwng Kate a Morris wedi dyfnhau yn Ysgol Haf Llangollen:

> Teimlaf finnau fel chwithau ar ol Llangollen fod ein cyfeillgarwch yn sicrach nag erioed a theimlad braf yw hynny. Oblegid nid oes dim yn y byd fel cyfeillgarwch – i mi *y* peth mawr ydyw.[125]

Ofn priodi neu beidio, erbyn dechrau mis Rhagfyr roedd y penderfyniad wedi ei wneud. Morris a adawodd i Saunders Lewis wybod ei fod ef a Kate yn bwriadu priodi. Anfonodd Saunders Lewis air o gyfarchiad at Kate, er bod bwriad y ddau i briodi 'yn gyfrinach fud' ar y pryd, ac yntau wedi addo cadw'r gyfrinach.[126] 'Y mae unrhyw beth a ddigwyddo i chi yn bwysig iawn gennyf ac yn fy nghyffwrdd yn agos ac yn ddwfn iawn,' meddai wrthi.[127] Ond cyfarchion gochelgar a phetrusgar a anfonodd at Kate. 'Yr wyf yn edmygu eich gwroldeb yn gwneud hyn,' meddai wrthi, ond ni wyddai fod Kate yn meddu ar yr un tueddiadau.[128] Dylai'r briodas arfaethedig fod yn fater o orfoledd, nid yn fater o edmygedd. Gwyddai Saunders Lewis yn iawn am natur ddeurywiol Morris, a gwyddai fod Kate yn gwybod hefyd. Roedd Morris, meddai, yn un 'a fentrodd drwy ei fywyd fyw a meddwl yn wrol,' ac felly yr oedd yn gweddu i'r dim i Kate. 'Priodas dau arwr a fydd hi,' yn ôl Saunders Lewis, a byddai bywyd priodasol y ddau 'yn gyfoethog os bydd ef hefyd yn ystormus'.[129]

Dridiau yn ddiweddarach, ar Ragfyr 8, anfonodd Kate lythyr at Saunders Lewis i ddiolch iddo am ei gyfarchion. 'Medrwn wylo'n iawn pan dderbyniais eich llythyr fore ddoe wrth feddwl bod gan Morris Williams a minnau y ffasiwn gyfaill cywir ynoch chi,' meddai.[130] Roedd Kate yn 'cwbl gredu bod Morris Williams a minnau yn gwneud y peth goreu er ein lles'.[131] Bu hi a Morris 'yn gyfeillion da er Machynlleth, a rhyw ddeufis yn ol syrthiasom i'r pwll hwnnw sy'n ddyfnach na chyfeillgarwch'.[132] Mae iaith y llythyr yn gryptig-amwys wedyn, ond gwyddai Saunders Lewis beth oedd ystyr pob brawddeg. 'Gwn y geilw'r byd ni'n ffyliaid,' meddai Kate, 'ond nid yw'n wahaniaeth gennym ni ein dau'.[133] Pam y dylai'r byd alw dau sy'n gwneud peth mor naturiol â hwylio i briodi yn ffyliaid? Roedd bwlch o rai blynyddoedd rhwng y ddau, ac roedd Kate yn ymwybodol iawn o hynny. 'Mae gwahaniaeth mawr yn ein hoed – agos i ddeng mlynedd – a hynny ar yr ochr anghywir,' meddai, ond ystyriaeth ddwysach o lawer oedd y 'gwahaniaeth mewn pethau eraill y gesyd y byd fawr bris arnynt'.[134] Ar gariad mwy confensiynol, mwy derbyniol, rhwng mab a merch, a rhwng gŵr a gwraig, y gosodai'r byd uchelbris, ond, meddai Kate, 'nid ydym ni o'r byd, y byd hwnnw, beth bynnag, ac o'm rhan fy hun nid yw'n wahaniaeth gennyf beth a ddywed neb ond fy nghyfeillion'.[135] Dyna gyfaddefiad diamwys. Ac nid priodas wedi'i seilio ar gariad yn unig mohoni. Roedd yn rhaid edrych ar y mater o bob ongl, i fesur a phwyso pob mantais ac anfantais, fel trefniant busnes bron: 'Ni ddeuthom i'r penderfyniad hwn heb edrych ar y cwestiwn o bob cyfeiriad,' meddai Kate.[136]

Efallai fod awgrym o'r hyn a olygai priodas i Morris a Kate yng ngeiriau

Aleth Meurig yn *Y Byw sy'n Cysgu*, wrth iddo ofyn i Lora ei briodi. 'Petaswn i wedi gwirioni amdanoch chi, nid dŵad yma i ofyn i chi 'mhriodi fi y basech chi, mi faswn wedi'ch cyfarfod chi hanner y ffordd yn rhywle, a mi fuasem ein dau wedi penderfynu priodi efo'n gilydd,' meddai Lora. 'Ond mae yna fath arall o briodi hefyd, wyddoch chi, ac efallai mai dyna'r unig ffordd i rai 'run fath â chi a fi,' meddai Aleth Meurig. Ceir ambell awgrym yma a thraw yng ngwaith Kate fod priodi yn rhoi cyfle perffaith i athrawes roi'r gorau i ddysgu, yn agor drws ymwared iddi. Yn *Y Byw sy'n Cysgu*, er enghraifft, mae Loti wedi sylwi bod Annie Lloyd 'yn hapus iawn bob tro y byddai yng nghwmni Aleth Meurig'. Ac meddai wrthi ei hun: 'Tybed a oedd hi mewn cariad efo fo? Neu ynteu a oedd arni eisiau priodi efo dim ots pwy? Yr oedd yn tynnu am ei naw ar hugain oed erbyn hyn, ac yr oedd wedi dweud ei bod wedi llwyr ddiflasu ar yr ysgol'. Ym 1927 roedd Kate hyd yn oed yn hŷn nag Annie Lloyd, o ryw saith mlynedd.

Er bod Kate yn dyheu am gael priodi, roedd hi hefyd, ar yr un pryd, yn arswydo rhag priodi. Ofnai, fel Morris, y gallai priodas ladd cariad a chyfeillgarwch a llawenydd. 'Efallai mai da i ni beidio cyd-fyw canys buasai arnaf ofn priodi rhag ofn difetha ein llawenydd,' meddai Morris yn ei lythyr at Prosser. Thema gyson iawn yng ngwaith Kate yw'r modd y gall priodas ladd cariad a rhamant, wrth i fywyd galedu parau priod, a hyd yn oed eu chwerwi. Gwyddai hefyd mai rhywbeth byr ei barhad oedd y tymor caru, ac roedd blynyddoedd ei magwraeth yn Rhosgadfan wedi dysgu iddi mai brwydr oedd bywyd priodasol a bywyd teuluol, brwydr barhaus yn erbyn cyni a thlodi, adfyd ac afiechyd. 'Nid yw'r un ohonom,' meddai Kate amdani hi ei hun a'i darpar-ŵr, 'yn ddigon ffol i feddwl mai mêl heddyw a fydd ein bywyd ar ei hyd ond mae gennym fawr hyder, ar sail y cyfeillgarwch oedd yn eiddo inni cyn cyffro'r wythnosau diwaethaf hyn, y medrwn ddal pethau fel ffraeo &c heb fynd yn deilchion'.[137]

Mae llawer iawn o waith Kate yn ymwneud â'r frwydr hon i gadw cyffro'r tymor caru rhag marw dan faich gofalon bywyd, ac y mae'n thema y bu'n ei thrafod ymhell cyn iddi hi a Morris ddechrau canlyn ei gilydd. Dyna'r stori 'Bywyd' (sef teitl gwreiddiol 'Rhigolau Bywyd'), er enghraifft, a gyhoeddwyd yn rhifyn Hydref 1925 o'r *Llenor*. Yn y stori honno mae Dafydd Gruffydd wedi cyrraedd oed yr addewid, ac mae ei wraig, Beti, yn hel meddyliau ynghylch eu bywyd gyda'i gilydd ac yn myfyrio ar ei gŵr. 'Ni fyfyriodd gymaint arno er cyn iddi briodi,' meddir, a chyn i'r ddau briodi, 'yr oedd Dafydd Gruffydd yn un o fil, ond yr oedd byw efo fo wedi ei wneud yn debig iawn i'r gweddill o'r mil erbyn heddiw'. 'Yr oedd gan Feti ormod o synnwyr cyffredin i'w thwyllo ei hun fod rhamant caru yn para yn hir iawn ar ôl priodi,' meddir wedyn. Cadw cariad yn fyw rhag cael ei fygu gan briodas yw thema 'Y Golled' hefyd. Yn y stori honno, a gyhoeddwyd yn rhifyn Gwanwyn 1926 o'r *Llenor*, mae Annie a Ted ei gŵr yn cael tro i ganol y mynyddoedd un dydd Sul, tro i un o'u hoff gyrchfannau adeg caru. Syniad Annie oedd cael y tro hwn, 'i edrych a gâi hi rywfaint o'i hamser caru yn ôl'. Roedd hi a Ted wedi priodi ers blwyddyn a hanner, a 'doedd Annie ddim yn fodlon ar bethau fel yr oeddynt, gan y 'disgwyliai i fywyd priodas fod yn barhad o dymor caru, er ei bod dros ei deg ar hugain pan briododd'. Teimlai Annie 'iddi golli cariad wrth gael gŵr', a gobeithiai y byddai'r tro hwn i un o gyrchfannau eu dyddiau caru yn fodd i ailennyn fflam eu carwriaeth gynt ac ail-greu'r hen gyffro yn y galon, ond ei siomi a gaiff Annie. Daw i sylweddoli bod y dyddiau hynny wedi darfod â bod am byth, a'i bod hi, yn wir, wedi colli cariad wrth ennill gŵr. Ceir yr un ofn yn nofelau Kate yn ogystal. 'Yr oedd yn hapus iawn yn ystod ei thymor caru; ond yr oedd ganddi ddigon o synnwyr i wybod nad ar benllanw'r teimlad hwnnw yr oedd i fyw o hyd' meddir am Jane Gruffydd yn *Traed mewn Cyffion*, gan adleisio myfyrdodau Beti Gruffydd yn 'Bywyd'.

Gwyddai Kate, a Morris, y gallai eu priodas chwalu'n chwilfriw, ond, meddai Kate, 'fe fyddwn yn barod am hynny, oblegid ein bod wedi cychwyn hwylio a'n llygaid yn agored, ac wedi atgoffa ein gilydd o'r lleoedd peryglus ar y daith'.[138] 'Ni chafodd ein hoffter o lenyddiaeth, na'n hawydd i adael llety a chael cartref, na'n atgasedd o waith ysgol na dim felly yr un mymryn o ddylanwad arnom yn y setlo terfynol,' meddai, ond anodd credu hynny.[139] Credai Kate mai hi oedd yn cael y fargen orau, oherwydd bod gan Morris 'ieuenctid, talent a phersonoliaeth, ac os â'n bywyd yn gandryll arno ef y bydd hi waethaf am ei fod mor ifanc'.[140] A byddai wedi priodi Morris yr haf hwnnw oni bai bod costau cynhyrchu *Deian a Loli* wedi ei gadael mewn dyled. Er gwaethaf pob amheuaeth, mewn stad o orfoledd y daeth 1927 i ben iddi. Roedd Kate, o'r diwedd, yn hwylio i briodi.

Roedd ei dyddiau fel athrawes yn Aberdâr bellach wedi eu rhifo a bywyd newydd yn ymagor o'i blaen, bywyd a fyddai'n caniatáu iddi wneud y ddau beth yr oedd yn awchu am gael eu gwneud, llenydda a chadw tŷ. Yn fwy na dim, câi fod yn feistres arni hi ei hun. Roedd Kate yn awr yn llenydda gyda hyder a brwdfrydedd newydd, a gwyddai y byddai ganddi ddigon o ddeunydd ar gyfer casgliad newydd sbon o straeon byrion yn fuan iawn. Ymddangosodd stori fer newydd o'i heiddo, 'Y Gwynt', yn rhifyn olaf 1927 o'r *Genedl*, er nad oedd yn ei hystyried yn un o'i goreuon. Erbyn diwedd Mawrth 1928 roedd yn gweithio ar 'essay ar gaeau' ar gyfer Y Llenor.[141] 'Rhyw hiraeth am fy ieuenctid neu fy mhlentyndod a wnaeth imi ei sgrifennu,' meddai wrth Saunders Lewis.[142] Ond er ei bod yn hiraethu am y dyddiau gynt, am unwaith yn ei bywyd roedd ei phresennol yn hapusach na'i gorffennol. '[M]ae arnaf ofn mai yng ngoleuni fy hapusrwydd presennol yr edrychaf hyd yn oed ar fy mhlentyndod yn awr,' meddai eto.[143] Roedd Kate mewn cariad, ac yn y cyflwr hwnnw o lawenydd gallai edrych ar gyfnod ei phlentyndod yn llawer mwy gwrthrychol. 'Amser prudd yw plentyndod y rhan fwyaf o bobl ac ni bu f'un innau yn eithriad,' meddai, ond, er hynny, 'yr oedd yno lygeidiau o haul a'r llygeidiau hynny a ddisgrifiais i yn eu cysylltiad a'r caeau'.[144]

Ymddangosodd 'Caeau' yn rhifyn yr haf o'r Llenor. Er ei bod ar ben ei digon yn Aberdâr ym mis Mawrth 1928, dianc yn ôl i'w gorffennol yng Nghae'r Gors a wnaeth yn 'Caeau'. Roedd gan bob un o'r caeau hyn bersonoliaeth, meddai, 'ac fel popeth a chanddo bersonoliaeth mae iddynt enwau'.[145] Gallai weld y caeau hyn yn glir yn ei meddwl, a dôi atgofion am ei phlentyndod yn ôl iddi: 'Dim ond imi gau fy llygaid, a gwelaf bob congl o'r caeau hynny ar wahanol adegau o'r flwyddyn. Dyna'r Cae Cefn Tŷ – cae gwneud drygau oedd hwnnw, oblegid yr oeddech yn ddigon sicr na welai neb mohonoch o'r tŷ. Yno y torrwyd y goits bach yn dipiau wrth ei defnyddio i gario plant mwy na babanod'.[146] Ond, un mlynedd ar ddeg ar ôl ei farwolaeth, roedd ei hiraeth am Dei yn ei hysu o hyd:

> Mae un gongl yn Y Weirglodd nad oes bleser o edrych arni. Dyna'r lle y bu un y mae ei fedd mewn gwlad estron, ac un y bu ei ben rhwng y mieri mwyar duon acw, ar brynhawniau dydd Iau yn dal adar. Byddai ef a'i hudlath a'i fyrdleim o'r golwg, ond daw edrych ar y gongl â chân wahodd y nico eto yn ôl i mi.[147]

Erbyn canol Mai roedd Kate yn hel ei straeon ynghyd, gyda'r bwriad o gyhoeddi ail gasgliad o straeon byrion. Roedd chwe stori ganddi eisoes, yn barod i'r wasg, a bwriadai lunio un arall i'w gwneud yn saith. Gofynnodd i Saunders Lewis a fyddai garediced ag ysgrifennu rhagymadrodd i'r llyfr, 'rhywbeth ar gelfyddyd y stori fer' yn hytrach na thrafodaeth ar y straeon.[148] Ni welai Saunders Lewis fod angen rhagymadrodd ar y llyfr. Er mwyn rhoi hwb i lyfr y cynhwysid rhagymadrodd fel arfer, meddai, ac nid oedd angen hynny ar lyfrau Kate. 'Yr ydych yn fwy na mi, Miss Roberts, yr ydych yn artist ac yn athrylith; y mae eich gwaith hefyd wedi ei gydnabod bellach,' meddai, gan ddiolch iddi am feddwl amdano yn y mater hwn.[149]

Erbyn canol mis Mehefin roedd Kate a Morris wedi penderfynu y byddent yn priodi tua'r Nadolig. Bu'r ddau yn cynilo ar gyfer cael tŷ bychan iddynt eu hunain tua mis Ionawr y flwyddyn ganlynol, ac roedd brawd Morris, Dafydd Edmund, yn gweithio ar ddodrefn ar gyfer eu cartref newydd. Cwynai Kate o hyd fod yr ysgol yn ei llesteirio rhag ysgrifennu'r stori olaf ar gyfer ei llyfr. Gadawodd i D. J. Williams a'i briod Siân wybod am ei bwriad i briodi ganol mis Mehefin. Bwriadai'r ddau briodi cyn diwedd y flwyddyn, ac fel yr edrychai pethau ar y pryd, yn Aberystwyth y byddent yn ymgartrefu. Anfonodd D. J. Williams air yn ôl ati i'w llongyfarch hi a Morris am eu penderfyniad i briodi ac i ddymuno'n dda i'r ddau. 'Y mae'r peth pwysicaf o bob peth yn ddios, yn eich huniad [sic] chi'ch dau – cydnawsedd a chyd-ddealltwriaeth ysbrydol,' meddai.[150]

Aeth Kate i Ysgol Haf y Blaid Genedlaethol yn Llandeilo ym mis Awst, ond aeth pethau'n ffradach yno. Roedd plismon wedi cerdded i mewn i Westy'r Castell yn y dref am bum munud wedi un o'r gloch y bore a gweld rhai o aelodau mwyaf blaenllaw'r Blaid yn yfed – Lewis Valentine, D. J. Williams ac R. Williams Parry. Dywedodd Williams Parry wrth y plismon eu bod yn aros yn y gwesty, ond 'doedd dim prawf o hynny, gan nad oedd rheolwraig y gwesty wedi cadw cofrestr o'r rhai a arhosai yn y gwesty yn ystod cyfnod yr Ysgol Haf. Aeth y murmur ar led fod aelodau'r Blaid yn diota, ac nid oedd gan Kate 'fawr o atgofion melys am Landeilo'.[151] Pryderai fod y digwyddiad wedi rhoi bwledi parod i elynion y Blaid Genedlaethol.

Aeth Kate i Rosgadfan ar ôl Ysgol Haf Llandeilo, a threuliodd weddill mis Awst a hanner cyntaf mis Medi yno. Bellach cyfarchai Morris fel 'F'Anwylyd i' yn ei llythyrau. Anfonodd lythyr ato o Faes-teg ar Fedi 12. Roedd ei brawd, Evan, mewn cyflwr drwg ar y pryd. 'Mae'r Dr wedi gorchymyn Ifan i'w wely am o leiaf wythnos ac nid oes ond rhyw ychydig ohonom ni i fynd i'w weld,' meddai.[152] Roedd wedi derbyn dau lythyr gan Morris ar yr un pryd. Roedd Morris yn cynllunio ar gyfer y dyfodol, ac yn gobeithio cael gwaith gyda'r *Faner* yn swyddfa'r *Faner* a'r *Cambrian News* yn Terrace Road (Ffordd y Môr), Aberystwyth, ond roedd hynny yn dibynnu ar reolwr y swyddfa, Robert Read. Golygydd *Y Faner* oddi ar 1923 oedd Prosser Rhys, ac mae'n sicr y byddai Prosser yn croesawu'r cyfle i gael cydweithio â Morris unwaith yn rhagor. Ansicr oedd y dyfodol er hynny yng ngolwg Kate:

> Diddorol oedd clywed am y breuddwydion ynglyn a'r 'Faner' ond hoffwn wybod beth yw barn Prosser am dy siawns di *nwan* [sic] gyda Reed [sic]. Yr hyn sy'n bwysig inni ydyw i ba le'r awn ni ar ol y Nadolig. Os yw'r breuddwydion hyn yn debig o fod yn wir a

dim siawns iti *rwan* gyda Reed, bron na thybiaf y byddai'n werth imi ddal ymlaen yn yr ysgol hyd yr haf.[153]

Yng nghanol yr holl gyffro hwn o baratoi ar gyfer priodi, cafodd Kate ei brifo'n aruthrol:

Ond fe gefais brofi ddydd Sul am y tro cyntaf y frath gyntaf o gael fy mrifo ynglyn a'r gwahaniaeth sydd yn ein hoed. Mae'n debig y bydd yn rhaid imi ddioddef rhagor o'r un peth yn y dyfodol gan ryw bobl. Mi fuasai'n dda gennyf pe nas ganesid fi mor groendenau.[154]

Bu wythnos olaf yr arhosiad hwnnw yn Rhosgadfan yn 'ddigon trist', meddai wrth Saunders Lewis.[155] Dyna pryd y gwelodd ei brawd Evan yn cael ffit o ryw fath, tebyg i ffit epileptig, oherwydd effaith y shrapnel a oedd yn gorwedd yn ei gorff, gan ei hatgoffa am y cyfnod hwnnw a dreuliasai yn Ystalyfera mewn uffern o ysgol. 'Fe deimlais yn rhyfedd – mor rhyfedd nes teimlwn y medrwn ysgrifennu cyfrolau o lenyddiaeth,' meddai, ond gan ofni mai llenyddiaeth chwerw a chreulon fyddai honno.[156] Pryderai yn yr un llythyr nad oedd unrhyw argoel ar y pryd y gallai Morris gael swydd i fynd o Donypandy, ac y byddai'n rhaid i'r ddau fyw yn y Rhondda am blwc, peth a'i blinai yn fawr. Breuddwyd yn y gwynt yn unig oedd cael gwaith gyda'r *Faner*, nid sicrwydd.

Erbyn tua diwedd mis Hydref roedd Kate hithau yn cynllunio ar gyfer y dyfodol, a hwnnw'n ddyfodol storïwraig a nofelwraig, nid athrawes. Bu'n chwilio am gyhoeddwr i'w chasgliad arfaethedig o straeon, a chysylltodd â chwmni Foyles yn Llundain i gael barn a chyngor. Awgrymodd y cwmni iddi gadw'r llyfr yn fyr a'i werthu am hanner coron. Erbyn diwedd 1928 roedd mil o gopïau o *Deian a Loli* wedi eu gwerthu, ac roedd dwy fil eto o gopïau heb eu rhwymo yng ngofal yr argraffwyr yng Nghaerdydd. Gofynnodd Kate i Foyles faint a roddent am y ddwy fil. Cafodd gynnig £35 gan y cwmni, ond byddai hynny'n golygu colled o £90 iddi, a gwrthododd y cynnig. Ym mis Tachwedd cysylltodd â Hughes a'i Fab, Wrecsam, i geisio gwthio'r maen i'r wal, ond ni chafodd foddhad yn y fan honno ychwaith.

Roedd Kate bellach yn dechrau magu profiad ym myd busnes, rhywbeth a fyddai'n gaffaeliad mawr iddi yn y dyfodol. Roedd hi hefyd yn dal i freuddwydio am fwrw ymlaen â'i nofel, *Ysgolfeistr y Bwlch*, yn ogystal â nofel arall a oedd yn dechrau ymffurfio yn ei meddwl, 'nofel am chwarelwyr y dyddiau hyn – a dwyn i mewn yn anuniongyrchol dipyn o fywyd chwarelwyr y dyddiau a fu'.[157] Cyhoeddwyd ysgrif o'i gwaith ar 'Y Nofel Gymraeg' yn rhifyn y gaeaf 1928 o'r *Llenor*, ysgrif hollol wahanol i'w darlith ar yr un pwnc ym mis Ionawr 1927. Mae'n amlwg ei bod yn yr ysgrif honno yn ei pharatoi ei hun yn feddyliol ar gyfer gyrfa fel nofelwraig, a bod *Traed mewn Cyffion* eisoes yn dechrau ystwyrian yn ei phen. Cwynodd yn yr ysgrif na ellid cynhyrchu nofelau Cymraeg o bwys am nad oedd 'bywyd Cymru yn Gymreig' ac oherwydd bod y Cymry yn byw mewn cymdeithas nad oedd 'na Chymreig na Seisnig'.[158] 'Nid oes gennym nofel o gwbl am chwarelwyr Arfon a Meirion, nac am lowyr De Cymru, cyn i'n cyfundrefn addysg droi eu plant yn Saeson, nac am amaethwyr Môn ac Aberteifi,' meddai.[159] Mae'r ysgrif hefyd yn dangos dylanwad Morris a Prosser arni. Un o ddiffygion pennaf nofelwyr Cymru oedd eu hamharodrwydd i ddatguddio eu meddyliau a bwriadau eu calon. 'Dysgwyd inni erioed siarad yn ddistaw bach am yr hyn a elwir yn bechod,' meddai, ac o ganlyniad i hynny 'ni cheir darlun gonest o ddyn'.[160] Ac wrth gloi'r ysgrif, gresynodd, unwaith yn rhagor, mai amaturiaid rhonc oedd nofelwyr Cymru, llenorion oriau hamdden yn unig, ac oherwydd mai gwaith oriau hamdden oedd llunio nofelau i'r Cymry Cymraeg, 'ni fedr neb byth yng Nghymru ysgrifennu nofel'.[161] Pregethu ymroddiad, diffuantrwydd a difrifwch amcan yr oedd Kate yn y pen draw.

Gyda diwrnod y briodas yn agosáu roedd Kate yn byw ar ei nerfau. Awgrymodd Saunders Lewis y dylai hi a Morris briodi mewn eglwys, ond, atebodd Kate, 'mae'n fwrn arnaf feddwl am fynd drwy hynny o seremoni sydd mewn offis heb sôn am eglwys'.[162] Fe'i gwelai ei hun fel Sue Bridehead yn nofel Thomas Hardy, *Jude the Obscure*. Gwrthododd Sue briodi Jude yn y nofel oherwydd bod ganddi 'a nervous horror of marriage', yn union fel Kate. Roedd popeth yn yr ysgol bellach yn ei hatgoffa 'bod y diwedd yn agos'.[163] Ddeuddydd cyn iddi ysgrifennu at Saunders Lewis roedd Prosser Rhys, ar Dachwedd 21, wedi anfon gair ati, ac roedd ei lythyr, mae'n amlwg, wedi aflonyddu arni. Roedd mwy o rybudd nag o lawenydd yn llythyr Prosser:

> Nid wyf yn gobeithio y byddwch fyw'n hapus: ni all artist fyw bywyd hapus, yn ystyr gyffredin y gair, beth bynnag. Ond hyderaf y cewch fywyd dwfn, llawn. Peidiwch a disgwyl gormod oddiwrth y bywyd priodasol. Gellwch ddisgwyl llawer o ddiddanwch cnawd ac ysbryd – llawer iawn. Ond na ddisgwyliwch ormod.[164]

Dywedodd hefyd fod Morris 'yn un o ragorolion y ddaear, ac un y credais i cyn belled yn ôl a 1921 fod ynddo ddefnyddiau artist mawr'.[165] Dim ond canmoliaeth a oedd ganddo i Morris. Roedd yn un 'o ddiffuantrwydd a theyrngarwch eithafol, ac o ragfarnau eithafol hefyd'.[166] Ceir mwy nag awgrym o'r agosrwydd mawr a oedd rhyngddo a Morris, a bron nad oedd Kate yn tresbasu ar dir preifat:

> Adwaenom ein gilydd yn dda. Buom drwy dywydd mawr yn dymhorol ac ysbrydol gyda'n gilydd, a daethom ohono, mi obeithiaf, heb niweidio rhyw lawer o'n adenydd, neu ein traed.[167]

'Da gennyf am eich gwroldeb a'ch penderfyniad,' meddai wrth gloi, yntau hefyd, fel Saunders Lewis, yn edmygu dewrder Kate am fentro i'r fath briodas, ond roedd Prosser Rhys yn sicr y cyfiawnheid y cwbl.[168] Efallai mai mymryn o genfigen a brociodd sylwadau Prosser Rhys, ond byddai ei gloch rybudd yn sicr o seinio'n uwch nag unrhyw gloch briodas ar y diwrnod mawr.

Ar Ragfyr 23, 1928, priodwyd Kate a Morris yn Eglwys Llanilltud Fawr. Gweinyddwyd y briodas gan ficer yr eglwys, Richard David. Ni wahoddwyd neb i'r briodas, na pherthynas na ffrind. Ar wahân i Kate, Morris a'r ficer, dim ond y ddau dyst, Arthur a Miriam Hicks, a oedd yn bresennol yn ystod y ddefod. Priodas gudd, gyfrinachol oedd hi, priodas a gadwyd o olwg y byd. Fel hyn y cofnodwyd yr achlysur ym mhapur lleol Saesneg Kate ar y pryd, yr *Aberdare Leader*, er bod dyddiad y briodas yn anghywir:

> Miss Kate Roberts, B.A., the Welsh short story writer, and until recently Welsh mistress at Aberdare Girls' County School, was married on Boxing Day to Mr. Morris Thomas Williams, now of Cardiff. The marriage was at St. Illtyd Church, Llantwit Major, and it was the first Welsh service held in the church since the Reformation. R. David, B.A., officiated, and the only other persons present were the witnesses.
>
> Mr. Williams had been employed for some years as a linotype operator at the offices of Messrs. Evans and Short, printers, Tonypandy, and he has now obtained a post at the Western Mail Offices, Cardiff. He, also, is a good Welsh writer, and is a native of Groeslon, Carnarvonshire. He has written a book entitled "Troi a Throsi" which will be published shortly. Miss Roberts is a native of Rhosgadfan, Carnarvonshire, a village only a few miles distant from the bridegroom's home; but, strangely enough, they were unknown to each other until 1926, when they met at the Summer School held at Machynlleth in that year under the auspices of the Welsh Nationalist Party, whose headquarters are now at Aberystwyth. Both bride and bridegroom are ardent members of the Nationalist Party. They will reside at Rhiwbina, Cardiff.[169]

Yna ceir paragraff am y ddau lyfr yr oedd Kate wedi eu cyhoeddi, a'i chynlluniau llenyddol ar gyfer y dyfodol.

Bellach, roedd Kate, gyda theimladau cymysglyd, ar fin gadael uffern Aberdâr, ond 'doedd Aberdâr, yn ôl nodyn ffarwél a ymddangosodd yn rhifyn olaf mis Rhagfyr 1928 o'r *Darian*, ddim yn fodlon ei gollwng:

> Prudd yn wir yr ysgariaeth. Prudd hefyd y newid gwaith! Meddylier am dani yn chwennych troi yn wneuthurwr lobscows ac yn lle bod yn enwog fel B.A. yn M.D., neu efallai D.D., sef *Mistress in Domesticity* neu *Doctor in Domesticity*. Dyna'r Garreg Ateb ei chreadigaeth hi ei hun yn cael ei gadael. Hyderaf y dywed hithau fel merch Pharoah wrth ryw Firiam, "mag ef i mi." Gad hefyd y plant, y bu fel mam iddynt. Mae Aberdar fel cyfenw iddi. Yn wir dyma ei *synâm*. Wel, y mae mewn oedran hefyd, h.y. y mae'n unarhugain. Arni hi y mae'r bai. Tosturiwn wrthi ac os try yn ôl fe wel bod Aberdar yn drigfod trugaredd. Lwc dda Kate fach.[170]

Er bod elfen o dynnu coes yn y nodyn hanner cellweirus, hanner gofidus hwn, rhaid bod y cyfeiriad hwyliog-ysgafn at ei hoedran wedi brifo Kate. Roedd hi yn 37 ar y pryd, ac yn ymwybodol ei bod wedi bachu gŵr a oedd yn nes at un ar hugain a hithau yn nes at ddeugain. Gyda bywyd newydd, amgylchiadau newydd a chartref newydd mewn lle dieithr yn ei hwynebu, roedd gwir angen lwc dda arni.

Dim ond wrth ryw lond dwrn o'r bobl agosaf ati yr oedd Kate wedi datgelu ei bwriad i briodi Morris. Un o'r rheini oedd Betty Eynon Davies, a anfonodd lythyr ati ddeuddydd cyn y briodas. Roedd Betty Eynon yn byw yn Llundain ar y pryd ac yn rhannu fflat yno gyda'i chwaer, Hilda. Roedd Kate wedi disgrifio'i gwisg briodas mewn llythyr at Betty. 'Your wedding dress does sound nice – I like that shade of blue particularly,' meddai ei ffrind wrthi, gan lwyr gytuno â hi mai priodi'n dawel fyddai orau.[171] Awgrymodd y câi Kate fwy o amser i lenydda ar ôl priodi. Ar Noswyl Nadolig anfonodd Winifred Rees lythyr ati i'w llongyfarch ar ei phriodas, ond gan ei chystwyo ar yr un pryd am gadw popeth mor gyfrinachol. Ni fyddai modd llenwi ei lle yn Aberdâr, meddai, ond gwyddai y byddai eu cyfeillgarwch yn parhau, er na fyddai hynny yn digwydd ar raddfa feunyddiol bellach. Ddiwedd y flwyddyn, ar ôl y briodas, derbyniodd lythyr oddi wrth ei chyn-brifathrawes, Margaret S. Cook, hithau hefyd yn dymuno'r gorau i Kate.

Erbyn mis Rhagfyr roedd Kate a Morris yn gwybod na fyddai'n rhaid iddynt fyw yn y Rhondda ar ôl priodi. Roedd Morris, fel y nodwyd yn adroddiad yr *Aberdare Leader* ar y briodas, wedi cael gwaith ar y *Western Mail* yng Nghaerdydd ac roedd llygaid y ddau ar dŷ yn Rhiwbeina. Roedd cyfnod wedi dod i ben a chyfnod arall yn ymagor o'i blaen.

7

RHIWBEINA A THONYPANDY
1929–1935

'Petawn i'n mynd i sgrifennu hanes fy mywyd fe fyddai'n llawn ar un ochr o bethau duon, duon, ac ar yr ochr arall o bethau heulog.'

Kate Roberts at D. J. Williams, Chwefror 3, 1931

Symudodd Kate a Morris i Riwbeina yn syth ar ôl y briodas, ac aethant i fyw i rif 8 Lôn Isa. 'Mae'r ffenestri fel llygaid tylluanod yn disgwyl am lenni drostynt, a Chatrin Robaits yn cymryd gormod o ddiddordeb mewn gwneud bwyd a golchi dillad i fynd ati i wneud y pethau sy'n rhaid eu cael cyn y gellir galw tŷ yn dŷ,' meddai wrth D. J. Williams ddeuddydd ar ôl y Nadolig.[1] Catherine Roberts oedd Kate o hyd, nid Catherine Williams. Nid oedd eto wedi dygymod â'i henw newydd. Roedd Catherine Williams yn hoff o Riwbeina. 'Hyd y gwelaf fi mae Rhiwbina yn lle braf iawn i fyw ynddo er na welais i lawer arno eto,' meddai wrth D. J. Williams.[2] Roedd wrth ei bodd yn gweithio yn y tŷ, yn gwneud bwyd ac yn disgwyl Morris adref o'i waith. 'Yr wyf yn berffaith hapus,' meddai, ac yr oedd.[3] Roedd bod yn briod yn gweddu iddi. 'Yr unig beth sy'n fy mhoeni i yw na fuasai Ysgol Haf Machynlleth wedi ei chynnal hanner can mlynedd yn ôl – buaswn wedi priodi ers wyth mlynedd a deugain felly – ac wrth gwrs byddai'n rhaid cael yr un faint o fy mlaen eto!'[4]

Er i Morris gael gwaith gyda'r *Western Mail*, aeth yn ôl i weithio i'w hen gwmni, Evans a Short, yn syth wedi iddo symud i Riwbeina. Aeth ei hen bennaeth o'r cwmni i Riwbeina i'w weld a gofyn iddo fynd yn ôl i weithio iddo. Cytunodd Morris, ar yr amod y câi fwy o gyflog a llai o oriau gwaith, ac na fyddai'n rhaid iddo symud o Riwbeina. A hynny a fu.

Gwraig tŷ gonfensiynol mewn lle ffasiynol oedd Kate bellach. Roedd yn hoff iawn o'i chartref newydd, a gallai ei ail-greu yn ei meddwl ddegawdau ar ôl iddi fod yn byw yno:

> Tŷ bychan twt oedd y tŷ yn Lôn Isaf, ar ganol yr ystad dai oedd wedi ei hadeiladu ynddo; 'Tŷ rhwng gerddi' ydoedd, a'r gerddi yn hynod brydferth o fis Mawrth hyd fis Hydref, a sŵn garddio i'w glywed ymhobman yn ystod y misoedd hynny. Yr oedd ein tŷ ni yn fychan iawn, ond yn dŷ hwylus a hawdd ei gadw'n lân, gan nad oedd dim gweithfeydd o gwmpas y pryd hynny.[5]

Treuliodd Kate ddydd y Nadolig a dydd San Steffan gyda Morris yn Rhiwbeina, wedyn aeth i Faes-teg i aros gyda'i rhieni, ac i atgyfnerthu. 'Euthum cyn deneued a brân y term diwaethaf a gwaith anodd iawn yw ennill nerth a chnawd yn ôl,' meddai wrth Saunders Lewis.[6] Bu'n siarad ym Manceinion ar ddydd Gwener, Ionawr 11, ac aeth oddi yno i fwrw'r Sul yn nhŷ ei hanner brawd John yn Bootle, gan ymweld â'i brawd arall, Evan, a oedd yn yr Ysbyty Milwrol yn Lerpwl, ar yr un pryd. Roedd yn dal i ddioddef o'i hen archoll rhyfel, a'r meddygon yn ceisio'i wella, 'rhag ofn i awdurdodau'r fyddin orfod rhoi mwy o bensiwn iddo'.[7]

Diolchodd Kate i Saunders Lewis am ei gyngor iddi hi a Morris briodi mewn eglwys. Roedd gorfod mynd trwy'r ddefod wedi codi arswyd arni, ond aeth pethau'n well na'r disgwyl:

> Ni thybiais ei fod cyn lleied o helbul; a gwna, fe erys yr argraff; argraff yr amgylchedd, am byth. Nid oedd priodi hanner yr hyn oedd ymadael â'r ysgol. Nid anghofiaf byth y dydd Gwener hwnnw. Meddyliwch am fy mhrifathrawes yn cyhoeddi o flaen yr ysgol na ellid byth lenwi fy lle, nac yn eu serch nac yn y gwaith, a minnau yn cofio am bob gair cas a ddywedais mewn un mlynedd ar ddeg o amser, ac am bob awr ddiog a fu yn fy hanes erioed.[8]

Roedd ei chwpan, bellach, yn llawn. Ofnai Kate y byddai ei rhieni a'i theulu yn wrthwynebus i'r briodas, ond nid felly y bu:

> A dyma fi gartref eto, yn cael fy moddi a charedigrwydd, a'r caredicaf o bawb yw nhad a mam. Er pan fynegais iddynt fy mwriad i briodi, buont y tu hwnt o nobl gan ddangos yn eglur nad taeog eu tras hwy. Ni chyfeiriodd yr un o'm teulu o gwbl at y ffaith fod Morus gymaint yn ieuengach na mi, ac ni ofynnodd mam imi o gwbl a fedrwn i fyw ar lai o gyflog nag a gaf yn awr. A chofiwch mae mam yn un o'r merched hynny y buasai'n well ganddi farw na bod mewn ceiniog o ddlêd.[9]

Rhyddhad a gorfoledd i Kate oedd cael bendith y teulu ar y briodas. Er bod Evan yn yr ysbyty yn Lerpwl, roedd ei brawd Richard Cadwaladr a'i briod Lizzie

Grace yn byw yn Rhosgadfan o hyd, ac roedd Richard wedi hyfforddi ei blant, Megan a Goronwy, i ddymuno'n dda i'w modryb yn ei bywyd priodasol:

Mae fy neiaint a'm nithoedd yn annwyl iawn ar yr achlysur. Y bore ar ol imi ddyfod adref yr oedd Megan (9 oed) a Goronwy (6 oed) yma cyn imi godi. "Lwc dda i chi Mrs Wms," ebe Megan. "Lwc dda i chi Auntie Kate" ebe Goronwy. Y wers yn amlwg wedi ei dysgu, ond Goronwy wedi ei anghofio. Ac mae ar Goronwy eisieu gwybod beth fydd fy enw pan briodaf y tro nesaf!![10]

Roedd Kate, gyda'i synnwyr cryf o deyrngarwch ac ymlyngarwch, yn cael ei rhwygo rhwng ei phriod a'i theulu. Ym Maes-teg yr oedd o hyd ar ddechrau mis Chwefror. 'Mae arnaf hiraeth mawr amdanat,' ysgrifennodd at Morris, gan ofyn iddo dderbyn ei chariad tyneraf.[11] 'Mae'n gas gennyf adael yr hen greaduriaid yn eu henaint, ond rhaid imi fynd at fy mhriod,' meddai wrth Saunders Lewis.[12] Adlewyrchir y croestynnu hwn rhwng gŵr a cheraint yn *Tegwch y Bore*, wrth i Ann orfod penderfynu rhwng ei theulu a Richard, ei chariad:

Methai hi ymddihatru oddi wrth ei theulu. Nid oedd ganddo ef deulu i fod yn bryder iddo. Yr oedd ei meddyliau hi wedi eu gwasgaru ar nifer o bobl, a'i feddwl yntau ar un. A oedd ei chariad yn ddigon tuag at Richard i gau pawb arall allan? Pe deuai storm fawr, a rannai, nid ei meddwl yn unig, eithr ei theimlad hefyd, a allai roi'r cyfan yr oedd ar Richard ei eisiau ganddi iddo? A allai aberthu ei chariad at ei theulu, er mwyn y cariad mwy a hunan-aberthol y gwyddai y dylai ei roi i Richard? Gwyddai ei bod yn ei garu. Ped âi allan o'i bywyd, fe fyddai'n wag. Ond a fyddai'n hollol wag?

Ond Morris a enillodd y tro hwn. 'Yr wyf yn hapus wrth feddwl am fynd ato, oblegid gwn fod llawenydd yn fy aros, y llawenydd hwnnw a ddaw o garu a chael fy ngharu,' meddai.[13] Roedd y ffaith fod eu dyddiau caled y tu ôl i'w rhieni yn lliniaru rhywfaint ar ei phryder yn eu cylch ac yn ei gwneud yn haws iddi eu gadael:

Mae nhad a mam yn cael diwedd oes hapus, ac nid oes arnaf eisieu ond yr un bodlonrwydd ag sydd iddynt hwy yn eu hen ddyddiau, bodlonrwydd pobl onest wedi gweled eithaf drycinoedd bywyd, ond wedi cadw eu calonnau rhag suddo ac yn medru tynnu mwyniant o fywyd hyd yn oed heddyw, er bod y Rhyfel wedi mynd a channwyll eu llygaid.[14]

Bu Kate yn hynod o brysur yn ystod misoedd cyntaf 1929 yn ceisio sefydlu cartref cysurus iddi hi a Morris. Bu hyd yn oed yn Llundain yn chwilio am ragor o ddodrefn, yn ychwanegol at y dodrefn yr oedd Dafydd Edmund, brawd Morris, wedi eu llunio ar eu cyfer. Ni welodd lawer o Riwbeina yn ystod y misoedd hyn, ond Morris, meddai, 'yw Rhiwbina i mi, a gallaf ddywedyd ei fod yn lle braf iawn'.[15] Roedd wedi colli cyflog athrawes a chwynai yn aml fod y geiniog yn brin. Ym mis Ionawr, anogodd Saunders Lewis hi i ymgeisio am swydd is-arholwr gyda Bwrdd Canol Cymru, sef y swydd yr oedd ef ei hun newydd ei gadael, i chwyddo rhywfaint ar ei hincwm. Gwnaeth gais amdani, ac fe'i cafodd yn syth.

Roedd yn rhaid i Morris fod yn Rhiwbeina iddi i raddau. 'Lle anghymdeithasol iawn oedd Rhiwbeina,' meddai Kate ymhen blynyddoedd.[16] Er hynny, deuai rhai cyfeillion i Riwbeina i'w gweld hi a Morris, fel Caradog Prichard, a oedd yn aelod o staff y *Western Mail* yng Nghaerdydd ar y pryd. Yn raddol daeth Kate a Morris i adnabod rhai o Gymry Rhiwbeina:

> Yr oedd Dr. W. J. Gruffydd a Dr. R. T. Jenkins yn byw yn Rhiwbeina ar y pryd a byddem yn eu gweld weithiau. Yn ddiweddarach daeth Dr. Peate a Mrs. Peate yno a byddem yn eu gweld hwythau weithiau. Un arall oedd yn byw yn Rhiwbeina ar y pryd oedd Dorothy Edwards, y nofelydd. Yr oedd ynof awydd mawr am ei gweld, ac wrth fyned heibio i'w thŷ byddwn yn teimlo y dylwn alw yno. Ond ni fedrais erioed fagu digon o wroldeb i gnocio ar ei drws. Bu'n edifar gennyf am hyn gannoedd o weithiau, yn enwedig ar ôl inni fynd i fyw i Donypandy, a darllen am ei marw trychinebus.[17]

Awdures ifanc hynod addawol oedd Dorothy Edwards ar y pryd. Cyhoeddodd gasgliad o storïau byrion, *Rhapsody*, ym 1927, a nofel, *Winter Sonata*, ym 1928. Cyflawnodd hunanladdiad ym mis Ionawr 1934, trwy ei thaflu ei hun dan drên. Cafwyd hyd i bwt o lythyr ar ei chorff, ac ynddo esboniad pam y rhoddodd ddiwedd ar ei bywyd: 'I am killing myself because I have never sincerely loved any human being all my life. I have accepted kindness and friendship, and even love, without gratitude and given nothing in return'. Hynny oedd marw trychinebus Dorothy Edwards. Collodd Kate gyfle gwych i gyfarfod ag awdures yr oedd yn edmygu ei gwaith, ac fe wyddai hynny. Roedd yn byw ym Mhen-y-dre yn Rhiwbeina, 'y tŷ â'r bompren yn croesi ffrwd tuag ato,' fel y cofiai Kate flynyddoedd yn ddiweddarach.[18]

Lle ffasiynol i fyw ynddo oedd Rhiwbeina ar y pryd. Yn un o dai Pentref y Gerddi, 8 Lôn Isa, y preswyliai Kate a Morris, tra oedd W. J. Gruffydd ac R. T. Jenkins, yr hanesydd, yn byw yn Lôn y Dail gyfagos, y drws nesaf i'w gilydd. Ym 1912 sefydlwyd cwmni a alwyd yn 'Cardiff Workers' Co-operative Garden Village Society Ltd' yn unswydd er mwyn adeiladu tai modern mewn lleoliad iachus a hardd yn Rhiwbeina. Ym 1929 yr aeth Iorwerth C. Peate, a weithiai yn Amgueddfa Genedlaethol Cymru yng Nghaerdydd, i Riwbeina, yr un flwyddyn yn union ag yr aeth Kate a Morris yno. Meddai yn ei hunangofiant, *Rhwng Dau Fyd*:

> Menter gydweithredol oedd y 'pentref tai-rhwng-gerddi' yn Rhiwbeina, yn dwyn yr enw rhyddieithol *The Cardiff Worker's* [*sic*] *Co-operative Garden Village*. Fe'i dechreuwyd cyn y Rhyfel Byd Cyntaf gan wŷr fel Syr Daniel Lleufer Thomas, yr Athro Stanley Jevons, yr Athro W. J. Gruffydd ac eraill. Gruffydd a oedd yn gyfrifol am yr enwau Cymraeg – Lôn-y-Dail, Lôn Isa, Pen-y-dre a'r Groes – a chafwyd pensaer da o'r enw Mottram … i gynllunio'r tai … Gofelid bod gerddi a lawntiau o gwmpas pob tŷ – chwi gofiwch W. J. Gruffydd yn canu yn 1917 ym Mhorth Saïd am 'y tŷ rhwng gerddi yn ymyl tre Caerdydd'. Gofynnid i bob un a gymerai dŷ yno brynu nifer o gyfranddaliadau yn y Gymdeithas – hanner canpunt oedd y lleiafswm pan euthum i yno – a châi yntau log blynyddol ar y swm a sicrwydd tenantiaeth am ei oes os mynnai, cyhyd ag y talai rent (rhesymol iawn) yn gyson a chadw ei dŷ mewn trefn. Yr oedd gŵr yn y fan a'r lle yn gofalu am yr holl dai. Rheolid y cwbl gan bwyllgor o'r tenantiaid, a lywyddid gan bob aelod o'r pwyllgor yn ei dro.[19]

Roedd byw yn rhif 8 Lôn Isa yn arwydd sicr fod Kate a Morris wedi codi rywfaint yn y byd, ac arwydd arall o'u statws newydd oedd y ffaith eu bod yn cadw morwyn, merch ifanc o'r enw Hilda Edmunds.

Yn Rhiwbeina y treuliodd Kate un o gyfnodau dedwyddaf ei bywyd. Roedd yn mwynhau bywyd i'r eithaf:

> Byddwn i'n mynd i lawr i Gaerdydd ryw ddwywaith yn yr wythnos, unwaith ar fy mhen fy hun, a bob dydd Sadwrn gyda'm gŵr. Pan awn ganol yr wythnos byddwn yn mynd o gwmpas y siopau, prynu pethau weithiau drwy gael bargen ar gynfasau a phethau tebyg. Galw yn llyfrgell David Morgan am lyfr, a gorffen trwy fynd i dŷ bwyta a chael paned o de gyda *scone*, a theimlo fy mod wedi cael prynhawn hapus. Cyn mynd adref byddwn yn prynu rhywbeth yn sgram i swper.[20]

Ond nid cyfnod o hwyl a hamdden yn unig oedd y cyfnod hwn. Rhôi gwasanaeth llyfrgell David Morgan gyfle iddi ddarllen yn eang heb orfod gwario ei cheiniogau prin ar lyfrau, a darllenodd ugeiniau o storïau Anton Tsiecoff a Guy de Maupassant, dau o feistri mwyaf y byd ar gyfrwng y stori fer. Paratoi ar gyfer gyrfa fel nofelwraig a storïwraig yr oedd Kate o hyd.

Hyd yn oed os oedd Rhiwbeina yn lle anghymdeithasol, cofiai fod 'yna gymdeithasau o fath arall yng Nghaerdydd yr adeg yma'.[21] Roedd nifer o Gymry yn byw yng Nghaerdydd, gan gynnwys Thomas Parry, a oedd yn darlithio yng Ngholeg y Brifysgol, Caerdydd, ar y pryd. Galwodd y Cymry alltud hyn eu hunain yn Gymdeithas y Gwyneddigion, ac arferent gyfarfod yn awr ac yn y man mewn tŷ bwyta yng Nghaerdydd, neu mewn tafarn. 'Ond nid mwynhau'r cymdeithasau yma oedd ein holl fywyd ... Trwy ddarllen llawer fe'm paratois fy hun ar gyfer ysgrifennu storïau ac yn ystod y cyfnod yma yr ysgrifennais *Laura Jones*,' meddai.[22]

Er ei bod wrth ei bodd yn cadw trefn ar ei chartref hi a Morris, nid gwraig tŷ yn unig mohoni. Rhwng mesur llenni a gosod carpedi roedd Kate yn meddwl am gyhoeddi casgliad newydd o straeon byrion. Gwasg Aberystwyth, y wasg a sefydlasai Prosser Rhys ym 1928, a oedd i fod i gyhoeddi'r gyfrol newydd hon, ac roedd Prosser Rhys yn dechrau holi amdani ym mis Chwefror 1929. Gofynnodd Kate i Saunders Lewis beth a feddyliai o *Y Wythïen Aur* fel teitl ei llyfr nesaf, ond nid oedd yn hoffi'r teitl. 'Nid yw'n uchelgeisiol, ond y mae'n goeg-farddonol ac felly yn bell o ddisgrifio eich gwaith,' meddai wrthi, gan ei chynghori i chwilio 'am enw ag aroglau'r pridd ynddo!'[23]

Roedd Kate yn brysur gyda'r Blaid Genedlaethol o hyd, a chyda phapur misol y Blaid, *Y Ddraig Goch*, yn enwedig. Hi oedd yn gyfrifol am Golofn y Merched yn y papur, ac weithiau byddai Morris yn ei helpu i lunio ambell golofn, gan na châi fawr o gymorth gan neb arall. Pryderai Prosser Rhys ei bod yn gwastraffu ei thalentau trwy ofalu am Golofn y Merched, ac roedd 'yn sicr iawn o'r farn bod yn rhaid i chwi roddi eich celfyddyd ymlaenaf'.[24] Roedd hefyd yn brysur yn marcio papurau arholiad y Bwrdd Canol, a dôi hynny â rhywfaint o incwm ychwanegol iddi hi a Morris i gynnal eu cartref newydd.

Erbyn mis Hydref roedd casgliad newydd o storïau byrion gan Kate yn y wasg, *Rhigolau Bywyd*. Roedd ganddi ddwy stori newydd sbon yn y casgliad, 'Meddyliau Siopwr' a 'Dydd o Haf', a'r rheini heb weld golau dydd erioed o'r blaen. Dywedodd wrth Saunders Lewis ei bod yn siomedig iawn yn y ddwy stori. 'Maent yn dila iawn,' meddai.[25] Yn ôl ei harfer, roedd Kate wedi seilio un o straeon y gyfrol newydd, 'Chwiorydd', a gyhoeddwyd yn rhifyn Hydref 1929 o'r *Llenor*, ar brofiad gwirioneddol ac ar bobl o gig a gwaed:

> Fe gostiodd yn ddrud imi sgrifennu'r stori yna, oblegid fy modryb oedd y wraig, a mam oedd ei chwaer. Fe ddioddefodd fy modryb fwy o greulondeb na hynyna, ond buasai dywedyd yr *holl* wir yn gwneuthur y stori yn anhygoel ac yn anghelfydd. Fe ddywedodd fy mam wrthyf un gwyliau wrth imi droi am Aber Dâr, "Pan glywi di fod Nani (dyna ei henw iawn) wedi marw, paid a phoeni yn fy nghylch i, mi fydda i yn hapusach o lawer.[26]

Bwriadai alw ei chyfrol newydd yn *Rhigolau Bywyd* bellach, sef teitl newydd y story 'Bywyd' a gyhoeddwyd yn *Y Llenor* ym 1925.

Cyhoeddwyd *Rhigolau Bywyd a Storïau Eraill* ar gyfer y Nadolig. Cynhwysai rai o'r straeon byrion gorau a ysgrifennodd Kate erioed, fel 'Rhigolau Bywyd', 'Y Golled', 'Rhwng Dau Damaid o Gyfleth', y stori ryfygus honno a ymddangosodd yn *Y Genedl Gymreig* ym mis Rhagfyr 1926, 'Nadolig', 'Y Gwynt' a 'Chwiorydd'. Adolygwyd y gyfrol gan ddau o feirniaid llenyddol mwyaf Cymru ar y pryd, Saunders Lewis, a'i hadolygodd i'r *Western Mail*, dan y pennawd 'A Welsh Classic', a W. J. Gruffydd, a'i hadolygodd i'r *Llenor*.

Yn ôl Saunders Lewis, dim ond un thema oedd ganddi: 'She says that human life has moments of splendour and of exciting beauty, but that it fails to sustain the promise of those moments and falls away into flatness and monotony, and this disillusion is the cause of bitterness or else of hopeless acquiescence'.[27] Barnai fod Kate wedi aeddfedu'n aruthrol oddi ar iddi gyhoeddi *O Gors y Bryniau*. 'It is achievement and not promise,' meddai am *Rhigolau Bywyd a Storïau Eraill*, a byddai i'r llyfr le parhaol ymhlith clasuron llenyddiaeth Gymraeg.[28]

Barnodd W. J. Gruffydd fod 'ei storïau yn garreg filltir bwysig ar ffordd flinderus y Cymry at hunan-fynegiant teilwng o'u hanes a'u hathrylith'.[29] Ynglŷn â nodweddion a themâu'r storïau:

> ... yr un ydyw ag agwedd meddwl y merched a ddarlunia hi yn ei gwaith, dadrith
> cyflawn, cred nad yw'r "teimladau mawr," serch, crefydd, cymdeithas, popeth y
> canwyd amdano hyd yn hyn, ond rhithiau ansylweddol a thros amser; bod i'r teimladau
> hyn i gyd eu cyfnod blodeuo, ond bod y blodyn yn gwywo'n ebrwydd ac yn marw.
> Nid yr haf byr rhamantus hwn sydd yn taro dychymyg Miss Roberts fel artist – y mae
> fel bod dynol rhesymol yn ei gydnabod, – ond y gaeaf a'r oerni sydd yn ei ddilyn; gaeaf
> dros y meysydd lle y bu'r haf gynt, – hyn yw ysgogydd ei hawen.[30]

'A byd merched yw ei byd am mai merched bob amser sydd barotaf i gredu, ac sydd chwerwaf yn eu anghred wedi hynny,' ategodd.[31] W. J. Gruffydd oedd un o'r rhai a hyrwyddodd y myth mai pesimist oedd Kate: 'Pesimist noeth ydyw, yn cyhoeddi ei phesimistiaeth yn ddewr ac yn agored heb falio dim am ddylanwad ei chred ar y brawd gwan'.[32] Llenor colled a llenor trasiedi a thrueni'r ddynoliaeth yw Kate, nid pesimist. Braidd yn llawdrwm, a braidd yn ddall, oedd W. J. Gruffydd yn ei adolygiad. Credai fod *O Gors y Bryniau* yn rhagori ar *Rhigolau Bywyd*. 'Yn hwnnw yr oedd *serenity* yr artist yn amlwg, nid yw mor amlwg o lawer yma,' meddai, a dim ond dwy o'r straeon, 'Chwiorydd' a 'Meddyliau Siopwr', a oedd i'w cymharu â straeon *O Gors y Bryniau*.[33]

Treuliodd Kate dair wythnos gyda'i rhieni yn Rhosgadfan ym mis Mehefin 1930, oherwydd bod ei thad yn wael iawn, a chafodd amser digalon iawn yno, gan na chlywodd 'son am ddim ond am gancer a thiciâu'.[34] Pryderai am ei thad, gan na ddisgwyliai iddo wella. Serch hynny, yng nghanol ei holl bryderon, parhai Kate i genhadu ar ran y Blaid Genedlaethol. Mynychodd Ysgol Haf y Blaid yn Llanwrtyd ym mis Awst, er na ddisgwyliai fod yno, oherwydd salwch ei thad, ac yn yr hydref trefnodd gyfarfod ar y cyd ag Elisabeth Williams, gwraig Griffith John Williams, yng Nghaerdydd, i sefydlu cangen o'r Blaid yno.

Erbyn dechrau mis Hydref roedd Morris yn bwrw ymlaen gyda nofel y rhoddodd iddi'r teitl *Marweidd-dra*, ond nid ail nofel Morris oedd *Marweidd-dra*, ond ailwampiad o *Troi a Throsi*, a gwastraffu ei amser yr oedd Morris. Ni fyddai dim yn dod ohono fel llenor, er bod Kate a Prosser Rhys yn meddwl bod iddo ddyfodol disglair fel nofelydd ac awdur. Trasiedi fechan o fewn trasiedïau mwy ym mywyd Kate oedd methiant Morris fel llenor. Ac roedd Kate hithau yn brysur, ond nid yn ofer brysur fel Morris. Roedd wrthi yn caboli ac yn diwygio rhywfaint ar y gyfres o storïau o'i heiddo a gyhoeddwyd yn *Y Winllan* ym 1925, dan y teitl 'Loli', gyda'r bwriad o gyhoeddi'r cyfan dan y teitl *Laura Jones*.

Cyhoeddwyd *Laura Jones* ym mis Tachwedd 1930, ar gyfer y Nadolig, ond difethwyd yr achlysur gan drasiedi. Ar ddydd Iau, Tachwedd 27, canfuwyd Owen Owen Roberts, hanner brawd Kate, wedi ei grogi ei hun yn 'y peti', sef y tŷ bach, yn yr ardd. Bu farw gwraig Owen Roberts, Margaret, ar Awst 15, 1930, dri mis a hanner cyn i'w gŵr gyflawni hunanladdiad. Dim ond 53 oed oedd Margaret Roberts pan fu farw, ac Owen yn 52. Bu Margaret yn wael am ddwy flynedd gyda chancr yn y gwddw, a bu'n rhaid i'w gŵr roi'r gorau i'w waith fel chwarelwr i ofalu amdani. Roedd tri o blant gan Margaret ac Owen, tair merch o'r enw Jane, Maggie a Lizzie, ac ni allai Owen ymdopi rhagor ar ôl marwolaeth Margaret. 'O, mae'r peth yn ofnadwy,' meddai Kate wrth Saunders Lewis, gan wybod y byddai marwolaeth Owen yn fwy o ergyd i'w thad na neb arall.[35] Roedd tad Kate yn ddigon gwael ar y pryd heb i'r fath drasiedi ei flino a'i falurio ymhellach. 'Poeni ynghylch fy rhieni yn eu hen ddyddiau yr oeddwn fwyaf, oblegid nid âi ddiwrnod heibio heb i'm brawd ymweled â hwy gan ei fod yn byw yn y tŷ nesaf, ac mae'r ardd lle digwyddodd y trychineb o flaen eu llygaid bob dydd o'u bywyd,' meddai wrth D. J. Williams.[36]

Stori am ferch yn croesi'r ffin o blentyndod i ieuenctid yw *Laura Jones*, a stori hefyd am chwalu'r uned deuluol. Roedd yn greulon o eironig fod y llyfr wedi'i gyhoeddi yn ystod mis hunanladdiad Owen, pan dorrwyd yr ail fwlch yn y teulu. Y mae hi, ar ben hynny, yn stori am yr hyn a allasai fod wedi digwydd i Kate pe na bai wedi derbyn yr addysg a gawsai. Mynd i weini oedd tynged anochel llawer merch ifanc yng nghyfnod ei hieuenctid. Nid oedd gan Elin Jôs, mam Laura neu Loli, 'gymaint ffydd â'i gŵr mewn aberthu dros addysg, yn enwedig addysg i ferch'. Priodi a wna merched, a rheitiach fyddai i Loli ddysgu sut i gadw tŷ mewn trefn yn ôl y fam. Wedi i'r tad gael damwain yn y chwarel, anfonir Loli i weini mewn fferm gyfagos o'r enw y Garreg Lwyd. Mater o gadw tlodi draw a chael dau ben y llinyn ynghyd yw'r cyfan.

Mae Loli yn tyfu, ac wrth dyfu ac aeddfedu yn pellhau'n raddol oddi wrth ei theulu. Ni fyn adael ei theulu na gadael ei phlentyndod. Ceir is-gerrynt o rywioldeb drwy'r llyfr. Wrth baratoi dillad iddi ar gyfer mynd i weini, mae'r fam yn dweud ei bod am wneud ei ffrogiau'n llaes, oherwydd 'mi fyddi'n ddynas gyda hyn'. Yr awgrym, mewn oes a gondemniai ac a gosbai famau dibriod, yw y gallai Loli fod yn rhywiol ddeniadol i fechgyn, a rhaid oedd lleihau'r demtasiwn trwy guddio rhywfaint ar ei chorff. 'Does arna i ddim eisio bod yn ddynas,' meddai Loli, yn ddiniwed. Mae hi yr un mor ddiniwed wrth iddi gael ei derbyn yn gyflawn aelod yn y capel a chael y cyngor 'am iddi fod yn eneth dda'. 'Mae hynny'n dibynnu a fydd y bobol yr â i atyn nhw'n dda,' yw ateb Loli. 'Ac mae arnaf ofn bod syniad y blaenor hwnnw a syniad Loli am fod yn dda yn bell iawn oddi wrth ei gilydd,' meddai'r naratif. Ei rhybuddio rhag gadael i fechgyn gymryd mantais ohoni yr oedd y blaenor.

Mae'r diniweidrwydd hwn yn aros gyda Loli am beth amser. Wedi iddi ddechrau gweini yn y Garreg Lwyd, wrth i'w meistres ebychu mai 'Yn y wyrcws y byddwn ni' oherwydd i'w gŵr ganiatáu i Deian gynorthwyo gyda'r cynhaeaf am dâl bychan, 'Felly gwelwch na byddaf yma'n hir,' meddai Loli wrth ysgrifennu at ei theulu; ac wrth i Andreas ysgrifennu at rieni Loli, 'hyd yn hyn, mae hi'n hollol ddiniwed am ffyrdd y byd,' meddai. Yn nrama'r capel, mae Andreas, y gwas ffarm, yn chwarae rhan tramp ond ni allai Loli ddeall sut yr oedd yn bosibl i Andreas fod yn dramp. Mae'r ddrama i gyd yn ddirgelwch iddi: 'Daeth dau blisman – i Loli plismyn go iawn oeddynt – i nôl y carcharor, sef Andreas, i fynd ag ef i'r carchar'.

Hiraeth Loli am ei chartref oedd hiraeth Kate am ei chartref hithau pan oedd yn lletya ym Mangor, ac yn enwedig wedi iddi fynd i Ystalyfera. Trwy fanylion bychain yr awgrymir yr hiraeth hwnnw: 'Yr oedd Bwlch y Gwynt yn y pac ac ym mhlygion y dillad,' meddir, wedi i Loli ddechrau dadbacio ar ôl cyrraedd y fferm. Wrth i ffenest y Garreg Lwyd ddal adlewyrchiad yr haul wrth iddo fachlud, mae Loli yn troi at y ffenest 'gan ddisgwyl gweld yr hyn a welai o Fwlch y Gwynt bob nos, sef yr haul yn machlud dros Sir Fôn'.

Yn *Laura Jones*, eto, ceir mwy nag awgrym o euogrwydd Kate am mai hi, yn hytrach na'i brodyr, a gafodd addysg uwch. 'Nid wyf yn fodlon o gwbl dy fod ti'n gweini yn y fan yna, a minnau'n cael mynd i'r ysgol,' meddai Deian yn ei lythyr at Loli. Kate, ac nid Deian, a deimlai bangfeydd o euogrwydd o'r fath. Mae gan Andreas ddiddordeb mewn barddoniaeth ac awgrymir mai rhai fel Andreas a ddylai gael addysg yn anad neb. 'Mi fuaswn yn licio gweld rhywun sy'n mynd i gael rhywbeth na chefais i rioed mohono – addysg,' meddai Andreas. A dyna'r union beth yr oedd Kate wedi ei gael ar draul ei brodyr.

Colli ei diniweidrwydd fesul hwb a herc a wna Loli, nes iddi yn raddol droi'n oedolyn, gan sylweddoli'r trawsnewid sy'n digwydd yn ei bywyd: 'A dechreuodd Loli feddwl o ddifrif mai Laura Jones ydoedd ac nid Loli'. Cafodd awgrym fod y newid hwn i ddod wrth weld enw llawn Deian – David Jones – ar un o'i lyfrau ysgol: 'Bu agos iddi â gofyn pwy oedd y David Jones yma, ond cofiodd mai dyna enw Deian mewn gwirionedd, ac mai Laura Jones oedd ei henw hithau'.

Y mae *Laura Jones* hefyd yn cofnodi deffroad llenyddol Kate ei hun. Daw 'dyn o'r Coleg' i siarad i'r Gymdeithas Lenyddol: 'Darlithydd yn y Coleg y gelwid ef; er na wyddai Loli beth oedd darlithydd'. Siaradodd y darlithydd 'am hen lenyddiaeth Cymru'. Mae'r dyn hwn yn cael cryn dipyn o ddylanwad ar Loli, nes gwneud iddi feddwl, 'tybed a allai hi ysgrifennu rhywbeth ryw dro'. Ar John Morris-Jones, eto, y seiliwyd y dyn o'r Coleg, sef yr union ddarlithydd a oedd wedi peri i Kate ganfod harddwch ei hiaith. Darllenai Loli fwy a mwy yn y nos wrth fynd i'w gwely oherwydd i'r darlithydd ei hysbrydoli. Mae'n ymddiried ei chyfrinach i Andreas, ac yn dweud wrtho – gyda chryn dipyn o broffwydoliaeth yn hanes Kate ei hun – ei bod 'am geisio bod yn olygydd papur newydd'. Dechreuir cynnal dosbarth Cymraeg yn yr ardal hefyd, ac mae'r athro yn agor llygaid Loli 'i fyd a oedd â chlo arno cynt'.

Erbyn diwedd y nofel mae Loli wedi troi'n Laura, y plentyn wedi troi'n oedolyn. Mae hi'n ddigon hyderus i gymryd rhan Nain yn y ddrama *Beddau'r Proffwydi* – er bod hynny yn amseryddol amhosibl, mewn gwirionedd, gan mai ym 1913 y cyhoeddwyd *Beddau'r Proffwydi*, drama W. J. Gruffydd. Rhaid coluro'i hwyneb i'w heneiddio, ond gydag eironi y mae Deian yn dweud wrthi 'Dy! mi roeddat ti'n edrach yn hen'. Mae amser yn dod rhwng y ddau. 'Yn yr ysgol efo mi y dylit ti fod,' meddai Deian eto, gyda chryn dipyn o eironi. Mae'r dyddiau hynny ar ben. Y tu ôl i ddeffroad llenyddol Loli roedd blynyddoedd Kate yn y Coleg ym Mangor, a'r tu ôl i'w pherfformiad yn *Beddau'r Proffwydi* roedd y dyddiau a'r nosweithiau a dreuliasai gyda chwmni drama'r Ddraig Goch yn Ystalyfera gynt, yn ymarfer ac yn perfformio.

Iorwerth Peate a adolygodd *Laura Jones* i'r *Llenor*, ac roedd braidd yn llawdrwm ar y llyfr. 'Ni cheir yma'r llygad craff, y galon nwyfus a'r synnwyr digrifwch ... a ddylai fod yn eiddo i ysgrifenwyr yr ochr hon i Glawdd Offa ... O ran hynny, prin y ceir y craffter a'r naturioldeb a welir yng nghyfrolau eraill Miss Roberts yn y llyfr hwn,' meddai.[37] Haerodd hefyd fod 'yr elfen sentimental sydd yn cyfodi ei phen mewn amryw o'i straeon byrion' yn amlwg yn y stori.[38] Wfftio at yr adolygiad a wnaeth Kate. Yn wahanol i Iorwerth Peate, canmol *Laura Jones* a wnaeth D. J. Williams, mewn llythyr at Kate. 'Y mae'r stori fel telyneg o brydferth, ac mor hapus â Laura ei hun, a chanddi'r un swyn, syml, anorchfygol,' meddai.[39]

Adolygwyd *Laura Jones* gan Saunders Lewis yn *Y Ddraig Goch*, yn dra ffafriol. Cyhoeddodd yntau hefyd lyfr ar gyfer Nadolig 1930, sef ei nofel ddadleuol *Monica*. Anfonodd gopi ohoni at Kate. Ystyriai Kate hi yn nofel ddewr, onest. Dywedodd fod Saunders Lewis wedi dangos 'yn ddigon eglur bod dyn yn ofni'r hyn ydyw ef ei hun'.[40] Roedd y gwir am ei rhywioldeb yn ei phoeni eto. 'Yn wir,' meddai, 'fe aeth ias o ofn drwof wrth feddwl mai un o'r bobl yna wyf fi, yn cadw'r caead, efallai, ar grochan berw'.[41] Edmygai Saunders Lewis am fentro trafod rhyw yn ddi-ofn o agored yn ei nofel, yn union fel yr edmygai Morris ym 1926 am ddadlennu'r gwir ynglŷn â'i rywioldeb yn *Troi a Throsi*, er mai mewn nofel y dewisodd wneud hynny. Dilyn esiampl Morris a wnaeth pan ddadlennodd hithau y gwir ynglŷn â natur ei rhywioldeb yn 'Nadolig – Stori Dau Ffyddlondeb' ym 1926, ond gyda'r eironi mai ei stori hi yn unig a gyhoeddwyd, ac, o'r herwydd, natur ei rhywioldeb hi yn unig a ddatgelwyd. Rhan enfawr o rwystredigaeth Kate oedd y ffaith na châi ddadlennu'r gwir amdani hi ei hun trwy godi'r caead oddi ar y crochan berw.

Anfonodd Saunders Lewis gopi o *My Life*, hunangofiant Isadora Duncan, y ddawnswraig, a gyhoeddwyd ym 1927, yn anrheg Nadolig i Kate ym mis Rhagfyr 1930. Roedd Kate wedi mwynhau'r llyfr 'fel gwaith dynes o athrylith a feiddiodd fyw ei bywyd ei hun'.[42] Dyna'r union beth y methai Kate ei wneud, byw ei bywyd hi ei hun, a dyna un rheswm pam yr edmygai Isadora Duncan. Roedd Isadora

Duncan yn ddeurywiol, ac fe heriai gonfensiwn a'r hyn a ystyrid yn foesoldeb ar y pryd yn gwbl agored. 'Mae pawb yn mwynhau hanes bywyd pobl od, ond pwy a faidd fyw yr un fath?' gofynnodd i Saunders Lewis.[43] Dywedodd nad oedd hi na Morris yn credu mewn priodas, ond roedd y ddau yn fodlon mynd trwy'r ddefod 'i fyw tali'. Nododd rai llyfrau eraill yr oedd wedi eu darllen ar wahân i *My Life*, sef *The Journal of a Disappointed Man*, Barbellion, *Impressions that Remained* gan Ethel Smyth, y gyfansoddwraig, a *Journal* yr arlunydd Marie Bashkirtseff. 'Ei thrasiedi fawr hi oedd i Lisl, ei phrif gyfeilles, ddigio am rywbeth nas gwyddai, ac i'r bedd gadw ei chyfrinach gyda hi,' meddai am Ethel Smyth.[44] Lisl oedd Elizabeth von Herzogenberg, un o amryw gariadon benywaidd Ethel Smyth. Dyna'r math o lyfrau hoyw a heriol a ddarllenai Kate yn y cyfnod hwn.

Roedd marwolaeth Owen wedi bwrw Kate yn galed. 'Rhywfodd mae rhyw un ergyd fel yna yn eich syfrdanu gymaint, a hyd yn oed yn gwneud crac yn eich pen, fel na fedrwch edrych ar fywyd yn hollol yr un fath,' meddai wrth Saunders Lewis.[45] Diwrnod rhyfedd oedd y diwrnod y bu i Owen ei grogi ei hun, er na wyddai Kate ddim byd am y trychineb ar y pryd. Daeth marwolaeth dau frawd ynghyd ar y diwrnod hwnnw:

> Yn y bore cefais lyfr oddiwrth Gomisiwn Ymerhodrol y Beddau Rhyfel, a rhestr
> beddau Malta ynddo, a pheth o hanes y bechgyn, gyda blociau o gynlluniau'r
> mynwentydd. Yn ffol iawn, euthum dros y rhan fwyaf o'r rhestr a chwiliais am fedd fy
> mrawd. Cefais hyd iddo, a gwnaeth imi neidio'n ol i 1917. Yn awyrgylch ac atgofion
> 1917 y bum i drwy'r bore.[46]

Aeth i Gaerdydd i geisio anghofio awyrgylch ac atgofion 1917, a cheisiodd fwrw ymlaen â'i nofel *Ysgolfeistr y Bwlch*, ond methodd. Roedd Saunders Lewis hefyd yn meddwl am lunio nofel arall, ac yn ystyried gwneud Kate yn destun y nofel honno, 'a hynny oblegid bod disgrifio merch yn wynebu bywyd yn ddewr yn sialens mor enbyd i'm math analitig i o gelfyddyd,' meddai.[47] Fel merch wrol yr ystyriai Kate o hyd.

Roedd y cyffro creadigol yn parhau, er iddi fethu bwrw ymlaen ag *Ysgolfeistr y Bwlch*. Roedd yn gweithio ar ddrama o'r enw *Ffarwel i Addysg* yn ystod gwanwyn 1931. Dywedodd wrth Saunders Lewis fod Morris wedi gorffen ei ddrama ef, er nad oedd Kate wedi ei darllen ar ei newydd wedd eto. Ar ôl iddi gwblhau ei drama, anfonodd Kate gopi ohoni at Saunders Lewis i gael ei farn, ond deunydd nofel a welai ynddi, nid deunydd drama. Er gwaethaf ei feirniadaeth anffafriol arni, anfonodd Kate *Ffarwel i Addysg* i gystadleuaeth y ddrama yn Eisteddfod

Genedlaethol Bangor y flwyddyn honno, dan feirniadaeth D. T. Davies, ond
Cynan a enillodd y gystadleuaeth.

Erbyn haf 1931 roedd Kate a Morris wedi symud i'r Rhondda, ac wedi
cael cartref yn rhif 7 Stryd Kenry, Tonypandy, fel y gallai Morris fod yn nes at
ei waith, ac oherwydd bod y rhent yn rhy uchel i'r ddau allu fforddio ei dalu
bellach. Byddai Kate yn edrych yn ôl ar ei chyfnod yn Rhiwbeina fel un o'r
cyfnodau hapusaf yn ei bywyd. Meddai, flynyddoedd yn ddiweddarach, wrth
goffáu cyn-gymdoges iddi, priod R. T. Jenkins:

> Yr oedd haf 1929, yr haf cyntaf inni yn Rhiwbina, yn haf eithriadol o braf a heulog,
> a daear yr ardal honno yn ddaear ffrwythlon iawn. Gwrychoedd deiliog a blodau
> o liwiau poethion a gysylltaf i â'r pentref hwnnw bob amser, ac yn gysylltiedig â
> hynny serchowgrwydd Mrs R. T. Jenkins ym mha le bynnag y cyfarfyddwn â hi ar y
> rhodfeydd hyfryd hynny.[48]

Byddai haf heulog Rhiwbeina yn tywynnu drwy aml i goedwig dywyll yn ei
hanes yn y dyfodol.

Ym mis Awst 1931, bu farw Owen Roberts, tad Kate. Aeth Kate i Rosgadfan
i fod wrth erchwyn ei wely yn ystod ei gystudd olaf, ac i fod yn gefn i'w mam a
gweddill y teulu. Anfonodd bwt o air at Morris brynhawn dydd Mercher, Awst
12. 'Gwael iawn ydyw nhad ers tri o'r gloch y bore,' meddai, gan nodi bod ei
mam 'yn torri ei chalon weithiau ond yn codi ei chalon wedyn'.[49] Amser creulon
oedd hwn i Kate. Newydd golli ei hanner brawd yr oedd, ac aeth iechyd ei thad
ar y goriwaered byth wedi hynny. Anfonodd air at Morris y prynhawn canlynol
hefyd. 'Mae nhad bach yn ei chanol hi, yn cael llafur mawr ac yn dioedde [sic],'
meddai.[50] Ni allai Kate aros fawr yn ei olwg. 'Mi wyddost un mor wael ydw i am
edrych ar neb yn diodde,' meddai wrth Morris.[51] Bu farw Owen Roberts ar Awst
14 yn 80 oed.

Erbyn mis Rhagfyr 1931, roedd Kate a Morris 'wedi hen gartrefu' yn y
Rhondda, 'ac yn hapus iawn'.[52] 'Gwelwn fwy o bobl mewn wythnos nag a welem
mewn tri mis yn Rhiwbina,' meddai wrth D. J. Williams.[53] Cyfnod cymdeithasol
prysur oedd cyfnod y Rhondda. Galwai pobl i'w gweld, a cheid yno ddigon
o ddarlithoedd a dosbarthiadau. Roedd arwyddion y Dirwasgiad i'w gweld yn
gliriach o lawer yn y Rhondda nag yn Rhiwbeina. Er hynny, câi Kate fywyd y
Rhondda 'mor ddiddorol yng nghanol ei holl dduwch a'i dlodi,' a synnai weithiau
ei bod 'wedi cartrefu mor dda yn y De yma, a'm gwreiddiau inna mor ddwfn
yn Eryri'.[54] Ond eto, hiraethu am Rosgadfan yr oedd o hyd, hiraethu am weld ei

mam wrth iddi ddal i alaru am ei thad, gan wybod ei bod hithau hefyd yn ddolen yng nghadwyn olyniaeth y cenedlaethau, er ei bod yn alltud yn y De ers dwy flynedd ar bymtheg bellach:

> ... ar ambell brynhawn tawel, wrth eistedd wrth y tân yma a'm wyneb tua'r Gogledd, byddaf yn clywed griddfannau fy nhad cyn marw, a byddaf yn meddwl ac yn meddwl, meddwl amdano wedi gweithio'n galed ar hyd ei oes, wedi yfed o gwpanau chwerwaf bywyd, wedi cael llawer o hwyl hefyd, ac yn gorfod dioddef holl ing Angau wedyn. A byddaf yn meddwl am ei dad a'i fam yntau wedyn – hwy wedi dioddef mwy, a'u tad a'u mam hwythau wedi dioddef mwy wedyn mae'n debyg; a dyma finnau i lawr yma, yn etifedd hwnyna i gyd. A daw arnaf hiraeth am gael un gip ar Rosgadfan ac am gwpanaid o de ym Maesteg efo mam.[55]

Ymhen blynyddoedd, byddai'n atgyfodi'r darn hwn am ddioddefaint y cenedlaethau yn ei stori 'Dwy Ffrind'.

Gohebai'n gyson â Saunders Lewis trwy gydol y blynyddoedd y bu hi a Morris yn byw yn Nhonypandy. Ysgrifennai ato pan nad oedd ganddi fawr ddim i'w ddweud weithiau, 'gan mai chwi yw fy meistr llenyddol i, chwi o bawb a welodd gyntaf y medrwn lunio stori'.[56] Roedd Kate yn dal i fwynhau ei rhyddid newydd, ac roedd yn llawn o gynlluniau llenyddol. Ym mis Mai 1932 dechreuodd ysgrifennu nofel â'i chefndir yn y Rhondda, nofel yn adrodd hynt a helynt teulu o ogledd Cymru a symudodd i'r De rywbryd rhwng 1900 a 1910, adeg y dirwasgiad ar y fasnach lechi yn y Gogledd, ond ni ddaeth dim ohoni. Ond er nad oedd yn gweithio mewn swydd lawn-amser mwyach, cael digon o amser i ysgrifennu oedd y broblem o hyd, ac roedd marcio papurau arholiad y Bwrdd Canol yn hawlio cryn dipyn o'i hamser bob hyn a hyn. 'Yn llenyddol yr wyf i'n farw hollol,' meddai wrth Saunders Lewis ym mis Tachwedd 1932.[57] Roedd llawer o alwadau arni yn ystod y cyfnod hwn, a byddai athrawon dosbarthiadau nos a myfyrwyr yn gofyn iddi am gymorth a chyfarwyddyd o bob math.

Yn ystod cyfnod Tonypandy, bu Kate a Morris yn gweithio'n galed iawn dros y Blaid Genedlaethol. 'Bydd y Blaid yn gyfrifol am golledion i lenyddiaeth Cymru,' meddai Kate wrth D. J. Williams a'i briod, gan feddwl am Morris o hyd fel un o lenorion disglair y dyfodol, er bod y dyfodol hwnnw o lwyddiant anochel yn prysur droi'n orffennol o fethiant sicr yn ei hanes.[58] Ac os rhywbeth, roedd Morris yn gweithio'n galetach na Kate hyd yn oed ar ran y Blaid. 'Y Blaid, Blaid, Blaid yw hi yng nghwsg ac effro,' meddai eto wrth D. J. Williams.[59] James Kitchener Davies, a oedd yn athro yng Nghwm Rhondda ar y pryd, oedd yr unig

Bleidiwr yr oedd y ddau yn ei adnabod pan aethant i Donypandy, ond buan y cynyddodd rhif yr aelodau a'r gweithwyr, dan ddylanwad Kate a Morris:

> Rhyw dro penderfynwyd yn ein cwmni bach ni yn Nhonypandy y byddai'n beth
> da ymladd etholiad lleol, a gofynnwyd i'm priod sefyll. Un *ward* oedd Tonypandy a
> Threalaw, os cofiaf yn iawn, gyda thri chynrychiolydd, ond yn lle cynnal etholiad bob
> tair blynedd gyda thri ymgeisydd cynhelid un bob blwyddyn a dewis un ymgeisydd.
> Credaf inni ymgeisio am dair blynedd yn olynol. Ni chofiaf nifer y pleidleisiau, ond
> tybiaf mai 400 a gawsom y tro cyntaf, 600 yr ail dro, a dyfod i lawr yn bur isel y
> trydydd tro.[60]

Yn rhinwedd ei swydd fel is-arholwr i'r Bwrdd Canol ers 1929, cafodd Kate gyfle i ddod i adnabod de Cymru yn drwyadl. 'Rhwng 1931 a 1934, bûm yn ymweled â holl ysgolion [S]ir Morgannwg bron a rhannau o Sir Gaerfyrddin o Gaerffili i Gwm Gwendraeth, â bws a thrên, neu gerbyd,' cofiai.[61] Bu hefyd yn gyfrifol am nifer o ddosbarthiadau nos yn ystod ei chyfnod yn Nhonypandy, gan gynnwys dosbarth dysgu Cymraeg.

Ym 1933, ailagorwyd hen graith pan gyhoeddwyd llyfr o'r enw *Testament of Youth* gan Vera Brittain, er nad oedd y graith honno erioed wedi cau yn iawn. Gwaedai o'r newydd o hyd ac o hyd. Bu Vera Brittain yn gweithio fel nyrs yn ystod y Rhyfel Byd Cyntaf, a chroniclodd ei phrofiadau yn ystod blynyddoedd y rhyfel yn y llyfr. Collodd ei dyweddi, Roland Leighton, a'i brawd, Edward Brittain, yn y rhyfel, a daeth y llyfr â holl hunllefau'r blynyddoedd hynny yn ôl yn fyw i Kate. Anfonodd lythyr at Vera Brittain ac anfonodd hithau air yn ôl ati:

> I am most interested to learn of your brother's connection with Malta, but so grieved
> to know that you lost him after all his struggle for life. The first hospital he was in was
> called Cottonera. I left Malta in May, 1917, so I was there at the same time as he was. I
> know Pietà Cemetery very well. You could not wish for him to be buried in any more
> beautiful place as it is full of cypresses and flowering shrubs of all colours. I knew Nurse
> Fairfax-Taylor; she came out from England on the "Britannic" at the same time as I
> did. The fate of your brothers during the War is sadly typical of all our generation.[62]

Roedd un peth arall hefyd yn clymu'r ddwy:

> I am most interested to learn that you are working to prevent Wales from being
> dragged into another imperialist war. As a member of the Labour Party, with a husband
> who is a Labour Candidate, I am trying to do much the same thing for this country.[63]

A gorffennodd ei llythyr gan obeithio y byddai Kate yn llwyddo i gwblhau ei nofel hir. Nofel yn dwyn y teitl *Suntur a Chlai* oedd honno, a bwriadai Kate ei hanfon i gystadleuaeth y nofel yn Eisteddfod Genedlaethol Castell-nedd ym 1934.

'Yr wyf wrthi'n ddygn ar fy nofel at Gastell Nedd (ond na fyneger i neb mai at Gastell Nedd y mae),' ysgrifennodd at Saunders Lewis ym mis Rhagfyr 1933.[64] Gofynnwyd am nofel a oedd yn cwmpasu 'Tair Cenhedlaeth' yn Eisteddfod Genedlaethol Castell-nedd, a chynigiwyd £50 o wobr. Erbyn mis Chwefror 1934, 'Mae fy nofel yn tyfu fesul tipyn. Ysgrifennais eisoes tua deng mil o eiriau,' meddai wrth D. J. Williams.[65] Erbyn diwedd 1934 roedd Kate wedi anfon copi llawysgrif o'i nofel at Saunders Lewis, i gael ei farn. Ni chredai fod y nofel gystal â'i straeon byrion:

> Yn y straeon mi gaf angerdd a chywasgiad nerth mewn meddwl ac ymadrodd sy'n briod ddawn gennych. Nid oes disgwyl cael yr un angerdd cynnil mewn nofel, bid sicr; ond mi gredaf fod crefft y stori fer wedi mynd yn ail natur i chi, ac nad ydych wedi cael yr un afael ar grefft nofel. (Maddeuwch fy rhyfyg!). Hynny yw, mewn *darnau* y caf i eich gorau digymar chi yn disgleirio yn y nofel hon.[66]

Er hynny, teimlai 'fod darn mawr o fywyd ac o brofiad wedi ei gyfleu imi, ac yr oeddwn wedi cael trem ar fywyd teulu yn ardal y chwareli a adawai arnaf argraff wirioneddol'.[67] Beirniadaeth arall ar y nofel ganddo oedd bod y 'bywyd a ddisgrifir yn y nofel ar y cyfan yn undonog iawn' a bod yr undonedd hwnnw 'i'w briodoli i'r ffaith fod yr ymdriniaeth yn aros gydag arwynebedd profiad, ac yn bodloni ar fod y profiad arwynebol yn ddihelynt'.[68] 'Y bywyd cynhyrfus, dwys hwn odditan amgylchiadau a digwyddiadau cyffredin, dyna'n union y dwyster sydd yn eglur yn eich straeon byrion chwi, megis yr olaf oll yn *Y Llenor*, a hynny yw cyfrinach eu mawredd hwy,' meddai drachefn.[69] Newydd ymddangos yn *Y Llenor* yr oedd 'Y Tro Olaf' ('Y Taliad Olaf' wedyn), un o'i straeon medrusaf.

Cytunodd Kate â rhai pethau a ddywedodd Saunders Lewis, ac anghytunodd â phethau eraill, yn enwedig y sylw nad oedd gan gymeriadau'r nofel 'fywyd ysbrydol o gwbl' a'u bod 'ar yr wyneb i gyd', a'r ffaith na allai ddeall pam yr oedd 'ysgol a choleg yn llenwi gymaint â hyn o fywyd y chwarelwyr'.[70] Ceisiodd Kate ei oleuo ynglŷn ag obsesiwn y chwarelwyr a'u teuluoedd ynghylch addysg, a hynny yn anochel, o gofio iddi hithau hefyd fod yn gynnyrch y dyhead hwnnw ar ran teuluoedd yr ardaloedd chwarelyddol i roi addysg i'w plant:

> Fe all bod son am addysg yn anniddorol i chwi am na chawsoch erioed drafferth i'w gael. Ond yn "Suntur a Chlai", rhan o'r broblem economaidd ydyw. Tra fo cyflwr economaidd y gweithiwr fel y mae, ni chewch mohono byth i edrych ar addysg o

safbwynt gwahanol. Moddion i wella ei gyflwr economaidd yw addysg iddo ef. Dyna paham mae cymaint o fyfyrwyr Cymru'n mynd yn athrawon, o safbwynt eu rhieni mae eu cyflogau'n ddiogel, yr hyn nad ydyw cyflog y tadau. Ac ni ellwch feio pobl (y rhieni a feddyliaf yn awr) am geisio diogelwch pan ystyrrir i'w bywyd hwy fod mor ansicr ar hyd y blynyddoedd. Yr oedd hynny'n fwy gwir yn hanes chwarelwyr na neb arall, Fe wyddai gwas ffarm tua 1910 mai 12/– yr wythnos a gai o gyflog, ond ni wyddai chwarelwr pa un ai 7/6 ai punt. Cofiaf yn dda ar f'ail flwyddyn yn y Coleg imi feddwl y cawn *cubicle* gweddol rad yn yr Hostel, ond erbyn imi fynd yno nid oedd i'w gael a bu'n rhaid imi ysgrifennu adref am £6.10 yn rhagor, ac nid anghofiaf byth yr ing yr euthum drwyddo wrth ysgrifennu ac wrth feddwl am mam yn derbyn fy llythyr bore trannoeth ac yn methu gwybod sut i fenthyca'r arian.[71]

Gwahanol i farn Saunders Lewis oedd barn Prosser Rhys, pan gafodd yntau gopi llawysgrif o'r nofel i'w law. 'Y mae'n un o bethau gwychaf y ganrif hon mewn rhyddiaith,' meddai, oherwydd bod y stori wedi ei gweu'n fedrus a'r portreadau yn fyw, 'wedi eu cyfleu gyda medr artist, – a'r ysgrifennu yn odidog'.[72] Beirniad cystadleuaeth y nofel yng Nghastell-nedd oedd Tom Richards, ac er mawr syndod i bawb, hanner y wobr a gafodd Kate. Grace Wynne Griffith a gafodd yr hanner arall, am ei nofel *Creigiau Milgwyn*. Newidiodd Kate deitl ei nofel hithau, a byddai'n rhaid aros am ryw ddwy flynedd arall cyn y câi'r clasur hwnnw, *Traed mewn Cyffion*, ei gyhoeddi.

Yn ystod blynyddoedd y locustiaid y bu Kate a Morris yn byw yn Nhonypandy. Gwelodd y ddau lawer o ddioddefaint yno:

Gwelsom lawer o effaith y dirwasgiad yn y tai llwm; gwelsom lawer o garedigrwydd hefyd. Ychydig iawn o'u trigolion a allai siarad Cymraeg, ond yr oedd y rhan fwyaf yn ymwybodol eu bod yn Gymry er na wyddent yr iaith.[73]

A bu Kate yn gweithio'n galed i liniaru cyni teuluoedd Cwm Rhondda, gyda'r pryder hwnnw am eraill a oedd mor gynhenid i'w natur:

Cefais i siawns arall i ddyfod i wybod am y dioddef a'r tlodi. Dau Nadolig ar ôl ei gilydd anfonodd myfyrwyr un o neuaddau preswyl Coleg Aberystwyth i mi bentyrrau o ddillad plant wedi eu gwau eu hunain i'w rhannu rhwng y teuluoedd mwyaf anghenus. Byddwn yn cael gwybod trwy bobl y gellid dibynnu arnynt pa rai oedd yr achosion mwyaf teilwng, a pha rai oedd y rhai a wnai ddefnydd iawn o'r dillad. Un teulu yn byw mewn dwy ystafell a chanddynt bedwar o blant; y tad yn dioddef oddi wrth glefyd llwch y garreg. Plentyn dall mewn teulu arall; a'r tad yn mynnu mai tlodi oedd achos y dallineb.[74]

Daeth cyfnod Tonypandy i ben ym mis Hydref 1935. Bellach roedd cynlluniau newydd cyffrous ar y gweill gan Kate a Morris, ac erbyn hydref 1935 roedd y ddau yn dechrau hel eu pac i symud yn ôl i'r Gogledd. Yn ystod blynyddoedd Rhiwbeina a Thonypandy, roedd Kate wedi cyhoeddi dau lyfr, roedd wedi llunio ei nofel gyntaf, ac roedd ganddi bron ddigon o storïau i gyhoeddi casgliad arall o straeon byrion. Bu'n gyfnod hynod o greadigol. Yn ystod y cyfnod hwn hefyd y lluniodd ei drama *Ffarwel i Addysg*, ac er mai drama arall a enillodd y wobr, fe berfformiwyd drama Kate ym Mhentre, Y Rhondda, ar nos Fercher, Rhagfyr 14, 1932, gan y Gymdeithas Hyrwyddo Dramâu Cymraeg, gyda James Kitchener Davies yn cymryd rhan un o'r cymeriadau, 'fel hen law ar y llwyfan'.[75] 'Yr oedd y neuadd yn gysurus o lawn ac ni siomwyd y dyrfa,' meddai adroddiad *Y Darian* ar y perfformiad.[76] Nid dyna'r unig ddrama y bu'n ymhél â hi yn ystod y cyfnod. Ym 1935, talodd Kate y gymwynas yn ôl i Kitchener Davies trwy actio yn ei ddrama *Cwm Glo*, y gwrthodwyd ei gwobrwyo gan y beirniaid yn Eisteddfod Genedlaethol Castell-nedd ym 1934 oherwydd ei hanfoesoldeb. Ffurfiodd Kitchener Davies ei gwmni ei hun, Cwmni'r Pandy, yn unswydd er mwyn perfformio'r ddrama yn y De, ac roedd Morris a Kate yn aelodau o'r cwmni hwnnw. Fel y cofiai Kate:

> Cofir helynt ei ddrama *Cwm Glo* gan y rhai sy'n ddigon hen i gofio, y ddrama nas gwobrwywyd. Ffurfiwyd cwmni i actio'r ddrama, a buom yn cydweithio wedyn am rai misoedd, gan fyned â'r ddrama o gwmpas i rannau o'r De, a 'gwydnu bydd y gydnabyddiaeth' mewn cwmnïau drama. Ac fel yna y daw darlun ar ôl darlun o'r amseroedd hynny yn ôl imi, pedair blynedd o weithio caled, ond pleserus, yng nghanol diweithdra'r Rhondda, a chyfeillgarwch yn tyfu ac yn mynd yn ffyrfach a chlosiach drwy lenydda, sôn am lenyddiaeth a gwleidydda.[77]

Yn wir, roedd ganddi ddiddordeb mawr ym myd y ddrama yn ystod y cyfnod hwn. Bu'n cynnal dadl gyhoeddus gyda Thomas Parry ar dudalennau *Y Genedl Gymreig*, rhwng mis Chwefror a mis Ebrill 1931, ynghylch y duedd ar y pryd i berfformio dramâu a oedd wedi eu cyfieithu ar draul chwarae dramâu Cymraeg gwreiddiol, gyda Kate yn dadlau o blaid dewis dramâu a luniwyd yn wreiddiol yn y Gymraeg. Ond bellach roedd y llen yn cwympo ar ddramâu Kate a Kitch, ac ar lesni Rhiwbeina a llwydni Cwm Rhondda, wrth i fro Twm o'r Nant, yr anterliwtiwr, gymell Kate a Morris yn ôl i'r Gogledd.

8

DINBYCH A GWASG GEE
1935–1939

'Yr ydym yn cartrefu'n hapus iawn yn Nimbech yma.'

Kate Roberts at D. J. Williams, Mawrth 24, 1936

Ym 1935 clywodd Prosser Rhys fod hen swyddfa Gwasg Gee a'i Fab i gael ei gwerthu, a rhoddodd wybod am hyn i Kate a Morris. Roedd Morris wedi bod yn chwilio ers tro am swyddfa lle gallai argraffu yn ôl safonau uchaf y grefft, a symudodd ar unwaith, yn enwedig wedi iddo glywed bod pobl o Lundain yn holi ynghylch Gwasg Gee. Ar Hydref 6, 1935, anfonodd Kate a Morris lythyr at D. J. Williams a'i briod Siân i'w hysbysu eu bod 'yn cymryd drosodd fusnes argraffu Thomas Gee a'i fab, Dinbych ymhen pythefnos,' ac y byddent hefyd yn symud i Ddinbych i fyw ymhen pythefnos.[1] 'Yr ydym yn cartrefu'n hapus iawn yn Nimbech yma. Mae yma bobl hynaws, braf, garedig,' meddai Kate wedyn wrth D. J. Williams, bron i chwe mis yn ddiweddarach.[2] Ond nid oedd yr wythnosau cyntaf yn Ninbych yn wynfyd i gyd. Bu Morris yn bur wael am dair wythnos yn dilyn y Nadolig. Aeth i angladd aelod o staff Gwasg Gee a fu farw'n sydyn iawn y diwrnod cyn y Nadolig, a chafodd, yn ôl Kate, 'ryw adwyth ar ei stumog a'i goluddion'.[3] Er hynny, roedd pethau wedi dechrau gweithio'n dda gyda Gwasg Gee, a digon o waith yn dod i mewn.

Aeth Morris ati ar unwaith i gynhyrchu gwaith o safon er mwyn rhoi enw da i'r wasg o'r cychwyn cyntaf. Gwasg Gee a argraffodd lyfr Saunders Lewis, *Daniel Owen: Yr Artist yn Philistia*, ar ran Gwasg Aberystwyth. Roedd Saunders Lewis wrth ei fodd gyda diwyg y llyfr. 'Yn wir, gwnaeth waith godidog arno ac y mae'r llyfr yn hardd ei olwg yn gwbl y tu draw i'm disgwyliad,' meddai wrth Kate, gan awgrymu ei bod yn anfon copi at ysgrifennydd Bwrdd Gwasg Prifysgol Cymru i gael rhagor o waith.[4]

Nid Morris yn unig a fu'n cwyno yn ystod misoedd cyntaf y ddau yn Ninbych. Cafodd Kate helynt gyda'i choes, a bu mewn plaster am chwe wythnos. Trwy salwch Morris a'i hanffawd hithau, daeth i gysylltiad â'r meddyg lleol, J. G. Thomas. 'Y mae'r doctor a ddaeth yma'n fardd ac yn englynwr da iawn,' meddai Kate wrth D. J. Williams.[5] Y gŵr hwn, maes o law, a fyddai'n ennill cystadleuaeth yr hir-a-thoddaid yn Eisteddfod Genedlaethol Llanrwst ym 1951, a hwnnw'n hir-a-thoddaid i T. Rowland Hughes, un o hen ddisgyblion Kate. Mae'n bur debyg mai ar J. G. Thomas y seiliodd Kate y Doctor diwylliedig yn y stori 'Cyfeillgarwch', a gyhoeddwyd yn *Gobaith a Storïau Eraill*, yr un a oedd yn adrodd darnau o waith Thomas Hardy a T. Gwynn Jones ac yn 'sôn am lenyddiaeth, a dweud mor dda yr oedd y Beibl wedi'i gyfieithu, a dyfynnu o'r hen feirdd'. Roedd Kate a Morris yn dechrau dod i adnabod trigolion y dref a'r ardaloedd cyfagos.

Erbyn diwedd mis Mawrth roedd nofel gydfuddugol Eisteddfod Genedlaethol Castell-nedd, *Traed mewn Cyffion*, ar fin ymddangos. Yn y cyfamser roedd Kate wedi darllen y nofel gydfuddugol arall, *Creigiau Milgwyn* gan Grace Wynne Griffith, a chredai ei bod yn nofel hynod o wael. Anfonodd gopi o *Traed mewn Cyffion* at D. J. Williams a Siân ar Ebrill 23, a hynny wedi iddi ddarllen adolygiad T. J. Morgan ar *Creigiau Milgwyn* yn *Y Llenor*. Roedd yr adolygiad hwnnw yn un beirniadol iawn. Ofnai Kate y byddai Grace Wynne Griffith 'yn dweud bod golygydd *Y Llenor* a minnau'n deall ein gilydd i'r dim, a bod yr adolygiad hwn allan yn y pudding time i werthu fy nofel i'.[6] Gyda chyhoeddi'r ddwy nofel, gallai pawb bellach gymharu'r ddwy â'i gilydd, ond roedd nofel Grace Wynne Griffith wedi cael ei chondemnio ymhell cyn i *Traed mewn Cyffion* ymddangos. Cyhuddodd T. J. Morgan un o ddysgedigion y Brifysgol, sef Tom Richards, o wobrwyo nofel wael yn Eisteddfod Castell-nedd. '[C]ymeraf fy llw,' meddai, 'na allai Kate Roberts byth ysgrifennu cyn saled nofel â hon pe bai'n dygn dreio ac yn gwybod y câi'r wobr lawn amdani'.[7] Yr oedd *Creigiau Milgwyn* yn nofel anghytbwys, ystrydebol ar brydiau, a'i mynegiant, yn ogystal â rhannau o'i deialog, yn farddonllyd, ond 'y gwendid pennaf yw nad oes dim cymhelliad uniongyrchol yn yr awdur i sgrifennu'r stori o gwbl'.[8]

Roedd ymateb D. J. Williams i *Traed mewn Cyffion* yn un brwd: 'Y mae'n waith tan gamp yn ddi-os – yn iach, yn gryf, ac yn gywir, – epig y dioddefwyr

– arwyr â'u traed mewn cyffion'.[9] Os oedd iddi wendid, gwendid yr oedd amodau'r gystadleuaeth yn gyfrifol amdano oedd hwnnw, sef gofyn am nofel am dair cenhedlaeth. Golygai hynny fod yn y nofel ormod o gymeriadau a chynfas rhy fychan i fedru eu datblygu'n llawn. 'Y mae eich Cymraeg yn ddigon ei hunan i roi gwynfyd i Gristion – y mae'n ddi-ben-draw o ardderchog,' meddai Saunders Lewis am y nofel, gan ychwanegu ei bod yn rhoi 'ffydd newydd yn ein hiaith a'n llenyddiaeth' iddo.[10]

Adolygwyd y nofel i'r *Traethodydd* gan ŵr a oedd yn gyfarwydd iawn â byd y tyddynnwr a'r chwarelwr, Morris Thomas. Nododd fod gan Kate y 'ddawn sydd yn eich cario i'w chanlyn', a bod yr arddull yn gryno a chynnil, ond synnai ar yr un pryd 'ei bod yn mentro defnyddio cynifer o eiriau llafar gwlad'.[11] Yna cyhuddwyd Kate ganddo o gyflwyno darlun rhy unochrog o fywyd y chwarelwr. 'Gall Miss Roberts weled lliwiau mewn maes a môr a mynydd, ond ni chenfydd ond y du a'r gwyn ym mywyd ei phobl, a mwy o'r du na'r gwyn,' meddai.[12] Un ochr yn unig i fywyd y chwarelwr a welodd, sef yr ochr drist a chaled:

> Nid yw bywyd y chwarelwr lawn mor llwyd a moel â hyn. Gwn i cystal ag undyn am
> ei dristwch, ei wasgfa, a'i bryder, ond nid â'n angof y llawenydd, y direidi, yr hiwmor,
> a'r diddordeb dwys ym mhethau'r meddwl a'r ysbryd. Bywyd aml ei liwiau oedd, a rhai
> o'r lliwiau'n bur danbaid.[13]

W. J. Gruffydd ei hun a adolygodd y nofel i'r *Llenor*. Ar ôl rhoi sgwrfa i Tom Richards yn ei nodiadau golygyddol i ddechrau, gan nodi 'mor ychydig, ar y cyfan, a ddylanwadodd hanner can mlynedd o addysg genedlaethol ar ein chwaeth wrth feirniadu llenyddiaeth,'[14] yn yr adolygiad ei hun nododd fel y gallai 'y gwir artist, y nofelydd y mae'r ddawn ynddo wrth natur ac o awen, suddo o'r golwg am amser yn nhyrfa fawr y rhai sy'n gallu ysgrifennu nofel, heb fod yn nofelyddion'.[15] Yr oedd *Traed mewn Cyffion*, ym marn W. J. Gruffydd, 'yn un o greadigaethau mwyaf y dychymyg Cymreig yn y blynyddoedd diwethaf hyn'.[16] Tynnodd sylw yn arbennig at iaith gyfoethog y nofel: 'Haedda'r iaith ei rhestru gyda'r Cymraeg gorau a gynhyrchwyd gan yr Adfywiad diweddar; nid Cymraeg yr efrydydd yn ymdrechu am idiom sydd yma, ond Cymraeg y Meistr, yn llifo allan yn ddi-ymdrech am fod y perffeithrwydd hwn yn rhan o'r grefft'.[17]

Ar Orffennaf 13, anfonodd Kate lythyr at W. J. Gruffydd i ddiolch iddo am ei adolygiad ar *Traed mewn Cyffion*. Roedd yn falch, meddai, fod o leiaf un wedi deall ei hamcan wrth ysgrifennu'r nofel. Roedd yn ymwybodol fod y cynfas yn rhy fychan ond gwell oedd ganddi neidio dros flynyddoedd na chrynhoi.

Gwyddai mai nofel anghyflawn i raddau oedd *Traed mewn Cyffion*, a bwriadai ei gorffen rywdro drwy ddilyn helyntion William yn y De. Bwriadai ysgrifennu stori arall i'r *Llenor* ond bu'n rhy brysur oddi ar iddi ddod i Ddinbych. Prysur neu beidio, roedd Kate yn troi ei golygon at gasgliad arall o straeon byrion. Roedd ganddi chwe stori ar gyfer ei chyfrol nesaf, meddai wrth W. J. Gruffydd, ond gan ychwanegu bod cyhoeddi llyfrau Cymraeg yn fusnes digalon iawn. Er bod Dinbych yn lle braf i fyw ynddo, roedd un peth yn ei chythruddo ynglŷn â'r dref. Gallai pawb bron yn Ninbych ddeall Cymraeg ond mynnai'r bobl ifanc siarad Saesneg, er mai Cymraeg oedd iaith yr ardaloedd gwledig o gwmpas Dinbych. I gloi ei llythyr, canmolodd ddewrder W. J. Gruffydd ym Mhwllheli. Ar y Maes ym Mhwllheli, ar Fai 23, y cynhaliwyd cyfarfod cyhoeddus i wrthwynebu sefydlu gwersyll hyfforddi awyrenwyr yn Llŷn. Cadeiriwyd y cyfarfod terfysglyd hwnnw yn fedrus ac yn wrol gan W. J. Gruffydd. Ysbryd di-ildio pobl fel W. J. Gruffydd a Saunders Lewis a gadwai Kate rhag rhoi'r gorau i frwydro dros Gymru.

Bu'r Blaid Genedlaethol yn gwrthdystio yn erbyn bwriad Llywodraeth Loegr i sefydlu gwersyll ymarfer arfau a hyfforddi awyrenwyr ym Mhenrhos yn Llŷn oddi ar fis Mehefin 1935. Bwriadai'r Llywodraeth ddinistrio ffermdy Penyberth, ffermdy a fu gynt yn blasty lle câi beirdd eu noddi, er mwyn codi'r gwersyll ymarfer yno. Cyflawnodd y Blaid Genedlaethol ei gweithred ddewraf a mwyaf heriol ym mis Medi 1936 pan losgwyd rhai o gytiau a defnyddiau'r adeiladwyr ar safle'r Ysgol Fomio ym Mhenyberth. Yn oriau mân y bore, Medi 8, aeth Saunders Lewis, D. J. Williams a Lewis Valentine, tri o gyfeillion pennaf Kate, i Benyberth a chreu difrod sylweddol yno. Aeth y tri wedyn i swyddfa'r Heddlu ym Mhwllheli i hysbysu'r awdurdodau mai nhw oedd yn gyfrifol am y weithred symbolaidd hon. Roedd Kate yn llwyr gefnogol i'r gwrthdystwyr, ac anfonodd air at bob un o'r tri yn eu tro. Ddeuddydd ar ôl y weithred, anfonodd lythyr at Lewis Valentine. 'Dyma ddechrau iawn ar bethau, fe wnaethoch waith gwych iawn,' meddai wrtho, 'a phan ddaeth y newydd ar y radio nos Fawrth, yr oedd yma lawenydd mawr, ac mor gynhyrfus oeddwn i fel na chysgais lawer y noswaith honno – cynnwrf o weled pethau mawr yn digwydd ydoedd'.[18] 'Dyma beth yw gwroldeb!' ysgrifennodd at D. J. Williams a'i briod.[19] Er bod gweithred y tri yn achos gorfoledd ac edmygedd mawr iddi, roedd Kate hefyd yn meddwl am deimladau'r gwragedd yng nghanol yr holl gyffro a helynt. 'A chan fod digwyddiadau'r dyddiau diwethaf hyn megis cyhoeddi stâd o ryfel, mae gwroldeb y wraig gymaint ag eiddo'r gŵr,' meddai wrth D.J. a Siân.[20] Ac at Lewis Valentine a'i briod yr ysgrifennodd hefyd, nid at Valentine yn unig. Yr oedd Kate a Morris 'yn falch o galon ohonoch eich tri a'ch gwragedd'.[21]

Dywedodd Kate wrth D. J. Williams fod ei mam yn hynod o gefnogol i'r tri, a bod ei brawd, Richard Cadwaladr, yn meddwl ymuno â'r Blaid Genedlaethol. Byddai hynny yn gaffaeliad mawr i'r Blaid, meddai. Bu'n weithiwr cydwybodol gyda'r Blaid Lafur ers blynyddoedd, ac ef oedd ysgrifennydd cangen ei chwarel o Undeb y Chwarelwyr. Richard Cadwaladr oedd ysgrifennydd Neuadd Bentref Rhosgadfan hefyd, a chredai Kate y gellid ffurfio cangen o'r Blaid yn Rhosgadfan yn rhwydd gyda'i brawd wrth y llyw.

Dridiau ar ôl llosgi'r Ysgol Fomio y cysylltodd Kate â D. J. Williams. Er iddi hi a Morris symud i Ddinbych yn llawn brwdfrydedd, ac er i Kate ymserchu yn y dref i ddechrau, buan iawn y daeth Dinbych yn gyfystyr â chaledwaith a gwawd. 'Yr ydym ni â'n traed mewn cyffion yn y busnes ac ni allwn ar hyn o bryd fod yn amlwg iawn yn ein gweithgarwch,' meddai wrth D.J.[22] Hefyd yr oedd Kate wedi derbyn llythyr ffiaidd 'yn fy annerch i ond yn ymosod ar Morus yn ei gysylltiad â'i waith yma'.[23] Dilornwyd Kate gan y llythyrwr dienw am iddi feiddio beirniadu Lloyd George yn *Y Brython*. Cwyno am y trefniadau ynglŷn â dathlu canmlwyddiant geni Daniel Owen a wnaeth Kate yn *Y Brython*, yn enwedig yng ngoleuni'r ffaith mai un llenor yn unig a gafodd wahoddiad i fynychu'r achlysur. 'I ba beth y mae angen Lloyd George yno? Pa beth a wnaeth ef erioed i lenyddiaeth Gymraeg?' gofynnodd, gan gyhuddo'r gwleidydd o ddefnyddio Cymru 'i ddyfod ymlaen yn Ymerodraeth Lloegr'.[24] Yn Ninbych y postiwyd y llythyr hwnnw.

Ar ddydd Mercher, Medi 16, trosglwyddodd Ynadon Pwllheli achos y tri i Frawdlys Caernarfon. Roedd y prawf bellach i'w gynnal yng Nghaernarfon, Hydref 12–13, a gobeithiai Kate y byddai yno, fel y nododd wrth Saunders Lewis. 'Fe godech eich calon pe clywech fel mae gweithwyr y wlad yn siarad o'ch plaid, a phawb yn bwrw ei geiniog i'r casgliad,' meddai wrtho.[25] Fe lwyddodd Kate i fynd i mewn i'r llys yng Nghaernarfon, a lluniodd adroddiad ar yr achos i'r *Ddraig Goch*. Methodd y rheithgor yng Nghaernarfon â chytuno ar ddedfryd. Ym mis Tachwedd penderfynwyd symud yr achos i Lundain, i'w gynnal yno ym mis Ionawr y flwyddyn ddilynol. Anfonodd Kate lythyr o gefnogaeth at D. J. Williams a Siân ym mis Rhagfyr. Bu Morris mewn arddangosfa argraffu yn Llundain, a manteisiodd ar ei gyfle i fynd i weld Dr Morris Jones, Aelod Seneddol Sir Ddinbych, i ofyn iddo ddefnyddio'i ddylanwad gyda'r bobl a oedd wedi penderfynu symud y prawf i Lundain. 'Credaf y bydd Cymru'n ferw gwyllt os digwydd hyn; er bod arwyddion mewn amryw leoedd mai marw hollol ydyw pobl,' meddai.[26] Er hynny roedd ei mam yn ogystal â'i brawd, Richard Cadwaladr, wedi ymuno â'r Blaid Genedlaethol. Yn wir, yr oedd gwrthdystiad y tri wedi deffro a chyffroi ardaloedd y chwareli. 'Dyna ddechrau'r diwedd,' meddai Kate.[27] Roedd llawer o gydymdeimlad â'r tri yn Ninbych hefyd, 'er mai lle marw iawn yw hwn bellach'.[28] Yn Llundain, yn yr Old Bailey, y cynhaliwyd yr ail brawf, er gwaethaf pob gwrthwynebiad, a dedfrydwyd y tri i naw mis o garchar yn Wormwood Scrubs. Yn raddol, lledaenodd y tân a gynheuwyd yn Llŷn drwy Gymru i gyd.

Ni allai Kate a Morris wneud fawr ddim ond cefnogi'r tri o hirbell. Roedd y ddau yn rhy brysur yn ceisio rhoi Gwasg Gee ar ei thraed, ac nid oedd ganddynt na'r arian na'r amser i fynd i Lundain i gefnogi'r tri. Yn wir, roedd Kate a Morris eu hunain yng nghanol helynt gyfreithiol ar ddechrau 1937, a'r helynt honno yn deillio yn rhannol o helynt yr Ysgol Fomio. Cyhoeddwyd erthygl ddienw am Gymru yn rhifyn Ionawr 21 o'r cylchgrawn *News Review*. Roedd yr erthygl yn trafod yr achos yn erbyn Saunders Lewis, D. J. Williams a Lewis Valentine, ac yn olrhain hanes Plaid Genedlaethol Cymru a hanes rhai o arweinwyr y Blaid. Cyfeiriwyd at Kate a Morris yn yr erthygl fel dau o arweinwyr blaenllaw'r Blaid: 'Kate Roberts, bespectacled and keen, and her husband blond linotypist Morys Williams (editor of the Welsh and English monthly organs of the movement) proudly claim to be "pagans"'.[29] Cythruddwyd Kate a Morris gan y sylwadau enllibus hyn, a chysylltodd y ddau â'u cyfreithwyr, G. Oswald Hughes ac I. D. Hooson, yn Wrecsam. Anfonodd y ddau lythyr at eu hasiantiaid yn Llundain, cwmni o gyfreithwyr a oedd yn arbenigo ar y gyfraith ynglŷn ag enllib ac athrod, i ofyn iddynt a allai Morris a Kate gyfiawnhau dod ag achos o enllib yn erbyn y *News Review*. Poeni am eu busnes, yn naturiol, yr oedd Morris a Kate:

> A large proportion of the business of Messrs. Gee & Son Ltd., consists of printing and publishing reports and other matters for religious bodies in North Wales, and particularly in the Vale of Clwyd district, and a great number of the Company's other customers are strong Nonconformists and Church members who would be adversely influenced by the statement and insinuations contained in the paragraph in question.[30]

Poenai Morris hefyd y byddai cylchrediad y *North Wales Times*, a olygid ganddo ef, yn gostwng yn sylweddol o ganlyniad i'r paragraff tramgwyddus yn *News Review*. Roedd ffeithiau'r papur yn anghywir hefyd. Nid Morris oedd golygydd *Y Ddraig Goch* na *The Nationalist*, er mai yng Ngwasg Gee yr argreffid

The Nationalist. Gwadodd y ddau eu bod yn baganiaid, ond eu bod, yn hytrach, yn Anghydffurfwyr a'u bod yn addoli mewn capel Anghydffurfiol yn Ninbych.

Gofynnodd yr asiantiaid yn Llundain, Woolley Tyler & Bury, i gyfreithiwr o'r enw G. Banks baratoi adroddiad ar y mater, a chwblhaodd yr adroddiad hwnnw ar Ionawr 29. Daeth i'r canlyniad fod sail gyfreithiol i gwynion Kate a Morris yn erbyn y *News Review:*

> ... I think it is open to a jury in this case to take the view that the words meant that these two people had no religious views and were not members of any religious organization and were in fact pagan. When it is remembered that Morris Williams holds a responsible position in a newspaper which is published in North Wales where religious feeling is still very strong I think that a jury and particularly a Welsh jury might well take the view that it was a serious libel.[31]

Gwrthododd perchnogion y *News Review* gydnabod bod y papur wedi dilorni Kate a Morris mewn unrhyw ffordd, ond roeddent yn fodlon cyhoeddi ymddiheuriad rhesymol yn y cylchgrawn, a chynigiwyd swm fechan o arian i Morris a Kate, fel iawndal, yn ogystal â chostau cyfreithiol I. D. Hooson ac Oswald Hughes. Llusgwyd Caradog Prichard i ganol yr helynt hyd yn oed. Anfonodd lythyr diddyddiad at Kate a Morris:

> Gair bach ar frys – ac yn *gyfrinachol* iawn. Daeth rhyw lencyn o'r News Review ar y ffôn gynnau, a dywedyd wrthyf eich bod yn bygwth athrod arnynt. Mynnai gennyf ddywedyd y gallwn brofi eich bod yn Baganiaid!! Wrth gwrs, mi welais sut yr oedd y gwynt yn chwythu a dywedais wrtho na allwn ategu dim mor ofnadwy! Gofynnodd wedyn a allwn i, fel cydnabod, eiriol gyda chwi ar eu rhan. Dywedais wrtho fod y mater yn beth seriws iawn ac yr edrychid ar Bagan yng Nghymru, ac yn enwedig mewn tref fel Dinbych, fel rhywbeth melynach na'r Diawl ei hun. Tybiaf fod hyn wedi rhoi ofn y diawl yn y dyn, a gallwn feddwl bod gennych achos cryf.[32]

Chwythodd yr helynt heibio, ac roedd Kate yn ôl yng nghanol ei phrysurdeb gyda Gwasg Gee ac amryw byd o orchwylion eraill, fel cynnal dosbarth W.E.A. ar y Stori Fer a'r Nofel yn Nhan-y-fron y tu allan i Ddinbych, ac annerch cymdeithasau llenyddol a chyfarfodydd gwleidyddol yma a thraw. Ond er ei holl brysurdeb, cydsyniodd i gyfieithu drama newydd a oedd ar y gweill gan Betty Eynon Davies, ar gais ei ffrind. Enw'r ddrama newydd oedd *Gold and Silver*, ac ar ddechrau mis Ionawr 1937 roedd Betty Eynon yn diolch i Kate am fod yn barod i'w chyfieithu. Roedd hwn yn gyfle i'r ddwy adnewyddu'r hen bartneriaeth yn Ystalyfera gynt, Betty Eynon fel awdures a Kate yn cyfieithu ac yn addasu ei gwaith i'r Gymraeg, ond yr oedd gagendor llenyddol enfawr wedi tyfu rhwng y ddwy oddi ar y dyddiau penysgafn hynny. Ar ddechrau mis Chwefror anfonodd Betty Eynon ati eto. 'Both our names must be on the play,' meddai.[33] 'Everybody will know that I can't write Welsh like yours, and it's a great scoop for me to have you translate it,' ychwanegodd, gan ofyn iddi leoli'r ddrama yng ngogledd Cymru, 'so that the language will be all right'.[34] Ac yna gwahoddodd Kate a Morris i ddod i Lundain i aros gyda hi os hoffent weld y coroni yno! Roedd Llundain ar y pryd yn brysur yn paratoi ar gyfer coroni Siôr y chweched, ar Fai 12. Tra oedd tri o gyfeillion agosaf Kate, a thri o'i chyd-Bleidwyr dewraf a thaeraf, yn dioddef gwawd a sarhad yng ngharchar ei Fawrhydi, roedd Betty yn gwahodd Kate a Morris i weld coroni ei Fawrhydi. Roedd gagendor gwleidyddol enfawr hefyd wedi tyfu rhwng y ddwy. Cyhoeddwyd *Arian ac Aur: Comedi Bedair Act* gan Wasg Aberystwyth ym mis Awst 1937. Yn ôl y 'Nodiad' a geir ar ddechrau'r llyfr: 'Ceisiwyd gwneud rhyw fath o gyfaddawd rhwng yr iaith lenyddol a thafodiaith y Gogledd yn y ddrama hon, fel y bo yn haws ei deall ym mhob rhan o Gymru,' ac mae Betty Eynon yn diolch 'i Miss Kate Roberts am ei chymorth gwerthfawr yn Cymreigio'r ddrama hon,' ond ni roddwyd ei henw ar y clawr.[35] A Kate biau'r ddeialog, er enghraifft:

> Na, Catrin; 'rydw i wedi cael digon ar fy ngwely. Mi ganwyd fi ynddo fô, ac yn fuan, fuan iawn – dim gwahaniaeth fydda' i yn licio hynny ai peidio – mi fydd yn rhaid imi farw ynddo.

Addawodd Kate adolygu dau lyfr i W. J. Gruffydd ar gyfer *Y Llenor* ar ddechrau mis Ionawr. Un o'r llyfrau hyn oedd llyfr W. J. Gruffydd ei hun, *Hen Atgofion*, a oedd newydd ei gyhoeddi ym mis Tachwedd y flwyddyn flaenorol, a *Storïau*, Dilys Cadwaladr, oedd y llall. Ymddangosodd y ddau adolygiad yn rhifyn Gwanwyn 1937 o'r *Llenor*. Wrth dderbyn y gwahoddiad i adolygu'r ddau lyfr, soniodd am y mwynhad a gafodd o ailddarllen y bennod am fam W. J. Gruffydd. Rhoddodd hynny dawelwch iddi. Gyda'r fam yr oedd cydymdeimlad Kate o hyd. Yn yr adolygiad ei hun dywedodd mai'r 'hen amser hapus cyn y Rhyfel a ddisgrifiwyd yn y llyfr' – byd a chyfnod yr oedd hithau yn hiraethu amdano hefyd.[36] Yn yr un llythyr ymddiheurodd i W. J. Gruffydd am anfon ei stori 'Y Cwilt' ato ar gymaint o frys, a byddai'n rhaid caboli rhywfaint arni cyn ei chyhoeddi mewn llyfr. Gobeithiai hefyd orffen *Ysgolfeistr y Bwlch* rywbryd. Ganol mis Chwefror teimlai nad oedd wedi canmol hanner digon ar *Hen Atgofion*, ac aeth ati i ychwanegu at yr adolygiad cyn ei anfon at W. J. Gruffydd.

Yr oedd ganddi lawer iawn gormod o waith, meddai, ac mewn ystâd o flinder yr ysgrifennai bopeth.

Erbyn dechrau 1937, roedd gwasg Faber and Faber yn Llundain yn casglu deunydd ar gyfer blodeugerdd o storïau o Gymru, *Welsh Short Stories*. Cysylltodd Alan Pringle ar ran Faber and Faber â Kate ar ddechrau Mawrth, gan ei gwahodd i anfon stori neu ddwy ato i'w hystyried. Roedd y gyfrol i'w chyhoeddi yn ystod yr haf. Anfonodd Kate 'A Summer Day' a 'The Wind' ato i'w hystyried ar gyfer y gyfrol. Dewiswyd 'A Summer Day', ond gobeithiai'r wasg y gellid cynnwys 'The Wind' yn ogystal, os nad oedd y gyfrol yn rhy hir. Roedd Kate ar y pryd ar ganol trafodaethau gyda'r wasg ynglŷn â chyhoeddi *Traed mewn Cyffion* mewn cyfieithiad Saesneg yn ogystal, ac awgrymodd Alan Pringle y gellid cyhoeddi cyfrol o'i straeon byrion mewn cyfieithiad hefyd. Hir-oedodd y wasg gyda'r bwriad i gyhoeddi cyfieithiad o *Traed mewn Cyffion*. Gofynnwyd i Kate a oedd yn bwriadu cyhoeddi nofel olynol, gan fod *Traed mewn Cyffion* yn diweddu braidd yn swta. Erbyn dechrau mis Medi roedd y wasg wedi penderfynu peidio â chyhoeddi cyfieithiad Saesneg o *Traed mewn Cyffion*, gan y byddai cyfrol o storïau byrion o waith Kate, o bosibl, yn gwerthu'n well, a gellid cyhoeddi'r nofel pe ceid ymateb ffafriol i'r straeon byrion, os oedd Dafydd Jenkins, y cyfieithydd, yn bwriadu bwrw ymlaen â'r cyfieithu.

Roedd Kate a Morris yn cael digon o drafferthion gyda'u gwasg eu hunain. Awgrymwyd i Morris y byddai'n cael mwy o waith i Wasg Gee pe na bai yn aelod o'r Blaid Genedlaethol. Credai Kate y dylai'r Blaid fod yn fwy cefnogol iddynt. Cwmni'r *Herald*, a hwnnw'n gwmni o Saeson, a argraffai'r *Ddraig Goch*, er i Morris gynnig ei argraffu i'r Blaid am yr un pris. Roedd Kate erbyn hyn wedi cymryd yn erbyn rhai o bobl Dinbych, a hynny am fod rhai o bobl Dinbych wedi cymryd yn ei herbyn hi a Morris oherwydd eu bod yn aelodau o'r Blaid Genedlaethol. Dywedodd wrth W. J. Gruffydd ar ddechrau Mawrth yr hoffai gael gradd M.A. er mwyn creu argraff ar 'bobl ddwl' Dinbych, a gofynnodd iddo am arweiniad.[37] Roedd yr Athro Ifor Williams wedi gwrthod datgan cefnogaeth i Saunders Lewis adeg helynt yr Ysgol Fomio, ac ni fynnai Kate gysylltu ag ef gan nad oedd ganddi unrhyw barch tuag ato, er mai ym Mangor y graddiodd. Gofynnodd i Gruffydd a gâi gynnig am y radd yng Nghaerdydd yn hytrach na Bangor, ac a oedd angen iddi ysgrifennu traethawd, neu a fyddai ei holl lyfrau creadigol yn ddigonol. Fodd bynnag, ni ddaeth dim o'r bwriad, a byddai'n rhaid i Kate aros am dair blynedd ar ddeg arall cyn cael cyfle i greu argraff ar 'bobl ddwl' Dinbych.

Yn y carchar yr oedd triwyr Penyberth o hyd adeg cynnal Eisteddfod

Genedlaethol Machynlleth ym mis Awst. Roedd D. J. Williams wedi cael ei ddewis i feirniadu cystadleuaeth y tair stori fer yn Eisteddfod Machynlleth, a chafodd ganiatâd yr Ysgrifennydd Cartref i feirniadu'r gystadleuaeth yn y carchar, ac anfon ei feirniadaeth i'r Eisteddfod oddi yno. Un o'r cystadleuwyr oedd Morris, ac nid cystadlu i ennill a wnaeth, fel yr eglurodd Kate:

> Fel y gwyddys yr oedd y Triwyr Llŷn a losgodd yr ysgol fomio yn y carchar ar y pryd, a'r Dr. D. J. Williams oedd beirniad y stori fer yn yr eisteddfod honno. Cafodd ganiatâd yr awdurdodau (awdurdodau'r carchar), i feirniadu. Y gwanwyn hwnnw, safasai Mr. Gwilym R. Jones a'm priod yn ymgeiswyr, yn enw Plaid Cymru, am sedd ar Gyngor Tref Dinbych, ac aeth y ddau i mewn. Yr oedd ar fy ngŵr eisiau rhoi'r wybodaeth hon i'r tri yn y carchar. Y flwyddyn honno ym Machynlleth rhoddid gwobr am gyfres o storïau byrion. Felly, ped anfonid un stori i mewn yn lle tair byddai allan o'r gystadleuaeth ar ei phen. Beth a wnaeth fy ngŵr ond ysgrifennu hanes yr etholiad, yr ymgyrch ymlaen llaw, nifer y pleidleisiau, a hyd yn oed yr areithiau a draddodwyd wedi'r fuddugoliaeth, a'i anfon dan enw stori i gystadleuaeth y stori fer i Swyddfa'r Eisteddfod. Felly y cafodd y carcharorion un newydd beth bynnag yn y carchar. Yn y Babell Lên, disgwyliem yn eiddgar am sylwadau'r beirniad. Bu D.J. yn ddigon call i beidio â gwneud dim mwy na thaflu'r stori allan o'r gystadleuaeth gydag un sylw na wnaeth neb ddim callach am yr hyn a ddigwyddasai.[38]

Dan y ffugenw *Morus Kyffin*, enw anwes Kate ar Morris, yr anfonwyd y 'stori' i'r gystadleuaeth. 'Er Mwyn yr Achos Da' oedd teitl y stori, ac ar ddiwedd y copi ohoni a geir ymhlith papurau Kate Roberts yn y Llyfrgell Genedlaethol, ceir nodyn yn llaw D. J. Williams: 'Stori wych. Byw byth bo'r 'Achos Da'! DJ' a nodyn hefyd gan Lewis Valentine: 'a felly, meddaf finnau, Fal!'[39]

Erbyn diwedd 1937 roedd Kate wrthi yn paratoi casgliad newydd o storïau byrion ar gyfer y wasg, *Ffair Gaeaf a Storïau Eraill*, a Griffith John Williams yn ei chynorthwyo i ddarllen y proflenni. Dywedodd wrth W. J. Gruffydd ym mis Gorffennaf 1936 fod ganddi chwe stori ar gyfer cyfrol newydd, ond roedd angen rhagor arni. Roedd chwe stori wedi eu cyhoeddi eisoes, 'Y Condemniedig' yn rhifyn Rhagfyr 29, 1931, o'r *Faner*, 'Diwrnod i'r Brenin' yn rhifyn mis Gorffennaf 1933 o'r *Traethodydd*, 'Y Tro Olaf' yn rhifyn Gaeaf 1933 o'r *Llenor*, 'Dwy Storm', gyda'r teitl 'Dau Aeaf' yn wreiddiol, yn rhifyn Rhagfyr 24, 1934, o'r *Genedl Gymreig*, a 'Buddugoliaeth Alaw Jim' yn rhifyn Gwanwyn 1935 o'r *Llenor*. Ymddangosodd y stori a roddodd i'r gyfrol ei theitl, sef y stori am hynt a hanes llond cerbyd trên o bobl ar ddiwrnod Ffair Gaeaf 1932 yng Nghaernarfon, yn rhifyn Rhagfyr 26, 1932, o'r *Genedl*, gyda'r teitl

'Ffair Gaeaf – o'r Wlad i'r Dref', ond gadawyd brawddegau cyfan allan ohoni gan amharu'n ddifrifol ar y synnwyr. Ychwanegodd dair stori arall at y chwe stori hyn, 'Y Cwilt', 'Gorymdaith' a 'Plant', ac yn Ninbych y lluniwyd y rhain. Cyhoeddwyd y gyfrol ddiwedd mis Tachwedd, ac fe'i cyflwynwyd i Saunders Lewis, 'I'w fawredd fel dyn a llenor'. Rhwymwyd rhyw ddwsin o gopïau o'r gyfrol mewn clawr lledr, ac anfonodd y rhain at rai o'i chyfeillion llenyddol, Saunders Lewis, D. J. Williams, R. Williams Parry, W. J. Gruffydd ac eraill. Roedd Saunders Lewis yn hoff iawn o 'Gorymdaith' a 'Plant' yn y casgliad, dwy stori na chyhoeddwyd mohonynt o'r blaen yn unman. 'Gorymdaith' oedd ei stori orau am y Rhondda yn ei farn. Un arall o straeon cyfnod y Rhondda oedd 'Buddugoliaeth Alaw Jim'. Morris a awgrymodd roi'r enw 'Alaw Jim' ar y milgi yn y stori, gan mai dyna'r union fath o enw a roddai dyn o Drealaw ar ei gi.

R. Dewi Williams a adolygodd *Ffair Gaeaf* i'r *Traethodydd*, ac adolygiad anffafriol, hunanamddiffynnol a dialgar oedd hwnnw. 'Unlliw yw'r bywyd a ddisgrifir ynddynt, a thywyll ddilygedyn yw'r lliw hwnnw,' meddai am y straeon.[40] Ar ben hynny, roedd y straeon yn 'dweud y gwaethaf am fywyd, y mae peth heulwen ar bob cwr ohono; ac anodd yw rhoi coel ar ddrych sydd yn adlewyrchu cyn lleied o belydrau'r haul â'r gyfrol hon'.[41] Âi'r awdures, er bod ganddi 'ddawn ddiamheuol at bortreadu',[42] dros ben llestri'n llwyr ar adegau, ac ni wyddai pa bryd i ymatal. Llwyr gondemniodd ddeialog y storïau:

> Siomedig yw'r ymddiddanion rhwng cymeriadau'r storïau. Mae'n wir y gellir dweud
> am yr ymddiddan sydd yn y stori "Ffair Gaeaf," er enghraifft – ei fod yn debyg i'r siarad
> y gellir ei glywed wrth bob stondin ymhob ffair yng Nghymru; ond rhy debyg ydyw,
> – dyna ei ddiffyg. Nid y gamp yw llunio ymddiddan y gallai unrhyw ddau mewn ffair
> ei siarad, a'i siarad heb dynnu unrhyw sylw: y gamp yw llunio ymddiddan y bydd arno
> beth o fflach personoliaeth pob siaradwr … Gormod o ymadroddion llac, rhwydd,
> ffwr-a-hi sydd yn yr ymddiddanion hyn, a'r canlyniad yw y teimlir wrth ddarllen nad
> yw llawer o'r cymeriadau yn neb mwy na'i gilydd.[43]

Ymosododd ar Saunders Lewis hyd yn oed, a hynny am mai ef oedd y cyntaf i ddarganfod athrylith Kate, a'r cyntaf hefyd i glodfori'r union straeon yr oedd R. Dewi Williams wedi eu collfarnu yn Eisteddfod Genedlaethol Caernarfon. 'Buasai gair cynilach na mawredd yn gweddu yn well, ac yn gorwedd yn esmwythach,' meddai.[44] Ac fel hyn, yn swta ac yn ddilornus o Saunders Lewis, y daw'r adolygiad i ben:

Nid i ddibrisio Mr. Saunders Lewis a'i waith y dywedir hyn, ond i gadw chwarae teg i air. 'Mawredd' yw'r unig air hysbys a fedd y Gymraeg pan fo Hanes, ar ôl canrif neu ddwy o hamdden ac ystyriaeth, yn gweld yn iawn ychwanegu enw at restr fer pendefigion yr oesau. Cam â'r gair yw ei ddefnyddio'n rhy gynnar.[45]

Roedd yr ergyd yn un ddwbwl, ergyd i Kate am feiddio cyfeirio at 'fawredd' Saunders Lewis, ac ergyd i Saunders Lewis am hyrwyddo gwaith Kate yn gynnar yn ei gyrfa, yn hollol groes i farn R. Dewi Williams am ei gwaith. Roedd yr adolygiad wedi cythruddo Kate. 'Fe gofiwch am y teimladau da (?) sy rhwng Dewi Wms a minnau er Eisteddfod Caernarfon 1921,' meddai wrth D. J. Williams.[46] Amheuai Kate hefyd mai talu'r pwyth yn ôl yr oedd Dewi Williams am i Morris wrthod cyhoeddi argraffiad newydd o'i gasgliad o straeon byrion, *Clawdd Terfyn*. 'Ond i beth yr oedd arno eisiau ymosod ar Saunders druan, ond wrth gwrs am ei fod yn Rhyddfrydwr rhonc,' meddai, gan ateb ei chwestiwn ei hun.[47]

Roedd adolygiadau eraill yn llawer mwy ffafriol. Awgrymodd D. J. Williams, wrth adolygu'r gyfrol yn *Heddiw*, y byddai beirniaid y dyfodol, o bosibl, yn barnu 'i oes aur rhyddiaith Gymraeg ddiweddar ddechrau gyda storïau Kate Roberts'.[48] 'Mewn modd arbennig iawn, y mae hi'n meddu dawn brin y storïwr i fynd y tu mewn i brofiad pobl eraill a mynegi'r profiad hwnnw'n berffaith,' ategodd.[49] O ran undod thematig, 'tosturi at y dosbarth gweithiol yn ei wasgfa a'i galedi' a geid yn y storïau.[50] Ac yr oedd gan yr awdures dosturi mawr, a'r tosturi hwnnw yn deillio o'i phrofiadau hi ei hun:

Edrychir ar fywyd trwy lygaid dwys a thosturiol un cynefin â dolur, ac a fedd hefyd ddigon o ddoethineb i amgyffred yr hyn a wêl heb na chwerwi na digalonni. Ceir drwy'r cyfan sylwadaeth ryfeddol o dreiddgar, a chydymdeimlad tawel sy'n ddyfnach na dagrau.[51]

'Y Condemniedig' oedd y stori fwyaf yn ei grym gan D. J. Williams, er bod pob un o'r straeon yn fythgofiadwy ganddo.

Er bod ôl tlodi ar straeon *Ffair Gaeaf*, nid artist-bropagandydd mo Kate Roberts yn ôl adolygiad craff Glyn Jones ar y gyfrol yn *Tir Newydd*. 'Y peth sydd yn ei gwahaniaethu'n union oddi wrth y mwyafrif o'r ysgrifenwyr gwerinol, â'u gwreiddiau yn y Slwmp Mawr, 1931, ydyw'r ffaith ei bod yn adnabod gwahanol darddiadau trueni a gogoniant y natur ddynol,' meddai.[52] Un o ragoriaethau'r gyfrol oedd 'ei disgrifiadau gwych o'r munudau tawel, melys, a ddaeth i'w chymeriadau condemniedig yng nghanol trychineb, neu ar ffiniau sicrwydd angau', ac yr oedd gallu Kate 'i gyfleu gwirionedd y cyfyngau tawel hyn, heb leihau dim ar ddifrifoldeb eithaf cyflwr ei chymeriadau, yn arwydd eto o'i hathrylith'.[53] Ar wahân i un feirniadaeth fechan ar ei chamddefnydd o rai ffurfiau berfol, canmol y gyfrol i'r entrychion a wnaeth T. J. Morgan yntau yn *Y Llenor*. 'Fe awn â gormod o ofod i sôn yn iawn am ogoniant ei harddull, ei Chymreigrwydd di-lol, ei gafael ar briod-ddull heb droi'n addurno *de luxe*, y gystrawen foel, uniongyrchol, heb ddim o'r gwychderau a'r tlysau iaith hynny sydd fel pluf paun yng nghynffonnau rhai o'n brain diarddull ystrydebol,' meddai.[54]

Roedd Gwasg Gee, felly, ddwy flynedd ar ôl i Morris a Kate brynu'r wasg a symud i Ddinbych, wedi cyhoeddi llyfr hynod o bwysig, llyfr a ddaethai, yn y man, yn un o glasuron rhyddiaith Gymraeg. Er mai yn Ninbych y cyhoeddwyd y llyfr, nid i gyfnod Dinbych y perthynai'r straeon, ac eithrio un. Roedd tair o'r naw stori wedi eu lleoli yng nghymoedd y De, a'r chwe stori arall yn y Gogledd. Ac fel yr oedd cysgod y byd gwan ar rai o straeon y Gogledd, roedd cysgod y Dirwasgiad ar straeon y De.

Mae sawl un o'r straeon hyn yn ymwneud â'r frwydr yn erbyn tlodi. Cyhuddwyd Kate gan amryw o sôn gormod am arian yn ei gwaith, ond nid yr arian na'r diffyg arian sy'n bwysig, ond y frwydr yn erbyn tlodi a chyni, yn erbyn y byd gwan mewn gwirionedd, ac y mae pob un o'i chymeriadau yn ymladd y frwydr honno yn ei ffordd ei hun. Mae hi'n frwydr cymdeithas ac yn frwydr unigolion ar yr un pryd. Mae'n frwydr hefyd sy'n amlygu'r gorau a'r gwaethaf yn y natur ddynol. I drechu tlodi a chyni ac eisiau rhaid aberthu'n aml, fel y mae Ann yn 'Buddugoliaeth Alaw Jim' yn gwario peth o'r arian yr oedd wedi ei gynilo i brynu het ar brynu afu i'w mab Tomi. Defnyddir dillad ac esgidiau i gyfleu tlodi a chyni yn aml yn y straeon sy'n ymwneud â'r frwydr yn erbyn angen. 'Yr oedd ei berchennog,' meddir am Morgan, perchennog Alaw Jim, 'o hir dlodi, yn ddigon ysgafn ei gorff, ond rhygnai ei esgidiau di-sawdl ar y palmant'. Mae'r ansoddair 'di-sawdl' yn awgrymu'r tlodi hwnnw yn well nag unrhyw ddisgrifiad. 'Yr oedd y siwt yn ddigon hen i fod yn y ffasiwn yr ail dro,' meddir am gôt a sgert Rachel yn 'Diwrnod i'r Brenin'.

Y stori sy'n cyfleu orau werthoedd y gymdeithas y magwyd Kate ynddi yw 'Y Taliad Olaf'. Yn y stori mae Gruffydd a Ffanni Rolant wedi gadael eu tyddyn i fynd i fyw i dŷ moel, yn union fel y symudodd rhieni Kate ei hun o dyddyn i dŷ moel ar ddiwedd eu dyddiau. Dyna oedd y drefn yn ardaloedd y chwareli. Uchelgais Ffanni Rolant mewn bywyd yw clirio'i dyled yn Siop Emwnt, ac yn awr ei bod hi a'i gŵr wedi gwerthu stoc y tyddyn, gall o'r diwedd dalu ei dyled i'r siop yn llawn: 'Dyma hi heno yn gallu gwneud y peth y bu'n dyheu am ei wneud ers degau o flynyddoedd o leiaf – medru cael stamp ar ei llyfr siop a "Talwyd" ar ei draws'. Gweithred symbolaidd yw'r weithred fechan, gymharol ddibwys hon, er bod y weithred yn uchafbwynt oes o ymladd yn erbyn tlodi i Ffanni Rolant. Mae'r weithred o dalu'r ddyled yn dynodi ei buddugoliaeth bersonol hi yn erbyn amgylchiadau anodd a chaled ei hoes a'i chynefin. Mae'n weithred hefyd sy'n dathlu gwydnwch, gwroldeb a phenderfyniad y ddynoliaeth ei hun yn nannedd pob anhawster a phob rhwystr. Ac y mae clirio'r ddyled hefyd yn fater o anrhydedd personol i Ffanni Rolant, ac i bob gwraig arall debyg iddi, yn act ddiriaethol sy'n profi iddi lwyddo i fyw yn ôl canllawiau moesol ac egwyddorol y gymdeithas y cafodd ei magu ynddi. Yn ogystal, mae'r weithred o glirio'r ddyled yn weithred ysbrydol, yn ddefod grefyddol: 'Yr oedd y cyfan, y distawrwydd a'r ofn, fel gwasanaeth y cymun, a'r siopwr yn y pen draw yn gwargrymu wrth ben y llyfrau, a ffedog wen o liain sychu o'i flaen'. Ac mae'r frwydr i gael dau ben y llinyn ynghyd yn frwydr nad oes iddi ddiwedd, yn frwydr a drosglwyddir o'r naill genhedlaeth i'r llall: 'Edrychodd drwy'r ffenestr lwyd, a gwelai'r siopwr eto a'i ben i lawr dros lyfr rhywun arall'.

'Nid ysgrifennais lawer yn fy mlynyddoedd cyntaf yn Ninbych,' meddai Kate, oherwydd iddi gymryd amser i ymgartrefu yno, dod i adnabod pobol, 'a mwynhau ymweled ag ochrau Hiraethog'.[55] Dywedodd wrth D. J. Williams ar ddechrau Rhagfyr 1936 mai'r unig beth o bwys a ysgrifennodd oddi ar iddi gyrraedd Dinbych oedd stori fer ar gyfer y rhifyn nesaf o'r *Llenor*. 'Proffwydoliaeth ydyw am bobl yn torri mewn busnes,' meddai.[56] Mynegwyd yn y stori, 'Y Cwilt', holl bryderon Kate ar y pryd ynglŷn â mentro i fyd busnes. Mae'r stori yn agor gyda Ffebi Wiliams yn disgwyl i'r cludwyr dodrefn ddod i'w chartref unrhyw funud i fynd â'i heiddo hi a'i phriod ymaith i'w gwerthu mewn ocsiwn, gan eu bod ill dau wedi mynd yn fethdalwyr.

Nid 'Y Cwilt' yw'r unig stori a luniwyd ganddi yn ystod ei blynyddoedd cynnar yn Ninbych. Cyhoeddwyd stori arall, 'Sbri'r Pregethwr', yn rhifyn Mawrth 1938 o *Heddiw*, ac ni chyhoeddwyd mohoni yn unman arall. Mae cysgod Dinbych yn drwm ar y stori hon. Y pregethwr yn y stori yw'r Parchedig Effraim Ogden, ac mae newydd ymddangos o flaen blaenoriaid ei gapel, a hynny am y trydydd tro, am ddiota. Ar y trydydd tro hwn mae yna hefyd flaenores yn bresennol, a hi yw'r un fwyaf ffyrnig ei gwrthwynebiad i'w lymeitian. Cywair dychanol sydd i'r stori, a dinoethir gwendidau Anghydffurfiaeth yn ddidrugaredd ynddi. Roedd bywyd capelyddol-gul Dinbych eisoes yn dod dan y

lach ganddi, wrth i Kate gael ei dadrithio fwy a mwy gan fywyd cymdeithasol
a chrefyddol y dref. Yn wir, y mae crefydd y capeli yn grefydd greulon,
ddidostur yn ôl y stori hon. Troi at y ddiod oherwydd siom mewn serch
ac oblegid unigrwydd ei swydd a wnaeth Effraim Ogden, ond ni fynnai'r
blaenoriaid – ac eithrio un – na'r flaenores filain ddangos dim cydymdeimlad
na thrugaredd. Y tu ôl i'r stori hefyd y mae pryder Kate ynghylch problem a
oedd gan ei gŵr. Roedd Morris wedi dechrau yfed yn drwm ac, fel Effraim
Ogden, yn gwneud tipyn o sôn amdano wrth i drigolion parchus y dref ei
weld yn cerdded adref yn simsan ar ôl noson o lymeitian trwm yn y *White
Horse* a thafarnau lleol eraill.[57] Ond claddu'r broblem dan y carped a wnaeth
Kate, a gadael iddi waethygu.

Bu 1938 a 1939 yn flynyddoedd hynod o brysur i Kate a Morris, ac
nid gyda'r wasg yn unig. Roedd Eisteddfod Genedlaethol 1939 i'w chynnal
yn Ninbych, a thrwy gydol 1938 gweithiodd y ddau yn galed i sicrhau
llwyddiant i'r Eisteddfod. Morris oedd Ysgrifennydd yr Eisteddfod, a bu Kate
yn gweithio ar amryfal bwyllgorau ac yn helpu rhyw ychydig yn y Swyddfa,
ond ei chyfraniad pennaf i Eisteddfod Dinbych oedd paratoi anterliwt Twm
o'r Nant, *Tri Chryfion Byd*, ar gyfer seremoni'r cyhoeddi, a mynd o gwmpas
Sir Ddinbych a siroedd cyfagos i'w pherfformio wedyn. Bu'n gweithio ar yr
anterliwt am flwyddyn gron gyfan, yng nghanol ei holl orchwylion eraill.
Llwyddwyd i godi £150 ar gyfer yr Eisteddfod trwy gynnal perfformiadau o'r
anterliwt mewn gwahanol leoedd.

Rhentu tŷ y bu Kate a Morris wedi iddynt gyrraedd Dinbych, tŷ ym
Mharc Bach y rhoddwyd yr enw 'Y Cilgwyn' iddo gan y ddau. Yng nghanol
eu holl weithgarwch ynglŷn ag Eisteddfod Dinbych, roedd Kate a Morris
wedi penderfynu y byddai'n rhaid iddynt gael eu tŷ eu hunain. 'Byddwn yn
dechrau adeiladu tŷ newydd yn fuan – gweld mai dim yw dim yw talu rhent,
er nad oes gennym yr un bensen at adeiladu tŷ chwaith,' meddai wrth D. J.
Williams ym mis Ebrill 1938.[58] Kate ei hun a gynlluniodd y tŷ, ar batrwm
un o gartrefi 'The Ideal Homes Show' a gynhelid yn flynyddol yn Llundain
dan nawdd y *Daily Mail*. Hwn oedd y Cilgwyn newydd, tŷ a oedd i ddod yn
enwog iawn yng Nghymru. Pan oedd y Cilgwyn yn barod, nid Morris a Kate
yn unig a symudodd i'r cartref newydd:

> ... yn niwedd 1938 pan symudasom i'r tŷ yr wyf ynddo yn awr, tŷ, er ei fod yn agos
> i'r dref, sy'n sefyll mewn lle unig iawn, penderfynasom mai peth doeth fyddai cael
> ci, gan y byddai fy ngŵr allan mewn cymaint o bwyllgorau ynglŷn â'r Eisteddfod

Genedlaethol. Erbyn hyn credaf mai esgus oedd hynny. Yr oeddem wedi clywed am gi ac arno eisiau cartref, am nad oedd gan ei berchennog ddigon o libart iddo.

Felly, yn hollol sydyn, ymhen deuddydd wedi symud i'r tŷ newydd, prynasom gi.[59]

Ac felly y daeth Tos y daeargi, gelyn postmyn a thormentiwr ymwelwyr, i mewn i fywyd Kate. Symudodd Kate a Morris i'w tŷ newydd pan oedd yr adeiladwyr yn codi pafiliwn Eisteddfod Genedlaethol 1939 yn y cae o flaen y tŷ.

Ar ddechrau 1939 bu datblygiad mawr pwysig yng Ngwasg Gee. Tua diwedd 1937 dechreuodd perchennog *Y Faner*, Robert Read, sôn am werthu'r papur. Erbyn dechrau Ionawr 1938 roedd Prosser, Morris a Kate yn ystyried prynu'r *Faner*, a'i symud yn ôl i'w chartref gwreiddiol, Gwasg Gee, ar yr un pryd. Prosser Rhys, fel golygydd *Y Faner*, a weithredai fel dyn yn y canol, rhwng Robert Read a Gwasg Gee. Roedd Morris a Prosser yn ystyried sefydlu eu papur eu hunain pe methai'r cynllun i brynu'r *Faner*. Poenai Morris a Kate y byddai'r gost o brynu'r *Faner* yn ormod iddynt, ond cydsyniodd I. D. Hooson i ddod yn gydberchennog ar y papur, a rhoddodd arian tuag at y fenter. Cynigiwyd £1,250 i Robert Read am y papur. Gwrthododd Read y cynnig hwnnw, ond roedd Prosser Rhys yn hyderus y byddai'n ildio yn y pen draw, ac fe wnaeth, wedi i Prosser ei hun roi cryn dipyn o bwysau arno a'i wthio i gornel.

Gobeithiai Prosser Rhys ymuno â staff Gwasg Gee unwaith y byddai'r trefniant gyda Robert Read yn dod i ben, a pharhau yn ei swydd fel golygydd *Y Faner*, yn ogystal â chyflawni mân orchwylion eraill a helpu i ad-drefnu'r wasg. Erbyn dechrau mis Medi roedd Robert Read yn barod i werthu'r papur, ac fe'i prynwyd gan Morris, Kate, Prosser Rhys ac I. D. Hooson ar y cyd. Penderfynwyd y byddai Prosser yn ei olygu o Aberystwyth am gyflog o £5 y flwyddyn, ond byddai'r cyflog yn codi pan fyddai amgylchiadau yn caniatáu. Y bwriad oedd cyhoeddi'r rhifyn cyntaf o'r *Faner* dan yr oruchwyliaeth newydd ar ddechrau Ionawr 1939, ond roedd angen is-olygydd ar y papur, a golygydd i'r *North Wales Times* yn ogystal, ac awgrymodd Prosser y byddai Gwilym R. Jones yn ddewis perffaith ar gyfer y ddwy swydd. Cysylltodd Morris â Gwilym R. Jones, a fu'n olygydd *Y Brython* oddi ar 1931, ac erbyn mis Ionawr 1939 roedd wedi symud i Ddinbych i weithio i Wasg Gee. Rhifyn Ionawr 4, 1939, oedd rhifyn cyntaf *Y Faner* newydd. Hysbyswyd darllenwyr *Y Faner* yn y rhifyn hwnnw fod Gwilym R. Jones wedi derbyn y gwahoddiad i fod yn olygydd y *North Wales Times* ac yn olygydd cynorthwyol *Y Faner*. Ac meddai Morris wrth gyflwyno a chymeradwyo Gwilym R. Jones ac eraill i ddarllenwyr *Y Faner*:

Nod y Mri. Gee a'i Fab yw cynnull i'w staff y gwŷr gorau yn eu meysydd sydd yng
Nghymru heddiw, ac fe gydnabyddir eu bod yn llwyddo i wneuthur hynny. Heblaw'r
Golygydd, Mr. E. Prosser Rhys, bydd ganddynt bellach ar eu staff Mr. Gwilym R.
Jones, y gellir ei alw'n fuan yn gyn-Olygydd "Y Brython"; Mr. Percy Ogwen Jones,
cyn-Olygydd "Y Dinesydd Cymreig" a chyn-isolygydd "Y Cymro"; Mr. Saunders
Lewis (nad oes raid manylu dim ar ei gampau a'i sefyllfa ymhlith Cymry disgleiriaf y
dydd), a'r Parch. Tywi Jones, cyn-Olygydd "Y Darian."

Gyda staff fel hyn, yn cael eu cynorthwyo'n gyson gan nifer o ysgrifenwyr campus
eraill, bydd sefydlu'r "Faner" fel gwir bapur cenedlaethol Cymru yn gwbl ddiogel.[60]

Yn y rhifyn cyntaf hwnnw y dechreuodd Saunders Lewis gyfrannu ei golofn 'Cwrs
y Byd' i'r papur, colofn a fyddai'n creu dadl a chyffro yn ystod y blynyddoedd i
ddod, a helpu i ennill 1,500 o ddarllenwyr newydd i'r *Faner* maes o law.

Ac ym 1939, wedi iddo ymuno â Gwasg Gee, y daeth Gwilym R. Jones i
adnabod Kate, gan ddechrau perthynas gydweithiol a fyddai'n parhau am bron i
ddau ddegawd. Gadawodd Kate gryn argraff arno o'r cychwyn cyntaf:

Yr argraff gyntaf a gefais ohoni oedd bod ganddi degwch pryd a gwedd (fel y tystiai
ei llun ar y diwrnod y cawsai ei gradd) a bod ei llygaid gwelwlas yn syllu drwyddoch.
Ei hedrychiad craff i fyw eich llygaid wrth sgwrsio, ac onestrwydd ei siarad – dyna'r
cyfuniad a wn[â]i'r cyfarfyddiadau cyntaf yn rhai go anghysurus i rywun fel fi nad oedd
yn gyfarwydd iawn â'r math yma o gyfathrebu. Mae'r argraff yma o'i llygaid pelydr-X
a'i siarad di-weniaith wedi parhau hyd heddiw.[61]

Nid *Tri Chryfion Byd* oedd yr unig ddrama i Kate ymwneud â hi adeg Eisteddfod
Dinbych. Yr oedd drama D. W. Morgan, *Ein Tywysog Olaf*, i'w pherfformio yn
ystod wythnos y Brifwyl, a hwnnw'n berfformiad hynod o uchelgeisiol, gyda
chast o ddau gant yn cymryd rhan, a dau o'r actorion, Huw Griffith ac Owen
Jones, yn actorion proffesiynol. Gwahoddwyd y cyfarwyddwr drama enwog yn
ei ddydd, Dr Steffan Hock o Vienna, Awstria, i gyfarwyddo'r ddrama. Kate a
gafodd y gwaith o ad-drefnu'r ddrama gyda Steffan Hock, a phrofiad rhwystredig
oedd hwnnw. Dôi Steffan Hock i'r Cilgwyn ddwywaith neu dair bob wythnos,
a byddai Kate ac yntau yn gweithio ar y ddrama am bedair awr bob gyda'r nos,
heb gael cymaint â phaned o de yn y canol. Ac nid un hawdd i weithio gydag ef
oedd Steffan Hock:

Fel pob athrylith, yr oedd y Dr. Hock yn un gwyllt ei dymer, a chan mai amaturiaid
oedd y cwmni, ac eithrio'r ddau a ddaeth i ymarfer ar y diwedd, byddai'r gwreichion
yn tasgu yn yr ymarferiadau ar lwyfan y pafiliwn. Fel amaturiaid hefyd byddai'r actorion
yn digio ac yn duo wrth y cynhyrchydd, hwy heb ddeall ei athrylith ef, ac yntau heb

ystyried eu diffyg profiad hwy. Dyna oedd y camgymeriad mawr a wnaeth y pwyllgor drama, dyfod ag athrylith broffesiynol at actorion amhroffesiynol. Un tro aeth pethau mor ddrwg fel y dywedodd y cynhyrchydd ei fod yn golchi ei ddwylo'n llwyr oddi wrth y gwaith, a hynny o fewn llai na phythefnos cyn yr Eisteddfod. Daeth yma i'r tŷ i ddweud hynny (y tŷ wedi ei adeiladu ar gae'r Eisteddfod). Gofynnais iddo ddyfod i mewn a mynd i'r parlwr i orffwys a dyfod ato'i hun. Wedi cael cwpanaid o goffi a sgwrs, a'i ddarbwyllo gan ddynes ar fin anobeithio, fe addawodd ailafael yn y gwaith.[62]

Kate hefyd a oedd yn gyfrifol am yr arbrawf newydd, Seiat y Llenorion, a gynhaliwyd yn Eisteddfod Dinbych, ar ddydd Gwener y Brifwyl, ac un o'r siaradwyr yn y seiat honno oedd Saunders Lewis.

Aeth Eisteddfod Dinbych heibio. Ar ôl rhoi dwy flynedd o waith caled a diarbed i'r Eisteddfod, penderfynodd Kate a Morris eu bod yn haeddu hoe. Yr ail wythnos ar ôl yr Eisteddfod aeth y ddau am wythnos o wyliau i Sir Aberteifi, a Tos y ci gyda nhw. Yn ystod yr wythnos honno buont yn aros yn Aberaeron ac yn Llanarth, ac yn mynd i'r Cei Bach bob bore. Dyddiau olaf heddwch oedd y dyddiau hynny. Roedd cymylau rhyfel wedi hen grynhoi uwch y byd. Eisteddfod heulog braf oedd Eisteddfod Dinbych, yr Eisteddfod olaf un cyn i'r Ail Ryfel Byd ddryllio gwareiddiad am yr eildro o fewn dau ddegawd. Perfformiwyd *Tri Chryfion Byd* am y tro olaf ar brynhawn Sadwrn yr Eisteddfod, wrth y fynedfa i faes y Brifwyl, ar ddiwrnod tesog o haf. Tynnwyd llun o'r perfformiad olaf hwnnw, a bob tro y byddai Kate yn edrych arno, byddai'n meddwl: 'Dyma funudau hapus olaf y cyfnod hwn'.[63]

9

Blynyddoedd yr Ail Ryfel Byd
1939–1945

'Ofn colli perthnasau oedd arnom yn y rhyfel o'r blaen, ofn mynd yn dlawd sydd arnom yn y rhyfel hon.'

Kate Roberts, dyddiadur 1940, Chwefror 8, 1940

Haf Bach Mihangel, cyn i aeaf hir a chaled rhyfel arall gydio yng nghalon y byd a'i rhewi'n gorn, oedd yr wythnos o wyliau a dreuliodd Kate a Morris yn Sir Aberteifi ym mis Awst 1939. 'Yr oeddem yn gwbl ymwybodol na chaem fyth wedyn wyliau fel y rhai hynny,' meddai Kate, gan wybod bod rhyfel arall ar fin torri.[1] Ac fe ddaeth. 'Dyfod y Rhyfel, a gwyddai pawb o'm cyfnod i a aethai trwy ryfel arall, beth oedd ystyr hynny,' meddai.[2] Gwyddai hi yn iawn beth y gallai ystyr hynny fod. Siglodd y Rhyfel Mawr holl seiliau ei byd. 'Gwyddem na ddoem allan ohono heb fynd trwy wasgfeuon caled,' meddai eto, ond prin y gwyddai ar y pryd y byddai blynyddoedd yr Ail Ryfel Byd, ac yn enwedig y flwyddyn gyntaf o heddwch llawn ar ôl y rhyfel, eto yn dwyn ei hanwyliaid oddi arni ac yn darnio'i byd yn chwilfriw mân.[3]

Gwyddai Kate a Morris y gallai cyfnod o ryfel beryglu eu busnes, a hyd yn oed ei ladd. Ifanc oedd y busnes o hyd, a brwydr oedd cael y maen i'r wal. Byddai cyfnod arall o ryfel, yn enwedig pe byddai'r rhyfel hwnnw yn parhau am flynyddoedd, yn golygu dogni mawr, gan gynnwys dogni ar bapur, a gallai hynny fod yn andwyol i'r busnes. Ac nid Kate a Morris yn unig a ddibynnai ar y busnes. Cyflogid 30 o weithwyr gan y wasg. Newydd ymuno â'r staff, ar ddechrau 1939, fel golygydd y *North Wales Times* ac is-olygydd *Y Faner*, yr oedd Gwilym R. Jones. 'Hen gyfeillgarwch' rhyngddo a Morris a ddenodd Gwilym R. Jones o Lerpwl i Ddinbych, ynghyd â'i 'edmygedd o fenter Morris a Kate a'u cenedlgarwch nhw'.[4] Y gŵr a ofalai am ochr ariannol y wasg oedd Eddie Simon, un o fechgyn Dinbych, a gŵr hynod o deyrngar i Morris. 'Ni chafodd yr un meistr was mwy teyrngar nag Eddie na gweithiwr well cydymaith,' meddai Gwilym R. Jones amdano.[5] Aelod anhepgor arall o'r staff oedd Olwen S. Ellis, ysgrifenyddes y cwmni, gyda gofal arbennig am weinyddiaeth y wasg. O swyddfa'r *Brython* yn Lerpwl, lle bu'n cydweithio â Gwilym R. Jones, y daeth Olwen Ellis hefyd. Daeth yno yn lle Hefina Jones, merch y Parchedig J. O. Jones (Hyfreithon), awdur *Blodau a Chân a Phregethau Eraill i Blant*, a gyhoeddwyd gan Wasg Gee ym 1939. Collodd Kate ffrind da a chydweithreg ffyddlon pan adawodd Hefina Jones y wasg, ond cafodd ffrind cywir arall pan ddaeth Olwen Ellis yn ei lle.

Roedd dyddiau o ansicrwydd mawr yn wynebu'r wasg. Ni wyddai neb am ba hyd y byddai'r rhyfel yn parhau, na sut y byddai yn effeithio ar fyd busnes, yn enwedig busnesau bach. Ac a allai'r *Faner* oroesi mewn cyfnod mor ddreng? Roedd yn rhaid i'r papur fabwysiadu polisi pendant ynglŷn â'r rhyfel, a chan gofio mai cenedlaetholwyr oedd golygyddion a pherchnogion y papur, gallai polisi amhoblogaidd, croes i farn y mwyafrif, fod yn andwyol. Ond glynu wrth egwyddor oedd raid yn hytrach na chyfaddawdu, er y gallai hynny beryglu'r *Faner*, o du'r cyhoedd ac o du'r sensor. Pleidio heddychiaeth a gwrth-filitariaeth, yn ogystal â gwrth-imperialaeth, a wnaeth *Y Faner*. 'Fel y neshai'r rhyfel yn Awst 1939 yr oedd cyfarwyddwyr *Y Faner* yn bendant o'r farn y dylai'r *Faner* wrthwynebu'r rhyfel hwn, onid pob rhyfel arall,' meddai Prosser Rhys.[6] Trwy gydol blynyddoedd y rhyfel cadwai swyddfa'r Weinyddiaeth Hysbysrwydd yng Nghaerdydd lygad ar y papurau Cymraeg, rhag ofn i'w cynnwys niweidio'r ymdrech ryfel. Bu gwrthdaro rhwng y Weinyddiaeth Hysbysrwydd a'r *Faner* fwy nag unwaith, yn enwedig pan draethai Saunders Lewis ei farn ddiflewyn-ar-dafod ar y rhyfel a materion cyfoes yn ei golofn 'Cwrs y Byd'. William Eames oedd y sensor Cymraeg ar ddechrau'r rhyfel, ac yn ôl Gwilym R. Jones:

> … mynych y deuai ei lais ef dros y ffôn o Gaerdydd yn amau a oedd yn beth doeth i'r 'Faner' gyhoeddi y peth yma a'r peth arall. Roedd y papur yn wrthwynebol i'r rhyfel a galwai am gytundeb a chymod i ddwyn y gyflafan i ben. Colofnau "Cwrs y Byd", a sgrifennid gan neb llai na Saunders Lewis, y cenedlaetholwr digymrodedd, a fyddai'n tynnu sylw'r sensoriaid yn y brifddinas fynychaf.[7]

Olynwyd William Eames gan y dramodydd D. T. Davies, awdur *Y Pwyllgor*, y ddrama a barodd gymaint o ddryswch i Kate yn Ystalyfera gynt, pan oedd rhyfel byd arall yn dryllio gwareiddiad. Cofiai Kate am y benbleth a achosai'r *Faner* iddo:

Ni chredaf i un papur achosi pryder iddo ac eithrio'r *Faner*. O hyd byddai neges delefffòn neu delegram yn dyfod o Gaerdydd i Swyddfa'r *Faner*, yn gofyn am ddileu rhywbeth o *Gwrs y Byd*. Cyfaddefodd ef ei hun unwaith fod Saunders Lewis yn athrylith fawr ond ei fod yn rhoi poen fawr iddo fo, y boen hon a gadwai'r Sensoriaeth yn fyw hefyd.[8]

Er bod Saunders Lewis yn codi gwrychyn yr awdurdodau yn aml, roedd darllen mawr ar ei golofn, a bu hynny'n help i chwyddo'r cylchrediad yn sylweddol. Ym 1940 argreffid tua 3,700 o gopïau o'r *Faner*, a chafodd y papur hwb aruthrol yn ariannol pan ddechreuodd y Llywodraeth yrru hysbysebion i'r papur. Fel y cofiai Kate ymhen blynyddoedd:

Daeth y rhyfel, a'i holl anawsterau, a ninnau ddim ond yn megis cychwyn. Ond eironi'r sefyllfa oedd inni lwyddo mwy yn y cyfnod hwnnw na wedyn, oherwydd fod papurau Llundain yn anfon eu hysbysebion i bapurau bach y wlad oherwydd y bomio ar Lundain.[9]

Ar ddechrau 1940, penderfynodd Kate gadw dyddiadur. 'Prynais y copi yma pan dorrodd y Rhyfel gan feddwl cadw dyddlyfr o'r dydd cyntaf ymlaen,' meddai, yn ôl cofnod cyntaf y dyddiadur, Ionawr 10, 1940, ond ni chafodd 'egwyl i roi gair ar bapur gan drymed fu'r gwaith'. 'O ganol gwaith, pryder ac undonedd y pedwar mis diwethaf, saif dau beth ar wahan,' ysgrifennodd ar Ionawr 10. Y digwyddiad cyntaf oedd ei hymweliad â'i mam yn Rhosgadfan, ymweliad a gododd hiraeth mawr arni:

Un diwrnod pan euthum i weled mam, a chael dim ond rhyw ddwyawr yn ei chwmni – rhyfeddu at ei hysbryd a'i hegni – gweld y tŷ yn lân a threfnus ganddi er ei hyned a hithau'n ffraeth yr un fath. Dyfod yn ôl i Ddinbych a theimlo mai dyma'r unig beth sefydlog yn fy mywyd – y bywyd a wyddwn yn fy nghartref a'm hardal enedigol. Wrth ysgrifennu hynyna, teimlaf na roddais ddim o'r argraff a wnaeth arnaf. Nis ysgrifennais ar y pryd a diflannodd y teimladau.

Yn ôl yn Rhosgadfan yr oedd Kate o hyd, yn dyheu, yng nghanol ansefydlogrwydd y byd mawr eang ar y pryd, am sefydlogrwydd ei byd bychan gynt. Ceir awgrym hefyd nad oedd bywyd gyda Morris yn fêl i gyd.

Profiad yn ymwneud â'i chenedlaetholdeb, ac â'i chydymdeimlad â chenhedloedd bychain y byd, oedd yr ail beth a safai ar wahân, ac ym mis Tachwedd 1939 y daeth y profiad hwnnw i'w rhan:

Myned i'r Felin i nôl blawd gwenith ar ddiwrnod oer, heulog ym Mis Tachwedd a Thos gyda mi. Teimlo er gwaethaf pob dim fod bywyd yn braf … Teimlwn yn berffaith hapus yn yr ychydig funudau hynny ar lawr y felin wrth feddwl fy mod i, yn Gymraes, yn cael blawd o'r felin yn union fel y cawsai Cymry eraill ef am o leiaf ddau gan mlynedd; rhyfeddu fy mod yn siarad iaith na wyddai ddim ond ychydig bach o drigolion y byd amdani, a honno'n iaith hen iawn. Meddwl am y gwledydd bychain ar y cyfandir lle'r oedd cynnwrf a thymestl a dioddef, a minnau'n eistedd yn y fan honno, yn gwrando ar sŵn yr afon, a chlep clep y felin, a'r blawd llyfn yn llifo i'r sachau.

Roedd tŷ llawn yn y Cilgwyn yn ystod deufis cyntaf 1940. Bu Hannah, chwaer Morris, yn aros gyda'i brawd a'i chwaer-yng-nghyfraith am bythefnos, hyd at Ionawr 10, pryd y dychwelodd i'w chartref ei hun yng Nglyn Ebwy. Treuliodd Kate a Hannah bythefnos gyfan yn 'siarad a bwyta a cherdded a gweithio (ond nid gormod)'. Roedd y ddwy'n agos, ar y pryd – ond buan y byddai'r berthynas rhyngddynt yn chwerwi. Ond hiraeth a deimlai Kate ar ôl ymadawiad ei chwaer-yng-nghyfraith y mis Ionawr hwnnw. 'Heddiw, aeth H. yn ôl ar ôl ei gwyliau a theimlais wacter mor ofnadwy a hiraeth nes bu'n rhaid imi grio er ceisio cael gwared o beth ohono'. Aeth y gwacter yn bryder. Anfonodd Hannah lythyr at Kate a Morris ddiwrnod ar ôl iddi ymadael yn diolch i'r ddau am ei lle, ond llithrodd nodyn o bryder i mewn i'r llythyr ar yr un pryd. Dywedodd ei bod yn cael ychydig o drafferth gyda'r coluddyn, ond nad oedd angen i Kate a Morris boeni'n ormodol yn ei chylch. Ond roedd angen pryderu. Cafodd Kate a Morris alwad ffôn ar nos Iau, Ionawr 11, cyn i'r llythyr gyrraedd, 'yn dweud bod H. yn sal efo appendicitis a'i bod yn gorfod mynd i'r ysbyty – efallai i fyned dan operasiwn'. Fodd bynnag, daeth gwell newyddion y noson ddilynol, 'yn dweud eu bod yn gobeithio na byddai'n rhaid rhoi operasiwn'. 'Mae'n rhaid ei bod yn dioddef pan oedd yma,' ysgrifennodd Kate, 'ond nad oedd yn hoffi cwyno'. Ar Ionawr 15, derbyniodd Kate a Morris frys-neges i ddweud bod Hannah yn mynd dan y gyllell ar y diwrnod hwnnw. Ymhen ychydig oriau ar yr un diwrnod, cyrhaeddodd neges arall, i ddweud i'r llawdriniaeth fod yn llwyddiannus a bod cyflwr Hannah yn foddhaol.

Nid Hannah oedd yr unig westai yn y Cilgwyn ddiwedd Rhagfyr 1939 a dechrau Ionawr 1940. Ers rhai misoedd, bu plentyn cadw o'r enw Muriel Lyons o Lerpwl yn rhannu'r aelwyd gyda Kate a Morris, ac ni wyddai Kate ddim yn iawn beth i'w wneud â hi. 'Mewn tymer ddigon blin heddiw,' meddai ar ddydd Sul, Ionawr 14, a hynny oherwydd ei bod yn gorfod 'gwneud cinio mawr heddiw am fod M.L. yma'. Tipyn o lond llaw oedd Muriel, ac roedd yn trethu amynedd Kate i'r pen:

> Cafodd M.L. ffit wedyn heddiw. Cafodd un bob dydd er difiau. Mae'n anodd
> penderfynu pa un ai peth corfforol ai meddyliol ydyw. Tueddaf i feddwl mai peth
> meddyliol. Gweddio dros ei mam y mae fwyaf yn awr. Drosti ei hun y gweddiai o'r
> blaen.

Mis rhyfeddol o oer oedd mis Ionawr 1940. Rhwng oerni'r tywydd a phrinder bwyd, roedd bywyd yn fwrn ar adegau. Roedd prisiau'n codi drwy'r amser yn y siopau, rhai pethau yn dyblu yn eu prisiau hyd yn oed, a chwynai Kate yn ddi-baid am y sefyllfa, yn enwedig gan fod yna geg arall i'w bwydo yn y Cilgwyn. Tipyn o ddirgelwch oedd Muriel o hyd, a thipyn o boendod ar brydiau:

> Bydd yn rhaid imi ail ddweud llawer o bethau yn y dyddlyfr hwn, a dywedaf eto onibai
> am M.L. buasai gennyf lawer iawn llai o waith a gallaswn fyw'n gynilach. Ac ni welais
> neb erioed yn darllen llai na hi, nac yn gwneud llai o waith llaw. Beth pe bai ei hamser
> gennyf? Buaswn yn ysgrifennu nofel. Yr wyf wedi hen ddiflasu ar ddal pen rheswm
> iddi. Dechreuais weu eto, a bydd yn rhaid iddi hithau ddechrau gwneud rhywbeth.

Yn ystod yr Ionawr oer hwnnw, bu'r Cilgwyn heb yr un diferyn o ddŵr am wythnos gron, a methodd y trydan un noson. Bu'n rhaid cyrchu dŵr o dŷ cymydog, led cae i ffwrdd. 'Mae'r tŷ'n drewi, a chyn hir fe fydd ein dillad felly,' ysgrifennodd Kate. Ac roedd Muriel yn aml yn ychwanegu at yr anghysur a'r diflastod. 'Pe na bai M.L. yma gallasem fyned i'r llofft arall, ond mae'n rhaid inni aberthu rhywbeth beunydd barhaus iddi,' ysgrifennodd Kate, gan ychwanegu: 'Mae'n braf aberthu dros gyfeillion, ond nid yw M.L. yn ddim inni, ac nid wyf yn meddwl ei bod [yn] gwerthfawrogi hanner digon'.

Cadwai Kate mewn cysylltiad ag ardal ei mebyd o hyd, ac fe gadwai ei theulu mewn cysylltiad â hi. Ond roedd yr hen gymdeithas ym mro'i phlentyndod a'i hieuenctid yn graddol ymddatod. Cafodd alwad ffôn gan ei brawd Evan ar Ionawr 21:

> Heno dyma I– ar y teleffon ac yn dweud bod E. G. Min Awel wedi marw – yn agos
> iawn i 86 oed. Gwelsom hi bythefnos i heddiw ac edrychai'n siriol ac iach, cyn iached
> ag y gallesid disgwyl gweled hen wraig o'i hoed. Teimlais yn arw glywed. Nid wyf yn
> cofio Rhosgadfan erioed hebddi. Syniad rhai pobl yw na ddylid tristáu o weled hen
> bobl yn marw, ond credaf ei fod yn beth tristach rywsut, oblegid mae'r hen wedi byw
> mor hir onid yw eu lle yn ddwfn iawn yn eu cartref a'u cylch o fywyd. A phan godant
> a mynd oddi yno, mae yno dwll dwfn ar eu hôl.

Yng nghefn ei meddwl, wrth gwrs, yr oedd ei mam oedrannus, hithau hefyd yn ddwfn iawn yn ei chartref a'i chylch o fywyd. Gwyddai Kate y byddai yna dwll dyfnach na'r un twll arall ar ôl ei mam, yn Rhosgadfan ac yn ei bywyd hi ei hun. Ar yr ail ddiwrnod o Chwefror bu'n meddwl llawer am ei thad. 'Pam y daeth i'm cof heddiw – nis gwn, ond fe'm caf fy hun o hyd ac o hyd yn cofio'r amser gynt'. 'Doedd ganddi ddim byd y gallai edrych ymlaen ato mwyach, meddai, 'ond diwedd y rhyfel efallai' – ac ymadawiad Muriel!

Ni theimlai Kate yn arbennig o dda yn ystod y cyfnod hwn. Cwynai'n aml fod ganddi boenau yn ei stumog. Effaith gorweithio oedd y poenau hyn, yn sicr. Roedd blinder yn ei llethu ar brydiau. Ar ddiwrnod ei phen-blwydd, Chwefror 13, cafodd anhawster i godi o'r gwely yn y bore oherwydd ei bod 'yn rhy wael ac yn rhy flinedig'. Gweithiai'n galed i gadw'r wasg i droi ac ymlafniai i gadw tŷ ar yr un pryd, er ei bod yn cyflogi gwraig arall i'w helpu rywfaint gyda'r gwaith tŷ. Y prydau bwyd oedd y brif broblem. 'Trafferth fawr bob amser yw gwneud cinio blasus o ychydig ddeunydd,' meddai. Ar ben hynny, roedd Muriel yn strancio ac yn troi'i thrwyn ar rai o brydau Kate. Ac ar ben ei gwaith gyda'r wasg a'i gorchwylion yn y tŷ, roedd yn cynnal dosbarth nos ar lenyddiaeth Gymraeg yn lleol, ac âi hefyd i'r Aelwyd leol i wrando ar ambell ddarlith. Ac roedd gweithgareddau diwylliannol o'r fath hefyd yn peri blinder mawr iddi.

Er bod cynnal dosbarthiadau nos yn trethu'i hadnoddau corfforol yn aml, roedd yn un o'r ychydig bethau a rôi wir fwynhad iddi mewn cyfnod o bryder a phrinder. Roedd ganddi ddosbarth ar nos Iau, Chwefror 8:

> Ni ddigwydd dim yn y dyddiau hyn i godi calon dyn, ac eithrio rhyw ambell funud fel yn y dosbarth heno wrth ddarllen gwaith W.J.G. Er bod pob darn a ddarllenwyd yn sôn am fedd a thynged ddigalon dyn, eto caem lawenydd. Cwestiwn un ar y diwedd ydoedd, 'Paham mae beirdd Sir Gaernarfon mor drist?' Ni allwn ddweud, ni wn a ydynt yn dristach na beirdd rhywle arall. Eithr agwedd llawer ydyw fod llenyddiaeth drist yn ddrwg. Ofer yw ceisio darbwyllo pobl fod y rhai hynny sy'n gwerthfawrogi llenyddiaeth drist yn medru bod yn llawen. Mi ddywedais i un peth na ddylswn ei ddweud sef, ein bod i gyd yn gwybod mai'r bedd yw ein diwedd, felly paham na allwn ystyried tristwch byw.

Cyhuddiad aml yn erbyn Kate oedd ei bod yn llenor trist a phesimistaidd, a dihiwmor hefyd, ond gwyddai mai cyhuddiadau gwag ac arwynebol oedd cyhuddiadau o'r fath. 'Nid yw *pawb* yn arwynebol,' meddai wrth werthfawrogi diddordeb y dosbarth.

Yn ogystal â phroblemau yn ymwneud â'i hiechyd, roedd gofidiau ariannol yn pwyso'n drwm arni hi a Morris. Roedd yn anodd cynnal busnes ar adeg mor argyfyngus, yn enwedig gan fod papur mor brin ac mor ddrud. Câi'r ddau eu plagio gan swyddogion y Dreth Incwm. Dododd y cofnod hwn yn y dyddiadur ar Chwefror 8:

> Ystyr treth incwm yw treth ar incwm, h.y. rhywbeth sy gennych. Ond dyma ni'n
> gorfod talu treth incwm ar y tŷ yma ac yntau heb fod yn eiddo inni o gwbl. A'r un fath
> yn y Swyddfa – talu yno ar elw na wnaethpwyd mohono. Bydd y rhyfel yma'n siwr
> o'n hysigo. Teimlais yn arw glywed M. yn dweud iddo roi ei ben ar y ddesg a chrio
> heddiw. Eithr nid pethau ariannol yn hollol a wnai iddo grio, ond pethau eraill. Ofn
> colli perthnasau oedd arnom yn y rhyfel o'r blaen, ofn mynd yn dlawd sydd arnom yn y
> rhyfel hon.

Ond meddai Kate ar yr un gwynt 'Nid oes arnaf ofn tlodi'. Ei hofn mawr oedd bod mewn dyled. Roedd y ffaith iddi gael ei chodi mewn cymdeithas yr oedd talu dyledion yn fater o anrhydedd iddi yn llywio holl gwrs ei bywyd o hyd. 'Yr wyf wedi hen arfer dioddef,' meddai, 'ond pan ydych mewn busnes, golyga gyfrifoldeb i rywun heblaw chwi eich hun, ac fe boenwn i'r ddaear pe methem dalu i'r rhai y mae dyled arnom'. Wythnos yn ddiweddarach, roedd pethau wedi gwaethygu hyd yn oed. 'M. yn ddigon digalon,' meddai ar Chwefror 14, oherwydd bod 'Pawb yn pwyso am arian, a'r dreth incwm yn ofnadwy'. Yr unig gysur, meddai 'ydyw fod dyledion pobl i ni yn fwy na'n dyledion ni i bobl eraill'.

Ar Chwefror 22, gadawodd Muriel y Cilgwyn:

> M.L. yn dychwelyd efo'i hysgol i Lerpwl. Aeth M. a finnau i'r stesion i'w hebrwng ...
> Er mai dyma'r dydd yr edrychais ymlaen ato ers misoedd, eto nis anghofiaf wegni'r tŷ
> yma wedi i M.L. ymadael. Yr oedd fel y bedd a'm calon innau fel y plwm. Yr oedd
> M.L. yn blentyn hoffus, cwbl anhunanol ac onest. Ond golygai ragor o gost, rhagor o
> waith a rhagor o gaethiwed, ac ni allem alw ein haelwyd yn eiddo i ni ein hunain.

Un o gasbethau mwyaf Kate mewn bywyd oedd gorfod ffarwelio â phobl; a thrwy'i bywyd bu'n edliw iddi hi ei hun iddi gymryd pobl a oedd yn agos ati yn rhy ganiataol, heb weld eu gwerth nes eu colli. Un frawddeg yn unig a ysgrifennwyd yn y dyddiadur ar Chwefror 23, y diwrnod ar ôl i Muriel ymadael, a honno'n frawddeg anochel: 'Bron yn methu byw gan hiraeth ar ôl M.L.'. Cyrhaeddodd Hannah y Cilgwyn ar Chwefror 28, wedi i Muriel ymadael. Edrychai yn bur dda, ond roedd wedi heneiddio yng ngolwg Kate.

Roedd yn poeni'n arw am ei hiechyd ar Fawrth 7, gyda phoen fawr dan ei chesail. Y diwrnod canlynol, roedd y boen wedi gwaethygu:

Rhagor o boen, ond mae'n chwalu mwy dros fy holl gorff. Dim pleser i weithio; pob swydd o waith yn boen. Teimlo'n ddigalon iawn. Fel hyn y rhesymaf bethau. Mae'r rhyfel yma'n boen meddwl mawr, ond os caf iechyd fe allaf frwydro yn erbyn yr anawsterau, ond os â fy iechyd i lawr, yna, ni wn beth i'w ddisgwyl. Nid oes gennyf lawer o bleser i sgrifennu hwn chwaith, a gwn fy mod yn sgrifennu'n sal.

Y mae mis o fwlch yn y dyddiadur wedyn. 'Mae arnaf ofn dy fod megis Duw yn rhywbeth i droi ato mewn cyfyngder,' meddai wrth y dyddiadur ei hun ar Ebrill 10. Bu'n hapusach ers rhyw fis am fod sôn am heddwch yn y gwynt, er iddi fod yn bur wael yn ystod y mis o fudandod. Ond chwalwyd y gobaith hwnnw am heddwch pan feddiannwyd Denmarc a Norwy gan Yr Almaen ar ddechrau Ebrill. 'Duw a helpo'r gwledydd bychain,' meddai Kate, gan boeni am ei gwlad fechan hi ei hun ar yr un pryd. 'Beth pe deuai i Gymru? A fuasai'n bosibl bod yn heddychlon wedyn?' gofynnodd.

Ym merw'r rhyfel ac yng nghanol ei holl orchwylion, parhai i genhadu ar ran y Blaid ac i hybu diwylliant ei chenedl. Aeth i Bwyllgor Llên Cyngor yr Eisteddfod Genedlaethol yn Amwythig ar ddiwedd mis Mawrth. Cafodd gwmni R. Williams Parry a Griffith John Williams yno am awr,

… a chael [yr] ysgwrs fwyaf digalon a fu rhwng unrhyw dri erioed. Ni allem weled unrhyw ronyn o obaith i Gymru, a chredem mai ofer fydd ysgrifennu llenyddiaeth Gymraeg yn fuan. Yr oeddem ein tri yn falch nad oedd plant gennym. Dyna'r sgwrs fwyaf digalon a gefais efo'r ddau yna erioed. Fel rheol mae'r ddau'n berwi drosodd o ddigrifwch.

Âi i Rosgadfan bob hyn a hyn, ond cofiai am ei theulu drwy'r amser. Ar Chwefror 26, daeth ei brawd Owen i'w meddwl: 'Dydd pen blwydd O. fy mrawd. Buasai'n 61 petai'n fyw'. Dyma fformiwla y byddai'n ei hailadrodd yn gyson yn ei dyddiaduron yn y dyfodol, yn enwedig ar ddiwedd ei dyddiau. Ar Ebrill 13, daeth ei brawd Dei i'w meddwl, yn anochel oherwydd y dyddiad:

Penblwydd Dei fy mrawd. Buasai'n 42 pe cawsai fyw. Anodd ei ddychmygu'n 42 ac yntau'n ddim ond 19 yn marw. Pe buasai'n fyw sgwn i beth fuasai'n ei wneud ac ym mha le y buasai. Ni allasai wneud llawer ac yntau wedi colli ei goes. Trasiedi fwyaf ein teulu ni oedd ei farw ef.

Aeth i Lerpwl i weld meddyg ar ddiwrnod pen-blwydd Dei. 'Teimlwn ar hyd yr adeg fy mod yn rhagrithio ac eto gwyddwn yn dda iawn imi ddioddef poenau enbyd ers deufis,' meddai. Ni allai'r meddyg weld bod unrhyw beth difrifol yn bod arni. Aeth i Bootle wedyn at John a'i deulu, a chafodd amser braf yno.

Roedd y rhyfel yn dechrau amharu ar y busnes, a phoenai Kate am y sefyllfa:

> Darllen yn y papur y bydd papur yn brin iawn ac yn codi yn ei bris eto. Hyn yn fy
> mhoeni'n fawr, a holwn i fy hun pam yr oedd yn rhaid i'r Almaenwyr ymosod ar
> Norwy o bob gwlad a pham y mynnodd Ffawd fod ein busnes ni yn dibynnu ar bapur.
> Hanes digalon yw hanes y rhyfel yr wythnos hon. Dyna Ddenmarc a Norwy wedi
> mynd i ddwylo'r gelyn … Sonnir yn y papurau os gellir rhoi rhyw goel arnynt, y bydd
> "pulp" i'w gael eto o Norwy.

Ar Ebrill 16, roedd Kate a Morris mewn poen meddwl mawr, oherwydd bod Morris wedi gorfod diswyddo dau o'i ddynion, a gorfodi'r lleill i weithio oriau byr.

Codwyd ei chalon, fodd bynnag, brynhawn y diwrnod hwnnw:

> Yn union ar ôl te dyma'r ffôn yn mynd a phwy oedd yno ond un o'm hoff gyfeillion
> o Aber Dâr, yn galw o Lanelwy, am dro yn y Gogledd. Peri iddi ddwad yma ar
> unwaith. Cawsom noson braf a sgwrs. Mor hyfryd ac mor dawel yw cael cyfarfod â hen
> gyfeillion y bu eu hymddiriedaeth ynoch a'ch ymddiried chwithau ynddynt hwythau
> am flynyddoedd lawer. Yr oedd gweld Gwla fel llecyn gwyrdd yn anialwch y Rhyfel
> yma – mae hi'n ddynes gall ddymunol, y gallaf ac un o'r rhai mwyaf hoffus o holl
> ferched Adda.

Gwla oedd Gwladys Jones, cydathrawes i Kate yn yr ysgol yn Aberdâr gynt, ac un o'i ffrindiau pennaf yn ystod y cyfnod hwnnw.

Daw dyddiadur 1940 i ben ar Fai 15, er mai dyddiadur ysbeidiol, bylchog ydyw ar y gorau. Rhoddodd ei phroblemau personol hi ei hun o'r neilltu a daeth ei phryder dros eraill i'r amlwg, gyda marwolaeth Dei yn llercian yng nghefn ei meddwl, fe ellid tybied. Gofidiai hefyd am ddyfodol ei gwlad:

> Erbyn hyn mae'r pethau a'm poen[a]i fisoedd yn ôl wedi mynd. Meddwl yr wyf
> yn awr am yr holl hogiau gwirion o bob gwlad a leddir, yn aberth i imperialaeth a
> chyfalafiaeth. Yn wir, ni byddai'n syn pe glaniai'r Almaenwyr yn y wlad hon yrŵan.
> Ambell funud, yn enwedig wrth fynd i'r gwely, bydd arnaf ofn i hynny ddigwydd.
> Byddaf yn meddwl, petai bomiau'n disgyn o gwmpas y tŷ yma, y byddwn farw o
> ddychryn.

Roedd Kate yn weddol ddiogel yn y Cilgwyn yn Ninbych, ond nid felly ei theulu yn Lerpwl. Dôi llythyrau pryderus o Bootle yn awr ac yn y man. Anfonodd ei chwaer-yng-nghyfraith, Maggie, lythyr ati ym mis Medi, yn disgrifio sut yr oeddent fel teulu yn gorfod cysgodi rhag cyrchoedd awyr yr Almaenwyr. Roedd llawer wedi eu lladd, a phawb yn byw mewn ofn drwy'r amser. Eto ym mis Medi derbyniodd lythyr gan Maggie a'i merch Eirian yn disgrifio Lerpwl dan y bomio. Roedd yn gas gan bawb weld y nos yn dod. Cafodd lythyr arall yn yr un mis, y tro hwn gan Maggie a John ei brawd. Roedd Kate wedi cynnig i Pegi, ei nith, merch arall Maggie a John, i ddod i aros gyda hi a Morris yn y Cilgwyn, i fod o gyrraedd peryglon. Diolchodd y ddau am y cynnig ond byddai'n well ganddynt aros gyda'i gilydd fel teulu. Yna, ceir sawl disgrifiad o'r difrod a'r dinistr a wnaed gan gyrchoedd awyr y gelyn.

Pryderai Kate am ei theulu yn Bootle. Anfonai nwyddau prin, fel cig moch a menyn, at John a Maggie yn aml – ychydig gysuron yng nghanol peryglon. Anfonodd Eirian a Maggie lythyr yr un at Kate ym mis Medi. Mae'n sicr fod rhannau o lythyr Eirian wedi achosi mwy fyth o bryder i'w modryb:

> Mae bod yn fyw yn fawr rhyfeddod yma wir; 'rydym i gyd yn byw mewn ofn a dychryn. Nos Sadwrn oedd y noson waethaf eto. 'Toes yma unlle yn y dre heb ei niweidio. Mae y strydoedd sydd yn rhedeg o Hawthorne Rd wedi eu evacuatio i gyd gan fod yna aerial torpedo heb ffrwydro eto a bydd rhaid cael "Suicide squad" ati gan ei bod ar gas main.[10]

Gwahoddodd Kate ei chwaer-yng-nghyfraith hefyd i ddod i aros gyda hi a Morris, ond ni fynnai Maggie adael ei theulu ychwaith, er gwaethaf y peryglon. Wrth i 1940 ddirwyn i ben, yr un oedd y sefyllfa yn Lerpwl, yn ôl llythyr a anfonodd Maggie at Kate ym mis Tachwedd:

> Noson bythgofiadwy i bawb ohonom; bysa yn dda gennym tasa ni yn gallu deud, "Wel mae hi trosodd" ond fel yna heno eto wyrach ia, a gwaeth feallai, maent yn chwilio un o dai Trinity Rd am gyrff drwy'r dydd heddiw. Yr oeddym yn meddwl yn siwr fod ein diwedd wedi dod! Mae y tŷ yma wedi['i] orchuddio hefo plaster a huddig a baw ... [11]

Cafodd Kate 'aeaf digon caled (o ran gwaith), pryderus ac eithaf hapus,' meddai wrth Saunders Lewis ym mis Ebrill 1941.[12] Bu llawer o bryderon teuluol arni yn ystod misoedd y gaeaf, ond o leiaf 'doedd dim angen iddi boeni am deulu ei brawd John mwyach:

> Bu'n rhaid imi redeg i Rosgadfan yn bur aml er mis Ionawr. Cymerwyd mam yn wael gan ddolur cefn, ac ni bu fawr o drefn arni byth. Fe gafodd wared â'r boen ond nid oes

lawer o hwyl arni ac ni ellir ei gadael ei hunan. Erbyn hyn mae fy mrawd o Lerpwl a'i deulu yn byw efo hi – Y fô wedi colli ei waith oherwydd bomio ei warws (gotwm) ac ofn arnynt y gallai gwaeth ddigwydd iddynt hwy eu hunain. Mae'n chwith iawn i mam fynd i fethu gwneud dim, a thrwy hynny golli ei hannibyniaeth, peth a garodd mor fawr ar hyd ei hoes. Mae ei meddwl mor hoew a chraff ag y bu erioed, yn llawer mwy hoew na'i chorff.[13]

Roedd bri Kate fel awdures yn dechrau lledaenu y tu hwnt i ffiniau Cymru yn ystod y cyfnod hwn. Ymddangosodd cyfieithiad Walter Dowding o 'Chwiorydd', 'Sisters', yn *Welsh Short Stories*, a gyhoeddwyd gan Penguin ym 1941, dan olygyddiaeth Gwyn Jones, ac ymddangosodd cyfieithiadau gan Walter Dowding o dair stori arall, 'The Victory of Alaw Jim', 'The Loss' a 'Between Two Pieces of Toffee', yn y cylchgrawn *Life and Letters To-day* rhwng 1940 a 1941. Ym 1941 hefyd, ymddangosodd erthygl gan Walter Dowding, 'The World of Kate Roberts', yn yr un cylchgrawn. 'Nid oes gennyf unrhyw feddwl o'r cyfieithiadau i'r Saesneg o'm storïau – Cymraeg yw fy iaith i – ond petai modd iddynt ddyfod ag arian imi yn yr iaith honno buaswn yn fwy na bodlon o weled eu cyfieithu, er mwyn defnyddio'r arian at Wasg Gee,' meddai wrth Saunders Lewis.[14] Yn ei gyfrol *The Modern Short Story* (1941), cyfeiriodd H. E. Bates at 'quiet realism' Kate, a oedd wedi llunio 'a series of remarkable stories in Welsh and who has the distinction of being, like Tchehov, intelligently and beautifully translated,' gan anghytuno'n bendant â'i barn hi am y cyfieithiadau Saesneg o'i storïau.[15]

Er yr holl glod hwn iddi yn Saesneg, dim ond un stori a gyhoeddwyd ganddi yn ystod y rhyfel, 'Dwy Ffrind', a ymddangosodd yn rhifyn Awst/Medi 1941 o *Heddiw*.[16] Stori am gyfeillgarwch agos dwy ddynes yw 'Dwy Ffrind', ond ceir stori fechan, fer, neu giplun, oddi mewn i'r brif stori, wrth i'r ddwy ffrind wylio dwy ffrind arall, dwy hen wraig, yn mynd am dro, a cheisio dyfalu beth yw eu stori. Dyma enghreifftiau pellach o ddeuoedd benywaidd Kate, ac enghraifft arall o agosatrwydd mawr rhwng dwy fenyw. Mae'r rhyfel yn gefnlen i'r stori. Mae Morfudd wedi mynd i ymweld â'i ffrind Nanw oherwydd iddi glywed 'fod y rhyfel wedi dweud yn arw ar amgylchiadau Nanw, a'i bod hithau o'r herwydd yn dechrau mynd yn od'. Nid ei hodrwydd, fel y cyfryw, sy'n taro Morfudd ond ei bodlonrwydd a'i thawelwch. Mae rhyw dawelwch mawr wedi ei meddiannu. Mae Nanw yn cyfeirio at 'y dyddiau yma', sef dyddiau'r rhyfel, ddwywaith, unwaith wrth siarad am blentyndod yn gyffredinol, ac unwaith wrth feddwl am ei hen-deidiau a'i hen-neiniau. Ei phlentyndod, meddai Nanw, oedd yr 'unig beth sefydlog' yn ei bywyd. Mae hi'n peri syndod i Forfudd oherwydd iddi ddweud y byddai yn adnabod ei hynafiaid 'petaent yn cerdded i'r ystafell yma 'rŵan' ac oherwydd ei bod yn 'teimlo'u bod nhw'n perthyn yn agosach imi o lawer na pherthnasau nes'. A dyma Morfudd yn cael enghraifft ddiriaethol o odrwydd honedig Nanw, sef ei chymundod â'r meirwon. Mae ei hen-deidiau a'i hen-neiniau marw yn fwy byw iddi na dieithriaid fel y ddwy hen wraig y mae hi'n gorfod dyfalu beth yw eu hanes. Nid diffyg cysuron materol cyfnod y rhyfel sy'n poeni Nanw, ond dioddefaint diddiwedd ei hynafiaid:

> ... mi fydda' i'n cofio fel y buon' nhw'n diodde. Gweithio o olau i olau am ychydig bach o arian. Cerdded milltiroedd at eu gwaith. Dim cloc i wybod pryd i gychwyn. Fe aeth rhai ohonyn nhw at eu gwaith erbyn hanner nos yn lle chwech y bore oherwydd hynny. Bwyd gwael, anniddorol. Dillad hyll, digon cynnes efallai. A dim ond swllt neu ddeunaw yr wythnos o'r plwy i'w gweddwon, a hwythau wedi marw'n ifanc wrth weithio'n hir ar fwyd gwael. Mi glywais am wragedd gweddwon yn llwgu ac yn rhynnu ar eu dogn o'r plwy.

Yn ôl Nanw, rydym 'yn greulon wrth anghofio'r gorffennol'. Mae hi'n dychryn Morfudd trwy ddweud ei bod yn teimlo'n hynod o agos at ei hynafiaid, a'i bod yn 'treio cael ganddyn' nhw ddweud rhagor o'u hanes' wrthi, nes peri, yn wir, i Forfudd gredu o ddifri fod ei ffrind yn colli arni. ''Rydw i'n teimlo fel petawn i'r ochr arall i gwmwl, ac nad ydi'r cwmwl yn effeithio dim arna'i erbyn hyn, er ei fod o yno o hyd,' meddai Nanw am y rhyfel. Mae dioddefaint ei hynafiaid yn ôl yn y gorffennol pell yn fwy o boendod na chyni a dioddefaint y rhyfel presennol. Trwy gydol yr amser, y tawelwch hwn sy'n meddiannu Nanw. Trwy gofio am ei gorffennol a thrwy gymuno â'i hynafiaid, y mae Nanw yn ennill digon o ffydd a hyder i wynebu bywyd a'i holl anawsterau ('Daethai rhywfaint o'r hen sŵn gwrthryfelgar i'w llais'). Y gorffennol sy'n rhoi nerth iddi. Nid yw'r gorffennol yn golygu dim i Forfudd, ac ni all ddeall pam y mae Nanw yn gogwyddo'i theimladau 'at rywun sydd wedi marw ers can mlynedd'. Ond fe wyddom 'am galedi ein cyn-dadau', meddai Nanw, ac, o'r herwydd, nid oes gan neb hawl i anghofio'r caledi hynny. Anghysur ac anghyfleustra dros dro yw drudaniaeth cyfnod y rhyfel, ond parhaol, o'r crud i'r bedd, oedd tlodi a chyni'r hen bobl.

Daliai Kate a Morris i weithio'n galed trwy gydol blynyddoedd y rhyfel. 'Mor falch wyf o'r *Faner*! Mor falch o'i gweled yn sefyll allan fel gem pur yng nghanol sbwriel newyddiaduriaeth; ac o glywed ei llais clir, melys yng nghanol pob croch lafar radio,' meddai Kate wrth Saunders Lewis, gan ganmol 'Cwrs y Byd' i'r entrychion.[17] Aeth Kate a Morris yn wael yn ystod ail hanner 1942. Bu'n rhaid i Morris encilio i'w wely, ond gwellhaodd ar ôl wythnos o orffwys. Dioddefai Kate hithau gan boenau corfforol, ac awgrymodd Saunders Lewis iddi fynd i Lerpwl i weld arbenigwr. Ond gofidiai Kate am eraill hefyd, yn ôl ei harfer. Ym Medi 1942, pryderai fod mam Prosser Rhys, Elizabeth Rees, yn wael. 'Yn wir, mae colli hen bobl y dyddiau hyn yn golli oes na welwn byth mohoni eto. Ni fedraf i wneud dim ond edrych i'r gorffennol,' meddai wrth Saunders Lewis, gan hiraethu am y gorffennol o ganol uffern y presennol, ac adleisio geiriau Nanw yn 'Dwy Ffrind' ar yr un pryd.[18]

A blynyddoedd o golli oedd blynyddoedd y rhyfel, ac nid colli hen bobl na cholli oes yn unig. Collodd un o'i chyfeillion mwyaf, dros dro o leiaf, ym 1943. Ar Hydref 31 y flwyddyn honno, anfonodd Saunders Lewis lythyr pigog at Kate, gan ei chyfarch fel 'Mrs Williams' ac arwyddo'i lythyr yr un mor ffurfiol anghyfeillgar, 'Yr eiddoch yn gywir/Saunders Lewis'.[19] Llythyr a ysgrifennodd Morris at Saunders Lewis oedd asgwrn y gynnen:

> Cefais rybudd gan Mr Morris Williams ddoe ei fod yn trefnu i derfynu *debentures* Mr ROF Wynne a'i gefnogaeth ef i *overdraft* Cwmni Gee a'i Fab. Rhoes Mr Williams hefyd rybudd i mi derfynu fy nghysylltiad â Gee a'i Fab fel cyfarwyddwr.[20]

Rhoddodd R. O. F. Wynne, Garthewin, Llanfair Talhaearn, cyfaill mawr Saunders Lewis, arian ar fenthyg i Wasg Gee ym 1939 i brynu offer newydd. Ni fynnai fod yn un o gyfarwyddwyr y wasg, fodd bynnag, ac enwebodd Saunders Lewis yn ei le. Roedd Morris wedi llwyddo i dalu'r ddyled yn ôl i R. O. F. Wynne erbyn 1943, ac o'r herwydd, tybiai Morris nad oedd Saunders Lewis bellach yn aelod o'r Bwrdd Cyfarwyddwyr. Yn ôl Saunders Lewis, y cyfarwyddwyr yn unig a feddai ar yr hawl i ddiswyddo cyfarwyddwr arall, a hynny trwy bleidlais mewn cyfarfod blynyddol yn unig. Mynnodd fod Morris yn galw cyfarfod o'r cyfarwyddwyr yn ddi-oed, tra byddai yntau yn anfon gair ffurfiol at bob un i ofyn iddynt gefnogi ei gais am gyfarfod ac i ystyried yr ohebiaeth a fu rhyngddo a Morris. Ond ni chafodd Saunders Lewis ei ailethol i'w le, a surwyd y berthynas rhyngddo ef a Kate yn sgil hynny.

Rhygnai'r rhyfel ymlaen. Roedd pawb wedi syrffedu ar y ddrudaniaeth a'r dogni. Ni chollodd Kate anwyliaid yn y rhyfel hwn. Tro cenhedlaeth arall oedd hi i golli brodyr a meibion, gwŷr a chariadon. Bu teulu Bootle yn agos at angau fwy nag unwaith adeg y cyrchoedd awyr ym 1940, ond roedd John, Maggie a Pegi yn ddiogel ym Maes-teg ers tro bellach. Arhosai Eirian yno hefyd ar brydiau, ond bu hefyd, a hithau'n athrawes wrth ei galwedigaeth, yn llochesu yn ardal Beulah yng nghefn gwlad Brycheiniog, gyda phlant cadw.

Am ei mam y pryderai Kate bellach. Roedd Catrin Roberts erbyn hyn mewn gwth o oedran a chlafychai fwy a mwy bob dydd. Mynegodd Kate ei phryderon ynghylch ei mam mewn llythyr at Siân a D. J. Williams ddiwedd mis Tachwedd, 1943:

> Mae hi'n wael iawn ers mis ac yn orweiddiog. Yn wir, dylsai roi i mewn a mynd i orwedd cyn hynny, ond bod yr hen greadures yn treio ei gorau ddal i godi rhag rhoi trafferth i neb. Mae ganddi salwch poenus iawn – casgliad (magwreth) ar y bledren, ac mae hwnnw'n torri ac yn rhedeg ac yn ail gasglu o hyd, a hithau'n cael poenau enbyd o'r herwydd. Mae hi'n rhy wan erbyn hyn i fedru codi o gwbl ac yn bur ddigalon. Mae'n chwith iawn ei gweled.[21]

Gresynai Kate fod Rhosgadfan mor bell oddi wrth Ddinbych, ac roedd y pellter yn dwysáu'r pryder:

> Teimlaf yn reit hapus pan fyddaf wrth erchwyn ei gwely, a buaswn yn fodlon eistedd felly ac edrych ar ei hwyneb tra pery hi. Ond unwaith y dof yn ôl i Ddinbych dechreuaf boeni wedyn a meddwl sut y mae hi, ac ofn cael newydd drwg o hyd. Ni allaf yn hawdd fynd yno i aros oherwydd cwestiwn y bwyd a buaswn yn rhyw gymaint o drafferth, er y buaswn o help hefyd, i'm chwaer yng nghyfraith. Felly, ceisio mynd yno bob pythefnos yr wyf.[22]

Roedd y ffaith fod yr ardal i gyd yn garedig wrth ei mam yn tawelu rhywfaint ar ei meddwl, ond, meddai

> ... bu hithau'n garedig iawn wrth yr ardal holl ddyddiau ei phreswyl yno. Mae wedi geni ugeiniau o'u plant i'r byd, wedi gweini ar eu cleifion unrhyw adeg o'r dydd neu'r nos ac wedi codi o'i gwely gannoedd o weithiau i fynd at wely angau cymydog. Ni wybu erioed ystyr y gair 'Hunan', ac mae'n beth braf iawn cael dweud hynny ar derfyn ei hoes faith.[23]

Ni pharhaodd Catrin Roberts yn hir wedi hynny. Bu farw ar y diwrnod cyntaf o Chwefror 1944, mis pen-blwydd ei merch, a'i chladdu ym mynwent Rhosgadfan ar Chwefror 4. Darllenodd Lewis Valentine ei gyfieithiad ef ei hun o'r bennod olaf o Lyfr y Diarhebion ar lan y bedd, gan agor â'r frawddeg 'Pwy a fedr gael gwraig rinweddol?' Argraffwyd y cyfieithiad ar ffurf cerdyn, ac anfonodd Kate nifer o gopïau at Lewis Valentine, gan sôn am y golled enbyd a ddaeth i'w rhan:

Daw pyliau o hiraeth amdani'n aml, ac ni fedraf gael ei dioddef mawr oddi ar fy meddwl. I ni, ei phlant, yr oedd ei phersonoliaeth yn gyfryw na ellir ei anghofio y rhawg, hyd y diwedd deuai rhyw gornel newydd i'r golwg o hyd. Teimlaf yn sicr o hyn[:] ein bod yn teimlo'n chwithach ar ei hôl oherwydd y rhyfel creulon yma. Yr oedd fel angor mewn storm inni.[24]

Darllen am ei marwolaeth yn *Y Faner* a wnaeth Saunders Lewis, a bu'n rhaid iddo dorri ar ei ddistawrwydd, pe bai ond o ran gweddustra'n unig. Anfonodd bwt o lythyr at Kate i gydymdeimlo â hi, ac anfonodd hithau lythyr yn ôl ato, i ddiolch. 'Y peth a gofiaf o hyd yw ei gwên hoffus y tair noson olaf y bu byw, ac ambell bwt o ddywediad a ddangosai mor chwim ei meddwl o hyd,' meddai wrtho, ac aeth ei meddwl yn ôl i Rosgadfan y gorffennol:

Yr oedd yna ryw bump ar hugain o dyddynnod bychain o gwmpas capel Rhosgadfan pan oeddwn i'n blentyn, a phobl fel fy rhieni yn magu plant ynddynt. Cymry unieithog oeddynt, yn byw yn syml, yn heddychlon ac yn gymwynasgar, yn batrwm o gymdeithas dda. Maent i gyd wedi mynd erbyn heddiw, a mam oedd yr olaf ohonynt. Mae'r syniad yn rhy drist i feddwl amdano, yn enwedig mewn byd creulon, anniwylliedig fel y sydd heddiw.[25]

'Teimlaf weithiau mai dim ond fy mhlentyndod sy'n ffaith, mai breuddwyd yw gweddill fy einioes,' meddai, ac er hynny, 'dyna'r amser tlotaf yn fy mywyd'.[26]

Anfonodd D. J. Williams air ar ei ran ef a'i briod at Kate i fynegi eu cydymdeimlad dwys â hi yn ei cholled. Aeth D.J. i weld Catrin Roberts ym Maes-teg un prynhawn ar ddechrau Awst 1943, ar gais Kate, ac am ychydig oriau cafodd ei synnu 'gan loywder a chryfder ei meddwl a'i chof yn ei hoed mawr hi'.[27] Roedd dioddefaint ei mam yn ei dyddiau olaf yn dal i boenydio Kate, ddeufis ar ôl ei marwolaeth:

Ni chwynai ddim, ond dywedai weithiau, 'Choelia i byth y dioddefodd bren daear erioed gymaint â hyn.' Ac ni wyddom o gwbl ym mha le y cafodd yr ymadrodd 'pren daear'. Teimlo yr oeddwn i sut y gallai'r Bod sy'n rheoli popeth adael i un a ddioddefodd gymaint o helbul ac o boen corff drwy ei hoes hirfaith, adael iddi ddioddef cymaint wrth droi cefn ar fyd mor ddigysur.[28]

Lluniodd Gwilym R. Jones dri englyn er cof am Catrin Roberts, a chynhwysodd yr ymadrodd 'pren daear' yn ei drydydd englyn. Rhoddwyd y cwpled clo ar y garreg fedd:

Dyfnder gwae y pren daear – a wybu,
   A'i obaith hir-fyddar;
  Ni chudd oes ei buchedd wâr
  Na beddgist ei byw hawddgar.

Gorweithiai Kate a Morris o hyd, a châi Morris fynych byliau o waeledd a gwendid. Roedd ei alcoholiaeth a'i fywoliaeth yn ei wanychu yn raddol. Daliai Kate yn wydn o hyd yn nannedd pob storm, ond pan gollodd ei mam ar ddechrau Chwefror 1944, yr oedd ar fin wynebu'r flwyddyn fwyaf anodd a mwyaf ergydiol o holl flynyddoedd y rhyfel. Ym mis Rhagfyr 1944 collodd ei ffrind Gwla, Gwladys Jones, ar drothwy'r Nadolig. Gyda'r ddwy chwaer Winifred a Dorothy Rees, Gwladys Jones oedd ei ffrind mawr arall yn Aberdâr, ac wedi hynny, a Winifred a Dorothy a adawodd i Kate wybod ei bod wedi marw.

Ond roedd gwaeth i ddod. Yn oriau mân y bore, Chwefror 6, yn y flwyddyn newydd – a blwyddyn olaf y rhyfel – bu farw Prosser Rhys. Un eiddil o gorff a bregus o ran iechyd fu Prosser Rhys erioed, ac ynddo duedd i orweithio. Sioc enbyd i Kate a Morris oedd marwolaeth Prosser. 'Mae ceisio ysgrifennu gair ar ôl Prosser Rhys mor anodd â phetawn yn ceisio ysgrifennu ar ôl un o'm teulu fy hunan, gan ei fod gymaint yn rhan o'm bywyd yn ystod y blynyddoedd diwethaf,' meddai Kate wrth ei goffáu yn *Y Faner*.[29] Cofiai am y tro cyntaf y bu iddi hi gyfarfod â Prosser Rhys, ar y siwrnai i Ysgol Haf gyntaf y Blaid Genedlaethol ym 1926, ac ar y trên y gwelodd ef am y tro olaf, pan oedd 'ar y ffordd i Gorwen, ef wedi bod yn aros dridiau gyda ni ac yn dychwelyd i Aberystwyth a minnau'n mynd i Lyndyfrdwy'.[30] Yn niwedd Awst 1944 y bu hynny. Roedd bywyd Prosser Rhys yn cyffwrdd â llawer o fywydau eraill – Morris a Kate yn enwedig – ac enfawr oedd y bwlch o'i ôl:

> Cawsom ni yma garedigrwydd a chymwynasau di-ben-draw oddi ar ei law. Ei freuddwyd ef oedd prynu Gwasg Gee, a chael *Y Faner* yn ôl i Ddinbych, ac nid y ni yw'r unig bobl a gynorthwyodd – rhoes nifer da o Gymry ar eu traed. Yn wir, mae colli Prosser Rhys yn golled anhraethadwy. Y syndod i mi yw sut y medrais ysgrifennu fel yna mewn gwaed oer amdano, a minnau ers bore dydd Mawrth diwethaf fel petawn mewn hunllef. Gwyn fyd na chawn ddeffro a chanfod mai hunllef yw.[31]

Ac os oedd marwolaeth Prosser yn ergyd i Kate, yr oedd yn sicr yn ergyd enfawr i Morris.

Ychydig fisoedd ar ôl marwolaeth Prosser daeth y rhyfel i ben. Rhyddhad yn hytrach na gorfoledd a deimlai Kate a Morris ar ddiwedd y rhyfel, a llawer iawn o chwithdod a hiraeth. Ac er bod y ddau yn croesawu heddwch, gyda'r gobaith y gallai'r wasg bellach ffynnu, ar fin cychwyn yr oedd gwir ryfel Kate mewn gwirionedd. Iddi hi, dechrau gofidiau oedd diwedd y rhyfel.

10

BLWYDDYN MARWOLAETH MORRIS
1946

'Byddaf yn sôn llawer am gael thema i nofel, ond credaf mai fy mywyd i fy hun yw'r thema fwyaf y gwn i amdani. Nid oes dim canolig yn digwydd yn fy mywyd i.'

Kate Roberts at D. J. Williams, Ebrill 1, 1947

Llwyddodd *Y Faner* i ddal ei phen uwch y dŵr trwy gydol blynyddoedd anodd y rhyfel, gyda'u dogni ar bapur a'u myrdd anawsterau, a llwyddodd y wasg hefyd i ddod trwyddi. Roedd y flwyddyn gyntaf o heddwch llawn ar fin gwawrio, a gallai Morris a Kate edrych ymlaen bellach at gyfnod mwy llewyrchus yn hanes *Y Faner* a Gwasg Gee. Bu blynyddoedd y rhyfel yn flynyddoedd colledus i'r ddau. Collodd Kate ei mam a chollodd Morris ei gyfaill mawr – a mwy na chyfaill – Prosser Rhys. Roedd problem yfed Morris wedi gwaethygu a chynyddu yn ystod cyfnod y rhyfel, wrth iddo frwydro i gadw'r busnes ar ei draed ac i gadw hiraeth a galar draw ar yr un pryd, wedi marwolaeth Prosser. Ond roedd y gwaethaf heibio. Efallai y gallai Morris bellach wella a threchu ei wendid, fel y câi'r busnes ei draed dano yn raddol, ac fel y pylai amser ei hiraeth am Prosser. Bellach yr oedd gobaith yn y gwynt.

Yna, digwyddodd trychineb. Trawyd Morris yn wael, 'yn ddifrifol wael' yn ôl adroddiad yn *Y Faner*, ar nos Iau, Ionawr 3, dridiau ar ôl i'r flwyddyn newydd gychwyn ar ei hymdaith.[1] Cafodd ffit epileptig, a dirywiodd ei iechyd o hynny ymlaen. Ymhen tridiau arall, ar fore Sul, Ionawr 6, yr oedd wedi marw; ac ymhen tridiau eto, roedd wedi ei gladdu. Cafodd marwolaeth Morris effaith annileadwy ar Kate. Aeth â'i farwolaeth gyda hi i bobman, ac ni lwyddodd unwaith i fwrw ei galar. Sydynrwydd y digwyddiad oedd y sioc fwyaf, ac o'r herwydd, cymerodd flynyddoedd iddi ddygymod â marwolaeth Morris, os bu iddi ddygymod â'i farwolaeth o gwbl. Ar adegau, câi anhawster i dderbyn ei fod wedi marw, a chredai ei fod yn fyw o hyd.

Dau beth a gyfrannodd at farwolaeth Morris oedd gorweithio a goryfed. Yn ôl y dystysgrif farwolaeth, a lofnodwyd gan Dr J. G. Thomas, bu Morris farw o '(a) Exhaustion (b) Epilepsy (c) Alcoholism (chronic)'. Ni welodd Kate yr arwyddion, neu, o leiaf, dyna un fersiwn o'r stori. Yn ôl rhai eraill a oedd yn ei hadnabod yn dda, Gwilym R. Jones a Rhydwen Williams, er enghraifft, gwrthod gweld yr arwyddion a wnaeth a gwadu bod gan Morris broblem yfed o fath yn y byd.

Roedd marwolaeth ddisymwth Morris yn ysgytwad i bawb. Gŵr uchel ei barch oedd Morris T. Williams yn y Gymru Gymraeg a oedd ohoni ar y pryd, er bod ei gyfeillion a'i gydnabod yn gwybod am ei broblem ynglŷn â diod, a gŵr hynod o adnabyddus hefyd. Nid cysgod egwan i Kate mohono. Roedd yn ŵr blaenllaw yng nghylchoedd y Blaid, yr oedd yn berchen ar wasg a oedd yn hanfodol i ffyniant a pharhad y Gymraeg, ac roedd yn gynghorwr lleol cadarn, ymarferol a phendant ei farn.

Cofnod moel ynghylch marwolaeth Morris a ymddangosodd ar dudalen flaen rhifyn dydd Mercher, Ionawr 9, o'r *Faner*, sef union ddiwrnod ei angladd: 'Y mae'n ofidus gennym hysbysu marwolaeth Mr. Morris Thomas Williams, priod Kate Roberts, y nofelydd adnabyddus, a rheolwr-cyfarwyddwr Gwasg Gee, a ddigwyddodd yn sydyn fore Sul, Ionawr 6, yn ei gartref, Y Cilgwyn, Dinbych'.[2] Ond erbyn i'r newyddion gyrraedd rhai o ddarllenwyr *Y Faner* roedd Morris eisoes yn ei fedd. Nodwyd rhai ffeithiau ynghylch ei gefndir a'i yrfa, gan gynnwys pwt gorganmoliaethus amdano fel bardd a llenor:

> Yr oedd yn llenor Cymraeg ac yn fardd, enillodd gadair Eisteddfod Cerrig-y-drudion yn 1936 ac yn 1937. Cyfansoddodd amryw sonedau praff, a chyhoeddwyd un o'i gerddi yn y "Llenor" yn ddiweddar. Ysgrifennodd ddwy nofel hir nas cyhoeddwyd, a chanmolwyd hwy gan feirniaid craff a'u darllenodd mewn llawysgrif.[3]

Go brin fod ennill y gadair ddwywaith mewn eisteddfod leol a llunio dwy nofel na welsant erioed olau dydd yn arwydd o yrfa lenyddol lewyrchus. Y gwir yw mai methiant fel llenor oedd Morris, ac efallai fod a wnelo'r methiant hwnnw ryw fymryn â'i gwymp. Nodwyd y byddai'r angladd, 'cyhoeddus i feibion yn unig', yn cael ei gynnal am ddau o'r gloch ar y dydd Mercher hwnnw, Ionawr 9, yn y Fynwent Newydd yn Ninbych, ac amlygwyd cydymdeimlad 'â'i briod ac â'i frawd Mr. D. Edmund Williams, Lindsell, Essex, a'i chwaer Miss Hannah M.

Williams, yr athrawes hynaf yn Ysgol Sir Pen-y-cae (Mynwy), yn eu colled a'u trallod'.[4]

Cafwyd adroddiad ar angladd Morris yn y rhifyn dilynol o'r *Faner*, a hwnnw'n adroddiad gorddramatig:

> Mewn rhyferthwy o law a gwynt y cludwyd corff Morris T. Williams o'r Cilgwyn i randir ei hun olaf, fel pe bai natur wedi dwyn drycin Eryri i dynerwch Dyffryn Clwyd – canys un o feibion Eryri a gladdwyd yn Ninbych y dwthwn hwnnw. Yn sain leddf y ddyhuddgloch o eglwys Sant Dewi gerllaw, y cerddem, fawr a bach, enwog a distadl, trwy strydoedd tawel prif dref Rhufoniog. Uwchben Neuadd y Sir cyhwfanai'r Ddraig Goch ar hanner y polyn, am y tro cyntaf erioed yn arwyl cynghorwr o Ddinbych – ardderchog o deyrnged i goffa gŵr a garai Ddinbych am ei fod yn caru Cymru.[5]

Byr fu'r gwasanaeth ar lan y bedd oherwydd gerwinder y tywydd. Darllenwyd rhan o'r Ysgrythur gan y Parchedig R. Bryn Williams, gweinidog Capel y Tabernacl, Rhuthun, ar y pryd, ac offrymwyd gweddi gan Lewis Valentine. Traddododd yr Athro J. E. Daniel hefyd deyrnged i Morris, ac yn ôl *Y Faner*: 'Pwysleisiodd fod y golled o'i farw disyfyd yn un genedlaethol, a hyderai y caem ras i garu Cymru fel y carodd ef hi, ac i weithio erddi fel y llafuriodd ef'.[6]

Yn y rhifyn dilynol hwnnw o'r *Faner*, rhifyn Ionawr 16, cyhoeddwyd nifer o deyrngedau i Morris. Ar dudalen flaen y papur, cyhoeddwyd pedwar englyn gan R. Williams Parry. Cofiodd am 'Y Cynghorydd Gwlatgar' i ddechrau. Etholwyd Morris yn aelod o Gyngor Tref Dinbych ym 1937, a bu'n gynghorydd am dair blynedd, nes iddo ymddiswyddo o'r Cyngor ym 1940. Gwta ddeufis cyn ei farwolaeth, ym mis Tachwedd 1945, ymladdodd eto am sedd ar y Cyngor, fel aelod o Blaid Genedlaethol Cymru, ac etholwyd ef yn un o wyth o blith dau ar bymtheg. Ac am y cynghorwr o Bleidiwr y cofiai R. Williams Parry:

> Ni chlywid onid uniaith – ei fynwes
> > Ar ei fin ddilediaith:
> > Na, ni wnâi gam â'i famiaith
> > Mewn pwyllgor na chyngor chwaith.

A choffáu Morris fel 'Y Meistr Caredig' a wnaeth yn yr ail englyn:

> Anwesai hwn ei weision, – o'r prentis
> > Hyd i'r printiwr bodlon;
> > A gwnaeth ei wasg, henwasg hon,
> > Yn nyth esmwyth i'w hwsmon.[7]

Coffaodd hefyd 'Y Cadlywydd Distaw', ac, yn olaf, 'Y Cyfaill Coll'. Ac fel cadlywydd y cofiai Gwilym R. Jones amdano yn ei gerdd goffa yntau, 'I Gofio am Gyfaill':

> Rhoes o ei gefn wrth groes y gwan
>> A rhwygodd rym y dreigiau,
> A daeth diarbed dynged dyn
>> A dewis mab y duwiau![8]

Ymddangosodd nifer o deyrngedau rhyddiaith yn y rhifyn coffa hwnnw o'r *Faner*. Cofio am Morris fel cyfaill a wnaeth T. Gwynn Jones. 'Yr oedd craffter yn ei drem a phraffter yn ei gyfeillgarwch,' meddai.[9] Roedd I. D. Hooson wedi adnabod Morris ers tua deuddeng mlynedd cyn ei farwolaeth, 'pan oedd a'i fryd ar brynu Gwasg Gee a'r "Faner"',[10] a thalodd deyrnged i Morris fel dyn busnes ac fel cyfaill:

> Cyfreithiol oedd ein cysylltiad ar y dechrau, ond buan iawn y datblygodd ac yr aeddfedodd hwnnw yn hoffter personol ac yn gyfeillgarwch gwir a barhaodd hyd y diwedd. Ni chwrddais erioed â gŵr mwy unplyg ac mor ddidderbyn-wyneb, ac eto un tirion a charedig oedd fy nghyfaill. Er o dymer braidd yn fyrbwyll, yr oedd yn hollol ddidwyll a difalais a'i wên siriol a'i chwerthiniad iach yn falm ar unrhyw friw a allasai yn ei fawr sêl achosi i un anghytunai ag ef ar fater o egwyddor. Carai Gymru yn angerddol ac aml a fu ei gymwynas iddi.[11]

Cyplysu marwolaeth y ddau gyfaill mawr, Prosser a Morris, a wnaeth D. J. Williams, Llanbedr, yr awdur llyfrau plant ac un o aelodau cyntaf y Blaid Genedlaethol:

> Rhyw fis oedd oed 1945 pan gollasom Prosser Rhys, Golygydd "Y Faner", a dyma dorri bedd i Morris Williams, y rheolwr a'r pen cyfarwyddwr, cyn bod 1946 ond prin wythnos oed. Dwy ergyd drom, nid yn unig i Gwmni'r "Faner" ond hefyd i newyddiaduriaeth Gymraeg.[12]

Cofio am 'Y Cyfaill Mawr' a wnaeth Lewis Valentine, yntau hefyd yn cyplysu marwolaeth y ddau gyfaill: 'Ni chawsom egwyl i ymddisgyblu wedi colli Prosser Rhys, a dyma chwalu ac ymchwelyd eto lawer breuddwyd têr'.[13] Aeth meddwl Lewis Valentine yn ôl i Ysgol Haf gyntaf y Blaid Genedlaethol, er iddo fethu gyda'r lleoliad:

> Yn ystod Ysgol Haf gyntaf y Blaid Genedlaethol yn Llangollen y cyfarfum i gyntaf erioed â Morris Williams, ac fe gofia'r sawl a oedd yn yr ysgol hynod honno yr argraff a wnaeth y llanc melynfrig, llygatlas, ar bawb a ddaeth i gysylltiad ag ef. Clywais rywun

yn y cwmni y pryd hynny yn awgrymu mai un fel Morris Williams oedd Llywelyn ein Llyw Olaf, ac awgrymodd un arall ei fod yn debyg i un o dduwiau Groeg. Gŵr dieithr ydoedd i'r mwyafrif ohonom ar ddechrau'r ysgol, ond erbyn ei diwedd hi yr oedd yn adnabod pawb yno, a phawb yn ei hoffi yntau.[14]

'Yr oedd yn ŵr cwbl ddi-ofn ac yn ardderchog feiddgar, a digon o dyst o hynny ydyw'r "Faner" yn ystod blynyddoedd y rhyfel,' meddai Valentine.[15] Talodd deyrnged i Kate hefyd fel cymar Morris a gwraig tŷ fedrus a chroesawgar:

Gair a ddefnyddiai Morris Williams yn aml oedd y gair "nobl", ac yr oedd rhyw nobledd yn perthyn iddo, i'w berson a'i ymarwedd, hyd yn oed at ddynion a siomodd yn enbyd eu cyfeillion gorau. Ac yn wir yr oedd nobledd arbennig yn ei groeso. Braint oedd aros dan gronglwyd Y Cilgwyn, a chefais y fraint honno'n ddiweddar iawn, a rhwng medr Kate Roberts fel gwraig tŷ a'i hymddiddanion gwych, a gofal llawenus Morris dros ei westai, ni allai dyn fod yn ddiddanach yn unman. Arhosai rhin y croeso yn hir yng nghalon dyn fel peraroglau rhosynnau mewn hen ardd.[16]

Anfonodd Kate lythyr at Lewis Valentine i ddiolch iddo am ei ysgrif ar Morris, ac meddai:

Wedi llawer tymestl flin ym more oes cefais 17 mlynedd o fywyd hapus efo Morus, a dylwn fod yn ddiolchgar amdanynt, ac yr wyf felly. Mae gennyf le mawr i ddiolch imi gael tad a mam mor dda a ph[r]iod mor berffaith.[17]

Roedd Kate, yn ei galar, yn delfrydu Morris, ond gwyddai hefyd fod y pren a'i cysgodai rhag drycinoedd byd wedi cwympo a'i gadael yn ddiamddiffyn, er mai pren digon sigledig ac ansad oedd hwnnw yng nghanol ei dymhestloedd ei hun. Ond roedd cysgod y pren bregus hwn yn well na gorfod wynebu gwyntoedd didostur y byd heb unrhyw fath o amddiffynfa. Gwyddai Kate mai 'blynyddoedd tywyll sydd o'm blaen' bellach,[18] ac y byddai pob heddiw'n dywyll a thywyll pob heno. Er hynny, yng nghanol ei helbul a'i hing, anfonodd siec at Lewis Valentine fel cyfraniad tuag at ei dreuliau i angladd Morris, wrth i'w natur gynhenid hael dreiddio drwy ei galar a'i phrofedigaeth, fel haul yn tywynnu drwy ffenest wedi'i chramennu gan rew.

Un arall a fu'n hel atgofion am Morris – ac am Kate – oedd eu ffrind mawr Griffith John Williams. Credai mai tua 1929 y gwelodd Morris Williams gyntaf, ac fel cenedlaetholwr pybyr y cofiai amdano yn bennaf:

Yn y cyfnod hwnnw yr oedd yn byw yn Rhiwbeina, ac wedi inni sefydlu Cangen o'r Blaid Genedlaethol yng Nghaerdydd, cawsom gyfle i gyfarfod yn gyson, a deuthum, fel pawb arall o aelodau'r Gangen, i'w hoffi a'i barchu a'i edmygu. Perthynai iddo ddwy gynneddf a dynnai ein sylw oll, sef ei awydd i wasanaethu Cymru heb feddwl am ei fuddiannau ef ei hun, a'i ddewrder. Nid oedd arno ofn neb.[19]

Cofiai glywed y ddau, Morris a Kate – 'a oedd yn byw er mwyn yr un pethau ag yntau' – yn trafod eu cynlluniau i atgyfodi'r *Faner* yn eu cartref yn Nhonypandy, a'i atgyfodi 'fel papur cenedl, papur i garedigion y bywyd Cymreig', yn ogystal â'u cynlluniau i wneud Gwasg Gee 'eto yn allu ym mywyd cyhoeddus Cymru'.[20] Nid er mwyn ymelwa y prynwyd y wasg yn ôl Griffith John Williams, ond er mwyn gwasanaethu Cymru. Fel eraill, talodd deyrnged i weithgarwch a diwydrwydd Morris – diwydrwydd hyd at aberth – ac eto, er ei holl brysurdeb, efallai, meddai Griffith John, 'mai un o'i nodweddion amlycaf oedd ei sirioldeb, hyd yn oed yng nghanol bywyd prysur swyddfa argraffu'.[21]

Yn yr un rhifyn o'r *Faner*, cofio am 'Y Bachgen a'r Dyn' a wnaeth Thomas Parry, fel un a fu'n gyd-ddisgybl iddo yn Ysgol y Cyngor, Penfforddelen, er bod Morris ryw bedair blynedd yn hŷn nag ef. 'Rhwng y bachgen tal penfelyn yr wyf fi'n ei gofio yn Ysgol Penfforddelen, a'r gŵr a lywiai Wasg Gee yr oedd blynyddoedd o chwilfrydedd, o annibyniaeth, argyhoeddiad,' meddai.[22]

Talwyd teyrnged ddienw i Morris gan Gwilym R. Jones, Golygydd *Y Faner* ers marwolaeth Prosser Rhys, yn y golofn 'Ledled Cymru', ac nid teyrnged wenieithus mohoni:

> Gallwn ddywedyd llawer am ein cyfathrach â'n gilydd yn nyddiau ein llencyndod o'r dydd pan gychwynnais weithio ar staff yr "Herald Cymraeg" yng Nghaernarfon, lle'r oedd Morris T. Williams eisoes yn brentis o argraffydd. Nid oedd yn llanc y gallech ei hoffi ar unwaith; byddai'n chwannog i "roddi'r gair garw ymlaen", a hoffai anghytuno a chellwair. Eithr, yn raddol dysgais fod haenau o feddalwch a charedigrwydd oddi tan yr hyn a alwodd R. Williams Parry yn "'cussedness Morus Wiliam.'"[23]

Ac fel pennaeth cadarn, ond cyfiawn a theg, y cofiai Gwilym R. Jones amdano, gan ategu'r hyn a ddywedodd R. Williams Parry am Morris yn ei englyn 'Y Meistr Caredig':

> Ni bu gan neb oruchwyliwr cyfiawnach. Dywedai ei farn am waith dyn yn hollol agored ac onest, a disgwyliai i'w weithwyr fod yn hollol ddi-dderbyn-wyneb gydag yntau. Pan lefarai'r caswir nid oedd heb gydymdeimlo ag anawsterau'r gwas, ac yr oedd yn faddeugar a thrugarog. Gallai hefyd feirniadu dyn heb ei fychanu a gwerthfawrogi ymdrech deg a llafur ffyddlon.[24]

Cafwyd teyrngedau eraill yn ogystal, teyrnged gan E. Bryan Jones, is-olygydd *Y Faner*, er nad oedd wedi adnabod Morris yn hir, oherwydd mai newydd ymuno â staff *Y Faner* yr oedd, rhyw ddeufis cyn marwolaeth Morris; teyrnged gan John Gwilym Jones, cyfaill mebyd iddo a chyd-ddisgybl arall yn Ysgol Penfforddelen; a chan J. Gwyndaf Jones, rheolwr y *Chester Chronicle*.

Parhai'r teyrngedu yn y rhifyn dilynol o'r *Faner*. Dau o gyfeillion agosaf Kate a Morris oedd Ellis D. Jones a'i wraig Jennie, neu Jini, a oedd yn byw yng Nglyndyfrdwy ar y pryd. Roedd Ellis Dafydd yn bresennol yn Ysgol Haf 1927 yn Llangollen, ac ym 1936 priododd Jennie Griffith o ardal Capel y Beirdd yn Eifionydd, hithau hefyd yn genedlaetholwraig gadarn. Ellis Dafydd oedd prifathro Ysgol Glyndyfrdwy, a phrifathro Ysgol y Sarnau ym Mhenllyn, Meirionnydd, cyn hynny, ac ymwelai Kate a Morris yn aml â Thŷ'r Ysgol, cartref y ddau yng Nglyndyfrdwy, o 1935 ymlaen. Yn ôl Ellis D. Jones:

> Pwy o'r rhai a fu yn Ysgol Haf ddiwethaf y Blaid Genedlaethol, yn Llangollen y llynedd, a oedd yno hefyd yn 1927? Rhyw wyth neu naw ohonom – ac yn eu plith Morris Williams a Kate Roberts na chollasant yr un Ysgol Haf o'r cychwyn cyntaf un, ym Machynlleth, yn 1926. Yno, yn Llangollen y cyfarfûm â Morris am y tro cyntaf erioed – yn llanc ifanc golygus "yn edrych fel rhyw dduw Groegaidd", a chydag ef ei bennaf cyfaill, Prosser. Dau lanc ifanc wedi ymdynghedu i roddi i Gymru y lle blaen ar brog[r]am eu bywyd – deued a ddelai; dau a fu'n ffyddlon i'r weledigaeth a gawsant rhyw chwarter canrif yn ôl, a gweithio'n ddiflino i wneud y breuddwyd yn ffaith, nes gorfod rhoddi eu harfau i lawr cyn cyrraedd canol oed, ac o fewn llai na blwyddyn i'w gilydd.[25]

Ac un arall a gofiai am ffyddlondeb a theyrngarwch Morris – a Kate – i'r Blaid Genedlaethol ac i ysgolion haf y Blaid oedd D. J. Williams:

> Ymhlith yr hanner dwsin neu debyg, erbyn hyn, o aelodau'r Blaid na chollasant yr un Ysgol Haf o'r cychwyn, y mae enw Morris Williams a'i briod Kate Roberts. O ganol ei holl brysurdeb fel dyn busnes dôi yno, bob tro, gyda'r un afiaith bachgennaidd, heintus, ag y daeth i'r Ysgol Haf gyntaf honno ym Machynlleth; ac yr oedd ei farn a'i gyngor o werth a dylanwad ar bob pwyllgor y bu'n aelod ohono.[26]

Rhwng Ionawr 6 a Chwefror 11, derbyniodd Kate dros drichant o lythyrau cydymdeimlad. Yr oedd y genedl am ei chysuro yn ei phrofedigaeth fawr. Derbyniodd lythyrau gan feirdd a llenorion, ysgolheigion, gwleidyddion a chydaelodau o'r Blaid. Ymhlith y rhai a anfonodd ati i gydymdeimlo â hi yr oedd Aneirin Talfan Davies, Huw T. Edwards, Lewis Valentine, Thomas Parry, O. M. Roberts, Griffith John Williams, J. O. Williams, Bethesda, y nofelydd Ll. Wyn Griffith, un o gyfieithwyr ei gwaith i'r Saesneg, I. D. Hooson, T. Gwynn

Jones a'i briod, T. E. Nicholas, D. J. Williams, Euros a Geraint Bowen, E. Tegla Davies, James a Mair Kitchener Davies, Gwynfor Evans, E. Morgan Humphreys, R. T. Jenkins, Marion Eames, Gwenallt, Ifan ab Owen Edwards, T. H. Parry-Williams, Crwys, R. Williams Parry, Elena Puw Morgan a J. M. Edwards. Fodd bynnag, ni dderbyniodd air o gydymdeimlad gan Saunders Lewis. Oherwydd yr anghydfod a fu rhyngddo a Morris Williams ym 1943, pan ddywedodd Morris wrtho nad oedd bellach yn un o gyfarwyddwyr Gwasg Gee, roedd y berthynas rhwng Morris a Saunders Lewis wedi claearu, ac, yn naturiol, ochri gyda Morris a wnaeth Kate. Y cyfan a gafodd Kate gan Saunders Lewis oedd telegràm swta yn rhoi gwybod iddi ei fod yn bwriadu dod i'r angladd. 'Fe ddaeth i'w angladd; ond nid i gydymdeimlo â mi,' meddai Kate yr un mor swta.[27]

Bu hen ffrindiau yn hynod o garedig wrthi, fel ei dwy gydathrawes a'i ffrindiau pennaf yn Ystalyfera gynt, Betty Eynon Davies, a oedd o hyd yn byw yn Llundain, a Margaret Price, Greta, a oedd yn byw yn Middlesex ar y pryd, a chofiodd cyfeillion Aberdâr amdani yn ogystal, fel Winifred Rees. Cofiodd llawer o bobl ardal ei mebyd amdani, fel W. Gilbert Williams, Rhostryfan, yr hanesydd lleol, ac aelodau o'i theulu, fel Mary, ei hanner chwaer, ac R. Alun Roberts, ei chefnder. Derbyniodd air o gydymdeimlad gan weddw a merch Prosser Rhys, Mary Prudence ac Eiddwen. Derbyniodd air hefyd gan Muriel, ei phlentyn cadw ar ddechrau'r rhyfel, a oedd yn byw yn Lerpwl o hyd.

Ysgrifennodd D. J. Williams at Kate ar Chwefror 24. Teimlai, meddai, 'fel y teimla pob un arall, y golled a gawsoch chi a'r gwacder ym mhobman ar ôl colli partner bywyd fel yr annwyl Forus; heb sôn wrth gwrs am y golled a gafodd pawb ohonom ar ei ôl, colli personoliaeth ag ynddo lond gwlad o heulwen, a'r heulwen honno'n egni i gymaint o gyfeiriadau'.[28] Fel gwir gyfaill iddi, poeni am ddyfodol Kate heb Morris yr oedd D.J.:

> Ni wn am ddim o'ch trefniadau personol chi ar gyfer y dyfodol; cario ymlaen *Y Faner* yn lle Morus yn ddiau, gan fod hynny, mewn rhyw ystyr, yn fath o rwymedigaeth foesol arnoch. Ond gresyn enbyd yw eich tynghedu chi, Kate, yn rhy lwyr i fusnes, gan mai y ddawn fawr a roddwyd i chi, wedi'r cyfan, yw sgrifennu llenyddiaeth a fydd yn dreftadaeth fythol i fywyd Cymru. Y mae digon o ddynion busnes da i'w cael na allant fyth fod yn ddim ond dynion busnes.[29]

Pryderu yr oedd D.J. y gallai baich a gofalon byd busnes lethu'r 'ddawn fawr' a roddwyd i Kate, a gofynnodd iddi a oedd wedi meddwl weithiau 'am y posibilrwydd o ymryddhau o gaethiwed swyddfa'r *Faner* a'r dreth barhaus ar eich nerth yno, heb sôn am y perygl o lethu'r awen gynhenid, ac ymroddi i lenydda yn gyfan gwbl'.[30] Ac yntau newydd ymddeol o ddysgu, ers bron i ddeufis, dathlu ei ryddid newydd yr oedd D. J. Williams ar y pryd – 'a chredwch fi, rhyddhad ydyw mewn gwirionedd'.[31] Roedd yn naturiol ei fod yn poeni am gyfrifoldebau caethiwus a beichus Kate.

Gan newid cywair y llythyr, soniodd am lyfr Thomas Parry, *Llenyddiaeth Gymraeg 1900–1945*, yng Nghyfres Pobun, a oedd newydd gael ei gyhoeddi. 'Cawsoch chi deyrnged odidog a wir haeddwch ganddo,' meddai D.J.[32] Oedd, yr oedd Thomas Parry wedi talu teyrnged aruchel i Kate, a rhaid bod hynny wedi codi rhywfaint ar ei chalon yn ystod y dyddiau dirdynnol hynny o hiraeth a galar.

Ar ôl amlinellu rhai o'i chryfderau fel nofelwraig, gan nodi mai *Traed mewn Cyffion* 'yw'r lletaf ei maes a'r ddyfnaf ei dealltwriaeth o fywyd nifer o bobl', canolbwyntiodd Thomas Parry ar storïau byrion Kate, a dywedodd ei bod wedi perffeithio yr hyn a gychwynnwyd gan R. Hughes Williams, 'a hi a ystyrir, yn gyfiawn, yn dywysog y stori fer yng Nghymru'.[33] Er bod storïau *O Gors y Bryniau* yn amrywio o ran ansawdd, ceid ynddi ddwy stori 'sy'n dangos yr awdur yn cael gafael ar ei dull arbennig hi ei hun,' sef 'Pryfocio' ac 'Y Wraig Weddw'.[34] 'Y mae yn y rhain,' meddai, 'astudiaeth graff o gymeriadau a throeon eu meddwl, a phopeth sy'n digwydd yn y stori yn ganlyniad rhyw nodwedd mewn personoliaeth'.[35] Yn *Rhigolau Bywyd* ceid 'tyfiant naturiol mewn crefft ac ymdeimlad' a'r grefft honno 'yn llai ymwybodol'.[36] Yn *Ffair Gaeaf* ceid datblygiadau pellach 'mewn techneg a maes diddordeb'.[37] 'Y newid mwyaf yn nhechneg yr awdur yw cymhlethu gwneuthuriad y stori trwy roi mwy nag un gainc yn y rhaff,' ategodd.[38] Gwrthododd Thomas Parry dderbyn y farn 'mai pesimist yw Kate Roberts'.[39] 'Nid oes i Kate Roberts lawenydd o weld dynion yn colli'r dydd,' meddai.[40] Ei maes arbennig hi oedd 'astudio adwaith dyn i'w dynged a pha fodd y mae ef yn gorchfygu'.[41] Yr oedd Kate, yn sicr, ar fin astudio a chofnodi ei hadwaith hi ei hun i'w thynged, mewn dyddiadur personol, ond plygu, nid gorchfygu, y byddai dan y straen.

Atebodd Kate lythyr D. J. Williams ddeuddydd ar ôl ei dderbyn. Diolchodd iddo am ddod i angladd Morris ac am ei 'ysgrif ragorol' arno yn *Y Faner*.[42] Dywedodd wrtho fod hiraeth am Morris yn ei llethu o hyd. 'Caled a chwerw iawn a fu'r dyddiau; llawn o boen a helbul (ar wahân i'r galar a'r hiraeth) a llawn o waith,' meddai.[43] Ond roedd Kate am gadw'i galar iddi hi ei hun. 'Nid oes arnaf eisiau cwyno'n gyhoeddus – yr wyf am gadw dyddlyfr, a gallaf fwrw fy mhoen i mewn i hwnnw, fel petawn yn mynd at Dduw,' meddai.[44] Ac yn ychwanegol at y galar a'r hiraeth a deimlai roedd baich y busnes yn pwyso'n drwm arni – 'A baich llethol ydyw'.[45]

Blynyddoedd Dinbych a laddodd Morris. Gwyddai Kate hynny yn nwfn ei henaid ac ym mêr ei hesgyrn. Hiraethai o hyd am ddyddiau Tonypandy, lle bu hi a Morris ar eu hapusaf. 'Petaem wedi aros yn Nhonypandy, buasai Morus yn fyw heddiw. Yr wyf mor sicr o hynny â bod y pin dur yma yn fy llaw,' haerai.[46] Credai Kate yn gydwybodol fod Morris wedi ei aberthu ei hun er mwyn *Y Faner* ac er mwyn y busnes – ac er mwyn Cymru a'r Gymraeg yn y pen draw. 'Hawdd yw sôn am aberth Morus, ond pwy a gofia hynny ymhen ugain mlynedd eto, pan fyddaf i un ai yn fy medd neu'n dal i weithio i gadw corff ac enaid wrth ei gilydd?' gofynnodd.[47]

Gwerthfawrogodd awgrym D.J. y dylai adael y busnes, a rhoi ei holl amser i lenydda, ond ni chaniatâi ei sefyllfa ariannol iddi wneud hynny. 'Nid oes gennyf ddim ond yr hyn a ddaw o'r busnes,' meddai, 'ac ni fedraf dynnu arian o hwnnw heb weithio rhywfaint tuag ato, pe na wnawn ddim ond cyfeirio amlenni'.[48] Ac ni allai werthu'r busnes, er y câi arian da amdano, oherwydd roedd Morris wedi gwneud iddi 'dyngu lawer gwaith' na werthai mohono.[49] 'Yr hyn a wnaf gyntaf wedi setlo pethau fydd gwneud rhyw fath o weithred i sicrhau na newidir polisi'r *Faner*,' meddai, er y gallai gweithred o'r fath leihau gwerth y papur ar y farchnad.[50] Felly, nid oedd ganddi ddewis ond bwrw ymlaen. 'Ar hyn o bryd mae pethau'n ddigon llewyrchus. Trasiedi fawr Morus oedd iddo orfod mynd pan ddechreuodd weld ffrwyth ei lafur,' meddai wrth D.J., gyda mwy nag arlliw o chwerwedd yn ei geiriau.[51]

Er gwaethaf popeth, roedd un llygedyn o obaith y câi fwy o amser i lenydda yn y man. Bu'n chwilio am ddynes i gadw tŷ iddi ers bron i ddeufis, a chafodd hanner addewid bellach fod rhywun ar gael. Bwriadai Kate roi gofal y tŷ yn gyfan gwbl arni, a 'bydd fy ngwaith yn y Swyddfa'n gyfryw ag a rydd fwy o amser i mi sgrifennu'.[52] Er ei bod yng nghanol ei helbulon, llwyddodd i ysgrifennu un stori fer newydd – neu hanner stori – ar gais D. R. Hughes ar gyfer *Y Ddolen: Chweched Llyfr Anrheg* yng Nghyfres y Cofion, y gyfres o lyfrau a gyhoeddwyd dan arweiniad D. R. Hughes i blant Cymru ar wasgar yn ystod blynyddoedd yr Ail Ryfel Byd. Addawodd Kate ysgrifennu'r stori iddo rhwng Ionawr 8 a Ionawr 15, ond yr oedd 'yng nghanol y storm y pryd hynny', a thybiai y byddai D. R. Hughes yn ei hesgusodi am y tro;[53] ond gofynnodd eto am stori gan Kate, ac anfonodd hithau stori anorffenedig ato, 'Y Tri'. 'Sgerbwd stori ydyw – profiad a gefais yn ystod y rhyfel hwn,' meddai wrth D.J.[54]

Y profiad hwnnw oedd mynd i weld ei mam yn Rhosgadfan yn ystod cyfnod y rhyfel, 1942 yn ôl y stori, a chyfnod dedwyddach pan oedd Catrin Roberts a Morris yn fyw, er bod henaint beichus ei mam yn ei phlygu fwy a mwy tuag at bridd y ddaear. Dychwelyd i'w chartref ei hun, ar ôl un o'i hymweliadau misol â chartref ei mam, y mae Martha – neu Kate – yn y stori.[55] Mae hi'n rhannu cerbyd gyda dwy wraig siaradus ac awyrennwr ifanc. Mae'r awyrennwr yn atgoffa Martha am ei brawd Gruffudd a fu farw yn y Rhyfel Mawr, ac mae ei meddyliau yn hedfan o'r Ail Ryfel Byd at y Rhyfel Byd Cyntaf, ac yn ôl o 1942 i 1917, y flwyddyn y bu farw Dei:

> Dechreuodd syllu ar yr awyrennwr. Rhyw ugain oed ydoedd, yn ddiniwed ei olwg, heb ddim o gyfrwystra a chaledwch canol oed yn ei wedd. Hedodd ei meddwl at ei brawd a fuasai farw yn y rhyfel diwethaf. Yr oedd yn rhyfedd meddwl iddo fod fwy o flynyddoedd yn ei fedd nag y buasai byw, a hithau a'i mam yn fyw o hyd. Ni fedrai gofio llinellau ei wyneb, ond bod yr un diniweidrwydd yno ag ar wyneb y bachgen hwn. Ond gallai glywed ei lais yn eglur dros y blynyddoedd, yr W-W a roddai cyn cyrraedd y tŷ bob amser.

Mae Martha wedyn yn mynd i feddwl am y gwahaniaeth yn ei phrofiadau hi yn y ddau ryfel, a'r gwahaniaeth yn ei hagwedd at y ddau:

> Y cyntaf oedd y tristaf er mai hwn oedd fwyaf barbaraidd. Ni wyddai paham. Ond felly y teimlai. Hi oedd yn ifanc efallai yn y cyntaf ac yn fwy synhwyrus i ddioddef. Pryder am fywyd yr ifanc oedd pryder yr un cyntaf iddi hi – pryderon am bethau llai pwysig na bywyd oedd pryderon yr ail, a bywyd wedi ei chaledu hithau i ddioddef pobl eraill.

A'r Rhyfel Mawr oedd y tristaf oherwydd mai'r rhyfel hwn a fu'n gyfrifol am dorri'r bwlch cyntaf yn y teulu. Roedd y cyfnod ingol hwnnw o aros am newyddion am Gruffudd yn fyw iawn ym meddwl Martha:

> Meddyliai am yr un peth mawr a wnaed i'w theulu yn y rhyfel o'r blaen – torri'r bwlch cyntaf ynddo. Cofiai'r holl fisoedd o ddisgwyl ar ôl clwyfo ei brawd, y gobaith yn codi a gostwng, gostwng a chodi am bum mis, ac yna'r gnoc greulon, ei farw o glefyd ac yntau ar hanner ei ffordd adref. Wrth ddadelfennu ei phrofiad fel hyn, gwelai fod ei phoen y pryd hwnnw yn ddeublyg, ei hing hi ei hun, a'r cyd-ddioddef â'i rhieni, ei mam yn bennaf, gan mai ei mam oedd gliriaf ei mynegiant. Hiraeth gwydn oedd hiraeth ei mam. Ni "phlygodd i'r drefn" yn ôl iaith ei hardal. Gwrthryfelodd yn hytrach yn erbyn y drefn. Ni pherthynai goddefgarwch iddi. Âi dros yr amhosibl o

hyd ac o hyd. Gresynai na wnaethai fwy o ymdrech i'w gael yn rhydd o'r fyddin (fel y gallasai'n hawdd). Gresynai iddo fynd i'r fyddin cyn cael siawns i ennill. Ni chawsai erioed sofren i'w law. Un trywsus llaes a gawsai cyn cael trywsus y fyddin. Meddwl am y pethau na chawsai ei phlentyn y byddai ei mam am fisoedd, a gweld angau wedi mynd â blynyddoedd y cael oddi arno. Felly'n union y teimlai Martha y pryd hwnnw a chydymdeimlai.

Hanes salwch a marwolaeth Dei sydd yma, wrth gwrs, a hanes Dei cyn iddo ymuno â'r fyddin. Mae Martha wedyn, yn ystod y siwrnai ar y trên yn ôl tuag adref, yn dwyn i gof yr ymweliad diweddaraf hwnnw â'i mam a'r sgwrs a fu rhwng y ddwy. Mae'n cofio iddi ddweud wrth ei mam 'yr hoffai gael y llythyrau a ddaeth o wahanol rannau o'r byd ar ôl i'w brawd farw', i fynd â nhw adref gyda hi. Mae ei mam yn gadael iddi gael y llythyrau, ac mae Martha yn eu darllen yn ystod y daith yn ôl:

> Hen ysbryd ymyrraeth gwirion a wnaeth iddi fynd i ddarllen y llythyrau yn y trên. Gwyddai y buasai'n well iddi beidio, a hithau wedi cael diwrnod mor hapus. Darllenodd ryw un llythyr yma ac acw, ac ni theimlai fawr ddim – nes dyfod at lythyr y nyrs a oedd gyda'i brawd yn ei awr olaf. Ymddangosai hwnnw fel petai'n newydd iddi rywsut, ac eto cofiai ef. Soniai'r nyrs am ei ddioddef mawr, a dywedai ei fod wedi gafael yn ei llaw ac wedi adrodd Gweddi'r Arglwydd yn Gymraeg drwyddi o'i dechrau i'w diwedd. Daeth poen i bwll calon Martha, tebyg i'r boen a ddaw pan dyrr newydd drwg gyntaf ar yr ymwybyddiaeth. Ceisiodd ei droi i ffwrdd, drwy feddwl.

'O, rhyw nyrs yn sgwennu er creu effaith yw hon, eisiau gwneud drama o'r peth,' meddai Martha wrthi ei hun. K. M. Fairfax-Taylor, y ferch o ardal Rhydychen, oedd y nyrs hon, wrth gwrs, ac at y llythyr dirdynnol hwnnw am funudau olaf Dei y cyfeirir yma. Roedd Martha, mae'n amlwg, yn teimlo'n ddig wrth y nyrs gan mai hi, Saesnes ddieithr o berfeddion Lloegr, a oedd gyda'i brawd Gruffudd yn ystod ei funudau olaf, yn hytrach na hi ei hun, ei chwaer. A daw'r stori, neu hanner stori, i ben gyda chyffyrddiad creulon o eironi. Ni all Martha gael gwared â'r ing 'o feddwl am yr hogyn a hoffai gathod wedi ei wasgu i'r fath gongl gyfyng'. Ond ni allai erlid yr ing hwnnw i ffwrdd. A dyma ddiweddglo'r stori: 'Yno yr oedd ar ddiwedd y daith, ac yno yr oedd wedi cyrraedd ei thŷ a chroeso ei gŵr rhadlon'. Roedd Morris yn fyw ym 1942, ac yn barod bob amser i groesawu Kate yn ôl o'i theithiau, ond ni allai mwyach. Mae'n ddiddorol sylwi hefyd ei bod wedi dewis yr un ansoddair i ddisgrifio'i gŵr ag a ddefnyddiwyd gan Prosser Rhys i ddisgrifio'r llanc penfelyn yn 'Atgof' – 'rhadlon'.

Cytunai Kate â D.J. fod llyfr Thomas Parry yn dda, er nad oedd wedi ei ddarllen i gyd. Bu'n 'ddigon hunanol i beidio â darllen dim ond y bennod ar ryddiaith'.[56] Yna, dymunodd y gorau i'w chyfaill ar ei ymddeoliad. Aeth ei meddwl yn ôl i'r flwyddyn 1928, pan roddodd hi ei hun y gorau i ddysgu am byth, a phriodi Morris:

> Ydyw, mae cael ymryddhau o efynnau ysgol yn beth braf. Felly y teimlais i 17 mlynedd yn ôl pan briodais. Yn y dyddiau braf hynny, byddwn yn eistedd yng nghanol y bore a gwneud paned o de i mi fy hun, ddim ond er mwyn dangos fy mod yn rhydd![57]

Gobeithiai y câi D.J. 'lawer blwyddyn i gyfoethogi ein llenyddiaeth ymhellach'.[58] Ond, gofynnodd, gan ddychwelyd eto i'r cyfnod pan oedd y teulu'n gyfan yng Nghae'r Gors, a chyn 'torri'r bwlch cyntaf' ynddo,

> … onid ydych yn teimlo, D.J., na fedrwch ysgrifennu am ddim ond y gorffennol? Felly'r wyf i. Yn ôl, yn ôl, mae fy nefoedd o hyd, yn y dyddiau pan oeddwn dlawd ac yn hapus, pan oedd pawb gartref yn ei gynefin, cyn i ryfel ddyfod, pan oedd peth mor sych â'r *Hyfforddwr* yn flasus ar y tafod ac ar y cof.[59]

Ddechrau Mawrth, derbyniodd Kate lythyr gan un arall o'i chyfeillion agosaf, Lewis Valentine. Fel Kate hithau, methai'n lân â dygymod â marwolaeth Morris. Byddai Morris bob amser yn codi ei galon. Addawodd ysgrifennu i'r *Faner* i geisio ysgafnhau baich Kate. Ac roedd Valentine yn sicr yn ymwybodol o waith mawr – o *aberth* – Morris T. Williams er mwyn Cymru a'i hiaith. Wrth gofio am gymwynaswyr mawr Cymru ar ei weddi ar Sul Gŵyl Ddewi, delw o Kate a Morris a welai o flaen ei wyneb, meddai.

Dechreuodd Kate gadw dyddiadur, yn union fel y dywedodd wrth D. J. Williams, gan gofnodi ei theimladau ynddo yn gyson. Y dyddiadur hwn oedd ei chyffesgell bersonol, y drych i'w henaid, ei man cyfamod a'i man cyfarfod â Duw; a hwn yw'r dyddiadur coll. Dechreuodd gofnodi ei theimladau a'i phrofiadau ar Fawrth 27, 1946, ac roedd y cofnod cyntaf hwnnw yn un hirfaith:

> Dri mis i heno y bu M. allan am dro am y tro olaf a thri mis i heno y bum innau'n cysgu efo fô am y tro olaf – heb feddwl fawr am y dyfodol. Un wythnos ar ddeg i heddiw yr oedd ei gynhebrwng. Dair wythnos ar ddeg i ddoe yr oedd y Nadolig a ninnau'n mwynhau ein hunain yn braf … A dyma fi wedi cael y tri mis o'r dioddef creulonaf a gefais yn fy mywyd. Cefais ddigon o boen a galar erioed, ond yr oedd hwnnw'n felys o'i gymharu â hwn. Yr oedd gennyf rywun wrth fy nghefn y troeon o'r blaen, rhywun rhyngof a'r gwaethaf bob tro. Pan fu farw D. – yr oedd pawb o'r teulu'n fyw a phob un yn rhyw gysur i'w gilydd. Pan fu farw nhad, Owen a mam, yr oedd M. gennyf fel tŵr yn fy nghysgodi. Nid oes gennyf neb heno. Do, fe gefais lawer iawn o

garedigrwydd. Bu pobl Dinbych yn hynod garedig, lawer ohonynt. Bu fy mrodyr yn
dda wrthyf. I a L yn hynod felly. Gwelais ddigon o greulondeb hefyd. Ni chymerodd
D. arno imi gael profedigaeth, a bu H. mor oer â rhew. Ni ddywedodd yr un o'r ddau
fod yn ddrwg ganddynt drosof. Gwna Angau un peth ymarferol iawn – rhydd fflach
o olau llachar ar gymeriadau rhai pobl, a gwna i chwi eu hadnabod yn well nag yr
adnabuoch hwynt erioed o'r blaen.

Roedd Kate wedi dyfeisio rhyw fath o gôd preifat wrth gofnodi ei meddyliau
cudd yn ei dyddiadur. Prin y cyfeiria at neb wrth ei enw llawn, yn enwedig
y prif gymeriadau yn y ddrama bersonol hon. Llythyren gyntaf pob enw a
ddefnyddir gan amlaf. Y 'D' cyntaf yn y cofnod agoriadol hwn yw 'Dei'; 'I a
L' yw Ifan a Lena, ei brawd a'i chwaer-yng-nghyfraith; yr ail 'D' yw Dafydd
Edmund, brawd Morris, a 'H' yw Hannah, chwaer Morris. Ac 'M', wrth gwrs,
yw Morris ei hun. Mae'r llythyren 'M' yn atseinio drwy'r dyddiadur fel dilyniant
o adleisiau yn galw ar ei gilydd o ogof i ogof, ac o garreg ateb i garreg ateb,
mewn bro fynyddig.

Sydynrwydd marwolaeth Morris a loriodd Kate yn fwy na dim, fel y
dengys brawddegau agoriadol y dyddiadur; ac ar ôl gorfod derbyn marwolaeth
ddisymwth ei gŵr, gorfod ymdopi wedyn â galar, unigrwydd a llond tŷ o wacter.
Gadawodd Morris hi'n ddiamddiffyn. 'Buasai'n rhyfedd iawn gan M. feddwl
faint a ddioddefais – y fô a oedd mor garedig bob amser, a chymaint ei ofn imi
gael dioddef. Ac nid galar a hiraeth yn unig, ond yr amheuon,' meddai.

Un cyflwyniad hir i'w galar a'i phrofedigaeth yw'r cofnod cyntaf hwn. Â
rhagddi:

Bum wrth y fynwent heno, yn y llwyd dywyll, ond ni allwn fynd i mewn gan fod
clo ar y llidiart, ond dywedodd Mrs Ff. wrthyf fod ei gŵr wedi twtio'r bedd a rhoi
tywyrch o'i gwmpas; "eich bedd chi" meddai, ac aeth rhyw iasau oerion i lawr fy
nghefn. Ond, yr oedd hi'n iawn, fy medd i ydyw, bedd yr un a fu'n fywyd imi am
ddwy flynedd ar bymtheg o amser, a'm bedd innau pan ddaw fy amser. Cerddais yr un
llwybr ag a gerddodd yntau dri mis i heno, cofiwn hynny bob cam o'r ffordd, a Thos
wrth fy sawdl, fel yr oedd wrth ei sawdl yntau. Yr un hen Dos o hyd. Mae bron yn
wyth oed erbyn hyn, ond mae'n gwmni ac yn gysur mawr. Nid â byth i'r llofft rŵan.
Fe âi bob bore pan oedd M. yn fyw a gorwedd y tu allan i'r bathroom. Ni bum innau
byth yn cysgu yn y llofft fawr nac yn tynnu ei llwch. Mae'n gas gennyf feddwl am fynd
yno i gysgu. Ac eto ar un adeg, y hi oedd ein hoffedd. Ohoni hi yr edrychem allan ar
fore Sul, tua'r adeg yma ar y flwyddyn, (ac edrych) ar y coed yn dechrau blaguro, ac
ymhellach ymlaen, gweld y drain dan gawod wen eu blodau. Mor braf y byddai ein
boreau Sul. Codi, heb ymwisgo, i wneud coffi a thorri bara menyn a mynd â fô i'n

llofft, a chael gorffwys a synfyfyrio wedyn – yr unig fore y caem wneud hynny. A oedd pethau felly'n rhy braf i barhau?

Roedd Morris wedi gadael sedd wag yn ogystal â thŷ gwag ar ei ôl, a gobeithiai Kate y gallai lenwi'r sedd wag o leiaf, er nad oedd ei chalon yn y peth:

Yfory, mae lecsiwn Cyngor y Dref, i lenwi sedd M. a minnau'n treio, o ran dyletswydd ac nid o ran dim arall. Nid yw fy nghalon yn y peth o gwbl. Tybed a fydd fy nghalon mewn dim byth? Ai ynte mynd ymlaen fel peiriant di-enaid y byddaf? Felly y teimlaf yn y Swyddfa. Ceisio gweithio heb galon o gwbl.

Gallai llythyrau fod yn gur ac yn gysur iddi:

Cefais lythyr hoffus iawn oddi wrth J. Gw. heddiw. Soniai amdano'i hun yn mynd am dro heibio i'r Allt Fawr ac yn gweld enw M. wedi ei dorri yno, a chofio'r diwrnod y gwnaed hynny, pan ai ef ac M. i lawr i dy modryb J. Gw. yn Llandwrog. Ganwaith y soniodd M. wrthyf am hyn, a lawer gwaith y dywedodd yr hoffai fynd i aros i'r Groeslon am wythnos er mwyn mynd dros yr hen lwybrau.

Ar Fawrth 26 yr ysgrifennodd John Gwilym Jones y llythyr hwnnw. Dywedodd ei fod yn falch o glywed bod Kate yn gweithio yn y swyddfa. Roedd John Gwilym wedi derbyn llythyr gan Hannah, chwaer Morris, ac roedd yn dal i fod yn ddigalon, meddai wrth Kate. Yna mae'n sôn iddo sylwi, wrth gerdded ar hyd lôn Glynllifon, ar y goeden lle y naddodd Morris lythrennau cyntaf ei enw. Yn awr roedd llythyren gyntaf ei enw wedi ei thorri'n ddwfn yn nyddiadur galar Kate, fel llythyren ar garreg fedd. Roedd Kate hefyd wedi derbyn llythyr gan Hannah:

Yr oedd llythyr oddi wrth H. yn fy aros pan ddychwelais o'r Swyddfa – dim llawn mor oer ag arfer. Nid yw am ddyfod yma dros y Pasg – gwell ganddi fynd at D.

Y diwrnod canlynol, Mawrth 28, oedd diwrnod y lecsiwn:

Lecsiwn Cyngor y Dref. Myned o gwmpas y dref. Llawer yn dymuno'n dda imi. Dim calon o gwbl yn yr ymgyrch. Euthum i'r fynwent wrth ddyfod i lawr i ginio. Ni wn pam, ond yn y fan honno y mae fy nghalon ac nid yn y lecsiwn. Siomedig iawn oedd y canlyniad, dim ond 312 o bleidleisiau. Y sawl a aeth i mewn wedi cael y N.F.U. i weithio drosto a'r rheiny'n rhedeg eu ceir iddo.

Ar ddydd Sadwrn, Mawrth 30, roedd Kate yn cofio am ei mynych ymweliadau hi a Morris â chartref eu cyfeillion Ellis Dafydd a Jini yng Nglyndyfrdwy:

Hiraeth bron â'm lladd. Dyma'r Sadwrn cyntaf imi fod yma fy hun ers tair wythnos. Wythnos i heddiw yr oeddwn yng Nglyndyfrdwy – efallai am y tro dwaethaf yn

Nhŷ'r Ysgol. Ac er mor drist meddwl am hynny, yr oedd yno rywfaint o gysur, mewn sgwrsio am yr amser gynt. Cafodd M. a minnau lawer o lawenydd yng Ngl. D. o bryd i'w gilydd. Mynd yno ar ein sgawt heb ein gwadd, a chael croeso bob amser. Y tro olaf y bu M. a minnau yno efo'n gilydd oedd Mis Medi dwaetha a M. yn cym[r]yd dwyawr i ddyfod yn ôl efo'r car.

Parhai'r hiraeth i'w llethu:

Bum yn eistedd yn yr ardd y prynhawn, a chofio fel yr eisteddem bob amser yn yr ardd ar dywydd braf ar brynhawn Sadwrn – cadair M. a'i choesau i fyny ar y feranda. Bu'r hiraeth yn un lwmp yn fy mrest drwy'r dydd, a'r gryndod wedi dyfod yn ôl. Gweld y dail a'r blodau yn dyfod ar y coed. Gymaint o hapusrwydd a gaem ein dau wrth edrych ar bethau cynta'r tymor efo'n gilydd. Mae nyth bronfraith a phedwar wy yn y gwrych rhyngom a'r Parciau. Yn y goeden jasmin yr oedd y llynedd ac M. yn ei wylio bob cyfle. Eleni ni wêl ddim – "Y llygaid na all agor". Euthum i'r fynwent tua thri a mynd â blodau o'r ardd i'w roi [sic] ar y bedd. Euthum i siopa dipyn wedyn. Rhyw wraig yn dweud wrthyf, "Mae'n debyg eich bod yn teimlo dipyn gwell efo'r tywydd braf yma." Mae ei gŵr a'i phlant yn fyw, ac felly ni all ddeall.

Roedd ei hiraeth am ei phriod yn troi'n hiraeth am ei phlentyndod ar brydiau, wrth iddi sylweddoli bod dau o'r cyfnodau hapusaf yn ei bywyd wedi darfod â bod am byth:

Bum yn meddwl llawer am Rosgadfan heddiw. Meddwl mor braf y buasai yno ar y tywydd yma. Efallai y buasem yno petai M. yn fyw. Cofio am Wanwyn fy mhlentyndod – yr oedd y gwanwyn i'w deimlo'n codi o'r ddaear yn y fro lom honno, a ninnau ar dywydd fel hyn, yn tynnu ein cotiau i fynd i'r ysgol. Er gwaethaf tlodi a phob dim, hwnnw oedd yr amser hapus. Caf fynd i Rosgadfan tua'r Pasg ac i Lanberis. Flwyddyn i heno yr oedd Morus a minnau yn Llanberis, y tywydd yn wlyb iawn, wedi troi ar ôl y tywydd braf. Cofiaf nad oedd M. yn dda iawn fore Sul, ac arhosodd yn ei wely. Ond daeth yn well o lawer wedyn. Beth a rown am gael flwyddyn i heno'n ôl!

Roedd Tos yn gwmni ac yn gysur mawr iddi yn ystod y cyfnod hwn, er ei bod, ar y diwrnod olaf o Fawrth, bron â mynd yn wallgof ar brydiau. 'Tybed wedi'r cwbl na fedraf fwrw fy ngalar i ddyddlyfr, ac y bydd yn rhaid iddo fod yn beth difynegiant,' maentumiodd, yn enwedig gan mai prif bwrpas y dyddiadur oedd lleddfu ei galar a lliniaru ei hiraeth.

'Diwrnod ofnadwy' oedd y diwrnod cyntaf o Ebrill iddi:

Derbyn llythyr oddi wrth Mr H. ynglyn â chais y Banc. yn NW. Mynd i weld Mr G. y Banc ond heb oleuni o unman ar sut i gael talu'r ddyled yn NW. Galw Mr H. ar y teleffon. Gwna ymdrech i'm gweld yfory – mor garedig er ei holl waith mawr. Methu gwneud llawer o waith yn y Swyddfa – teimlo'n grynedig.

Roedd pwysau cynyddol arni erbyn hyn i dalu dyledion Gwasg Gee yn ôl i'r banc. 'Mae'r baich ariannol yma fel maen melin am fy ngwddf,' meddai ar yr ail o Ebrill. Poenai mai'r unig beth y gallai ei wneud oedd gadael i'r banc gymryd meddiant o'r Cilgwyn. Ond er bod y wasg mewn dyledion, roedd Kate yn benderfynol o'i chadw. Ar yr ail ddiwrnod o Ebrill aeth i Wrecsam gyda Gwilym R. Jones ac Eddie Simon, a ofalai am ochr ariannol y wasg, 'i geisio prynu peiriant argraffu yn ocsiwn Huws a'i Fab', ond aeth y peiriant yn rhy ddrud, a dychwelodd y tri i Ddinbych yn waglaw.

Ceisiai Kate gadw'r wasg i droi pan oedd ei hiraeth am Morris yn ei thagu. Roedd hi hefyd yn sôn llawer am ei mam yn y dyddiadur. Un frwydr fawr oedd y dyddiau hyn iddi, brwydr ddidostur yn erbyn dyledion a cholledion. Ond dioddefai Kate oddi wrth gymysgedd o deimladau ac emosiynau, mewn gwirionedd – hiraeth, galar, cynddaredd, chwerwedd. 'Poen meddwl mawr heddiw ac nid hiraeth gymaint,' meddai ar y diwrnod cyntaf o Ebrill. Fe'i holai ei hun yn aml – 'A wyf yn rhy dueddol i weld bai?' – gan dybied weithiau na fedrai 'byth ddal y baich'. Roedd hi hefyd mewn cryn dipyn o anghysur corfforol. 'Efallai mai'r cricymalau a wna imi deimlo hynny heddiw,' meddai am ei hiselder ysbryd.

Ceir cofnod trist iawn gogyfer ag Ebrill 3: 'Euthum allan i'r dre yn y prynhawn, llawer o bobl i lawr heddiw. Chwilio am ben melyn M. yn eu canol, fel y byddai ar brynhawn Mercher'. Yn wir, synhwyrai bresenoldeb Morris ymhobman. 'Pan oeddwn yma fy hun heno,' ysgrifennodd ar Ebrill 4, 'teimlwn fel pe bai M. yma, yr oedd yr awyrgylch yn llawn o'i bresenoldeb. Cyrhaeddais y tŷ yr un amser ag y byddai yntau'n cyrraedd o'r swyddfa ar nos Iau a daeth y gorffennol yn un â'r presennol imi'. Ond presenoldeb mewn absenoldeb oedd hwnnw.

Yna, ar Ebrill 4, ceir y cofnod hwn:

Mynd i'r Urdd heno. Daeth A. M. J. i'm danfon adre. Mor garedig y mae ac mor garedig y bu yn dyfod yma bob nos i gysgu am ddeufis o amser.

Ceir llawer o sôn am A.M.J., ffrind ffyddlon Kate, yn y dyddiadur. Hon oedd Annie Mary Jones (1905–1992), Miss Annie fel y'i gelwid yn lleol, ac athrawes yn adran y babanod yn Ysgol Fron-goch, Dinbych. Roedd Annie Mary Jones yn weithgar iawn gyda'r Urdd yn ystod y cyfnod 1940 hyd 1950, ac roedd ei brawd,

Bobi, yn gysodydd gyda Gwasg Gee. Cadwodd Annie Mary Jones yn driw iawn i Kate trwy gydol ei hoes ac arferai swpera yn y Cilgwyn yn wythnosol. Bu'n gefn mawr i Kate yn ystod y cyfnod dirdynnol hwn yn ei hanes.[60]

Cadwai Kate gysylltiad agos â'r teulu, a'r teulu gyda hithau, trwy'r amser. Ond roedd ei theulu yn lleihau. Ffoniodd ei brawd Evan gyda'r nos, Ebrill 4. 'Mor falch oeddwn o glywed ei lais – mor falch nes torrais i lawr i grio,' meddai. Cafodd beth newyddion gan Evan, ond newyddion trist oedd y rheini:

> Modryb Margiad yn wael iawn eto – yr hen greadures yn ei henaint mawr, ac mor unig, ond deallaf fod Modryb Elin yno efo hi. Nid yw fawr o werth cael byw i fynd mor hen. Wedi byw i'r oed yna, ni all gobaith godi'r galon. Cofio mam yn dweud pan aeth i orwedd am y tro olaf, bedwar mis cyn ei marw, "Gobeithio na chei di byth dy wasgu i'r fath gongol â hyn, Cadi bach." A minnau'n cael fy ngwasgu i'r *fath* gongol mewn cyn lleied o amser. O, mae bywyd yn greulon! Ond rhaid i mi fyw i dalu dyledion y busnes. Dim gwahaniaeth gennyf wedyn beth a ddigwydd imi. Pa bleser sydd mewn byw, pan na bo rhywun yn edrych ymlaen at yfory.

Chwaer ei mam oedd Modryb Margiad, a'r fodryb hon a anfonodd y llythyr at Kate a Morris ar ddydd Calan 1946 y cyfeirir ato yn *Y Lôn Wen*, a'i ddyfynnu yn llawn. Roedd y llythyr hwnnw 'yn dymuno Blwyddyn Newydd Dda i'm priod a minnau', ond, 'Ychydig a feddyliai hi na minnau y dydd y derbyniais ef mai dyna fyddai'r wythnos galan dduaf yn fy hanes i'.[61] Yn unol â'i harfer o droi bywyd yn llenyddiaeth, defnyddiodd Kate eiriau ei mam yn y stori 'Yr Apêl', a gyhoeddwyd yn *Y Genhinen* ym 1950. Ailadroddir geiriau Catrin Roberts yn llythyr cyntaf Nain at ei hwyres o'r ysbyty: 'Byddai fy mam yn arfer sôn am bobl yn cael eu gwasgu i gongl, felly y siaradai yn ei chystudd olaf'.[62]

Roedd Kate yn dod o hyd i rai o gyfrinachau Morris wrth chwilota trwy'i bethau yn y swyddfa. Nid yw'n dweud beth yw'r cyfrinachau hynny, ond mae'n debyg mai dod o hyd i boteli gwirodydd gweigion a dyledion o eiddo Morris yr oedd hi. Meddai ar Ebrill 5:

> Teimlo'n siomedig heddiw. I ba beth yr agoraf unrhyw [d]dror yn yr offis? Nid ydynt ond yn cadarnhau f'amheuon. Beth pe bwriwn y rheiny ar y papur hwn? A ydwyf yn onest wrth beidio[?]

Dydd Sadwrn oedd Ebrill 6, 'y diwrnod casaf gennyf erbyn hyn', oherwydd bod ei Sadyrnau bellach mor wahanol i'r hyn yr arferent fod pan oedd Morris yn fyw. Ac eto, yng nghanol popeth, roedd amser gan Kate i hyfforddi côr cydadrodd ar gyfer Eisteddfod yr Urdd:

Eisteddfod yr Urdd heddiw – cael rihyrsal efo'r Côr Cyd-adrodd yn y bore. Nid euthum yn y prynhawn. Euthum i'r fynwent efo blodau. Mynd i'r Eisteddfod heno. Enillodd fy nghôr Cyd-adrodd.

Y diwrnod canlynol, dydd Sul, roedd gwasanaeth yn y capel. Roedd popeth bellach, popeth a welai ac a glywai, yn dod ag atgofion am Morris yn ôl iddi:

Pregeth dila – dim urddas ar y gwasanaeth – llawer o Saesneg. Rhannu beiblau i'r rhai a ddaeth yn ôl o'r rhyfel. Yr oedd teulu rhai na ddaeth yn ôl yno. Yr oedd yn galed arnynt hwy. Cofiwn am Jaci P., a chofio'r nos Sadwrn hwnnw yn Hydref 1944 a ninnau ein dau ar swper, a'r teleffon yn mynd, a'r newydd yn dwad am ei farw. M. yn dwad yn ôl at y bwrdd tan feichio crio, a ninnau'n dau yn mynd i fyny i'r tŷ wedyn. Bu'r blaenoriaid newydd yn siarad heno – mor smug. Mae pobl y byd yn llawer hoffusach, cymeriadau fel y rhai y clywsom amdanynt ar y radio wedi dyfod i'r tŷ – o "Hen Atgofion" W. J. G. Ond O Dduw! pam yr oedd yn rhaid iddynt orffen efo "Lleisiau'r Fynwent"[?]

"Cawsom lawer gofid llynedd.
Heno tawel iawn yw'r bedd."

Rhaglen wedyn ar ryddiaith T. H. P-W. Drws y Coed, Pen y Pas, Cwm Dyli, Carmel. O na chai fy llygaid eu gweld eto efo M. fel yr arferem eu gweld wrth fynd i Rosgadfan.

Prin y gallai Kate wynebu mynd i'r gwaith bellach. Câi ei rhwygo rhwng unigrwydd a dyletswydd, rhwng digalondid ac addewid, yr addewid i Morris i beidio â gwerthu'r wasg. Meddai ar Ebrill 10:

Fe hoffwn fynd i'r fynwent ond rhaid mynd yn ôl i'r offis. Yr wyf yn cashau'r gwaith, er bod pawb ddigon caredig wrthyf. Ond ni buaswn yn ei gashau petai M. yn fyw ac yn sâl dyweder. Buaswn yn ei wneud felly â chalon ysgafn ac yn falch o gael ei wneud. Ond dirwyn y dyddiau ymlaen yn araf a minnau heb yr un galon i ddim. Euthum i dŷ A. M. J. neithiwr, dim ond esgus rhag imi fod yn y tŷ fy hun yn porthi fy hiraeth. Hi a'i mam yn garedig iawn wrthyf. Ond yr oeddwn yr un mor druenus wedi dyfod i'r tŷ.

Y diwrnod canlynol, roedd yn arllwys ei dicter ar frawd a chwaer Morris eto:

O hyn hyd ddiwedd fy oes, ac nid wyf ond ifanc eto, ni chaf byth air caredig gan neb. Teimlaf yn chwerw iawn ar brydiau, yn enwedig wrth H. a D. Maent mor ddifater yn fy nghylch. Un llythyr ar wahan i lythyr busnes a gefais gan D. er pan fu farw M. Nid ysgrifenna H. ond pur anaml, a'i phethau'i hun sy bwysicaf ganddi hi. Mae'r ddau mor fas a di-ddychymyg. Llawysgrifen plant sy gan y ddau.

Darllenodd delyneg gan J. M. Edwards yn y *Western Mail* ar Ebrill 10:

Pe na bai arnaf hiraeth
  Am ddim ond nant a choed,
Am weld y foel a'r creigiau
  A llawer llwybyr troed;
Diau yr awn yn amlach
  I olwg yr hen fro,
A loetran rhwng ei chloddiau
  Ryw wythnos ar y tro.

Nid gweld y cwm a'r afon
  A r[ô]i im gymaint clwy;
Mi wn y caf bob amser
  Eu hen hyfrydwch hwy.
'Does neb sydd ynddi heddiw
  Na fynnwn eto'i gwrdd;
Y rhai nad ydynt yno
  A'm ceidw o hyd i ffwrdd.

'Dyna pam bod blwyddyn er pan fum yn Rhosgadfan,' ysgrifennodd. Ei hatgoffa am ei chartref, ac am ei mam yn enwedig, a wnaeth y gerdd:

Bum yn edrych heddiw ar hen gwpwrdd gwydr fy nghartref sydd yn yr offis. Gallwn ysgrifennu ysgrif arno'n hawdd. Cofiaf am bob llestr a fyddai ynddo pan oedd mam yn fyw – ei dirifedi hetiau yn y rhan isaf – hetiau a brynai am fod pob un yn gwneud iddi edrych yn hen meddai hi! A hithau tua'r 86 yma pan ddywedai hyn. Yr hen greadures annwyl! Petawn i'n medru sgrifennu cywydd moliant fe sgrifennwn un iddi hi. Mor falch y byddwn o'i chwmni yn awr! Ac eto mor dda ydyw nad yw'n fyw i wybod am fy nioddef! Gobeithio na ŵyr, a gobeithio na ŵyr M. chwaith. Os oes purdan mae M. yn mynd drwyddo, ond mae fy mhurdan i ar y ddaear. Fe gefais i amser rhy braf dyna'r ffaith, ac yn awr rhaid imi ddioddef. Ond nid wyf yn haeddu'r fath ddioddef chwaith.

Ar Ebrill 13, dydd Sadwrn arall, roedd Kate yn un tryblith o emosiynau. Ofnai ar brydiau ei bod yn dechrau gorffwyllo, ac amheuai fod Morris hefyd wedi dechrau colli arno'i hun erbyn y diwedd. Ceir rhywbeth prin iawn yn y cofnod a luniwyd ar Ebrill 13, sef beirniadaeth ar Morris. Mae'n amhosibl gwybod bellach beth oedd cynnwys 'yr hen nodyn yna' y daeth Kate yn ddamweiniol ar ei draws yn y swyddfa, ond parodd ei ddarganfod gryn dipyn o ysgytwad iddi. Ac fe geir yn y dyddiadur y math o hunanholi a hunanddadansoddi a geir yn y nofelau a'r storiau a oedd i ddod. Wrth ateb cwestiynau Lewis Valentine yn *Seren*

Gomer ym 1963, dywedodd Kate mai ym 1946, sef blwyddyn y dyddiadur, 'pan syrthiodd fy myd yn deilchion o'm cwmpas', y dechreuodd 'edrych i mewn i mi fy hun'.[63] 'Mae rhywfaint o'r dadansoddi mewnol yma yn nyddiadur y wraig yn *Y Byw sy'n Cysgu*,' ychwanegodd, ac ar ddyddiadur 1946 y seiliwyd y rhannau dyddiadurol hynny yn y nofel.[64] Mae cofnod Ebrill 13 yn nodweddiadol o'r math o hunanddadansoddi a geir yn y dyddiadur:

> Diwrnod penblwydd Dei fy mrawd. Buasai'n 48 heddiw a dim ond 19 yn marw. Wedi cael diwrnod rhyfedd o deimladau cymysg. Cael llythyr ffiaidd oddi wrth Ifan ab O. E. ynghylch yr hyn a ddywedais am gylchgronnau [*sic*] yn *Y Faner*. Mor fychain y mae pobl – ei ganmol ei hun am yr hyn a wnaeth dros blant Cymru, fel petai a wnelo hynny â llenyddiaeth. Wedyn agor y drôr, a chanfod yr hen nodyn yna. Pam y bu'n rhaid imi wneud heddiw? A'i effaith arnaf yn rhyfedd. O Dduw, a wyddai M. ei feddyliau ei hun ai ynte a oedd allan o'i synhwyrau'n gyfan gwbl? Pam fy ngadael yn y fath amheuaeth? Creulon, creulon yw'r gair. Mae arnaf ofn weithiau na ddeil fy synnwyr rhwng pob dim, bydd yn amhosibl imi ddal heb fynd yn orffwyll. Pam y rhowd y fath dynged imi? Ac eto nid oes arnaf eisiau edrych arnaf i fy hun fel rhyw berson tragic. Ond yn wir, gallasai rhywun sgrifennu trasiedi ar lai nag a ddioddefais pe gwyddid y cwbl. A pham y mae'n rhaid imi ddioddef? Nid oes gennyf gof imi wneud cam bwriadol â neb erioed. Fe aberthais ddigon ar hyd fy oes, ac fe aeth hynny yn fy erbyn heddiw. Mae'n bosibl aberthu gormod, a dyna a wneuthum i. Ffwl ydwyf, y ffwl mwyaf a welodd Cymru erioed. Ar adegau teimlaf fy mod wedi dioddef cymaint nes wyf y tu hwnt i deimlad. Teimlais ar adegau heddiw fel carreg admant. Ac yna daw teimladau eraill. Ers dyddiau bellach teimlais fod ysbryd nhad a mam yn fy ngwarchod, bod y ddau fel rhyw angylion gwarcheidiol o'm cwmpas.

Ar yr un diwrnod, Ebrill 13, nododd Kate iddi gael ei phensiwn gwraig weddw am y tro cyntaf, a theimlai'n chwithig ynghylch hynny. A theimlai'n unig o hyd, fel pe bai'r byd wedi ei bwrw heibio. Cofnododd nad oedd 'neb byth yn galw yma rŵan ar wahân i A.M.J. a phrin yr ysgrifenna neb'. Ar ben popeth roedd Hannah Mary wedi ei siomi a'i brifo i'r byw, ac eto, roedd Kate yn ddigon heriol ei hagwedd:

> Disgwyliais y buasai H. yn galw ar y teleffon o Essex. Ond na ddim peryg. Ofer imi ddisgwyl gronyn o gydymdeimlad o'r cyfeiriad yna. Wel, gwneled y byd ei waethaf. Ni fedrant ladd fy ysbryd i.

Diwrnod pen-blwydd Ifan oedd Ebrill 15, 'ond ni chofiais am hynny hyd heno'. Cafodd Kate brofiad annifyr iawn y diwrnod hwnnw pan gafodd Eddie Simon air â hi yn y swyddfa:

Wedi mynd i'r Swyddfa, dywedodd Mr S. wrthyf fy mod heb fario rhyw ddrws ddydd Sadwrn ac y gallasai rhywun fod wedi dyfod i mewn i'r offis. Dywedais na wyddwn fod angen bario'r drws, gan fod y ddau ddrws allan yn gaead. A deimlais i ei fod yn gyhuddgar? Do, fe deimlais i'r byw, a gwnaeth fi'n ddigalon drwy'r dydd. Wrth gofio am y nodyn y deuthum o hyd iddo y dydd o'r blaen, credaf mai at bethau fel hyn y cyfeiriai M. Rhywun wedi dangos iddo fod rhywbeth o'i le, ac yntau'n gwrthwynebu. Credaf ei fod ormod dan fawd rhai pobl yno. Dyna'r fantais sy gan bobl sy'n gwneud eu gwaith yn iawn.

Ar yr un diwrnod mae'n sôn amdani ei hun yn gorfod 'Darllen a chyfieithu Hansard', a oedd yn dasg ddiflas iawn ganddi. A dyna'r math o waith di-fudd yr oedd Kate yn gorfod ei wneud yn aml er mwyn cadw'r *Faner* i fynd.

Ar Ebrill 19, Gwener y Groglith, roedd ei hunigrwydd yn ymylu ar wallgofrwydd:

> O un peth caled i'r llall yw hi arnaf o hyd. Ond meddyliwn fod y tŷ yma'n dŷ rhyfedd iawn neithiwr – pobl ddieithr ac M. ddim yma. Dihengais o'r swyddfa tua phump ddoe, rhag imi fynd yn wallgof. Yr oedd pawb ond rhyw un neu ddau wedi mynd adref, a sylweddolais fod y lle'n ddistaw fel y bedd a dychrynais.

Cafodd lythyr gan Hannah y diwrnod blaenorol, a chododd hwnnw ei chalon ryw ychydig: 'Mwy o deimlad ynddo na'r un a gefais o gwbl. Pam na fedr hi fod fel hyn bob amser? Petawn i'n cael llythyrau fel hyn gan gâr a cheraint yn weddol aml buasai'n haws imi ddal y boen'.

Ar Ddydd Gwener y Groglith cafodd Kate ddigon o hamdden i lunio cofnod maith, ac aeth ei meddwl yn ôl at ddyddiau gŵyl cyffelyb a dreuliasai gyda Morris, a theimlai ei fod yn agos ati:

> Mynd i'r fynwent heddiw efo blodau – blodau o'r Cilgwyn. Yr ing ofnadwy o orfod gadael y bedd. Byddai'n gas ofnadwy gan M. a minnau bob amser adael ein gilydd a'n cartre os byddem yn digwydd mynd i rywle i aros noson ar wahan. Ond y pryd hwnnw, byddai'r gobaith o hyd o ddyfod yn ôl a chroesawu ein gilydd. A'r fath lawenydd ydoedd cael dyfod yn ôl i'n tŷ braf ac i gwmni'r naill y llall. Mor ffôl oeddym o fod yn ddigalon wrth ymwahanu y pryd hynny. Ond heddiw – dim gobaith. Ac eto teimlaf yn yr ychydig funudau yr wyf yma fy hun heddiw fod M. yn rhyw grwydro hyd y tŷ yma ac o gwmpas yr ardd fel y byddai ar ddydd Gwyl, pan fyddai amser i loetran ac edrych a synfyfyrio. Wedi'r cwbl dyma'r teimlad yr hoffwn i fod ynddo, y teimlad hwn o deimlo'i agosrwydd a chofio'i hoffuster … Hoffwn gofio pob gwên a phob dywediad hoffus o'i eiddo – a bu'r rheiny'n llawer.

Teimlai Kate fod popeth yn newid:

Mae Elis a Jini yn gadael Glyn Dyfrdwy heddiw. Bu Jini ar y teleffon neithiwr a daeth lwmp i'm gwddf wrth ei chlywed yn dweud Dyna bennod arall wedi ei gorffen. Ac er na byddem yn mynd yno'n aml, eto teimlem fod rhyw gongl bach heb fod yn bell o Ddinbych lle y caem fynd yno unrhyw amser a chael sgwrs â phobl o gyffelyb feddwl.

Daw cofnod dydd Gwener y Groglith i ben gyda'r frawddeg ddirdynnol: 'Mae'r tŷ yma fel y bedd rŵan – mae gwacter ofnadwy yma'. Roedd Kate yn gorfod byw drwy ei dydd Gwener y Groglith ei hun, heb obaith am atgyfodiad.

Treuliodd gyfnod y Pasg ar wyliau yn ei hen gynefin, a bu'n ymweld â Llanberis a Rhosgadfan. Dychwelodd i Ddinbych ar Ebrill 23, y diwrnod ar ôl dydd Llun y Pasg, a daeth yn ôl i dŷ â'i lond o hiraeth a gwacter. Aeth â'i dyddiadur gyda hi ar ei gwyliau, ond ni chafodd amser i gofnodi dim ynddo. Er iddi lwyddo i anghofio tipyn ar ei phoen yn Sir Gaernarfon, 'yr oedd fy hiraeth yn seithwaeth wedi imi gyrraedd y tŷ yma … a rhywsut i'r llofft fawr yr euthum ac mor ofnadwy y teimlwn fel y bu'n rhaid imi rwbio fy wyneb yn nressing gown M. sy'n hongian o hyd tu ôl i'r drws, â blaen y llewys wedi eu troi i fyny yn union fel yr oeddynt ganddo bedwar mis i heno'. 'Pedwar mis!' ebychodd, gan ofyn: 'A yw'n bosibl fy mod wedi byw cyd â hynny heb ei weld[?]'.

Er i Kate nodi yn ei dyddiadur i'w hymweliad â'i hen ardal liniaru rhywfaint ar ei gwewyr, ymweliad trist a digalon ydoedd mewn gwirionedd, wrth i'w hiraeth am ei mam ymdoddi i'w galar am Morris, a dyblu ei thristwch:

Ac ni welais mam ers dwy flynedd a chwarter. Bum yn gweld y bedd yn y fynwent yn Rhosgadfan a chanfod cam dorri ar y garreg. Dylai fod gan dorwyr ar gerryg beddi ryw syniad am gynghanedd. Wrth fynd o gwmpas y fynwent sylwais fod pob penteulu a oedd yn magu plant pan oeddwn i yn blentyn, yno'n gorwedd – pob un – rhieni ardal gyfan ar un cyfnod. Ac mor ifanc yr oedd llawer ohonynt! A llawer o'u plant yno hefyd …

Roedd amser yn newid popeth, a dim ond tristwch a welai ac a deimlai ymhobman o'i chwmpas, ymhlith y byw a'r meirw:

Edrychai Rhosgadfan yn brudd yn y glaw, a phrin y medrwn adnabod Maesteg gan gymaint y newid ynddo. Bum yn Ninorwig a'r Waun yn gweld fy modrybedd – y ddwy yn wael. Modryb M. yn ei gwely ond yn well, a Modryb L. ar ei thraed ond prin yn medru llusgo ei thraed hyd y llawr.

Ac meddai Kate, gydag eironi mawr o edrych yn ôl bellach ar ei hoes hirfaith, a phur fethedig tua'r diwedd:

Sylweddolais mor ofnadwy o unig yr oedd hi – neb i alw i'w gweld a hithau'n methu gwneud dim iddi hi ei hun. A dymunais o eigion fy nghalon na chawn byth fyw i fynd yn hen.

Agorodd yr ymweliad hwnnw â'r Gogledd sawl craith iddi, a daeth i'r casgliad na allai geiriau fyth gyfleu ei gwir deimladau na gwir ddyfnder ei thrueni:

> … yr oedd poen ym mhwll fy nghalon wrth edrych i lawr at wastadedd y Groeslon a chofio am blentyndod M. Ni fedrais gyfleu dim o'r hiraeth na'r boen ar y papur hwn. Rhaid i mi sgrifennu llenyddiaeth am gyfnod fy mhlentyndod. Dyna'r unig ffordd i gael gwared o beth o'r hiraeth. Ni fedraf byth fynegi dim o'm gwir deimlad yn y dyddlyfr hwn – sylweddolaf hynny. Ym mha le y ceir geiriau i ddisgrifio pob lliw a gwedd ar y boen sydd o'm tu mewn o hyd – y boen sy'n gefndir i bob meddwl? Un peth trist arall a welais – caeau Cae'r Gors yn fler a gwyllt.

Ar Ebrill 25 roedd wedi cyrraedd y gwaelodion:

> Meddwl heddiw yr hoffwn farw er mwyn i'm llwch i a llwch M. gael ymgymysgu yn y ddaear efo'i gilydd. Byddaf yn gofyn imi fy hun yn aml, a oes gronyn o bleser yn y galon, ac ni chaf fod yr un. Darllenais lyfr Gollancz ar "Eu Gadael i'w Tynged" ac yr oedd mor drist fel y medrais anghofio peth ar fy ngalar.

Pamffledyn gan Victor Gollancz (1893–1967), y cyhoeddwr a'r dyngarwr o dras Iddewig, oedd *Leaving them to their fate: the ethics of starvation*, ac ym 1946 y cyhoeddwyd y pamffledyn. Ple ar ran pobl newynog Yr Almaen orchfygedig oedd y pamffledyn hwn, a byddai dioddefaint y ddynoliaeth, oherwydd y rhyfel, yn dod i ddarfu ar Kate eto cyn i 1946 ddirwyn i ben. Ym mis Medi 1945 sefydlwyd mudiad dyngarol, 'Save Europe Now', gan Victor Gollancz ac eraill i helpu pobl newynog Yr Almaen trwy anfon arian atynt i brynu bwyd ac angenrheidiau eraill, a thynnodd Kate sylw at y newyn yn Ewrop mewn llythyr a gyhoeddwyd yn *Y Faner* ym mis Rhagfyr y flwyddyn honno. Ym mis Chwefror 1946, yng nghanol ei holl helbulon, dechreuodd weithio dros Gronfa Achub Ewrop, gan ddefnyddio'r *Faner* i wahodd pobl i anfon arian ati ar gyfer y gronfa. Yng nghanol ei galar dechreuodd weithredu dyngarwch, a throi ei loes yn elusen. Cyflwynodd y syniad i ddarllenwyr *Y Faner* yn rhifyn Chwefror 13 o'r papur, sef ar ddiwrnod ei phen-blwydd, ond bwriadai roi yn hytrach na derbyn ar y diwrnod hwnnw:

> Mae'r mudiad uchod yn gwneud apêl am arian i liniaru rhywfaint ar y cyni yn Ewrop. Ni ellir anfon bwyd allan o'r wlad hon i unigolion, ac ni ellir anfon chwaith barseli o fwyd i'r cymdeithasau help gwirfoddol. Ond fe ellir anfon arian.[65]

Oddi ar fis Chwefror, bu'n ymgyrchu'n daer o blaid Cronfa Achub Ewrop, a manteisiai ar bob cyfle i hybu'r achos a lledaenu'r genadwri. Ym mis Mawrth, ceisiodd chwarae ar gydwybod ei chyd-Gymry:

Peth gresynus, i'm tyb i, yw'r holl wledda ar ddiwedd tymor ysgolion nos, a chymdeithasau llenyddol, sy'n digwydd yn awr yng Nghymru ... Awgrymwn yn garedig ... i'r sawl a awgryma wledd i orffen tymor unrhyw gymdeithas ei fod yn awgrymu gwneud casgliad yn lle hynny, a'i drosglwyddo i'r Gronfa ...[66]

Hefyd ym mis Mawrth, condemniodd rai o sylwadau M. Selyf Roberts yn rhifyn Mawrth 1946 o'r *Eurgrawn*, yn ei gyfres 'Yn yr Almaen'. 'Gwyddom i gyd am yr erchyllterau a ddigwyddodd o dan unbennaeth yr Almaen,' meddai, ond roedd 'condemnio pawb, pob unigolyn, drwy wlad gyfan ar gorn treulio rhyw bymtheng mis mewn un ffatri, yn dangos diffyg gallu rhesymu a diffyg dawn i ddeall y natur ddynol'.[67]

Teimlai yn llai truenus ar Ebrill 26, ond dychwelodd yr hen ddigalondid y diwrnod canlynol:

Diwrnod truenus o ddigalon heddiw ... Teimlo fel petai M. newydd fy ngadael – fel petai yma efo mi yr wythnos dwaetha, a phob prynhawn Sadwrn braf a dreuliasom erioed mor fyw a phe buasai yr wythnos dwaetha. Heddiw buasem yng nghynhadledd y Cyngor Economaidd mae'n debyg, a buasem yn treulio gyda'r nos braf wrth y tân yn darllen. Yn lle hynny, bum yn siopa ac yn y fynwent. Mor gyfyng yw fy myd! O'r ty i'r offis, i'r siopau ac i'r fynwent. Yn y fynwent gyda'r nos heno, yr oedd Mrs M. H. yn rhoi blodau ar fedd ei gŵr – hithau'n ddigalon. Onid yw'n beth rhyfedd mai dim ond merched yn tacluso bedd eu gwŷr a welaf bob amser, ac nid gwŷr yn tacluso bedd eu gwragedd? Wedi dyfod adref, yr oedd fy hiraeth mor wallgof fel y gweddiais ar i Dduw gofio amdanaf. Ond gorfod sefyll ar fy ngwadnau fy hun yr wyf.

Ar ôl dydd Sul annifyr, aeth Kate i'r swyddfa ar fore dydd Llun, Ebrill 29:

Methu'n glir a gweithio yn yr offis heddiw. Euthum i dwtio tipyn ar ryw ddrôr, ac yno yng nghanol hen bapurau hollol ddiwerth, deuthum ar draws riset gan y Banc – bod M. wedi rhoi ei ewyllys i'w chadw yno. Mynd i'r Banc ar fy ffordd adre a chanfod ei *bod* yno – hwy wedi gwneud camgymeriad. O mor falch oeddwn. Dyna glirio'r holl amheuon a fu'n fy mhoeni yr holl fisoedd.

Daeth canfod yr ewyllys â thawelwch meddwl iddi, ond wedyn

... yn yr un dror deuthum ar draws papurau eraill a sgrifennwyd gan M. – y creadur bach. Gresyn na fwriasai ofnau ei galon i mi ac nid ar ryw ddarn o bapur. Nid oes ddyddiad wrtho, felly anodd dweud pryd y blinid ef. Ond O faint ei ddioddef oherwydd ei wendid. Y busnes a'i poenai.

Dyna awgrym pendant mai beio'r busnes am ei alcoholiaeth yr oedd Morris.

Dro ar ôl tro, bu'n edifar gan Kate iddi adael y De a symud i Ddinbych. Yn y De y bu'r ddau ar eu dedwyddaf, er iddi hi a Morris gael rhai cyfnodau heulog yn Ninbych hefyd. Wrth feddwl am ofidiau Morris, cofnododd hyn yn ei dyddiadur:

> Ac mor hollol yr un farn yr oeddem ein dau am y dyddiau gynt, y dyddiau cyn inni ddyfod i Ddinbych. Dyna'r dyddiau hapus iddo yntau mae'n amlwg. A'r blynyddoedd cyntaf yn Ninbych, y dyddiau pan aem o gwmpas yn yr hen Riley Nine bler a chysurus. Heddiw, yn y drôr yna, fe ddaeth holl awyrgylch a theimlad y dyddiau hynny'n ôl imi mor fyw a phe bawn yn byw yn ein tŷ cyntaf yma ar ffordd Ruthun.

Blynyddoedd y rhyfel a wnaeth y gwahaniaeth mawr i fywyd y ddau. Y rhain oedd 'y blynyddoedd du' iddynt. Sylweddolai Kate hynny 'gyda grym newydd' bellach, a theimlodd 'y tristwch mwyaf ofnadwy – tristwch hollol wahanol i ddim a deimlais o gwbl – y boen ofnadwy o orfod sylweddoli bod M. wedi ceisio ymladd ei frwydr ei hun'. Brwydr oedd honno yn erbyn ei alcoholiaeth a brwydr hefyd i gadw'r busnes rhag suddo, a'i alcoholiaeth yn bygwth ei fywoliaeth yn aml. 'Heno teimlaf fod pob dim yn olau, ond oblegid hynny'n dristach o lawer,' ysgrifennodd Kate wrth feddwl am Morris yn gorfod ymladd ei frwydrau ei hun. Ac eto, er i'r gwaith o geisio gofalu am Wasg Gee a'r *Faner* trwy flynyddoedd anodd y rhyfel drethu nerth ac ysbryd y ddau, 'rheitiach o lawer yw imi gario'r gwaith ymlaen er ei fwyn ef,' meddai.

Daeth mis Mai, ond ni chiliodd y cymylau duon o'i ffurfafen gyda dyfodiad y gwanwyn. Ar yr ail ddiwrnod o Fai, roedd Kate yn dioddef o boen meddyliol a phoen corfforol, a'r ddau, efallai, yn porthi ei gilydd. 'Mae fy ngalar erbyn hyn yn fy ngwneud yn sâl – nid oes arnaf eisiau bwyd ac mae lwmp o boen yng ngwaelod fy mrest'. Yn ei phoen 'euthum drwy ein llythyrau caru, neu rai M. yn hytrach, oblegid cofiaf i mi ddinistrio'r rhan fwyaf o'm rhai i rywdro ar ôl imi fod yn sal ac ofn marw'n sydyn arnaf'. Bu'n darllen llythyrau caru Morris am hydoedd, ac ar ôl eu darllen, teimlai 'yn ysgafn braf, fel petawn wedi bod yn siarad efo M. drwy'r nos yn Rhiwbina a Thonypandy'.

Ac aeth yn ôl at y dyddiau pan oedd Morris yn ifanc, cyn dyddiau Dinbych:

> Yr oedd gan M. enaid mawr iawn, ac mae ei lythyrau mor ofnadwy o hoffus a theimladwy. Y dyn ifanc heini a siaradai efo mi. Y teimlad yna a fu'n fy hela byth – M.

fel yr oedd cyn dyfod i Ddinbych. Ond O gwna fi'n drist. Yr wyf fel dyn wedi dyfod i'r ddaear ar ôl sbri. Tybed a ddof byth i ddygymod â'm hunigrwydd?

Bu'n darllen llythyrau oddi wrth ffrindiau ati hi a Morris hefyd. 'Mae digon oddi wrth un i wneud cyfrol,' meddai am un swp o lythyrau, 'a phe gwneid hi'n gyfrol fe ai miloedd ohoni yr wythnos gyntaf'. Cyfeirio yr oedd Kate, yn gynnil awgrymog, at lythyrau Prosser Rhys at Morris, ac at y berthynas wrywgydiol rhwng y ddau.

Roedd unigrwydd bellach yn ei llethu, ynghyd â siom a chwerwedd:

Byddaf yn chwerw iawn weithiau. Bu ein tŷ ni yn dŷ agored ar hyd y blynyddoedd a chroeso i bawb, ond nid oes neb yn galw rŵan hyd yn oed pan ddont i Ddinbych. G. E. yma yr wythnos dwaetha, ond ni alwodd. Ddwy flynedd yn ôl bu yma'n aros ddwywaith. Ond i beth y poenaf? Swcwr dyn yw ei enaid ei hun.

Oedd, yr oedd Kate wedi chwerwi, rhwng popeth, ac yn enwedig pan oedd pobl yr ystyriai eu bod yn gyfeillion iddi, fel Gwynfor Evans, yn gwrthod galw arni. Teimlai Kate erbyn hyn fod ei hiraeth a'i hing yn gwaethygu ac nid yn gwella. Cofnododd hyn, ar Fai 3:

Nid oes un dim yn rhoddi unrhyw gysur imi. Mae'r ardd yn odidog, ond os af yno, gwelaf M. yn cerdded ynddi fin nos fel y byddai yn yr haf, a bydd arnaf eisiau beichio wylo. Yn wir, daw'r dagrau i'r llygaid a lwmp i'm gwddf am ddim y dyddiau hyn. Teimlaf yn waeth lawer nag yn y dechrau … fy nymuniad y dyddiau hyn yw cael marw, ond efallai pe deuai i hynny mai eisiau byw a fyddai arnaf. Pam y tynghedwyd dyn i orfod marw o gwbl? Ac eto, ofn marw sy'n gwneud i bobl glosio at ei gilydd.

Ond daeth Mai â gobaith newydd hefyd, ac roedd Kate fel pe bai hi'n dechrau ymwroli ac yn osio ailgydio mewn bywyd. Erbyn Mai 6, roedd wedi dechrau gyrru car 'a meistroli'r ger'. Y noson honno hefyd aeth i'r llofft fawr i gysgu, 'y tro cyntaf er pan gysgais am y tro olaf efo M.'. Ar nos Fercher, yr ail o Ionawr, y bu hynny.

Ymhen ychydig ddyddiau, fodd bynnag, roedd yr hen dagfa o hiraeth a galar wedi dod yn ôl. 'Hiraeth, hiraeth, hiraeth, yr un fath bob dydd,' ysgrifennodd ar Fai 10. Bellach, dim ond 'rhygnu byw, heb bleser yn y byd' yr oedd. Cwynodd unwaith eto nad oedd neb yn galw heibio i'w gweld. Ac meddai, gan ddyfynnu llinell o awdl 'Yr Haf' R. Williams Parry:

Nid oes neb yn malio llawer wedi i gynnwrf y dyddiau cyntaf fynd heibio. Ni all neb fynd dan groen neb arall, yn enwedig croen gŵr a gwraig, dim ond hwy a ŵyr beth a fu rhyngddynt erioed. "Ni sieryd oes a ŵyr dau". Pam y dylwn ddisgwyl felly i neb fedru cydymdeimlo'n iawn? Anghofir y marw'n fuan iawn gan bawb ond y sawl sy'n eu caru.

Gyda'r nos, Mai 10, aeth i weld cwmni drama lleol, cwmni Trefnant, yn perfformio *Y Ffordd*, drama am Ferched Beca gan ei hen ddisgybl a'i ffrind, T. Rowland Hughes. Mwynhaodd y perfformiad yn fawr, ond aeth ei meddwl at gyflwr iechyd T. Rowland Hughes, a oedd yn prysur edwino. 'Druan o T.R.H. Ei gystudd hir,' cofnododd. Ac eto, er ei bod wedi suddo i waelod ei phydew o anobaith ers misoedd bellach, yr oedd yn crafangu'i ffordd allan ohono fesul bys ac ewin. Roedd drama T. Rowland Hughes wedi cyffwrdd â'i hysbryd creadigol, mae'n amlwg, oherwydd yr oedd yn dechrau ystyried troi at lenydda unwaith yn rhagor. 'Yr wyf yn llawn o'm nofel heddiw ac yn meddwl y dechreuaf ei hysgrifennu rhag blaen,' cofnododd. Dyna'r unig ffordd y gallai bellach 'gael rhywfaint o ddiddordeb mewn bywyd'. Fersiwn neu ddrafft cynnar o *Te yn y Grug* oedd y nofel hon.

Yr oedd yn ganol Mai erbyn i'r cofnod nesaf ymddangos yn y dyddiadur. Nid oedd ganddi ddim byd ond 'poen meddwl a chorff' i'w groniclo yn ystod y dyddiau a aeth heibio. Roedd yn dal i ddysgu gyrru, ond 'heb unrhyw bleser yn y byd'. Ond yr hyn a ddaeth â rhyw fymryn o gysur iddi ar Fai 15 oedd llythyr a dderbyniasai 'gyda design cover fy llyfr', sef *A Summer Day and Other Stories*, cyfrol o gyfieithiadau o waith Kate gan Dafydd Jenkins, Walter Dowding a Llewelyn Wyn Griffith, gyda rhagair gan Margaret Storm Jameson. Disgwylid i'r llyfr gael ei gyhoeddi ar Fehefin 14, ymhen rhyw fis, gan Wasg Penmark yng Nghaerdydd, gyda William Lewis Cyf., sef yr union gwmni a oedd wedi argraffu *Deian a Loli* i Kate ryw ugain mlynedd ynghynt, yn argraffu'r gwaith.

Roedd Kate eisoes wedi darllen rhagair Margaret Storm Jameson i'w llyfr, wedi i Llewelyn Wyn Griffith anfon copi ohono ati ddiwedd mis Gorffennaf 1945, gan ei gymeradwyo iddi fel rhagair ardderchog. Roedd Storm Jameson ei hun wedi ysgrifennu at Kate ar Awst 8, 1945, i ddweud ei bod wedi cael pleser mawr o ddarllen ei straeon, ac mai braint iddi oedd cael ysgrifennu rhagair i'r gyfrol. Roedd Llewelyn Wyn Griffith, meddai, wedi sôn llawer amdani hi a'i gwaith. Roedd yn amlwg iddi fod Kate wedi gweithio'n galed i berffeithio ei chrefft, a chredai ei bod yn llinach yr ysgrifenwyr straeon byrion Ewropeaidd.

Dewis hynod o addas i lunio rhagair i'r casgliad oedd Margaret Storm Jameson. Roedd hi'n nofelwraig adnabyddus yn ei dydd, er bod ei bri wedi pylu rhywfaint erbyn hyn. Trwy gyd-ddigwyddiad llwyr, roedd nifer o bethau ym mywydau Kate a Storm Jameson a oedd yn debyg i'w gilydd. Ym 1891 y cafodd Storm Jameson ei geni hefyd, yn Whitby yn Swydd Efrog, a hynny ar Ionawr 8, ychydig wythnosau'n unig cyn geni Kate. Derbyniodd y ddwy addysg brifysgol, ac enillodd Storm Jameson radd dosbarth cyntaf mewn Saesneg ym Mhrifysgol Leeds ym 1912, flwyddyn cyn i Kate raddio ym Mangor. Fel Kate, collodd Storm Jameson ei brawd, Harold, yn y Rhyfel Mawr, a hynny ym 1917, yr union flwyddyn y lladdwyd Dei. Aeth Storm Jameson yn gyfeillgar iawn â Vera Brittain, hithau hefyd, wrth gwrs, wedi colli ei brawd yn yr un rhyfel. Hynny a dynnodd y ddwy at ei gilydd, yn union fel yr oedd cyhoeddi *Testament of Youth* wedi procio Kate i gysylltu â Vera Brittain ym mis Tachwedd 1933. Roedd Storm Jameson, eto fel Kate, yn ymgyrchwraig boliticaidd frwd, a bu'n ymgyrchu o blaid sosialaeth, heddychiaeth a hawliau menywod. A bu farw Margaret Storm Jameson ym 1986, flwyddyn ar ôl Kate. Roedd bywydau'r ddwy yn gorgyffwrdd â'i gilydd yn aml, fel blaenllanw a thraeth.

Synio am Gymru fel gwlad estron y tu mewn i gyffiniau Prydain a wnaeth Storm Jameson yn ei rhagair, gwlad ac iddi ei diwylliant unigryw ei hun, a hwnnw'n ddiwylliant byw, byrlymus. 'To find a native culture which has so much energy left, you must go as far across Europe as Slovakia, which,' meddai, 'if it were not small and poor, this country would resemble'.[68] Kate, meddai, oedd llais y wlad fechan estron hon, 'a little changed, no doubt, by being translated into English, but as near as we are likely to come to hearing it'.[69] Cynildeb awgrymog a nodweddai'r straeon, ynghyd â meistrolaeth lwyr ar iaith, arddull a thechneg. Meddai, gan gymryd 'Y Taliad Olaf' fel enghraifft:

> Usually the emotion remains below the surface, controlling, shaping, giving its strong life to the story, but not allowed even its one moment of direct expression, its power felt only in the silence that follows the reading. An old woman is at last able to close her account with the shop she has dealt with all her married life; nothing happens – she walks to the shop, pays the book; and with the last simple words the reader enters into possession of her buried life of poverty, courage, joy.[70]

'Her work grows out of necessity; it is an art of the almost bare rocks,' meddai Storm Jameson.[71] Arddull foel Kate oedd ei rhinwedd fwyaf, meddai: 'An art which appears bare, but is just and evocative, the faithful interpreter to itself and us of a Wales which appears poor and declining, but rests its strength in the heart-memory of its people'.[72]

Aeth Kate ati i ailddarllen y cyfieithiadau hyn o'i gwaith, ac meddai:

Drwy'r storïau rhed profiadau gŵr a gwraig a theimlais eu bod yn wahanol heno … fod iddynt ystyr newydd am fod M. wedi marw. Rhyw deimlad rhyfedd ydoedd.

Edrychai ymlaen at ymddangosiad y llyfr 'gydag ofn', a gobeithiai y câi dipyn o arian o'r gwerthiant gan fod ei sefyllfa ariannol 'yn golygu lot o boen' iddi. Roedd y blynyddoedd o'i blaen yn llawn o ansicrwydd, ac 'yn ffordd undonog ac anodd ei llwybro'. 'Eisoes,' meddai, 'teimlaf fy nerth yn gwanhau'. Am eiliad, troes ei meddwl oddi wrth helbulon yr hunan at y sefyllfa fygythiol, fregus a dioddefus a oedd yn y byd, a byddai'n gwneud hynny fwyfwy yn ystod y blynyddoedd i ddod. 'Efallai y daw'r bom atom,' meddai, ond, cyn i hynny ddigwydd, 'bydd miliynnau [sic] wedi marw o newyn yn India a'r Almaen'. Roedd pamffledyn Victor Gollancz yn fyw yn ei chof o hyd.

Ar Fai 17, derbyniodd lythyr oddi wrth Hannah, 'yn gwrthod dyfod yma dros y Sulgwyn ac yn swnio fel pe na bai arni eisiau dyfod yma byth'. Gwnaeth y llythyr iddi deimlo'n druenus 'wrth feddwl am y gorffennol a'r holl bethau a fu'; eto, ysgrifennodd Kate, 'dywedaf mai fi yw'r ffwl mwyaf yn y byd'.

Gadawodd i wythnos fynd heibio cyn iddi gofnodi dim byd pellach yn y dyddiadur, ac ar Fai 24 y bu hynny. Bu'n dysgu gyrru drwy'r wythnos anghofnodedig honno, ac ar Fai 23, y noswaith cynt, aeth i'r Capel Mawr 'i glywed Judas Macabeus', ond ni chafodd fawr o foddhad o'r perfformiad, oherwydd ei bod yn 'cofio o hyd am y gweithiau cyffelyb y bu M. a minnau'n eu gwrando o bryd i'w gilydd'. Roedd yr wythnos ddigofnod yn wythnos ddi-gwsg hefyd. Roedd ei nofel newydd yn corddi yn ei phen, a Kate ei hun yn barod i chwarae rhan y prif gymeriad:

Yr wyf yn llawn o "Byth Mwy" ac o "Begw". Ai fi fydd Begw, y plentyn y bu Tynged yn taenu'i gwe drosto? A fydd yn blentyn trist? Na fydd, a bydd. Bydd ei synwyrusrwydd a theneurwydd ei chroen yno o hyd yn gadael i'r argraffiadau frifo – rhyw ernes o'r brifo a gaiff trwy fywyd.

Nododd yn ei dyddiadur gogyfer â Mai 28 iddi fod ym Mangor 'yn gwneud record i'r Seiat Holi'. '[Y]r oedd yn braf,' meddai, 'cael cyfarfod â hen ffrindiau a theimlo bod yna gymdeithas bach o Gymry sy'n dal yn Gymry o hyd'. Y ddau arall a gymerodd ran yn y rhaglen oedd Huw T. Edwards a Bob Owen Croesor – 'yr hen greadur hoffus, glân ei galon'. Galwodd Kate heibio i Thomas Parry ar ôl y rhaglen, a chael 'sgwrs deimladwy' ag ef, ac wedyn aeth i'r Rhyl i weld ei Modryb Ellen, chwaer ei mam.

Aeth wythnos ddigofnod arall heibio. Roedd yn dechrau dibynnu llai a llai ar ei dyddiadur, ond ar Fehefin 4, dechreuodd feddwl am ei theulu eto, ac am ei chyflwr a'i dyfodol hi ei hun, a hynny mewn ffordd hunanymchwilgar, hunangyhuddgar bron:

> Gymaint o newid a fu yn ein hanes i gyd ers tair blynedd. Clywed y bore yma fod Ifan wedi cael ffit yr wythnos diwethaf. Am deulu gwachul ydym! Ond rhywsut nid yw'r pethau yna yn fy mhoeni i'r graddau y buasent flwyddyn yn ôl. Bum yn druenus y dyddiau diwaethaf hyn – nid mwy o hiraeth nag arfer – ond anobaith ac iselder ysbryd cyffredinol – gweld dim llawer o obaith o'r byd, yn cashau'r gwaith yn y Swyddfa. Dyma fi'n gwastraffu f'amser i sgrifennu treip na chymer neb sylw ohono, ac yn dyheu am sgrifennu llenyddiaeth, neu'r hyn a dybiaf i sy'n llenyddiaeth. Mae pobl ymhobman mor ddiddeall a di-deimlad ac nid yw Swyddfa G. yn eithriad i'r rheol. Gobeithiaf na ddyfyd neb air ar f'ôl mewn unrhyw bapur wedi imi farw. Nid yw ncb yn adnabod neb arall. Pwy sy'n medru chwilio dyfnderoedd y galon? Duw? Efallai, os mai dyn ei hun yw Duw. Ac eto ni wn a adwaen i fi fy hun ai peidio. Dim ond hyn, gwn imi heddiw deimlo eithaf chwerwedd ac atgasedd. At bwy nis gwn, at Ffawd mae'n fwyaf tebyg. Ceisiaf ac ymdrechaf yn galed i beidio â chredu ddarfod imi gael cam. Ond heddiw teimlaf i waelod gwraidd fy natur na haeddais yr hyn a gefais. Ond efallai fy mod yn rhy hunan gyfiawn, ac efallai fy mod yn ddrwg o'm pen i'm traed.

Yn y cyflwr meddwl hunanddadansoddol a hunanymchwilgar hwn, yr oedd Kate yn dyheu am fod ar ei phen ei hun a 'mynd allan o'r byd'. Gallai ddeall pobl a oedd yn ymneilltuo i fynachdy, meddai, ac yn cau'r drws ar y byd am byth. Efallai mai 'ffordd hawdd yw hi i beidio â cheisio byw â'n cyd-ddynion,' meddai, ond hyd yn oed wedyn, 'digon posibl fod yr ymdrech a'i enaid ef ei hun tu mewn i'r mynachdy yn llawn cymaint'.

Yn ôl cofnod Mehefin 4, bu'n gwrando ar ddrama Tsiecoff, *Y Tair Chwaer*, ar y radio y noson gynt. Corddi meddyliau trist a wnaeth y ddrama. 'Mor wir ydyw!' meddai, gan ddyfynnu geiriau'r dramodydd: 'Fe â amser heibio, ac fe awn ymaith am byth, ac fe'n [h]anghofir; fe anghofir ein hwynebau, ein lleisiau, a faint oedd ohonom'. 'Yr wyf i fy hun mor ddiobaith heddiw, teimlo bod fy amser ar ben,' ysgrifennodd, gan gofio am un o ddywediadau ei mam, 'Hen geffyl hotel ar ddiwedd sesyn' – dywediad y byddai yn ei atgyfodi yn *Tegwch y Bore* ymhen rhyw ddeng mlynedd: 'Er bod golwg wedi blino ar ei mam, yr oedd bodlonrwydd dynes wedi gorffen ei gwaith arni hefyd, ac nid golwg "hen geffyl hotel ar ddiwedd sesn," fel yr arferai ei mam ddweud'. Yr unig beth a rôi ryw ychydig o rywbeth iddi edrych ymlaen ato oedd 'meddwl am fy llyfr (Saesneg)', a oedd ar fin cael ei gyhoeddi.

Ar Fehefin 5, diwrnod pen-blwydd ei brawd Dic, roedd meddyliau duon yn dal i'w phlagio. Pobl yn gyffredinol a ddôi dan y lach ganddi. 'Nid oes neb yn werth malio dim ynddo,' ysgrifennodd. Yn y dyfnder hwn o anobaith a thrueni, y mae'n cyfaddef mai'r unig beth o wir bwys yn ei bywyd bellach yw ei gwaith llenyddol, a dyma Kate yn awr yn ei pharatoi ei hun i wynebu ei hail gyfnod creadigol, a throi at lenyddiaeth o ddifri unwaith yn rhagor – yn wir, mae hi'n creu llenyddiaeth yn ei dyddiadur. Meddai, gan ddyfynnu T. Gwynn Jones:

> Yr unig beth o werth imi bellach yw fy llenyddiaeth – medru mynegi profiadau y creadur bach yma a elwir "dyn". "Dafn, er dyfned ei ofnau, yw dyn yn ei funud awr". Ac eto mae holl lenyddiaeth yr oesoedd wedi ceisio dadrys profiadau y dafn bach hwn yn ei funud awr. Fe sych y dafn, ac ni bydd ei ôl, dim ond ei brofiadau tra fu yn ei funud awr wedi eu croniclo gan ryw lenor, a'r profiadau hynny'n mynd yn etifeddiaeth i'r dafnau a ddaw ar ei ôl.

Gyda'r nos aeth i gymanfa'r Bedyddwyr, ac er iddi glywed un bregeth wych, am Morris y meddyliai o hyd, 'Y bore cyntaf pan ddeffroaf, a'r peth dwaetha cyn cau fy llygad'. 'Y fo,' ychwanegodd, 'sy'n llenwi fy holl feddwl'.

Mae bwlch o dros wythnos yn y dyddiadur wedyn. Aeth Kate i Eisteddfod yr Urdd yng Nghorwen, ac ar ôl dychwelyd i'r Cilgwyn, 'yn methu gwybod beth i'w wneud gan hiraeth', yr agorodd ei dyddiadur eto. Ond ni chafodd unrhyw gysur na diddanwch yn Eisteddfod yr Urdd:

> Dyfod i'r ty gwag yma a bron â mynd yn lloerig. Ediferais fynd o gwbl – pawb a gyfarfum bron yn sych a di deimlad – fel pe bawn yn disgwyl gweld pen M. dros ben pawb yno. Meddwl lot am Brosser ac yntau. Buasent yn llawn cynlluniau yno. Mewn eisteddfodau fel hyn y caent syniadau. O, na bawn yn medru dweud fy nheimladau'n iawn! Bob tro yr af i geisio eu hysgrifennu, daw rhywbeth i'm hatal rhag imi fedru eu mynegi'n iawn. Efallai nad oes ond un peth y medraf ei ddweud yn iawn sef bod marw M. wedi mynd â'r gwaelod o'm bywyd. Wyf fel llong heb nag [sic] angor na llyw yn drifftio ar y cefnfor.

Ac mae'r frawddeg 'O, na bawn yn medru dweud fy nheimladau'n iawn!' yn siarad cyfrolau.

Yr un adeg ag yr aeth i Eisteddfod yr Urdd aeth i Lanberis a Rhosgadfan hefyd, ond gan na chafodd unrhyw gysur na boddhad yno, aeth ei meddyliau yn ôl at y ddau gyfnod hapusaf a gafodd gyda Morris, cyfnod Rhiwbeina a chyfnod Tonypandy:

> Do medrais siarad a chwerthin yn Llanberis a Rhosgadfan, gweld hen ffrindiau, siarad am y dyddiau, "dedwydd mwyach nad ydynt". Ond dim ond ar wyneb fy ngholled y mae'r pethau yna i gyd. Heno, heno, Tonypandy a Rhiwbina a gofiaf, efo M. yno yr wyf, yn hapus, yn llawen; a theimlaf mai yn y bedd mae pawb a garaf yn iawn.

'Os oes cyfeiriad i'm bywyd, i gyfeiriad y rhai a aeth o'm blaen y mae,' ysgrifennodd. Wrth iddi edrych draw i gyfeiriad y fynwent lle'r oedd Morris wedi ei gladdu, gobeithiai a chredai y câi ei weld 'allan o'm cnawd eto'. 'Daeth "A Summer Day" allan ddoe,' cofnododd ar Fehefin 15, 'ond ni roes lawer o bleser imi,' a hynny oherwydd nad oedd Morris yno i rannu'r pleser â hi.

Ar Fehefin 19 cofnododd mai chwe mis i'r noson honno y bu Morris allan am dro gyda Tos am y tro olaf, 'yr un hen ffyddlon Dos' fel y caiff ei alw yn y dyddiadur. Roedd cofio dyddiadau allweddol, arwyddocaol fel hyn yn rhan o'i bywyd bellach. 'Y noson honno, cyn mynd i'r gwely, y cawsom y sgwrs olaf efo'n gilydd – sgwrsio ynghylch rhoi anrheg i D. J. [Williams] ar ei ymddeoliad,' cofnododd wedyn. 'Yr wyf yn ceisio brwydro â'm teimladau ond yn methu cael goruchafiaeth arnynt,' meddai. Tybiai ar brydiau nad oedd modd iddi ddal i fynd ymlaen, a châi 'ryw ragwelediad bod rhyw drychineb yn fy aros innau'. Ac roedd bywyd gyda Morris yn y De ar flaen ei meddwl yn barhaol:

> Onid yw'n beth rhyfedd mai M. fel y byddai yn Nhonypandy a Rhiwbina sydd yn fy meddwl ddydd a nos yrŵan? Cofiaf inni fod yng Nghaer Dydd rywdro'r adeg yma y llynedd. Ond ni chofiaf hynny mor glir â'r hafau yn Rh. a Th. … Mae'r ardd yn hardd o hyd. Ond nid oes neb yn cerdded trwyddi gyda'r nos rŵan, a rhoi ei wyneb ar wydr y ffenestr i dreio fy nychryn.

Roedd ei chyfraniadau hi i'r golofn 'Ledled Cymru' yn adlewyrchu ei phruddglwyf a'i phryder tua'r un cyfnod, gyda'r gwahaniaeth mai trafod ei brwydrau mewnol hi ei hun a wnâi'r dyddiadur, tra oedd yr hyn a ysgrifennai yn *Y Faner* yn trafod y rhyfel a oedd wedi ysgubo drwy'r gwledydd, a'r hyn a ddeuai ar ôl y rhyfel:

> Bob tro y byddaf mewn cwmni o bobl yn awr, a chyfaddefaf mai cwmni o bobl ganol oed fydd gan amlaf, sylwaf mai at y gorffennol y try'r sgwrs o hyd, nid gydag unrhyw gŵyn hiraethus am a fu bob amser, ond rhywsut rhywfodd, fe'n cawn ein hunain yn sôn o hyd am y gorffennol gweddol agos, nid y gorffennol pell. Efallai mai ysgytwad y rhyfel a bair hynny. Daeth â chyfnewid mor chwyrn i'n bywyd. A oedd hi felly ar ôl y

rhyfel o'r blaen tybed? Ni thybiaf hynny. Nid am fod ein cenhedlaeth ni'n ieuengach y pryd hynny, ond am fod pawb bron yn edrych ymlaen tuag at fyd gwell. Tybiem y pryd hynny fod rhyfel 1914–18 wedi codi digon o syrffed ym mhawb tuag at ryfel ac y byddai'n amhosibl i ryfel arall ddigwydd … Fe'n siomwyd. Ac wedi'r profiad a ddysgwyd, ac oherwydd yr ymrafaelio, y newyn, y bomiau a fygythir arnom, credaf na all yr ieuainc hyd yn oed edrych ymlaen yn obeithiol iawn i'r byd newydd.[73]

Mae yna dros wythnos o fwlch eto yn y dyddiadur rhwng dyddiau olaf Mehefin a dechrau mis Gorffennaf, a hynny oherwydd bod Kate wedi bod wrthi yn beirniadu 'sothach yr Eisteddfod Genedlaethol'. Mynychodd hefyd gyngerdd cyhoeddi Eisteddfod Genedlaethol 1947, a chafodd ei gwefreiddio gan gôr cydadrodd Caernarfon, a oedd wedi ei hyfforddi gan John Gwilym Jones. Parodd clywed y côr iddi 'deimlo'n falchach nag erioed o'r iaith Gymraeg a'i barddoniaeth'.[74] Ac meddai: 'Cymraes Gymreig wyf fi, ac ni threuliais fwy na rhyw ddeufis y tu allan i Gymru erioed, ond fe wnaeth clywed Côr Caernarfon yn cyd-adrodd "Roncesvalles," "Buchedd Garmon" ac "Ynys yr Hud," imi fyned y tu allan i'r iaith Gymraeg am unwaith, ac edrych arni'n wrthrychol hollol, a theimlo, "Wel, dyma rywbeth gwirioneddol hardd"'.[75]

Ar Orffennaf 3, yn ôl cofnod Gorffennaf 4 yn y dyddiadur, cafodd wybod gan ei brawd Evan fod ei modryb Margiad, chwaer ei mam, wedi marw. Ni welai ddim byd ond marwolaeth o'i chwmpas:

Euthum i'm Beibl a gwelais a ganlyn.

Margaret Cadwaladr – ganwyd Gorffennaf 27. 1858.

Felly, nid [*sic*] chyraeddasai ei 88ain yn llawn. Wel, mae ein teulu'n darfod yn gyflym. Bydd Dywaldiaid Pantycelyn wedi mynd oddi ar y ddaear i gyd yn o fuan. Ond cafodd fy modryb fyw i henaint teg ac heb ddioddef gormod. Nid fel mam a ddioddefodd gymaint.[76]

Ac eto, meddai, 'nid yw mam byth ar fy meddwl. M. M. o hyd'. Y diwrnod hwnnw, Gorffennaf 4, derbyniodd lythyr oddi wrth chwaer Morris yn dweud mai i'r Alban ac i'r Groeslon y bwriadai fynd ar ei gwyliau haf, nid i'r Cilgwyn at Kate. 'A fu erioed y fath greulondeb?' gofynnodd. Credai Kate fod Hannah yn cadw'n ddieithr oherwydd 'mai ei chydwybod sydd yn ei phigo'. 'Y fath boen a roes M. inni i gyd!' meddai. Yr unig bleser a gafodd yn ystod yr haf hwnnw oedd gweld canmol ar ei llyfr mewn adolygiadau, 'a chlywed am lenorion o Lundain yn ei drafod a'i ganmol'. 'Yr hen Gymry uniaith annwyl o Rosgadfan yn siarad Saesneg!' ebychodd.

Ar Orffennaf 9, cafodd Kate sgwrs am Morris gydag Eddie Simon yn swyddfa Gwasg Gee, 'ein dau'n gweld cymaint o golled oedd ei golli – y busnes yn llwyddo, ffrwyth ei lafur ef ydyw, a da yw i mi gofio hynny bob hyn a hyn a bob amser'. Er mai gwraig fusnes anfoddog iawn oedd Kate, ac er mai cadw'i haddewid i Morris yr oedd trwy gymryd gofal o'r wasg a pheidio â'i gwerthu, gwyddai hefyd fod Morris wedi gweithio'n ddiarbed i gael y wasg ar ei thraed, gweithio hyd at aberth mewn gwirionedd, ac ni allai o'r herwydd ystyried troi ei chefn ar y busnes. Gwyddai Kate y byddai gwerthu'r wasg, yn groes i ddymuniad Morris, yn sarhad ar ei goffâd ac yn frad ar ei aberth.

Bu Evan, brawd Kate, yn aros gyda hi yn y Cilgwyn am bron i wythnos o ganol mis Gorffennaf ymlaen. Gadawodd ar Orffennaf 22, a cheir y cofnod hwn yn y dyddiadur:

> Buasai rhywun yn meddwl y buasai ei gwmni wedi lleihau f'unigrwydd. Ond ni wnaeth. Am M. y meddyliwn i o hyd, ac ni theimlais ddim gwacter yma heddiw wedi ei fyned. Y rheswm mae'n debyg oedd na ellir gwneud y gwacter yn y tŷ hwn yn wacach nag ydyw. Buom ein dau yn nhŷ G.R.J. neithiwr i swper a chael amser braf. Ond cefndir fy meddyliau i gyd oedd M.

Bu pobl fel Gwilym R. Jones yn ddigon caredig wrthi, ond unig yng nghanol cwmni oedd Kate o hyd, a'r unig un a fedrai leddfu ei hunigrwydd mewn cwmnïaeth o ddifri oedd yr aelod absennol o bob cyfeillach, Morris. Yn ystod wythnos arhosiad Evan cafodd Kate gwmni R. Williams Parry a'i briod Myfanwy ac eraill:

> Daeth Mr a Mrs R.W.P. i'r Swyddfa ddydd Gwener ac aethom allan i de, nifer ohonom. Teimlwn yn llai digalon nag y tybiais y gwnawn, teimlwn fel petai M. yn rhan o'r criw a'i fod yn siarad ac yn gwrando ar ddywediadau digrif R.W.P. Gymaint a fuasai ganddo i'w ddweud wrth R.W.P. ac yntau wedi cael ei radd.

Newydd gael gradd Doethur gan Brifysgol Cymru yr oedd R. Williams Parry.

Mae'n cofnodi hefyd iddi yrru'r car 'i Langollen ac yn ôl ar ddydd Sadwrn', gan gyflawni cryn gamp. Cafodd bwl o hiraeth wrth fynd heibio i Lyndyfrdwy 'a'i atgofion hoffus'. Y mae hi wedyn yn myfyrio ar broblem amser:

> Mae problem amser yn ddyrys. Ddoe, heddiw, yfory. Ein doe ni oedd o 1928 i 1945. Ond yr oedd doe cyn hynny, cyn geni M. a minnau, ac yr oedd hwnnw'n heddiw hapus i rywrai. Mae'n pennod ni wedi ei gorffen ac nid oes yfory o gwbl.

Yn wir, ar Orffennaf 22 cofnododd Kate yr atgof canlynol yn ei dyddiadur:

> Mae cyfnod y rhyfel fel cyfnod y fagddu ei hun, ac mae'n annelwig yn y cof. Dim
> rhyfedd, cyfnod drwg ydoedd o ruthro a phoeni a dioddef. Ac eto, cofiaf am bethau
> hapus ynddo, daeth un yn ôl imi heno mor fyw, y dyddiau yr awn i edrych am mam
> a dychwelyd yr un diwrnod. M. yn y stesion yn fy nisgwyl a Thos efo fo. Tanllwyth o
> dan coch yn fy nisgwyl a thecell yn berwi wrtho. Ni chaf byth ddim byd felly eto.

Ac mae brawddegau olaf y cofnod uchod yn dod â diweddglo 'Y Tri' yn fyw
iawn i'r meddwl.

Aeth Kate i Amwythig i Gynhadledd y Cyhoeddwyr ar Orffennaf 23, ond ni
ddigwyddodd dim byd yno. Gyda'r nos aeth i bwyllgor ariannol yr Urdd. Ceisiai
lenwi ei dyddiau â phrysurdeb i anghofio'i phoen. Wedyn aeth i dŷ Annie Mary
Jones. 'Caf yno gysur bob amser,' ysgrifennodd. Edrychodd ar lun Morris ar ôl
dychwelyd i'w chartref, 'a methu sylweddoli o gwbl ei fod wedi marw'. Aeth i'w
gwely gyda phoen dychrynllyd yn ei bron chwith a chur yn ei phen.

Y diwrnod canlynol, ar Orffennaf 24, ceir cofnod rhyfeddol o drist yn y
dyddiadur:

> Newydd fod yn y fynwent efo blodau. Teimlo'n wael a digysur heddiw drwy'r dydd.
> Clywed llais caredig mam heno wrth ddyfod o'r fynwent yn dweud, "Hitia befo, Cadi
> bach". Faint a rown am un gip ar ei hwyneb hawddgar a faint a rown am un sgwrs ag
> M. 29 mlynedd yn ôl yr oedd Dei yn ei ing mawr a ninnau i gyd mewn pryder y pryd
> hynny. Gymaint a ddigwyddodd oddi ar hynny. Caf ambell ffit o feddwl ei bod yn
> amhosibl imi ddal yn hir.

Ar yr un diwrnod, roedd Kate yn dwyn i gof y llythyrau yr oedd Morris wedi eu
hanfon ati, gan gofio dyddiad pob llythyr yn fanwl, a chofio, ar yr un pryd, am
ei dau lythyr olaf hithau ato yntau. 'Fy llythyr olaf i i M. oedd Chwef 8 1945,
deuddydd ar ôl marw Prosser,' cofnododd, a chredai Kate fod y llythyr hwnnw'n
'llythyr hoffus ac yn llythyr call'. Dywedodd Morris wrthi ar ddydd angladd
Prosser i'r llythyr ei gysuro. Y llythyr olaf ond un iddi ei anfon at Morris oedd
yr un a anfonodd ato ar y dydd olaf o Ionawr, 1944, 'diwrnod cyn marw mam,
a minnau'n darlledu o Fangor – llythyr nerfus yw hwnnw,' meddai. Ond roedd
marwolaeth Morris wedi ei bwrw yn waeth o lawer na marwolaeth ei mam. 'O
Dduw, yr arteithiau a ddioddefais y diwrnod hwnnw, ond beth oedd hynny wrth
yr hyn a ddioddefais wedyn?' gofynnodd.

Ar Orffennaf 29, roedd Kate yn nodi iddi fod wrthi 'yn trwsio fy nillad ar
gyfair mynd i'r Steddfod'. Dyddiau caled oedd y rhain arni, ac ni allai fforddio
prynu dillad newydd. 'Doedd hi ddim yn edrych ymlaen at fynd i'r Eisteddfod,

ond roedd hynny yn well nag aros gartref. Gyda'r nos clywodd adolygiad ar *A Summer Day* ar y radio gan Keidrych Rhys. 'Soniai amdanaf fel petawn yn rhywun mawr iawn, yr hyn nad ydwyf,' oedd ei sylw diymhongar ar ôl gwrando ar yr adolygiad. Ac yn wir, yr oedd Keidrych Rhys yn siarad am rywun mawr iawn:

> Now Miss Kate Roberts has always been a decade or two ahead of her compatriots, although she is already well-known to those of us who buy books written in the Welsh language as a sensitive and distinguished writer: as a good nationalist, pacifist, director of a Denbigh publishing firm and proprietor of two newspapers, she is one of the most remarkable figures in our present day civilization, one whose influence on the current literary atmosphere and upon the more venturesome elements of the younger generation cannot be denied.[77]

Nododd hefyd iddi gael canmoliaeth uchel gan Rosamond Lehmann yn *The Listener*. 'Credaf pe buasai M. yn fyw y buasai'r dyddiau hyn yn rhai o rai dedwyddaf fy mywyd,' meddai. Er i adolygwyr roi clod aruchel i'w straeon, roedd galar yn cymylu pob canmoliaeth yn y pen draw.

Cofnododd iddi gael ymwelwyr fwrw Sul: 'Bu Gwyn G. yma dros y Sul, bachgen hoffus dros ben, a heddiw cefais lythyr dymunol ganddo. Y fath ddioddef a gafodd ei wraig, ei mam wedi ei lladd yn y gwersyll cadw, dim ond am bod [*sic*] gwaed Iddewig ynddi'. J. Gwyn Griffiths a'i briod, Kate Bosse-Griffiths, oedd yr ymwelwyr hyn. Roedd J. Gwyn Griffiths ar y pryd yn casglu deunydd ar gyfer rhifyn cyntaf cylchgrawn newydd sbon, *Y Fflam*, dan ei olygyddiaeth ef, Euros Bowen a Pennar Davies, neu Davies Aberpennar fel y galwai ei hun yn y cyfnod hwnnw. Roedd Kate wedi addo rhoi darn o'i dyddiadur i J. Gwyn Griffiths i'w gyhoeddi yn *Y Fflam*, ond teimlai ei fod yn rhy bersonol, a newidiodd ei meddwl.

Ar y diwrnod cyntaf o Awst roedd Hannah Mary dan y lach unwaith eto. Cofiodd Kate 'mai blwyddyn i heddiw yr euthum â phlant yr Urdd i ben Moel Fama, a H. yma'. 'Blwyddyn i yfory cychwyn[n]em am Ysgol Haf Llangollen,' nododd wedyn. Roedd Kate o hyd yn teimlo dicter mawr tuag at ei chwaer-yng-nghyfraith:

> Sut na chofiai H. am bethau fel yna a meddwl sut y mae arnaf? Cefais air oddi wrthi wythnos i heddiw yn gofyn a wnawn anfon y plancedi yn ôl iddi, wedi imi ddweud na fedrwn eu golchi eto. Y fath ddigwilydd-dra. Y hi efo'i thri mis gwyliau yn y flwyddyn a minnau efo'm ychydig ddyddiau, fel pe na bai gennyf ddim i'w wneud. Ond dyna fo,

cadach llawr a fum erioed. Ac mae'r teimladau hyn yn gymysg â'm galar yn gwneud imi deimlo fel rhew.

Ym mis Awst treuliodd Kate dridiau yn yr Eisteddfod Genedlaethol yn Aberpennar a deuddydd yn Ysgol Haf y Blaid yn y Fenni. Cafodd Eisteddfod ddiflas. Eisteddfod Seisnigaidd iawn oedd Prifwyl Aberpennar, ac Eisteddfod Brydeinllyd a brenhingar hefyd. Gwahoddwyd y Dywysoges Elizabeth i ymweld â'r Brifwyl ar y dydd Mawrth, ac roedd taeogrwydd swyddogion Eisteddfod Aberpennar wedi cythruddo Kate. Teimlai braidd ar goll yn yr Ysgol Haf. Roedd y rhan fwyaf o'r wynebau yn ddieithr iddi, a hiraethai am weld rhai o'r hen aelodau. Arferai Ysgolion Haf y gorffennol ysbrydoli pawb a oedd yn bresennol. Roedd gormod o ddarlithoedd ar wahanol gyfnodau yn hanes Cymru yn Ysgol Haf 1946, ac er eu bod yn wych, nid oedd digon o dân ynddynt.

Y 'sothach' yr oedd yn ei feirniadu yn y Brifwyl y flwyddyn honno oedd cystadleuaeth y Nofel Hir, cystadleuaeth wael ryfeddol gyda dau yn unig yn cystadlu, a rhoddodd gyfran o'r wobr yn unig i un o'r ddau. Ni chofnododd ddim yn ei dyddiadur yn ystod yr wythnosau hyn. 'Bum mor druenus fy nheimladau ar ôl dychwelyd o'r Steddfod fel na fedrwn roddi pin ar bapur,' ysgrifennodd ar Awst 20. Ar y diwrnod hwnnw galwodd Caradog a Mattie Prichard yn y swyddfa, a bu bron i Kate fethu dal. Gan mai yn y De y cynhaliwyd Prifwyl 1946, bachodd y cyfle i fynd i ailymweld â'r gorffennol, ond profiad chwerw-felys fu hwnnw:

Mynd i 46. Wind St. i de, a chofio'r amser braf a gafodd M. a minnau yn yr ystafell honno. Er bod Mrs G. wedi newid yr ystafell eto gallwn gofio pob tamaid ohoni fel yr ydoedd gynt. Wrth groesi i Seymour St. gwelais fws y Rhondda yn sefyll ar y sgwar yn union fel y byddai yn 1928, fel petai yno'n disgwyl byth, a bws Penderyn wedyn yn Seymour St. Euthum i edrych am Ap Hefin ond nid adwaenai mohonof – yn rhy bell yn yr Angau. Cefais un profiad ofnadwy yn y Steddfod fore Llun. Mr B. o Dreorci gynt yn gofyn imi sut yr oedd M. – heb glywed ei fod wedi marw. Bu agos imi â disgyn.

Mewn gwirionedd, nid taeogrwydd na Seisnigrwydd Eisteddfod Aberpennar oedd y bwgan, ond unigrwydd Kate ei hun, ei hunigrwydd heb Morris. Ym mis Medi cysylltodd â Lewis Valentine, i ddiolch iddo am ei rodd garedig i Gronfa Achub Ewrop, a manteisiodd ar ei chyfle i ddweud ei chŵyn wrth gyfaill a oedd yn fythol fodlon gwrando arni:

Eisteddfod Aber Pennar oedd yr *un* eisteddfod yr edrychasai Morus a minnau ymlaen ati, oherwydd hen gysylltiadau. Ac ni buaswn innau wedi mynd ar ei chyfyl onibai fy mod yn cael aros efo ffrind cywir iawn yn Aber Dâr. Ni fwynheais ddim ar y Steddfod. Yn y swyddfa'n unig y medraf anghofio tipyn, wrth weithio, neu dreio gweithio.[78]

Roedd pawb yn y swyddfa yn garedig iawn wrthi, meddai wrth Lewis Valentine, ond er pob caredigrwydd, baich a bwrn oedd bywyd bellach:

Mae fy holl fod fel petai wedi rhewi, ac nid edrychaf ymlaen ddim ar fy ngḧam, dim ond cymryd yfory pan ddaw. Gwn nad ymddangosaf felly i bobl, ond un peth a basiwyd imi gan mam oedd, treio peidio â bod yn niwsans i bobl eraill, a gwn fod pobl Dinbych yn meddwl fy mod yn ddewr iawn. Ond nid dewrder ydyw, ond calon wedi rhewi a mynd yn ddideimlad. Sylweddolaf weithiau ei fod yn gyflwr difrifol i fod ynddo ac y gall fod iddo ganlyniadau drwg. Ond nid oes gennyf ddim o'r help. Nid oeddwn wedi fy mharatoi at y sioc a gefais.[79]

Ni allai lenydda mwyach. Roedd wedi rhewi gormod i ysgrifennu llenyddiaeth. 'Rhaid cael calon gynnes at fywyd cyn y medrir sgrifennu llenyddiaeth,' ac nid oedd y galon honno ganddi, er bod ei chydweithwyr yn y swyddfa yn ei hannog i ysgrifennu llyfr.[80] Yr unig ysgrifennu a wnâi oedd cofnodi ei meddyliau a'i phrofiadau yn ei dyddiadur. 'Yr wyf wrthi'n cadw dyddlyfr y dyddiau hyn,' meddai wrth Valentine, yn union fel yr oedd wedi ymddiried ei chyfrinach i D. J. Williams, ond 'mae fy mhin ysgrifennu fel petai'n rhewi wrth geisio ei roi ar bapur'.[81]

Wedi iddi ddychwelyd o'r Eisteddfod, aeth Kate i weld y meddyg, gan ei bod yn cael pyliau dychrynllyd o gur pen, a chynghorodd hwnnw hi i fynd i weld arbenigwr. Roedd ganddi boen yn ei chlustiau hefyd ac roedd ei chlyw'n ddrwg. Teimlai fod bywyd yn hollol ddiflas, ac ar ben hynny roedd y teimlad 'fy mod wedi fy siomi a'm twyllo'n cryfhau'. Wrth wraidd ei siom yr oedd ymddygiad oeraidd Hannah Mary a Dafydd Edmund tuag ati, a'r ymddygiad hwnnw 'yn fy chwerwi fel bustl'. Roedd agwedd gwraig Dafydd Edmund tuag ati hefyd yn ei phoeni. Ond ni allai ymddygiad teulu Morris amharu dim ar ei theimladau hi ei hun tuag ato. 'Yr oedd gwreiddiau'r ddealltwriaeth a oedd rhyngom ni'n rhy ddwfn,' nododd, i'w chysuro a'i sicrhau hi ei hun yn fwy na dim. Ond tybed nad oedd Kate hefyd yn ei thwyllo'i hun i raddau?

Ar Awst 22 cafodd ddiwrnod 'sobr o ddigalon'. Bu'n glanhau rhyw ddesg yn y swyddfa, a gwelodd bapurau a oedd yn perthyn i'r flwyddyn 1938, 'y flwyddyn pan adeiledid y tŷ hwn, pan oedd ein rhagolygon yn ddigon disglair'. Ond bellach nid oedd ganddi ddim byd i edrych ymlaen ato. 'Fe soniais i ddigon yn fy storïau am bobl a ddadrithiwyd, a mi fy hun a ddadrithiwyd fwyaf,' meddai. Roedd ei henaid bellach 'yn llawn atgasedd', a methai ddeall 'paham y deliwyd mor frwnt â mi'. 'Sut yr wyf yn mynd i fyw y blynyddoedd nesaf?' gofynnodd.

Cafodd glywed ar Awst 23 fod gwraig a adnabuasai yn Rhiwbeina gynt wedi marw, a daeth hynny â chyfnod Rhiwbeina, 'y cyfnod heulog hwnnw', yn fyw i'w chof:

> Yr oedd haf 1929 yn haf heulog braf ar ôl gaeaf caled a stormydd eira, a byth oddi ar hynny cysylltaf haul a blodau efo Rhiwbina ag eithrio'r diwrnod tywyll hwnnw pan ddaeth y newydd am Owen fy mrawd. Yr oedd yr hafau'n braf, ac yr oeddym ninnau newydd briodi. Onid yw'n beth syn fy mod yn medru cael holl awyrgylch y cyfnod hwnnw'n fyw i'm cof, a bod blynyddoedd 1939–45 yn aneglur ddigon imi.

Ac wrth dwtio'r ddesg honno yn y swyddfa bu'n darllen rhai o lythyrau Prosser at Morris. 'Y breuddwydion na ddaeth i ben!' ebychodd.

Daeth Medi, a daeth tinc chwerwach fyth i'w llais. Ar Fedi 5, cafodd lyfrau cyfrif Morris o'r banc, a chafodd sioc ddifrifol. Er gwaethaf yr ysgytwad, hel atgofion am Morris yr oedd Kate eto ar Fedi 6. Union flwyddyn ynghynt roedd y ddau ohonynt ar y ffordd i Lundain gyda'i gilydd i fynychu theatrau'r brifddinas, a Hannah yn talu am y cyfan iddynt, y gwesty a'r dramâu. Ond, yn ôl Kate, 'fe wnaeth hynny "with such a bad grace" – ni fedraf ddweud hynyna cystal yn Gymraeg'. Rhoi'r trip i Kate a Morris 'o ran dyletswydd a dim arall' a wnaeth, fel tâl am gael aros yn y Cilgwyn yn ystod y rhyfel. Tybiai Kate mai lleddfu ei chydwybod yr oedd Hannah trwy dalu am y trip i Lundain. Yn sicr, ni allai Morris fforddio talu am drip o'r fath. 'Ni ddeuthum dros y sioc a gefais ddoe wedi gweld y cyfrifon,' nododd yn ei dyddiadur, a gobeithiai 'mai dyna'r sioc olaf a gaf'. Tybiai Kate mai euogrwydd a chywilydd, oherwydd y ffordd yr oedd ei brawd wedi gwastraffu arian ar ddiota, a gadwai Hannah draw:

> Dim rhyfedd bod H. yn gwrthod dyfod yma. Mae fy nheimladau ar y mater yn rhy gymysglyd i'w mynegi, ac ni fedraf ddweud beth fydd y teimlad parhaol. Mae'n ofnadwy meddwl bod yr holl arian wedi eu gwario a minnau'n gorfod eu talu heddiw o'm henillion prin. Rhoi arian Maesteg annwyl i dalu dyledion nad oedd dim o'u hangen. A all Duw ei hun fy meio am deimlo'n chwerw?

Gadawodd i bythefnos gyfan lithro heibio cyn cofnodi dim byd arall yn y dyddiadur. Roedd y rhesymau am hynny yn amlwg iddi:

> Fe'm rhewyd yn hollol er pan gefais lyfrau'r Banc. Nid am fod fy hiraeth yn llai nag [sic] imi deimlo'n well. Ni fedrwn sgrifennu a dyna'r cwbl. Yr un fath y teimlaf o hyd – yn druenus i'r eithaf, yn chwerw weithiau, yn hiraethus dro arall, ond bob amser yn drist.

Chwydda fy nghalon gan dosturi weithiau, dro arall teimlaf y gallasai M. fod wedi meistroli ei wendid petasai wedi ceisio sylweddoli am unwaith y fath gam a wnai â'r un na haeddai hynny o gwbl. Os wyf chwerw heb achos y Duw mawr a faddeuo imi.

Ar ddiwrnod pen-blwydd Morris, Medi 24, yr ailgydiodd Kate yn ei dyddiadur, a gosododd flodau ar ei fedd ar y diwrnod hwnnw. Y diwrnod cynt yr oedd wedi derbyn llythyr oddi wrth Hannah. 'Mewn penbleth a ddywedaf hanes dyledion M. wrthi ai peidio,' nododd, gan ychwanegu ei bod yn teimlo 'y dylai gael gwybod gan iddi weithredu tu ôl i'm cefn a thrwy hynny helpu ei ddinistr'. Roedd Hannah wedi rhoi £300 ar fenthyg i Morris, fel y dadlennir yn y cofnod olaf un yn y dyddiadur, ac roedd Morris wedi gwastraffu cyfran helaeth o'r arian hwn ar ddiod.

Mân ddigwyddiadau cyffredin yn ei bywyd a gofnodir rhwng Medi 26 a Hydref 22, heb sôn fawr ddim am Morris. Ceir mis o fwlch wedyn, ac yna, ar nos Sul, Tachwedd 24, ceir un cofnod gweddol faith i gloi'r dyddiadur. A daw Morris yn ôl i'r darlun:

Nid â un funud i ffwrdd o'm meddwl, mae'n llenwi'r holl gefndir a'r blaendir. Mae fel un boen fawr drwof i gyd. Teimlaf yn hynod anhapus, ac mae'r dyddiau tywyll hyn yn ddigalon.

Er hynny, cafodd lawer peth i godi ei chalon, fel adolygiad Margiad Evans ar *A Summer Day* yn *Life and Letters To-day*, a llythyr gan John Millard, golygydd llenyddol yr *Evening News*, yn dweud iddo fwynhau darllen *A Summer Day* ac yn cynnig pymtheg punt a phymtheg swllt i Kate am stori. Ac mae'r dyddiadur yn cloi gyda chyhuddiad pendant:

Telais ddyled M. i D. a £300 i H. Cefais lythyr mwy teimladwy oddi wrth H.
nag [sic] a sgrifennodd er pan fu farw M. – am y tro cyntaf dywedodd fod yn ddrwg ganddi fy mod yn gweithio cymaint. Ond ni ddywedodd fod yn ddrwg ganddi mai'r arian a anfonodd hi tu ôl i'm cefn i M. a fu'n help iddo ladd ei hun.

Bu'n rhaid i Kate hithau gael benthyciad gan ei brawd Evan i'w helpu i dalu'r holl ddyledion hyn yr oedd Morris wedi eu gadael ar ei ôl, fel y dywedodd wrth D. J. Williams: 'Yn fy awr gyfyngaf yn 1946, rhoes fenthyg £350 imi yn siriol a diffwdan, a hynny ar adeg pan oedd brawd a chwaer Morus yn greulon iawn wrthyf, ac yn cymryd eu pwys o gig fel Shylock oddi arnaf'.[82]

Yn y cofnod olaf yn ei dyddiadur y mae Kate hefyd yn crybwyll llythyr 'rhyfeddol' Dr Lilla Wagner, ac yn awr dyma rywun newydd yn dod i mewn i'w bywyd. Ddiwedd 1946, roedd Kate yn dal i gasglu arian ar gyfer Cronfa Achub Ewrop yn ddyfal. Ym mis Tachwedd 1946 anfonodd lythyr o ddiolch at D. J. Williams. 'Yr oeddwn wedi fy syfrdanu wrth weld y fath siec hael at Gronfa Achub Ewrop,' ysgrifennodd, 'ond gwyddwn cyn dechrau darllen eich llythyr eich bod chwi y tu ôl iddi yn rhywle'.[83] Yr oedd yna ochr ddyngarol fawr i Kate yn ogystal ag ochr genedlgarol, a nodweddiadol ohoni oedd ei pharodrwydd i gasglu arian ar gyfer trueiniaid Ewrop. 'Maent yn ddyddiau du, yn ddu iawn ar Ewrop, ac ar ein gwlad fach ninnau hefyd,' meddai wrth D. J. Williams.[84]

Roedd Kate wedi cysylltu â Lilla Wagner i gynnig ei helpu trwy holi am ei hanghenion. Derbyniodd ateb ganddi ar Dachwedd 1. Fe'i cyflwynodd ei hun i Kate. Awdures a llyfrgellwraig yn byw yn Budapest ydoedd, a chanddi ferch dair ar ddeg oed. Bargyfreithiwr oedd ei gŵr, a bu farw merch arall iddynt yn ddeunaw oed dair blynedd ynghynt. Ym 1944, cafodd hi a'i gŵr eu carcharu deirgwaith am deyrnfradwriaeth gan yr Almaenwyr, a chawsant eu hachub ychydig ddyddiau cyn i'r wlad gael ei rhyddhau. Anrheithiwyd eu cartref gan filwyr, a buont hwythau fel teulu yn dioddef caledi enbyd. Gallai Kate, o waelod ei thrueni hithau, ei huniaethu ei hun yn llwyr â'u dioddefaint.

Lilla Vészy-Wagner oedd y wraig hon, ac fe'i ganed yn Budapest ar Fedi 9, 1903. Bu'n fyfyrwraig ym Mhrifysgol Budapest a Phrifysgol Szeged yn Hwngari, ac ym 1926 cwblhaodd ei doctoriaeth. Seicoleg oedd ei maes, a chyfrannai erthyglau ar seicoleg a seicdreiddiaeth i gylchgronau academaidd ar y pynciau hyn. Ei gŵr oedd Matthias neu Mátyás Vészy. Lilla Wagner a fu'n gyfrifol am fynegeio holl weithiau Sigmund Freud, sef y *Gesamtregister* neu Fynegai Cyffredinol, i *Gesammelte Werke*, sef holl weithiau Freud yn yr Almaeneg wedi eu casglu ynghyd mewn 17 o gyfrolau, prosiect a ddechreuwyd ym 1939 gan Freud ei hun, wedi iddo ymfudo i Lundain a sefydlu Cwmni Cyhoeddi Imago yno, yn unswydd i gyhoeddi'r gwaith. Ar ôl marwolaeth Freud y cyflawnwyd y dasg enfawr hon, ac ym 1968 y cyhoeddwyd mynegai Lilla Wagner, er ei bod wedi cwblhau'r gwaith flynyddoedd cyn hynny. Ond gweithio fel llyfrgellwraig yn Budapest yr oedd pan ddechreuodd Kate a hithau ohebu â'i gilydd, a buont yn gohebu â'i gilydd yn achlysurol hyd at farwolaeth Lilla Wagner ar Ionawr 23, 1978.

Cysylltodd Lilla Wagner â Kate droeon cyn diwedd 1946. Anfonodd Kate foethau prin fel tabledi fitamin, te a dillad cynnes ati yn ystod yr wythnosau a arweiniai at y Nadolig. Diolchodd i Kate am ei 'motherly kindnesses' yn ei llythyr ati ar Ragfyr 8.[85] Yna y mae'n dweud rhagor amdani ei hun. Roedd Lilla Wagner yn aelod blaenllaw o nifer o fudiadau a oedd yn ymladd o blaid hawliau menywod:

> My name you have perhaps read in connection with problems concerning women[']s legal situation, with which I also used to occupy myself. I am one of the leaders of the Hungarian Branch of the Women[']s League for Peace and Freedom and the Women[']s Alliance for suffrage and equal citizenship.[86]

Roedd y llythyr maith a anfonodd at Kate ddiwedd mis Rhagfyr yn adrodd ei hanes hi a'i theulu dan law'r Natsïaid ym 1944:

> In the d[a]wn, at about 5 o' clock, a sudden ringing of the bell awkaned [sic] us. My husband got up, to examine what it is. It was the housekeeper. So he opened. But two officers, two civil detectives, with machine-revolvers, and six armed men stood behind him. We didn[']t get the opportunity to defend us. They rushed in. The first officer roared with triumph: "Now we got you, leader." My husband asked, what they wanted. "You have nothing to ask, we will ask you later on." They even forbid us, to speak to each other. Then they searched for arms and pamphlets in the flat. They awakened my poor old mother, the servant, everybody in the house.[87]

Nid oedd eu merch, Daisy, gyda nhw ar y pryd. Aethpwyd â'r teulu i *villa*. 'They choosed [sic] this villa, because there they could do everything they wanted with their victims, without control,' meddai, mewn geiriau iasoer, arswydus. Croesholwyd Lilla a'i gŵr: 'I was interrogated from dawn till midday, my husband from dawn till the late evening'. Annynol hollol oedd y modd y triniwyd y ddau: 'In the cell there were no light and no furniture at all, but luckily some straw on the floor, which prevented me from freezing totally'.[88]

Cyflwynodd Kate ei ffrind newydd i ddarllenwyr *Y Faner* ym mis Tachwedd, a cheisiodd sbarduno pobl i gyfrannu i goffrau Achub Ewrop yn Awr ar yr un pryd:

> Dyma ffeithiau a gefais o lythyr personol o Hwngari. Yn ystod gaeaf 1945–46, yr oedd y bobl yn rhynnu oherwydd prinder glo. Nid oedd dim gwres mewn adeiladau cyhoeddus megis ysgolion, llyfrgelloedd, etc., yn Budapest. Nid oedd gwydr ar y ffenestr, ac ni ellid cael na phapur na coed [sic] i'w roi arnynt. Cedwid y plant gartref o'r ysgol, er nad oedd pethau fawr gwell yn y cartref. Yn ystod y flwyddyn yna nid oedd yno fraster o unrhyw fath, dim menyn, dim cig moch, dim siwgr. Caent ychydig fara a thatws. Câi pawb ddoluriau a briwiau hyd eu cyrff a barha[i] am fisoedd, gymaint ag wyth mis i rai.[89]

Ambell waith, trôi hyd yn oed Golofn y Merched yn apêl am arian i gronfa Achub Ewrop.

Ar derfyn y flwyddyn dduaf yn ei hanes bu'n rhaid i Kate ddarllen am ddioddefaint eraill yn ystod rhai o'r blynyddoedd duaf yn hanes y ddynoliaeth. Gallai uniaethu â dioddefaint eraill oherwydd iddi hi ei hun ddioddef cymaint. Dim ond un llwybr a oedd o'i blaen bellach fel nofelwraig, a hwnnw'n llwybr unig a throfaus.

Mae dyddiadur 1946 yn darllen fel nofel seicolegol ar brydiau, ond y nofel sy'n ddrych o deimladau a phrofiadau Kate yn ystod cyfnod y dyddiadur, sef y cyfnod o orfod ceisio dygymod â marwolaeth Morris, yw *Y Byw sy'n Cysgu*, a gyhoeddwyd ddeng mlynedd yn union ar ôl iddi golli ei gŵr. Thema'r nofel yw brwydr gwraig i ymdopi â bywyd ar ôl i'w gŵr ei gadael am ddynes arall, a'i gadael yn ddirybudd, ddisymwth. Mae Iolo Ffennig yn gadael ei wraig, Lora, a'u dau blentyn, Derith a Rhys, ac yn rhedeg i ffwrdd gyda'r wraig a oedd yn cadw tŷ i Aleth Meurig, y twrnai a'i cyflogai fel clerc.

Mae Lora yn y nofel yn cadw dyddiadur yn union fel yr oedd Kate yn cadw dyddiadur. Ac meddai Lora am arwyddocâd y dyddiadur hwn yn ei bywyd:

> Y hi ei hun oedd yn y fan honno, y hi ei hun fel yr oedd heddiw, yr unig hi ei hun mewn bod, y hi ei hun wedi dod trwy bethau na freuddwydiasai y deuent i neb ond i bobl eraill, a'r rheiny'n bobl mewn papur newydd. Yrŵan yr oedd yn mynd i gyfarfod â hi ei hun, a dweud ei chyfrinachau wrthi hi ei hun.

A dyna'n union beth yr oedd Kate yn ei wneud gyda dyddiadur 1946, 'mynd i gyfarfod â hi ei hun, a dweud ei chyfrinachau wrthi hi ei hun'.

Dadansoddiad o un weithred bellgyrhaeddol ei heffeithiau a'i chanlyniadau yw *Y Byw sy'n Cysgu*, sef Iolo Ffennig yn gadael ei wraig am rywun arall. Stori ymadawiad disymwth Morris dan gochl stori arall a geir yn y nofel, sef stori diflaniad sydyn Iolo Ffennig. Ni chafodd ei wraig, Lora, unrhyw fath o gyfle i'w pharatoi ei hun ar gyfer diflaniad ei gŵr. Yr effaith a gaiff diflaniad sydyn Iolo ar Lora, ac ar y cymeriadau eraill, yw'r thema sy'n rhedeg drwy'r nofel ac yn ei chynnal o'r dechrau i'r diwedd.

Seiliwyd Esta, chwaer Iolo a chwaer-yng-nghyfraith Lora, ar Hannah, chwaer Morris. 'Mae Esta'n siŵr o ffeindio rhyw ffordd i wneud 'i brawd yn angel, a rhoi'r bai i gyd ar rywun arall,' meddai un o gymeriadau'r nofel, Annie Lloyd. Creadigaeth lenyddol yw mam Esta yn y nofel, i bob pwrpas, ond hawdd gweld ar bwy y seiliwyd Esta, y chwaer-yng-nghyfraith oer a dideimlad. Meddai Lora am Esta wrth Owen, ei brawd-yng-nghyfraith: 'Mae hi o'r un gwaed â fo. Ond mae hi mor ddideimlad â charreg admant. Dydi hi ddim wedi cymaint â dweud fod yn ddrwg ganddi drosta i, a fu'i mam hi byth acw'. Ac fel hyn y mae Lora yn croniclo ymateb Mrs Ffennig yr hynaf, mam Iolo, ac Esta ei merch i'r sefyllfa yn ei dyddiadur: 'Mi fuasai'r ddwy yn smalio trugarhau yn fy nghefn ac yn dangos peth mor sâl fuaswn i. Ond am mai gwrthrych eu haddoliad hwy sydd wedi pechu, rhaid i'w hymddygiad ataf fi droi'n fath o eiddigedd'.

Yr oedd marwolaeth Morris wedi gyrru hollt rhwng Kate a'i chwaer-yng-nghyfraith, yn union fel yr oedd diflaniad Iolo wedi creu gagendor rhwng Lora ac Esta a'i mam:

> Ar ffin y bywyd hwn yr oedd bywyd arall, ei pherthynas ag Esta a'i mam. Er na wyddent y cyfrinachau a wyddai hi, yr oedd diflaniad Iolo yn boen iddynt na allent ei chyfrannu â'i gilydd er hynny. Daethai gagendor rhyngddynt. Fe fyddai hwnnw'n siŵr o ledu neu gau. Lledu yr oedd yn debyg o wneud. Teimlai eu bod wrth siarad â'i gilydd yn siarad dros ben rhywbeth – dros ben Iolo. Y fo oedd y bwgan a safai yn y canol.

'Ydach chi'n gweld, fel chwaer i Iolo, yr oeddwn i'n naturiol yn rhoi croeso iddi yn fy nhŷ, ac yn mynd i ffwrdd efo'n gilydd a phethau felly,' meddai Lora wrth Aleth Meurig, ond gan ychwanegu na fedrai 'ddim dweud 'mod i wedi teimlo tuag ati fel ffrind iawn'. Mewn sgwrs gydag Annie, mae un arall o gymeriadau'r nofel, Loti, yn dweud am Esta 'mai methu wynebu euogrwydd 'i brawd y mae hi. Mi fasa'n licio i rywun arall fod yn euog heblaw y fo'. Roedd Hannah, yn sicr, wedi delfrydu Morris a gweld yr ochr orau iddo yn unig. Felly hefyd Esta, yn ôl y cofnod hwn gan Lora yn ei dyddiadur:

> Mae fy nheimladau at ei chwaer yn wahanol. Teimlaf mai hi yw adyn y ddrama, am ei bod wedi dangos ei chasineb tuag ataf. Ysgwn i a ŵyr hi rywbeth am ei anonestrwydd, ai ynteu a yw hi'n byw yn y baradwys o feddwl bod Iolo'n ddyn gonest, bod ganddo rywbeth yn fy erbyn i, a'i fod wedi dianc fel condemniad arnaf fi? Fe wnâi les iddi wybod ei hanes. Ond i beth y dywedaf wrthi? Gennyf fi y mae'r carn, ond i beth y defnyddiaf y carn hwnnw?

Ar ôl iddi golli ei gŵr, câi Kate anhawster mawr weithiau i wynebu pobl Dinbych. Teimlai'n ansicr ohoni ei hun a theimlai gywilydd. Adlewyrchir y Kate ansicr a dihyder hon yn nrych Lora yn *Y Byw sy'n Cysgu*, er enghraifft, yr agoriad pennod canlynol:

Yr oedd yn fore Gwener braf, y bore a elwir gan bobl a syrffedodd ar y gaeaf, yn fore cyntaf o haf. Yr oedd yn rhaid i Lora fynd allan i siopa, a gorau po gyntaf iddi dorri trwy'r garw a mynd i fysg pobl … Yr oedd yn rhaid iddi wynebu pobl y dref yn ewyllysgar neu fel arall, a theimlai ei bod yn bryd iddi hi erbyn hyn ewyllysio mynd allan ac wynebu pobl, dim gwahaniaeth pa un ai eu hwynebau ai eu cefnau a droent arni.

Yn fuan wedyn y mae gweinidog Lora yn croesi'r stryd tuag ati, ac yn dweud, 'Mae'n dda gen i eich bod chi wedi ymwroli digon i ddŵad allan,' hynny a dim byd arall.

Yn union fel yr oedd Kate wedi gorfod talu dyledion Morris ar ôl ei farwolaeth, roedd Lora wedi gorfod wynebu dyledion ei gŵr Iolo yn *Y Byw sy'n Cysgu*. Roedd Iolo wedi twyllo Lora mewn sawl dull a modd yn y nofel, er enghraifft, trwy gadw peth o'i gyflog iddo'i hun, heb ddweud dim wrth ei wraig, a thrwy godi deugain punt o'u cyfrif ar y cyd y diwrnod cyn iddo redeg i ffwrdd gyda Mrs Amred, a gadael 'rhyw ddwybunt' yn unig ar ôl. Roedd hefyd wedi twyllo'i feistr, Aleth Meurig. Yn ôl Aleth Meurig: '… mi'r oedd tipyn o gamgyfri yng nghyfrifon Ffennig yn ddiweddar, ond dim llawer. Roedd o heb roi i lawr ryw dri thaliad yn perthyn i ryw wraig o'r wlad fyddai'n dŵad yma i dalu am 'i thŷ. Doedd o fawr fwy nag ugain punt.' 'Mi dala i'r arian yna yn ôl bob dima i chi, wedi imi gael fy nghefn ata dipyn,' meddai Lora wrtho.

Darganfu Kate ochr guddiedig ac ochr gyfrinachol, dywyll i Morris wedi iddo farw. Adlewyrchir hynny yn *Y Byw sy'n Cysgu*, ac mae'r rhannau dyddiadurol hyn yn y nofel yn nodweddiadol o'r hunanholi ingol a geir yn nyddiadur 1946. Fel hyn y mae Lora Ffennig yn dadansoddi natur ei gŵr a natur y berthynas rhyngddynt ill dau yn ei dyddiadur:

Yr ysgytwad yma sy'n ddrwg. Tybed a oedd rhyw reswm heblaw ei gymeriad ei hun pam y cuddiodd, ynteu a ydyw cuddio yn rhan o'i natur, peidio â gwneud dim yn y golwg? Yr wyf finnau yn siarad yn wirion, fel petai gŵr priod yn dymuno caru efo dynes arall ar bennau'r tai. Ynteu a oes rhywbeth ynof fi a wnâi iddo guddio pethau? Ofn cael ei gondemnio? Mae'n sicr y gwyddai na châi ei gyfiawnhau. Ond a fuasai rhyw ddynes arall yn fwy trugarog ac yn gallu cyd-ymddwyn yn well? Ai ofn y condemniad llym yna oedd arno, ai ynteu a oedd gwneud pethau dan din fel yna yn ail natur iddo? Dyma fi'n holi'r cwestiynau yma am un y bûm yn byw agos i ddeuddeng mlynedd gydag ef, ac yn methu eu hateb, nac ychwaith yn methu rhoi ateb pendant am y ffordd y buaswn i fy hun yn ymddwyn. Nid ydym yn ein hadnabod ein hunain ac y mae hynny'n fy nychryn.

Un o gamweddau mawr Morris, ac eithrio'r ffaith iddo adael Kate ar ei phen ei hun, yn agored ddiamddiffyn, oedd iddo ei thwyllo a thorri'r ymddiriedaeth a fu rhyngddynt, yn union fel y cofnododd Lora yn ei dyddiadur:

'Mae o wedi'i thwyllo hi,' medd pobl yn aml pan fo mab wedi rhoi'r gorau i ferch ar ôl bod yn ei chanlyn. Ond nid twyllo yw oeri o'r teimladau, twyllo yw'r hyn a wnaeth Iolo â mi, mynd â'm harian prin, nid am fod arian yn bwysig, ond am eu bod yn sefyll dros ein hymddiriedaeth y naill yn y llall. A dyna'r peth na all pobl ei weld. Y weithred yna sy'n dangos nad oeddwn i'n cyfri dim. Ai hynyna ydyw ein poen fwyaf yn y byd yma?

Thema arall amlwg yn *Y Byw sy'n Cysgu* yw unigrwydd, ac unigrwydd y cymeriadau yn adlewyrchu unigrwydd Kate ei hun ar ôl iddi golli Morris. Cymeriadau unig yw Lora Ffennig, Loti Owen, Annie Lloyd ac Aleth Meurig. Byddai Aleth Meurig yn galw heibio i gartref Lora yn aml oherwydd, yn un peth, ei fod 'wedi blino ar sŵn tŷ gwag'. Mae hyd yn oed ewythr cybyddlyd Lora yn Nhŷ Corniog yn unig, ac yn ceisio annog Lora a'r plant i ddod i fyw ato.

Mae *Y Byw sy'n Cysgu* yn enghraifft berffaith o'r edrych i mewn iddi hi ei hun a wnaeth Kate ar ôl marwolaeth Morris. Ceir yr un hunanholi yn *Tywyll Heno* yn ogystal, a'r un dadansoddi ar natur unigrwydd a digalondid. Mae sgwrs Bet gyda'r meddyg yn *Tywyll Heno*, wrth iddi ddisgrifio natur ei digalondid iddo, er enghraifft, yn disgrifio cyflwr meddwl Kate yn aml yn y dyddiadur. Meddai Bet:

I mi, yr oedd y digalondid yn stâd yr oeddwn i wedi mynd iddi; dim diddordeb gen i yn y byd o'm cwmpas, dim yn edrach ymlaen i'r dyfodol; byth yn edrach yn ôl i'r gorffennol 'chwaith. 'Doeddwn i ddim yn medru mwynhau'r pethau oeddwn i'n fwynhau ar un adeg.

'Sut bethau?' gofynna'r meddyg, a dyma ateb Bet:

'Y tŷ, fy mwyd, mynd i'r wlad am dro, gwasanaethau'r capel, gweld drama, darllen, cyfarfod â ffrindiau; mewn gair – syrffed. Ond ymhen tipyn fe aeth y digalondid ei hun yn rhywbeth yr oeddwn i yn i weld mewn darluniau; yn fwgwd am fy mhen; yn glwt o ddüwch; yn rhew; yn niwl; yn bwysau wrth fy nghalon a'r pwysau ar fin torri a disgyn.

Nid ar *Y Byw sy'n Cysgu* yn unig y gellir olrhain dylanwad uniongyrchol dyddiadur 1946 ar waith Kate. Pan aeth ati i lunio'r stori 'Dewis Bywyd', rhyw ugain mlynedd yn ddiweddarach, aeth yn ôl at ei dyddiadur am ddeunydd, ac ymgorfforodd rai o'i meddyliau a'i phrofiadau yn ystod y flwyddyn arteithiol honno, blwyddyn colli Morris, yn y stori. Yn 'Dewis Bywyd', mae prif gymeriad y stori, sy'n awdures lwyddiannus, yn cael te gyda nifer o bobl 'ar ôl cyfarfod dymunol' ac yn sgwrsio â'i gilydd. Mae hi'n clywed rhywun yn gofyn y cwestiwn, pe bai hi yn cael dewis byw ei bywyd i gyd eto, 'fasach chi yn i ddewis o yr un fath neu fel arall?' Cyn mynd i gysgu'r noson honno, mae'r cwestiwn yn aflonyddu arni, ac mae'n ei droi a'i drosi yn ei phen. Daw i'r casgliad fod bywyd yn ddiwerth ac yn ofer. 'Gan ei bod yn teimlo'r munud hwnnw mai diwerth oedd pob dim, buasai'n ddigon hawdd iddi, debygai hi, ddewis bywyd arall neu freuddwydio am un beth bynnag,' meddai. Ond yn hytrach na breuddwydio am fywyd arall, mae hi'n meddwl am ei bywyd ei hun, ac mae'n ei weld yn glir o flaen ei llygaid. Yr oedd yn y bywyd hwnnw 'bethau trist, pethau llawen, pethau cas anhyfryd, a'r cwbl yn gwneud rhyw fath o batrwm'. Ac ar y pethau trist y mae'n canolbwyntio'i sylw yn y stori, ac ar dri digwyddiad mawr yn ei bywyd, tri pheth a effeithiodd arni am byth. Marwolaeth tri a fu'n annwyl iddi yw'r tri digwyddiad, ond ni roir enwau iddynt; yn hytrach, fe'u gelwir yn A., B. ac C. Ei brawd Dei yw A., a marwolaeth Dei yw'r digwyddiad dirdynnol cyntaf:

> Wedi i A. farw ni allai gredu'r ffaith. Ni welsai na'i farw na'i fedd. Gallai gofio pethau amdano fel pe digwyddasent ddoe, a gallai'r saeth o boen fod mor finiog â'r pryd y digwyddasai.

Problem fawr Kate ynglŷn â marwolaeth Dei oedd ei hanallu i dderbyn ei farwolaeth, oherwydd na welsai 'na'i farw na'i fedd'. A hefyd, fel y dywed yn 'Dewis Bywyd': 'Yr oedd yr ergyd mor ddiddisgwyl fel na allai gredu ei fod wedi marw'. Ac meddir yn y stori:

> Er derbyn y newydd, ni allai ei gredu. Breuddwydiai yn ei horiau effro ei fod yn fyw. Cerddai'r lonydd a'r strydoedd gan gredu hynny, a gweai gynlluniau o'r hyn yr oedd am ei wneud iddo pan ddeuai yn ei ôl.

Ond mae'n rhaid i'r awdures sy'n adrodd ei phrofiadau yn 'Dewis Bywyd' dderbyn y gwirionedd yn y pen draw, ac wrth ymolchi y daw eiliad y sylweddoli iddi:

> Yr oedd y lliain sychu yn ei dwy law, ac un bys o bob llaw ymhob clust. Yng nghanol y weithred honno, tarawyd hi yn hollol sydyn fod yn rhaid iddi gredu'r ffaith o'i farw. Dechreuodd feichio crio, a gwyrodd ei phen hyd at lawr bron o dan y boen a seriai ei chalon – y munud hwnnw o sylweddoli'r gwir na ddeuai ei brawd yn ôl i ganol ei ganeris.

Hollol wahanol oedd hi gyda marwolaeth Morris, sef B. yn y stori, ac M. y dyddiadur. Y tro hwn roedd Kate yn llygad-dyst i'w salwch byr, sydyn ac i'w farwolaeth.

> Yr oedd B. yn anterth ei ddyddiau. Gwelodd ei anadl yn gorffen ar ôl cystudd byr, caled. Yr oedd terfynoldeb yn hynny.

Dyna'r union derfynoldeb y methai ei dderbyn yn achos marwolaeth Dei. Profiad Kate y wraig weddw a geir yn y darn sy'n sôn am unigrwydd y wraig sydd wedi colli ei chymar yn 'Dewis Bywyd'. Aralleirio ac ail-greu rhannau o'r dyddiadur a wneir yn y stori, a thrwy wneud hynny, nid dychmygu'r galar a deimlai ugain mlynedd ynghynt a wneir, nid ei ail-greu hyd yn oed, ond ei gofnodi yn ei noethni eirias, amrwd ar y pryd, cofnodi'r profiad byw, gwirioneddol, yn union fel yr oedd:

> Yn y dyddiau rhwng hynny a'r cynhebrwng, teimlai ei bod yn brysur yn trefnu rhyw act mewn drama nad oedd gysylltiad rhyngddi a hi. Wedi i bawb fyned ac iddi orfod mynd i gysgu ar ei phen ei hun y daeth y boen. Nid poen sydyn o sylweddoli ydoedd, ond poen o ddioddef gwacter, ing o beidio â'i ddisgwyl adref i'w brydau bwyd a gweld ei fynediad a'i ddyfodiad: yr ing o golli cymar, mynd ar ei phen ei hun i bobman a dyfod yn ôl i dŷ gwag: yr ing parhaol o wybod bod ei hapusrwydd ar ben a gweld amser yn ymestyn fel cysgod hir o'i blaen nes cilio yn ddim yn y pellter. Gwyddai hithau erbyn hyn o brofiad y byddai ei galar hithau yn rhygnu drwy'r cysgod am flynyddoedd, ac y byddai'n gefndir i'w holl fywyd weddill ei hoes.

Atgyfodi rhannau o'r dyddiadur bron air am air a wneir weithiau yn 'Dewis Bywyd'. Yn y cofnod ar gyfer Awst 1, 1946, yn ei dyddiadur, disgrifiodd Kate ddau freuddwyd a gafodd. Hwn oedd y breuddwyd cyntaf:

> Cofio rŵan imi freuddwydio nos Lun am M. ei weld yn yr offis, yn edrych yn dda, wedi codi o farw'n fyw yr oedd, ac yn fy mreuddwyd ni welwn ddim o le yn hynny. Yr oedd yr offis yn wahanol iawn. Euthum i i ystafell arall, ac yno yr oedd dau wely a lot o gwiltiau plu arnynt, a'r rheini wedi eu gorchuddio â du i gyd. Yn yr un ystafell yr oedd lot o lo carreg a rhai o'r dynion yn dawnsio arno. Erbyn imi fynd yn ôl i ystafell M. yr oedd wedi diflannu, ac er chwilio a chwilio ni ddeuthum o hyd iddo.

A dyma'r ail freuddwyd, breuddwyd llawer tristach, llawer creulonach:

> Ond nid oedd hwnna mor drist â'r breuddwyd a gefais ymhen ychydig wedi i M. fynd. Gwelwn ef yn sefyll yn nrws y llofft bach, lle y cysgwn ar y pryd, â'i siwt las tywyll amdano. Newydd wella o'i salwch yr oedd, a golwg wedi blino arno. Euthum ato a dweud, "O, mae'n dda gen i dy fod ti wedi mendio, dwn i ddim beth faswn i

yn ei wneud petai rhywbeth wedi digwydd iti". A gorfod deffro wedyn a sylweddoli'r gwrthwyneb.

Gosodwyd y cofnod dyddiadurol, yn ei grynswth bron, yng nghanol 'Dewis Bywyd':

> Breuddwydio'r dydd y byddai am A., breuddwydio'r nos am B. Cofiai un breuddwyd a gafodd amdano un noson. Gwelai ef yn sefyll yn nrws ei llofft, yn gwisgo siwt las dywyll a streipen fain, wen ynddi. Meddai hi wrtho, 'O, rydw i'n falch dy fod ti wedi mendio: 'dwn i ddim beth faswn i wedi'i wneud tasat ti wedi marw.' Deffro, a gorfod sylweddoli'r gwrthwyneb.

Dyna pa mor denau yw'r ffin rhwng ffuglen a ffaith yn aml yng ngwaith Kate. Dwy ochr i'r un geiniog ydyn nhw, ond bod un ochr yn newydd grai danlli ac yn sgleiniog lân, a'r ochr arall wedi treulio a phylu rhywfaint. Pwysodd yn drwm ar ei hiraeth, ei hunigrwydd a'i galar ar ôl marwolaeth Morris, fel y cofnodwyd yr emosiynau hynny yn y dyddiadur, wrth lunio 'Dewis Bywyd'. Dyma'r ffordd y disgrifir hiraeth ac unigrwydd y wraig weddw o awdures yn y stori:

> Cofiai ddyfod adref o'r Ysgol Sul yn fuan wedi claddu B., a chael te o flaen y tân yn y parlwr fel y byddai'r ddau ar ddydd Sul. Hiraeth yn rhedeg yn genlli drosti, fel y glaw a bistylliai o'r tu allan. Ni allai ddal. Mynnodd fynd i'r fynwent trwy ganol storm a chymysgu ei dagrau â'r glaw ar y bedd. Dyfod yn ôl yn wlyb diferol a gorfod newid ei dillad. Teimlai ychydig yn well, dim ond yr ychydig hwnnw a ddaw pan fydd yn rhaid i ddyn geisio codi ar ôl cyrraedd y gwaelod.
>
> Nos Sul arall ymhen misoedd, ym mis Mawrth, âi i'r capel: yr oedd yn ddigon golau iddi beidio â thynnu'r llenni dros y ffenestri. Ond yr oedd yn dywyll pan ddychwelodd, ac edrychodd hithau o'r tu allan trwy'r ffenestr ddi-len i mewn i'r parlwr a gweld yr aelwyd wag a fflamau siriol y tân yn ymestyn i fyny'r simnai. Ing hiraeth.

Ailwampio cofnod o'i dyddiadur a wnaeth yn y ddau baragraff uchod. Dyma'r cofnod a luniodd ar Ebrill 14, Sul y Blodau:

> Pan ddeuthum yn ôl o'r Ysgol Sul, torrais i lawr yn lân – meddwl fel y buasai M. wedi bod â Thos am dro ac wedi rhyw ddechrau hwylio te yn fy nisgwyl. Dyna fel y byddai ein prynhawniau Sul. Cael te cynnar wrth y tân yn y parlwr, a digon o amser i ddarllen wedyn cyn mynd i'r capel … Deuthum yn ôl dros Fryn Parc ac edrych i lawr ar y fynwent. Edrych i mewn i'r parlwr drwy'r ffenestr a gweld yr ystafell yn wag. O Dduw.

Rhan arall o'r dyddiadur a aralleiriwyd yn 'Dewis Bywyd' oedd y rhan ganlynol, o'r cofnod cyntaf un yn nyddiadur 1946:

Pan fu farw D.– yr oedd pawb o'r teulu'n fyw a phob un yn rhyw gysur i'w gilydd. Pan fu farw nhad, Owen a mam, yr oedd M. gennyf fel tŵr yn fy nghysgodi. Nid oes gennyf neb heno.

Ac fel hyn yr ymddengys yn 'Dewis Bywyd':

Yr oedd cysgod ei thad a'i mam drosti pan fu A. farw, fel ambarel, ac yr oedd y gwaith o'u cysuro hwy yn help i ymlid gofid. Yr oedd yn rhaid iddi ddal y glaw yn ddigysgod yn achos B., ar ei phen ei hun.

A'r ddwy farwolaeth hyn a ysgogodd Kate i greu:

Yn y ddau achos yr oedd creu rhywbeth allan o fywyd yn tynnu ei phoen i gyfeiriad newydd: yr oedd gwewyr esgor yn boen a greai rywbeth i gymryd lle'r marw. Aros yr oedd y marw bellach, ond yr oedd y creu yn symud.

Mae'n rhaid roi llam i'r dyfodol am eiliad, a symud o 1917 a 1946 i fis Mai 1953, i egluro pwy yw C. yn y stori. Richard Cadwaladr, brawd Kate, yw hwn. Bu farw ar y dydd cyntaf o Fai, 1953, o'r diciâu, ond cyn hynny roedd ei chwaer a gweddill y teulu yn anwesu gobaith:

Am C., *gobaith* oedd y gair mawr oedd wedi ei serio ar ei llygad. Cafodd gystudd o ddwy flynedd, a hithau'n mynd i edrych amdano bob rhyw fis. Ar y dechrau, nid oedd dim ond gobaith iddi. Bellach yr oeddys wedi darganfod meddyginiaeth at y diciâu, ac yr oeddynt wedi cael ei brawd mewn pryd. Ni welai hithau ddim ond golau gwyn yn y pen draw. Fe gâi C. eto fwynhau'r tŷ a brynasai, yr ystafell ymolchi, y gratiau newydd, y trydan, y pethau a ddaeth iddo wedi iddo orffen magu ei blant, llawer ohonynt wedi iddo eu gosod â'i ddwylo ei hun. Ond fel yr âi amser ymlaen, ni ddeuai'r goleuni ddim nes: bu'n rhaid iddo fynd i orwedd. Ond daliai hi i obeithio: fe fyddai'r cyffuriau newydd yma yn siŵr o'i wella.

Ond nid oedd gwella i fod, ac ym mis Mai y cleddir C. yn y stori:

Wrth eistedd gyda'r teulu ar lan y bedd y diwrnod braf hwnnw o fis Mai, deuai cân y gog ar draws y gweunydd, a hithau'n gorfod sylweddoli o'r diwedd fod brwydr ei brawd ar ben; hithau'n gorfod mynd adref gyda'i siom; y pryder wedi mynd a gadael twll ar ei ôl.[90]

Gan ateb y cwestiwn a ofynnwyd ar ddechrau 'Dewis Bywyd', gŵyr yr awdures weddw na fynnai fod wedi dewis bywyd arall, gwahanol i'w bywyd hi ei hun, er gwaethaf yr holl boen a hiraeth a ddaethai i'w rhan trwy gydol ei hoes. Wedi'r cyfan, o'i dioddefaint y creodd ei llên.

'Bu'r unigrwydd bron yn ormod imi ar hyd y flwyddyn, ond dof i ddygymod yn well ag ef erbyn hyn, ag eithrio ambell funud gwallgof pan dybiaf ei bod yn amhosibl i Morris beidio â dyfod yn ei ôl,' ysgrifennodd at Lewis Valentine ar Ragfyr 29.[91] Ar ddiwedd y flwyddyn daeth marwolaeth Prosser Rhys yn ogystal â marwolaeth Morris yn ôl yn fyw iddi. Closiodd hefyd, am ennyd, at Mary Prudence Rhys, gweddw Prosser:

> Cofiaf flwyddyn i heddiw fel petai ddoe. Mor agos at y trychineb yr oedd ac mor bell hefyd. A dwy flynedd i heddiw mor agos oeddem at farw Prosser, ac eto mor bell. Byddaf yn clywed reit aml oddi wrth Mrs Rhys. Mae hi'n ddigon gwannaidd ei hiechyd, yn dioddef oddi wrth nerfau a gwendid. Mae hithau wedi poeni a hiraethu llawer, ac nid yw ei chorff yn ddigon cryf iddi fedru gwneud llawer at ei byw.[92]

Daeth 1946 i ben gyda Kate bellach yn berchen ar wasg, ac yn cael ei llethu gan ddyledion a gofalon; ond câi ei llethu hefyd gan chwithdod a galar, ac am yr ail dro yn ei bywyd, byddai'n rhaid iddi orfod ysgrifennu rhag mygu. Ac er gwaethaf ei baich gofidiau ym 1946, diweddodd y flwyddyn fwyaf helbulus yn ei hanes mewn ffordd greadigol a chadarnhaol. Llwyddodd i gwblhau'r 'stori am gath a'i diwrnod olaf', cath ei brawd Dei, y soniodd amdani wrth Saunders Lewis ym mis Tachwedd 1932, bedair blynedd ar ddeg cyn iddi lunio'r stori.[93] 'Mae hanes diwrnod olaf yr hen gath y peth tristaf bron a glywais i erioed – oddigerth marw fy nau frawd,' meddai wrth Saunders Lewis eto, gan gyfeirio at Dei ac Owen.[94] Y stori hon, 'Begw', oedd cyfraniad Kate i *Y Llinyn Arian*, llyfr a oedd i'w gyhoeddi ym 1947 i ddathlu chwarter-canmlwyddiant sefydlu Urdd Gobaith Cymru, a stori gyntaf *Te yn y Grug* maes o law. Ac fel hyn y daeth y ddwy drasiedi fwyaf yn ei hanes ynghyd, marwolaeth Dei a marwolaeth Morris.

Morris.

E. Prosser Rhys.

E. Prosser Rhys
yn cael ei goroni
yn Eisteddfod
Genedlaethol Pont-
y-pŵl ym 1924, am ei
bryddest 'Atgof'.

Prosser Rhys ar faes yr
Eisteddfod Genedlaethol.

Rhaglen Ysgol Haf gyntaf y Blaid Genedlaethol, Ysgol Haf bwysig iawn i Kate.

Ysgol Haf y Blaid Genedlaethol, Llangollen, 1927. Kate Roberts yw'r drydedd ar y dde yn y rhes flaen, yn eistedd rhwng E. Prosser Rhys a D. J. Williams. Yn ymyl D. J. Williams, ar y dde eithaf yn y rhes flaen, y mae Mai Roberts, Deiniolen. Y tu ôl i D. J. Williams, yr ail ar y dde, y mae Ellis D. Jones, cyfaill mawr Kate a Morris.

Morris a Kate yn 7 Kenry Street,
Tonypandy.

Morris.
Llun trwy ganiatâd Llyfrgell Genedlaethol Cymru.

Owen Roberts,
tad Kate.

Catrin Roberts, mam Kate.
Llun trwy ganiatâd Llyfrgell Genedlaethol Cymru.

Owen Owen Roberts, hanner brawd Kate, ei wraig, Margaret, a'u tair merch.

Catrin Roberts, mam Kate.

Lewis Valentine,
Saunders Lewis a
D. J. Williams adeg yr
achos llys wedi helynt
llosgi'r Ysgol Fomio.

D. J. Williams, un o gyfeillion
pennaf Kate.
*Llun trwy ganiatâd Llyfrgell
Genedlaethol Cymru.*

Cwmni'r Pandy, cwmni drama a ffurfiwyd ym 1935 gan J. Kitchener Davies i berfformio ei ddrama ddadleuol, *Cwm Glo*. Mae Kitchener Davies yn eistedd yn y canol yn y rhes flaen, a Kate yn eistedd ar y chwith iddo. Y tu ôl i Kitchener Davies, yn sefyll, mae Mair Rees, a ddaeth yn wraig iddo, ac ar y chwith iddi hi, Morris T. Williams.

Y Cilgwyn.

Kate gyda Tos, ei chi ffyddlon.

Gwasg Gee.

Ar faes Eisteddfod Genedlaethol Dinbych, 1939, gyda Llewelyn Wyn Griffith, un o edmygwyr mwyaf Kate a chyfieithydd nifer o'i straeon i'r Saesneg ac un o'i nofelau, *Y Byw sy'n Cysgu*.

Mewn cinio i anrhydeddu T. Gwynn Jones yn Ninbych; Kate yw'r ail ar y chwith yn y llun, Morris T. Williams yn y canol, a T. Gwynn Jones yn ei ymyl, ar y chwith i Morris.
Llun trwy ganiatâd Llyfrgell Genedlaethol Cymru.

Mathonwy Hughes a Gwilym R. Jones, cydweithwyr Kate.

Kate wrth fedd Dei yn Malta.

Kate gyda'i hail gi, Bob.
Llun trwy ganiatâd Llyfrgell Genedlaethol Cymru.

Kate a D. J. Williams ar faes Eisteddfod Genedlaethol Abertawe, 1964.

Kate a'i brawd John.

Evan a Lena.

Kate Roberts, Brenhines ein Llên.

Plac yn Ysgol Twm o'r Nant, Dinbych, yn nodi mai Kate Roberts a agorodd yr adeilad, ar Ebrill 23, 1968.

Y Cilgwyn, Dinbych, cartref Kate, a'r plac sydd ar y tŷ.

Kate gyda Gwynfor Evans.
Llun trwy ganiatâd Llyfrgell Genedlaethol Cymru.

Bedd Morris a Kate yn y Fynwent
Newydd, Dinbych.

11

BRWYDRO YMLAEN
1947-1957

'Teimlo yn ddigon digalon yr wyf fi, cangen arall o'r goeden wedi syrthio ac "anodd caffael clyd" …'

Kate Roberts at Lewis Valentine, Mai 16, 1953

Ddechrau a diwedd 1946, digwyddodd dau beth a fyddai'n ail-greu Kate fel storïwraig a nofelwraig, ac ailwampio'i holl agwedd tuag at fywyd: marwolaeth ei gŵr ar ddechrau'r flwyddyn a dod i gysylltiad â Lilla Wagner ar ddiwedd y flwyddyn. Creodd y ddau ddigwyddiad hyn lenor newydd ohoni. Os marwolaeth Dei a 'gorfod sgrifennu rhag mygu' a esgorodd ar ei chyfnod creadigol cyntaf,[1] marwolaeth Morris, a gorfod 'edrych i mewn i mi fy hun', fel y dywedodd wrth Lewis Valentine, a esgorodd ar ei hail gyfnod creadigol – y cyfnod seicolegol, mewnblyg.[2] Rhan allweddol o'r edrych i mewn yma iddi hi ei hun oedd y cyfeillgarwch newydd hwn rhyngddi a Lilla Wagner, a hynny am ddau reswm. Trwy Lilla, a oedd yn seicdreiddwraig yn ôl ei galwedigaeth, y daeth i ymddiddori mwy a mwy yng nghymhlethdod y meddwl dynol, a thrwy Lilla hefyd y daeth erchyllterau Natsïaeth, ac ochr dywyllaf y ddynoliaeth, yn uniongyrchol fyw iddi. Fe'i gorfodwyd, o 1947 ymlaen, i dyrchu i ddyfnderoedd tywyll yr anymwybod.

Trwy gydol chwe mis cyntaf 1947 bu gohebu brwd rhwng Kate a Lilla Wagner. Derbyniodd Kate dri llythyr oddi wrth ei ffrind ym mis Ionawr. Awgrymodd y dylai Kate bellach fwrw heibio'i phrofedigaeth a chefnu ar ei galar. Yr oedd, ar yr un pryd, yn falch iddi dreulio cyfnod y Nadolig yn Rhosgadfan, yn hytrach nag ar ei phen ei hun mewn unigrwydd yn y Cilgwyn. Mewn llythyr ati ym mis Chwefror, adroddodd Lilla ragor am y modd y dioddefodd hi a'i theulu dan law'r Natsïaid. Erbyn mis Mawrth roedd wedi derbyn copi o *A Summer Day*. Yr oedd Kate, meddai, yn artist mawr, a chyfieithodd ddwy o'r straeon i'w gŵr. Roedd ei gwaith yn ôl Mátyás Vészy yn debyg i waith Tsiecoff. Mewn llythyr arall at Kate ym mis Mawrth, adroddodd Lilla hanes ei modryb yn cael ei chladdu heb arch a'i mam yn cael ei chladdu mewn cist bren. Dywedodd ei bod yn cael hunllefau wrth gofio am ei mam yn ymbil arni yn ei nychdod am fwyd a hithau heb fwyd i'w roi iddi. A daeth hunllefau Lilla Wagner yn hunllefau i Kate.

Er gwaethaf awgrym Lilla Wagner y dylai Kate bellach orchfygu ei galar a dechrau byw bywyd drachefn, pur ddigalon oedd hi ddiwedd 1946 a dechrau 1947. 'Ni bum yn dda ers tua deufis o amser,' ysgrifennodd at Lewis Valentine ar Ionawr 17, 1947.[3] Roedd nifer o bethau yn ei phoeni ac yn peri anesmwythyd iddi: 'Pob dim yn wrong, y meddwl, y nerfau, y stumog[,] y cefn, a ddoe bu'n rhaid imi fynd at y meddyg'.[4] Fe'i cynghorwyd gan y meddyg i fynd i ffwrdd am dipyn o amser, ond ni theimlai Kate y gallai wneud hynny. Aeth i ffwrdd i Lanwnda a Rhosgadfan dros Sul cyntaf y flwyddyn, meddai wrth Valentine, 'oblegid imi deimlo ddydd olaf 1946 fy mod ar fin cracio', a nododd hefyd iddi fod 'trwy dwnel du iawn'.[5]

Anfonodd Lilla Wagner lythyr at Kate ar Fawrth 31 i ddweud wrthi fod Daisy ar fin cael triniaeth ar ei thonsiliau mewn ysbyty, a daeth llythyr arall ym mis Ebrill i nodi ei bod wedi gwella ar ôl ei thriniaeth lawfeddygol. Yr oedd hefyd yn ystyried anfon Daisy i ysgol breswyl ym Mhrydain. Erbyn diwedd Mai roedd yn gobeithio y gallai Daisy fynd i Ysgol Howells yn Ninbych, fel y gallai fod yn agos at Kate, ond bwriadai ei hanfon i ysgol breswyl yn yr Yswistir cyn ei hanfon i Gymru.

Brwydr oedd bywyd i Kate o hyd. Bwriodd faich ei gofidiau ar D. J. Williams ym mis Ebrill. Roedd hiraeth am Morris yn ei llethu o hyd:

> Nid profedigaeth syml o hiraethu a gweld chwithdod ar ôl y marw yw fy mhrofedigaeth i, er bod hynny bron â'm gwasgu i'r ddaear weithiau, ond profedigaeth gymhleth a'i baich bron yn ormod i'w ddwyn. Y caredigrwydd mwyaf y gallasai'r Brenin Mawr ei wneud â mi fuasai fy nghymryd innau ymaith drannoeth marw Morus cyn imi ddyfod i wybod beth yw poen. Ond rhaid imi ei wynebu a'i wynebu bob dydd o'r newydd ar ôl agor fy llygaid.[6]

Er hynny, maentumiai Kate fod ganddi 'gyfansoddiad cryf i fedru dal'.[7]

Erbyn mis Gorffennaf roedd ganddi bryder ychwanegol, fel yr esboniodd wrth Lewis Valentine:

Mae Goronwy, bachgen Rhisiart fy mrawd, sy'n byw yn fy hen gartref rŵan, wedi mynd i Sanitoriwm Bryn Seiont ers dydd Llun, wedi cael y diciâu yn y fyddin, lle y bu o 1942 hyd Ionawr y flwyddyn hon. Nid oedd synnwyr iddynt ei dderbyn i mewn, yr oedd yn rhy wanllyd o lawer.[8]

Y pryder hwn oedd y tu ôl i sylwadau Kate yn 'Ledled Cymru' yn rhifyn Gorffennaf 2, 1947, o'r *Faner*:

Bob hyn a hyn byddwn yn clywed bod llawer o fechgyn Cymru yn dyfod o'r fyddin yn dioddef oddi wrth y [d]darfodedigaeth. Clywn fod llawer iechydfa yn llawn o fechgyn a gafodd y salwch yn y fyddin, a bod llawer eraill yn disgwyl am gael myned i mewn. Darllenwn yn aml yn y newyddion lleol mewn papurau newydd am farw bechgyn ieuainc o'r salwch hyn, rhai a fuasai'n gwasanaethu yn Birma, yn yr Eidal a Gogledd Affrica.[9]

Beiodd feddygon y fyddin am beidio ag archwilio'r bechgyn ifainc hyn yn drwyadl, a methu darganfod bod y salwch hwn arnynt. Yn aml iawn, eu meddygon eu hunain gartref a ganfyddai fod y diciâu ar y milwyr ifainc hyn. 'Nid oes gennyf ddim yn garn ond yr hyn a welaf ac a glywaf,' meddai Kate, gan gyfeirio, wrth gwrs, at salwch Goronwy.[10] Gyda'i synnwyr cynhenid o degwch a chyfiawnder yn ei gyrru ymlaen, awgrymodd y dylai'r aelodau seneddol Cymreig ymchwilio i'r sefyllfa.

Mewn gwirionedd, roedd Goronwy yn dioddef o'r un afiechyd â'i dad, ac roedd hynny'n dyblu'r pryder iddi. Ac roedd gan y fodryb resymau eraill dros deimlo'n agos at ei nai, a thosturio wrtho:

Maent yn sobr o ddigalon yno, ond edrychai'n well o lawer ddydd Sadwrn na phan welswn ef ddeufis cyn hynny. 24 oed ydyw ac mae'r un ffunud â Dei fy mrawd a fu farw ym Malta 30 mlynedd i'r wythnos nesaf. Yn wir ambell funud, byddwn yn anghofio mai Goronwy ydoedd, ac yn meddwl mai Dei ydoedd. Nid yw ond megis doe gennyf gofio 30 mlynedd yn ôl.[11]

Rhwng popeth – ei hiraeth am Morris, ei phryder am Goronwy, ei galar bythol-barhaol am Dei – teimlai Kate yn ddigalon o hyd. 'Mae bywyd yn rhy ddigysur i aros i feddwl amdano, dim ond mynd ymlaen gan ddisgwyl i s[ŵ]n fy nhraed wrth gerdded foddi sŵn pethau eraill yn fy mhen,' meddai wrth Valentine.[12]

Cafodd Kate gyfle i roi ei gofidiau o'r neilltu am blwc ym mis Awst pan gynhaliwyd Ysgol Haf y Blaid yn Ninbych. Croesawodd hen gyfeillion a chydaelodau o'r Blaid i'w chartref, a bu Gwynfor Evans, Lewis Valentine, D. J. Williams ac Ellis

D. Jones a'i briod Jini yn aros gyda hi yn y Cilgwyn. Anfonodd Gwynfor lythyr ati ar Awst 11 i ddiolch iddi am ei chroeso, er y teimlai'n euog iddo drethu ei nerth a'i lletygarwch, yn enwedig a hithau heb gymorth yn y tŷ ar y pryd. Anfonodd D. J. Williams hefyd ati yn Awst i ddiolch iddi 'am "y wledd wastadol" mewn popeth sydd dda yn y byd hwn a gefais i a'r lleill o'r cwmni fel gwesteion i chi dros yr Ysgol Haf'.[13] Gobeithiai hefyd fod Kate a staff *Y Faner* wedi dechrau dod dros y straen a fu arnynt yn ystod cyfnod yr Ysgol Haf yn Ninbych a'r Eisteddfod ym Mae Colwyn. Gresynodd, fel eraill o'i flaen, na fyddai modd iddi roi'r gorau i'w gwaith beichus yn swyddfa Gwasg Gee. 'Fe fedr llawer un wneud eich gwaith chi yn y swyddfa,' meddai, 'ond fedr neb ond Kate Roberts gyflawni gwaith y wir Kate Roberts'.[14]

Ym mis Medi, roedd ei nai, Goronwy, wedi cael ei symud o Ysbyty Bryn Seiont yng Nghaernarfon i Ysbyty Llangwyfan, yr ysbyty ar bwys Dinbych a arbenigai ar drin cleifion a oedd yn dioddef o'r ddarfodedigaeth, ac felly gallai Kate fynd i'w weld yn amlach. Ceisiai fynd i'w weld bob dydd Sadwrn, a bu aelodau o'r teulu yn aros gyda hi yn y Cilgwyn yn ystod y cyfnod hwn. 'Gresyn garw trostynt, nid yw fy mrawd yn gryf o gwbl ei hun, a chafodd salwch difrifol yn 1920–21 a adawodd ei ôl arno byth, a bu allan o waith am chwech i saith mlynedd yn ystod y dirwasgiad,' meddai wrth D. J. Williams.[15]

Ym mis Medi hefyd aeth Kate i'r Bermo am bwt o wyliau haeddiannol. Pan ddychwelodd roedd newyddion drwg yn ei haros, fel yr eglurodd mewn llythyr at Lewis Valentine ar Ragfyr 22:

> Y newydd cyntaf a gefais wedi dychwelyd oedd fod yn rhaid i Goronwy aros yn Llangwyfan i gael operasiwn. Tybiasid ar y cychwyn na buasai'n rhaid iddo aros yma ddim hwy na deng niwrnod. Bu'n rhaid iddo aros o hynny hyd Tach 19 cyn cael yr operasiwn. Oherwydd ei wendid a stâd ei nerfau. Wedi ei chael, aeth rhywbeth o le, a bu'n rhaid ei ail-agor. Pan fum yno ddiwethaf, wythnos i'r Sadwrn diwethaf, nid oedd yn rhyw dda iawn, clot arall ar y lung ebr y meddyg.[16]

Parhai Lilla Wagner a Kate i ohebu â'i gilydd. Yn ôl llythyr a anfonodd at Kate ar Awst 24, roedd yn dal i fod yn Hwngari, ond roedd wedi cael *visa* i fynd i'r Yswistir, i ddanfon Daisy i'w hysgol yno, a chafodd hithau ganiatâd i aros yn Ffrainc am ddau fis, sef Medi a Hydref, i ymweld â llyfrgelloedd ac ysgolion, gyda golwg ar ddiwygio'r sefyllfa yn Hwngari. Erbyn dechrau Medi roedd wedi cyrraedd Paris ar ôl mynd â Daisy i'r Yswistir. Gobeithiai y gallai Kate groesi i Ffrainc i'w gweld gan na chredai y gallai hi ddod i Brydain.

Mewn llythyr a anfonodd at Kate ar Hydref 3, nododd fod ei *visa* yn Ffrainc yn dod i ben ar 24 Hydref a bod rhaid iddi fod yn yr Yswistir erbyn y diwrnod olaf o'r mis. Ceisiodd annog Kate unwaith eto i ddod i Ffrainc i aros gyda hi, a chynigiodd ddangos Paris iddi. Roedd y ddwy erbyn hyn yn awyddus iawn i gyfarfod â'i gilydd, ond rhwystrid hynny gan bob math o feini tramgwydd. 'I still hope there will be a miracle and we will see each other, dear friend,' ysgrifennodd Lilla ati ym mis Medi.[17] Goresgynnwyd pob anhawster yn y pen draw, ond nid heb lawer iawn o drafferthion, fel yr esboniodd wrth Lewis Valentine:

Pan oeddwn yn y Bermo, daeth llythyr oddi wrth Lilla Wagner, yn dweud ddarfod iddi gyrraedd Ffrainc i wneud gwaith ymchwil. Anfonwyd hi i Ffrainc yn gyntaf yn lle i'r Yswisdir, a bu yno yn cicio ei sodlau am wythnosau gan nad oedd yr ysgolion ar agor. Ceisiodd ddyfod yma, ond ni chai wario dim ond hyn a hyn o arian gan awdurdodau Hwngaria. Ceisiais i fynd ati dros y Sul cyntaf o Hydref, ond erbyn hynny, yr oedd rheolau'r wlad hon yn erbyn i neb fynd â dim dimai i wledydd y Cyfandir. Modd bynnag, medrodd Rhys J. Davies [yr Undebwr a'r Aelod Seneddol Llafur] drwy Chuter Ede [yr Ysgrifennydd Cartref] gael caniatâd iddi ddyfod trosodd i'r wlad hon, ond imi dalu ei chostau. Gohiriwyd y trefniadau oherwydd bod yn rhaid iddi hi gael caniatâd o Hwngaria.[18]

Roedd Lilla wedi cysylltu â Kate ar Hydref 27 i ofyn iddi anfon llythyr ati yn ei gwahodd i ddod ati i aros am bythefnos, wedi iddi hi ymweld â Llysgenhadaeth Hwngari yn ogystal â Llysgenhadaeth Prydain. Fodd bynnag, meddai Kate yn y llythyr a anfonodd at Valentine dridiau cyn y Nadolig:

… fe ddaeth fis yn ôl, a bu'n rhaid imi fynd i Dover i gyfarfod â hi. Cyrhaeddai yno fis i'r Sadwrn diwethaf, a'r diwrnod hwnnw y cleddid modryb imi ym Metws Garmon. Rhedeg i'r claddu ac yn syth oddi yno i Lundain, ac oddi yno i Dover fore Sul. Yn y cyfamser, fe drefnodd gorsaf yr heddlu yn Ninbych efo'r orsaf yn Dover i wneud trefniadau trosti oni chyrhaeddwn. Daethom yma fore Mawrth a bu yma am ddeng niwrnod.[19]

Roedd y tywydd yn oer a 'doedd Lilla ddim yn gryf ei hiechyd ar y pryd. 'Dynes bach pathetig iawn ydoedd, ôl dioddef mawr arni, yn denau ddifrifol ac yn llwm ei gwisg,' yn ôl disgrifiad Kate ohoni.[20] Er eu bod bellach yn gyfeillion agos, yr oedd hefyd agendor enfawr rhwng y ddwy:

Teimlo'r oeddwn i ei bod hi wedi dioddef cymaint oddi ar law'r Almaenwyr, fel nad oedd pwynt o gysylltiad rhyngom yn unman gan ei bod hi mor chwerw yn erbyn *pob*

Almaenwr, ac yn methu gweld ei fod yn iawn i neb aros allan o'r rhyfel. Efallai ei bod
yn amhosibl i neb y tu allan i Ewrop ddeall ei safbwynt.[21]

A hithau'n gweithio mor galed i gasglu arian ar gyfer Achub Ewrop yn Awr,
rhaid bod atgasedd Lilla Wagner tuag at yr Almaenwyr wedi peri rhywfaint o
annifyrrwch i Kate. Yn ystod y deng niwrnod y bu Lilla yn aros gyda hi, aeth y
ddwy i Sir Gaernarfon a galw i weld Ellis Dafydd a Jini yn Nhal-y-sarn, lle'r oedd
y ddau bellach yn byw. Gofid i Kate oedd gweld bod Ellis yn gwaelu.

Ym mis Hydref cafodd Kate a Saunders Lewis gyfle i gymodi â'i gilydd.
Roedd Alun Llywelyn-Williams, a weithiai fel cynhyrchydd rhaglenni radio
gyda'r BBC ar y pryd, wedi trefnu cyfres o sgyrsiau ar grefft y stori fer i'w
darlledu yn ystod gaeaf 1947–8. Gwahoddodd Saunders Lewis i lunio cwestiynau
ar gyfer pump o ysgrifenwyr straeon byrion, a Kate, wrth gwrs, yn flaenllaw yn
eu mysg. Anfonwyd cwestiynau ymlaen llaw at y cyfranwyr, a threfnwyd mai
Kate a fyddai'n agor y gyfres. Anfonodd hithau ei hateb i lythyr gwahoddiad
Saunders Lewis ar Fedi 5. Roedd yn ddigon bodlon ateb ei gwestiynau, meddai,
a rhestrodd nifer o bethau yr hoffai sôn amdanynt. Y peth cyntaf ar ei rhestr
oedd mai marwolaeth Dei a'i gorfododd i ddechrau ysgrifennu. 'Yr oedd yn
rhaid imi ysgrifennu neu farw,' meddai yn y llythyr.[22] 'Daeth pethau duach i'm
bywyd wedyn, ond fy mharlysu a wnaeth y rheiny,' ychwanegodd.[23] Ffurfiol
oedd tôn ei llythyr.

Roedd ei sgwrs hi i'w darlledu ar Hydref 15, a golygai hynny y byddai'n
rhaid iddi ddod wyneb yn wyneb â Saunders Lewis eto, a hynny am y tro cyntaf
oddi ar iddi ei weld yn angladd Morris bron i ddwy flynedd ynghynt. Roedd
yn arswydo rhag cyfarfod ag ef eto, ac yn byw ar ei nerfau. Meddai wrth D. J.
Williams, yntau hefyd yn un o'r pump a ddewiswyd i'w holi yn y gyfres:

> Costiodd lot o boen imi roddi fy nghyffes ger bron y byd, a chyfarfod ag S. y tro cyntaf
> ar ôl cynhebrwng Morus. Ni fedrais wynebu'r peth heb gael tabledi gan Dr. Thomas i
> stanshio fy nerfau. Dyma sydd ar y bocs, 'Un dabled i'w chymryd awr cyn y darllediad.'
> Fe ddylai'r bocs yna fynd i lawr i hanes fel y peth a'm cynorthwyodd i i wynebu
> munud anodd. Da gennyf er hynny i hyn fod yn foddion i ddyfod ag S. a minnau at
> ein gilydd, oblegid er gwaethaf popeth, mae gennyf feddwl mawr ohono, yn enwedig
> o'r S.L. syml hwnnw a adwaenem ni yn Ysgolion Haf cynnar y Blaid. Duw mawr, na
> chaem yr amser hwnnw'n ôl.[24]

Teimlai Kate fod ei nerfusrwydd wedi difetha ei pherfformiad yn y stiwdio,
a pheri iddi ruthro drwy ei geiriau a baglu ei ffordd drwy ei brawddegau, ond

dywedodd bethau pwysig ryfeddol am ei chrefft, ei chefndir a'i gweledigaeth o fywyd. Yn y sgwrs hon y cafwyd y datganiad enwog, 'Marw fy mrawd ieuengaf yn rhyfel 1914–18, methu deall pethau a gorfod sgrifennu rhag mygu' – sylw y cafwyd sawl amrywiad arno yn y blynyddoedd i ddod – wedi i Saunders Lewis ofyn iddi beth a'i cynhyrfodd gyntaf i ddechrau ysgrifennu.[25] Nododd hefyd mai'r Rhyfel Byd Cyntaf a'i gyrrodd i'r Blaid Genedlaethol, ac yn hynny o beth roedd Kate yn dilyn ôl troed Saunders Lewis a Valentine, dau a oedd wedi profi erchyllterau'r Rhyfel Mawr yn uniongyrchol, a sawl cenedlaetholwr arall o Gymro. Eglurodd ei bod yn mowldio'i phrofiadau yn ei phair ei hun, a'i bod yn gweld 'drwy fy nychymyg brofiadau'r bobl y'm codwyd ohonynt, a'r profiadau hynny yn codi fynychaf o'r ymdrech yn erbyn tlodi'.[26] Ac un o'i chyffesion pwysicaf ger bron y byd oedd yr hyn a ddywedodd am ei chroendeneurwydd a'i natur gynhenid wrthryfelgar:

> ... yr wyf yn ddynes groen-denau, hawdd fy mrifo, ac yr wyf yn wrthryfelwr
> ofnadwy wrth natur. Codir fy ngwrychyn ar unwaith yn erbyn pob peth a dybiaf sy'n
> anghyfiawnder, boed oddi wrth unigolyn neu gymdeithas neu wladwriaeth. Yn wir,
> mi fydda' i'n dymuno cael rhyw lwyfan mawr imi sefyll arno tua Phumlumon, i fedru
> gweiddi yn erbyn pob anghyfiawnder, megis yr anghyfiawnder ofnadwy a deimlais yn
> bersonol, fod llywodraeth yn mynd â phlant tyddynnwyr [sic] o Gymry uniaith i ymladd
> brwydrau'r Ymerodraeth, ac yn anfon llythyr swyddogol i ddweud bod y plant hynny
> wedi eu lladd mewn iaith na ddeallai'r rhieni moni. Ond, fe ddwedai rhyw reddf nad
> llwyfan i weiddi oedd stori, a bu'n rhaid imi fy nisgyblu fy hun yn eithafol fel unigolyn
> sy'n byw, ac fel llenor sy'n ceisio ysgrifennu, i beidio â chwerwi yn erbyn pawb a
> phopeth.[27]

Roedd y modd oeraidd yr hysbyswyd ei mam ynghylch marwolaeth Dei yn llosgi'n eirias y tu mewn i Kate o hyd, a dwysáu a wnaeth ei chwerwedd gyda'r blynyddoedd, nid lleihau.

Gyda Lilla Wagner wedi hen ymadael, treuliodd Kate Nadolig 1947 gartref ar ei haelwyd hi ei hun gyda Tos yn unig yn gwmni iddi, a cheisiodd edrych ar yr ochr olau i bethau, yn enwedig ar ôl i Lilla Wagner rannu ei dioddefaint â hi. Roedd Kate bellach yn ymdroi ym myd y meddwl:

> ... wrth feddwl am y dioddef sydd yn y byd, dylwn ddiolch bod gennyf gymaint â
> hynny, a bod gennyf dân a bwyd a chartref eto er ei fod yn ddigon gwag. Ac mae
> arnaf ofn fod chwerwder wedi magu ynof ryw ysbryd dihitio. Geill hynny ddigwydd,
> pan gaffo dyn greulondeb yn ychwanegol at alar, ac yn fy marn i nid oes enw arall ar y
> ffordd y triniwyd fi gan rai y disgwyliais well ganddynt. Wedi'r holl frwydrau meddyliol

o geisio deall a chysoni, fe aeth megis cadach oer gwlyb ar fy nghalon, a theimlaf nad
yw o wahaniaeth gennyf beth a ddigwydd mwyach i mi.[28]

Cafodd wahoddiad i dreulio'r Nadolig hwnnw gydag Ellis a Jini yn Nhal-y-
sarn, a chyda'i theulu, ond ni allai wynebu'r daith. Poenai am Goronwy o hyd.
Yr oedd wedi cael llawdriniaeth fawr iawn, meddai wrth D. J. Williams, ond ni
fu honno'n fawr o lwyddiant ac roedd angen dwy lawdriniaeth arall arno. Cafodd
brofiad annymunol bum diwrnod cyn y Nadolig pan aeth i'r Ysbyty Meddwl yn
Ninbych:

> ... ddoe euthum i'r Seilam yma i weld cyfnither imi sydd yno ers ymhell dros
> flwyddyn, ac O drueni. Y hi a'r merched o'i chwmpas. Nifer o fodau dynol wedi eu
> claddu'n fyw. Mae'r cricymalau ar fy nghyfnither hefyd, a phob tro yr af yno, gwelaf
> hi'n mynd yn llai ac yn llai. Yr oedd yn crio ddoe o hiraeth am ei chartref – Ond ni
> wn pam. Nid wyf yn tybied bod ei gŵr na'i phlant yn poeni llawer yn ei chylch, neu
> dyna'r syniad a gaf fi. Pan roddais i dri ŵy a thri oren iddi, yr oedd fel petai wedi cael
> llond trol o sofrins yn hollol. Ni thybiais erioed ei bod yn bosibl i neb ddyfod i'r cyflwr
> a'r ffurf a oedd ar rai o'r merched yno. Byddai'n drugaredd i'r rhan fwyaf ohonynt gael
> mynd i'w hun hir. Ac yr oedd rhai yn y gwely yn gwneud dim ond llygadrythu ar y
> seilin.[29]

Aeth Kate hefyd i'r Ysbyty Meddwl i weld mam Caradog Prichard yn ei dyddiau
olaf, cyn ei marwolaeth ar Fai 1, 1954, a sawl tro arall, ac ymweliadau o'r fath
oedd cynsail y nofel *Tywyll Heno*.

Anfonodd Lilla Wagner dri llythyr arall at Kate ym mis Rhagfyr. Ar ôl
ymadael â'r Cilgwyn bu'n aros gyda Dr Ernest Jones a'i briod yn Elsted, Sussex,
am rai dyddiau cyn iddi hwylio ymaith am Ffrainc. Diolchodd i Kate am ei
chroeso a'i lletygarwch. 'I cannot tell you how happy I was with you, and how
glad, that at last we could arrange to meet each other,' meddai ar ôl ei harhosiad
yn y Cilgwyn, ond pryderai fod Kate wedi gwneud gormod wrth edrych ar ei
hôl.[30] Poenai hefyd fod Kate yn dioddef oddi wrth guriadau afreolaidd ar y galon,
a chredai ei bod yn gweithio'n rhy galed o lawer, a'i bod yn rhy gydwybodol
ynghylch ei gwaith. Dywedodd y byddai'n cofio amdani ar Noswyl Nadolig,
ac erbyn i 1947 ddod i ben roedd y berthynas rhwng Kate a Lilla wedi tyfu'n
berthynas hynod o agos.

Erbyn mis Ionawr 1948 roedd Kate yn teimlo'n anhwylus. Fe'i gorfodwyd
gan ei meddyg, Dr Thomas, i aros yn y gwely, y tro cyntaf y bu'n rhaid iddi
wneud hynny oddi ar iddi fynd i Ddinbych, oherwydd ei bod yn 'run down', fel
y dywedodd wrth Lewis Valentine.[31] Yr oedd wrthi o hyd yn casglu arian ar gyfer

Cronfa Achub Ewrop, a derbyniai lythyrau torcalonnus o'r Almaen yn awr ac yn y man. Derbyniodd, meddai wrth Valentine, lythyr gan rywun a fu'n garcharor rhyfel yn Nyffryn Conwy a oedd 'yn dioddef eisiau bwyd, ef a'i deulu'.[32] Gyda thosturi a haelioni nodweddiadol ohoni, hyd yn oed yn ei hanhwylder, 'nid oedd dim i'w wneud ond mynd i'r cwpwrdd,' meddai wrth ei chyfaill, 'a chefais ddau dun llefrith, tun sardines a thun sosej i'w hanfon i'r creadur'.[33] A gallai Kate fod yn haelionus hyd at ffolineb. 'Darling, I don[']t need anything, you are an angel,' meddai Lilla Wagner wrthi unwaith.[34]

Newydd gael rhuthr y Nadolig yng Ngwasg Gee heibio iddi yr oedd Kate. Yn ogystal â gweithio'n galed ar *Y Faner*, gyda'i mynych gyfraniadau i'r papur, llywiodd nifer o lyfrau drwy'r wasg gogyfer â Nadolig 1947, fel *Adar Rhiannon a Cherddi Eraill*, William Jones, Tremadog, a oedd 'yn gyfrol nodedig iawn' yn ôl Kate, a *Dirgelwch yr Atom*, O. E. Roberts, yng nghyfres 'Llyfrau Pawb' y wasg.[35] Ac roedd nifer o lyfrau eraill ar y gweill ar ddechrau 1948.

Ddiwedd Chwefror cysylltodd Lilla Wagner â hi. Roedd wedi dychwelyd o Ffrainc i Budapest, ac wedi cwblhau ei hadroddiad ar ysgolion a llyfrgelloedd Ffrainc yn ystod cyfnod y Nadolig. Pryderai am ei gŵr, a oedd yn dioddef gyda'i galon, ond erbyn mis Mai yr oedd rywfaint yn well. Roedd hi hefyd wedi colli ei swydd yn y llyfrgell. Ystyriaethau gwleidyddol, meddai, oedd y tu ôl i'r diswyddiad. Derbyniodd Kate lythyr arall oddi wrthi ym mis Mehefin. Roedd ei gŵr, meddai, ychydig yn well, ond gofidiai o glywed bod Kate wedi cael gwenwyn yn y gwaed.

Trwy ei gwaith gyda Chronfa Achub Ewrop a'i chyfeillgarwch â Lilla Wagner, roedd byd Kate wedi ymehangu. Aeth ei chenedlaetholdeb yn rhyngwladoldeb. Daeth yn ymwybodol iawn o broblemau'r byd, ac nid yr Ewrop newynog yn unig a achosai bryder iddi. Ddiwedd mis Mehefin roedd Kate yn llywyddu yn Eisteddfod Llangwm yn Sir Ddinbych, a dywedodd mai 'moddion gwleidyddol' yn unig a allai achub Cymru bellach.[36] 'Pe penderfynai'r Llywodraeth,' meddai, 'ddefnyddio'r tir o gwmpas Llangwm at hyfforddiant milwrol a phethau felly, byddai'r ardal wedi ei Seisnigo gymaint ymhen deng mlynedd fel na byddai eisiau eisteddfod yno'.[37] Ac nid dyna'r unig fygythiad i wareiddiad:

> Yr oedd sŵn rhyfel yn y gwynt eto, a'r bwgan y disgwylid inni ei gashau yn awr oedd Rwsia. Cyn bo hir, ebr y siaradwr, fe'n bydderid â sloganau yn erbyn Rwsia, ac fe ofynnid i'n bechgyn fyned i ymladd yn erbyn gwlad anghristionogol, ddi-dduw, a ninnau ein hunain yn hollol anghristionogol yn Lloegr a Chymru. Arian oedd duw Lloegr ac arian oedd duw Cymru.[38]

Yr oedd wedi mynegi ei phryder ynghylch y posibiliad y dôi rhyfel arall ar ddechrau'r flwyddyn, mewn llythyr at Lewis Valentine. Hwn oedd cyfnod y Rhyfel Oer. 'Ac onid yw'r sôn am y rhyfel nesaf yn gwneud i chwi deimlo mor ddigalon fel nad yw'r gorffennol hapus yn cyfrif dim, dim?' gofynnodd i'w chyfaill.[39]

Erbyn mis Mehefin roedd llyfr pwysig iawn ar y gweill gan Wasg Gee, sef *Blodeuwedd*, drama farddonol Saunders Lewis. Roedd Saunders Lewis wedi rhoi'r ddrama i'r wasg rai misoedd ynghynt, ac erbyn dechrau Mehefin roedd wrthi'n cywiro'r proflenni. Wedi iddo orfod rhoi'r pum sgwrs radio ynghylch crefft y stori fer a ddarlledwyd yn ystod gaeaf 1947–8 i Wasg Aberystwyth i'w cyhoeddi'n llyfr, addawodd i Kate mai Gwasg Gee a gâi bob llyfr arall o'i eiddo. Roedd hynny'n galondid iddi. 'Mae'n bwysicach inni gael llyfrau o safon na llyfrau sy'n gwerthu,' meddai wrtho.[40] Nid oedd modd i Wasg Gee gyhoeddi *Crefft y Stori Fer*, 'am ei bod yn methu'n glir dyfod i ben â'i gwaith mewn cyfeiriadau eraill'.[41]

Hefyd ym mis Mehefin cysylltodd Vera Brittain â Kate. Dywedodd ei bod yn ddrwg ganddi glywed am ei thrafferthion ar ôl iddi golli Morris. Erbyn mis Mehefin, fodd bynnag, teimlai Kate ei bod 'bron allan o'r gors honno erbyn hyn'.[42] Enillai dipyn o arian trwy gyfrannu ambell erthygl i gylchgronau fel *Bibby's Hearth and Farm* i'w helpu i glirio ei dyledion, neu, yn hytrach, ddyledion Morris. Llongyfarchodd Vera Brittain hi am gasglu cymaint o arian ar gyfer Cronfa Achub Ewrop, ymgyrch y bu hithau hefyd yn rhan ohoni. Gobeithiai glywed stori o waith Kate a oedd i'w darlledu ar Drydedd Raglen y BBC nos Sul, Gorffennaf 4. Y stori honno oedd 'Old Age', cyfieithiad o 'Henaint', a ddarllenwyd gan David Lloyd James. Roedd Kate wedi cael ei boddio'n llwyr gan y darlleniad. 'Y pleser a gaf fi ydyw bod hyn yn profi fy nadl i er erioed nad yw'n rhaid ysgrifennu yn Saesneg i'r byd ddyfod i wybod am lenyddiaeth y Cymry,' meddai wrth Saunders Lewis.[43]

Cysylltodd Lilla Wagner â Kate deirgwaith yn ystod Awst a Medi. Yn ei llythyr ati dyddiedig Awst 3–10, dywedodd ei bod yn falch o glywed am y posibilrwydd y gallai Kate ymweld â Hwngari yn ystod y flwyddyn ganlynol. Poenai o hyd am iechyd ei gŵr, a gofynnodd eto i Kate drefnu lle i Daisy yn Ysgol Howells, Dinbych, ar gyfer 1949–50. Erbyn Awst 10 roedd ei gŵr wedi cael trawiad ar y galon, ond, yn ôl llythyr diweddarach, dyddiedig Awst 28, dywedodd y meddyg fod gobaith iddo wella. Yn yr un llythyr, ac mewn llythyr arall ganol Medi, roedd yn dal i drafod y posibilrwydd o anfon Daisy i Gymru i gael ei haddysgu yn Ysgol Howells.

Ym mis Hydref collodd Kate un o'i chefnogwyr pennaf. Ar Hydref 18, bu farw I. D. Hooson, cyfreithiwr Gwasg Gee, cyfranddaliwr yn y cwmni ac un o gydberchnogion *Y Faner*. Ysgrifennodd Kate at Lewis Valentine ar ôl iddi fod yn angladd I. D. Hooson. 'Gadawodd ei siariau yng Ngwasg Gee i mi yn ddiamod,' meddai wrtho.[44] Er na roddai hynny yr un ddimai ym mhwrs Kate ei hun, byddai'n gaffaeliad mawr i'r cwmni. 'Chwarae teg i'w galon garedig a meddylgar,' ebychodd.[45] Nododd, yn yr un llythyr, fod Goronwy bellach yn gwella'n dda ar ôl ei bedwaredd lawdriniaeth, a'i bod hithau, o'r diwedd, wedi gosod carreg ar fedd Morris:

> … un heb ei chaboli o chwarel Dorothea, wedi caboli lle i'r enw yn unig a Thriban y Blaid. Llawer o feirniadu arni, rhai'n gweld bai wrth gwrs, ond yr wyf fi yn ei hoffi.[46]

Pleidwraig i'r carn oedd Kate o hyd, ac yn yr un llythyr eto, gresynodd na welodd Valentine 'yng nghyfarfod de Valera'.[47] Ddydd Sadwrn, Hydref 23, yng Ngwesty'r Parc yng Nghaerdydd, rhoddodd Plaid Cymru ginio croeso i Éamon de Valera, Arlywydd Gweriniaeth Iwerddon, ar ei ymweliad â Chymru, ac aeth Kate yn unswydd i Gaerdydd i ymuno yn yr achlysur. Daeth dros 140 o aelodau'r Blaid ynghyd i'r cinio, a Kate a luniodd adroddiad ar y digwyddiad i'r *Faner*. Cyflwynwyd de Valera i'r gwahoddedigion gan Gwynfor Evans, a ddywedodd 'ei bod yn anrhydedd i Blaid Cymru gael croesawu un o ddynion mwyaf Ewrop heddiw, ac mai'r Blaid a roddai'r croeso cyntaf iddo yng Nghymru'.[48] Hefyd, meddai Gwynfor Evans, 'yr oedd yn anrhydedd cael Cymro mwyaf ei genhedlaeth, Saunders Lewis, yn y cyfarfod'.[49] Cafwyd 'cyfarfod nas anghofir' yn ôl Kate, a chafodd gyfle i seiadu wedyn gyda hen gyfeillion, D. J. Williams, Saunders Lewis a Griffith John Williams a'i briod, cyn dal y trên yn ôl i'r Gogledd.[50]

Daliai i weithio gyda Chronfa Achub Ewrop, a nododd yn rhifyn Hydref 6 o'r *Faner* y byddai'r gronfa'n cau yng ngwanwyn 1949, yn ôl cylchlythyr a dderbyniwyd gan Victor Gollancz, cadeirydd pwyllgor gwaith Cronfa Achub Ewrop, ond roedd llawer o waith casglu arian i'w wneud o hyd, yn enwedig ar gyfer 'yr ysmotiau drwg, lle mae pethau'n waeth a lle ni allesid rhoddi cymorth o'r blaen'.[51] Erfyniodd Kate ar ddarllenwyr *Y Faner* i wneud un ymdrech fawr olaf i godi arian ar gyfer y gronfa. Erbyn dechrau mis Hydref 1948 roedd wedi codi £2,135.13.7. trwy gyfrwng *Y Faner*. Pan gaewyd y gronfa yn derfynol, roedd Kate wedi casglu £2,300 ar gyfer trueiniaid yr Almaen.

Daeth 1948 i ben ar nodyn gwerthfawrogol a chreadigol. Ym mis Rhagfyr cyhoeddwyd cyfrol o ysgrifau ar ddeuddeg o brif lenorion Cymru ar y pryd, *Gŵŷr*

Llên, dan olygyddiaeth Aneirin Talfan Davies. D. Myrddin Lloyd a luniodd yr ysgrif ar waith Kate i'r llyfr. Tynnodd sylw at ei synwyrusrwydd a'i sylwgarwch, a threithodd lawer am y tebygrwydd rhyngddi a Katherine Mansfield. A dyma un tebygrwydd:

> Yr oedd y ddwy awdures yn sgrifennu wedi rhyfel chwerw, ac yr oedd ei greulondeb yn gwasgu arnynt gan frifo eu teimladau. Am hynny aethant i lunio'u byd crwn eu hunain lle y gallent ymfoddhau. Ond yr oedd byd y Gymraes yn gyfoethocach yn ei berthynas â'r byd o'i chwmpas, am iddi weld gwerth nid yn unig mewn unigolion, ond mewn cymdogaeth a thraddodia[d] cenedl, a chael ynddynt ran o'r gogoniant y mynnai ei fynegi.[52]

Weithiau, meddai, roedd ei gorwelion yn rhy gyfyng. Ni fynnai drafod crefydd o gwbl, ac awgrymodd hefyd fod 'peth brysio anghelfydd tros rai cyfnodau'.[53] Cyfeirio yr oedd yn bennaf at *Traed mewn Cyffion*. Roedd ei gwaith hefyd yn rhy gyfyngedig yn ddaearyddol, ac 'os yw K. R. i gynhyrchu ychwaneg o nofelau a fydd yn dangos twf, y mae'n ymddangos i mi y bydd gofyn iddi feithrin cydymdeimlad tuag at agweddau mwy amrywiol o fywyd dyn'.[54] Roedd hynny ar fin digwydd ym 1949.

Ar yr ochr greadigol, cyhoeddwyd stori newydd yn dwyn y teitl 'Y Cyfarwydd' gan Kate yn rhifyn Rhagfyr 22 o'r *Faner*. Hon oedd y stori 'Marwolaeth Stori' y byddai yn ei chynnwys yn *Te yn y Grug* ymhen rhyw ddegawd arall. Roedd y gyfrol honno yn raddol ymffurfio dan ei dwylo, gan mai Begw oedd prif gymeriad 'Y Cyfarwydd', sef y cymeriad a oedd eisoes wedi ymddangos yn *Y Llinyn Arian* ym 1946. Canmolwyd 'Y Cyfarwydd' gan Saunders Lewis a D. J. Williams. 'Y mae gennych ddawn y dewin, Kate, o'r elfennau mwyaf syml i greu stori fyw, gofiadwy ei chymeriadau,' meddai D.J. wrthi.[55] Ond nid Begw yn unig a hawliai sylw Kate ar ddiwedd 1948.

Ysgrifennodd Kate lythyr hirfaith at D. J. Williams ar ddechrau Ionawr 1949. Dywedodd wrtho ei bod newydd gwblhau stori a fu yn ei meddwl ers 1945, ond i bethau ei rhwystro rhag bwrw ymlaen â hi. Bu wrthi drwy gydol Tachwedd a Rhagfyr 1948 yn gweithio arni, ac yn gweithio hyd at un a dau o'r gloch y bore yn aml, gyda chymorth tabledi a gafodd gan ei meddyg. Gorffennodd ei hysgrifennu cyn y Nadolig, er iddi orfod ei rhoi heibio am blwc i ysgrifennu 'Y Cyfarwydd'. Nododd mai stori hir fer ar ffurf dyddiadur ydoedd, ac mai *Stryd y Glep* oedd ei theitl. Rhoddodd grynodeb o'r stori i D. J. Williams, gan nodi mai dyddiadur 'dynes sy'n orweiddiog ers tair blynedd wedi syrthio a brifo ei chefn' ydoedd, a bod y cyfan a gofnodir yn y dyddiadur yn digwydd rhwng mis Mai a mis Medi 1938.[56] 'Rhoddodd gyfle imi ddweud tipyn o bethau am gymdeithas mewn tref fach fyglyd yng Nghymru a hefyd am fywyd yn gyffredinol,' meddai.[57]

Un arall y bu Kate yn gohebu ag ef ddechrau Ionawr oedd Lewis Valentine, a oedd bellach wedi sefydlu traddodiad o anfon at Kate bob dechrau Ionawr. Diolchodd Kate iddo am gofio amdani ar Ionawr 6 y flwyddyn honno eto, sef diwrnod marwolaeth Morris. 'Er nad oes ond tair blynedd, ychydig iawn sy'n cofio erbyn hyn,' meddai, gan nodi'r ychydig hyn: 'Y chwi, Elis a Jini, Evan, fy mrawd yn Llanberis, a Winnie Rees, fy ffrind o Aber Dâr'.[58] Diolchodd hefyd i Valentine am gofio amdani yn ei weddïau, ac meddai:

> Mae angen hynny, oblegid yr wyf yn llawn o'r meddyliau duaf na adawant mohonof
> yn llonydd na dydd na nos. Mae fy hiraeth i wedi ei gymysgu â bustl chwerw iawn, ac
> ni fedraf fyth egluro'n llawn i neb beth yw'r arteithiau meddwl yr af drwyddynt o bryd
> i'w gilydd. Ofni y byddaf weithiau y bydd yn rhaid iddynt ffrwydro ryw ddiwrnod allan
> o'm hisymwybyddiaeth i'r wyneb.[59]

Pryderai o hyd am gyflwr y byd, nad oedd gobaith iddo 'ond mynd i'w dranc'.[60] 'Byddaf yn cael ambell blwc o gredu y daw diwedd y byd yn llythrennol fel y mynegir yn y Testament Newydd,' ychwanegodd.[61] Yr unig lygedyn o oleuni yn y fagddu feddyliol hon oedd y ffaith fod Goronwy gartref bellach, wedi gwella, a'i bod wedi cwblhau 'stori hir fer' ar ffurf dyddiadur, 'ac yn wahanol i ddim a ysgrifennais erioed'.[62]

Ar ddechrau 1949 roedd gofalon busnes yn pwyso'n drwm ar Kate. Ym mis Ionawr gofynnodd D. J. Williams iddi a oedd ganddi ddiddordeb mewn cyhoeddi llyfryn bychan ar Giuseppe Mazzini, y gwleidydd mawr o'r Eidal, yr oedd wedi ei ysgrifennu gyda'r bwriad o'i gyhoeddi gan Blaid Cymru. Wedi iddo gwblhau'r llyfr, dywedodd Gwynfor Evans wrtho na allai ei gyhoeddi ar y pryd, gan fod amryw bethau eisoes ar waith ganddo. Ceisiodd D.J. hefyd wthio llawysgrif arall, hunangofiant o ryw fath gan ŵr o'r enw Theophilus Griffiths o Rydcymerau, ar Wasg Gee. Atebodd Kate trwy ddweud y byddai'n falch iawn o'u cyhoeddi pe medrai, ond roedd 'llawysgrifau yn pentyrru yma, rhai ers blynyddoedd, ac nid oes fai ar neb ond yr amgylchiadau am hynny'.[63] Trawyd aelod o'r staff, R. W. Griffith y 'lino operator', yn wael, a bu bron iddo farw dan lawdriniaeth. Roedd y wasg yn gorfod rhoi llyfrau o'r neilltu yn aml i argraffu pethau a oedd yn talu, fel rhestr etholwyr. Ond y broblem fwyaf oedd rhwymo llyfrau:

Arferem anfon llyfrau i ffwrdd i'w rhwymo, ond yr oedd hynny mor ddrud, ac mae gennym ninnau ddyn ardderchog yn gwneud hynny a phump o brentisiaid ganddo, fel y tybiwyd y byddai'n werth gwneud y cwbl yma. Ond yr ydym yn brin o beiriannau, oherwydd nad yw'n bosibl eu cael, heb aros am tua thair blynedd. Rhaid gwneud y cwbl efo llaw, wedyn cymer amser hir iawn.[64]

Enwodd Kate ddau lyfr a oedd yn gorfod aros i gael eu rhwymo, sef *Y Gwin a Cherddi Eraill*, I. D. Hooson, a *Cân neu Ddwy*, T. Rowland Hughes, 'am na fedrir rhwymo digon o gopïau ar gyfer yr archebion a ddaw i mewn'.[65] Ni allai hyd yn oed rwymo ei llyfr ei hun, *Stryd y Glep*, ar y pryd.

Derbyniodd Kate nifer o lythyrau oddi wrth Lilla Wagner a Daisy yn ystod Chwefror a Mawrth. Dywedodd Kate wrth ei ffrind fod ganddi lyfr newydd ar y gweill, sef *Stryd y Glep*, a'i bod yn gobeithio ei gwblhau mewn byr amser. Roedd Lilla yn hynod o falch fod Kate wedi troi at lenydda eto. 'I think it is a great blessing, that you found pleasure again in writing,' meddai wrth Kate ddechrau mis Chwefror 1949. Yr oedd Lilla bellach yn awyddus iawn i Daisy gael ei haddysgu yn Ysgol Howells, a byddai'n hapus o wybod y byddai Kate wrth law i edrych ar ei hôl:

> You are so charming, dear friend, to say, that it would be so good also for you if Daisy could go to Howell's School and be near to you. I know, it is not a formality, but it is your good and charitable heart which says it and means it. I wish she would prove worthy of your sympathy, – and I hope she will … And I would be glad knowing her in the proximity of your motherly warmth and deserving it, in not leaving you never alone when you feel lonely.[66]

Cysylltodd Daisy â Kate ddiwedd Chwefror i ddiolch iddi am ei help ynglŷn ag Ysgol Howells. Gobeithiai, meddai, ddysgu nifer o ieithoedd er mwyn ymuno â'r gwasanaeth diplomyddol, ond pryderai fod ei gwybodaeth o'r Saesneg yn annigonol. Edrychai ymlaen hefyd at gyfarfod â Kate. Mewn llythyr at Kate ar Fawrth 21, nododd Lilla fod ei gŵr yn well, ond hoffai pe bai'n rhoi'r gorau i'w swydd yn gyfan gwbl. Cofiai am ei hymweliad â Chymru, ond pryderai na allai ddychwelyd eto, oherwydd anawsterau teithio.

Erbyn diwedd mis Ebrill roedd Kate wedi anfon *Stryd y Glep* mewn proflenni at Saunders Lewis. 'Y mae mawredd sicr, mawredd dwys ynddi,' meddai, gan ei galw yn gampwaith a'i chymharu â *Symphonie Pastorale* André Gide.[67] Yr hyn a welai Saunders Lewis ynddi oedd 'argyfwng enaid yn ymddatguddio drwy awgrymiadau cynnil'.[68] Yr oedd Kate 'wedi cyrraedd yr hyn y bûm yn dyheu am i chwi ei gyrraedd, – ymhell y tu hwnt i'r holl straeon blaenorol, i ddeall dyfnach'.[69]

Ym mis Mai y cyhoeddwyd *Stryd y Glep* yn y pen draw, gan liniaru rhywfaint ar nerfusrwydd Kate yn ei chylch. Roedd barn Saunders Lewis am y stori cyn iddi gael ei chyhoeddi wedi llacio cryn dipyn ar y tyndra a deimlai cyn ymddangosiad y llyfr. Hwn oedd ei llyfr cyntaf oddi ar iddi gyhoeddi *Ffair Gaeaf a Storïau Eraill* ddeuddeng mlynedd ynghynt, mewn byd gwahanol, a hwnnw'n fyd hapusach o lawer iddi hi. 'Buaswn i'n fodlon iawn pe dywedasech fod fy stori wedi osgoi bod yn un chwerthinllyd a dyna'r cwbl,' meddai wrth Saunders Lewis.[70] 'Pobl ddychmygol ydynt ag eithrio Joanna, mae Joanna yn fyw heddiw, a hi yw'r fwyaf anhygoel ohonynt,' ychwanegodd, gan nodi bod yr 'un wreiddiol yn wirionach na hon'.[71] Hannah oedd Joanna. Nododd hefyd fod y prif gymeriad 'ym mhob stori bron yn fath o fynegiant o'r awdur'.[72] Gan adleisio sawl darn yn ei dyddiadur 1946, ceisiodd egluro'r hyn a sbardunodd y stori: 'Profiad chwerw iawn o anniolchgarwch a ddysgodd imi yn ystod y tair blynedd diwethaf yma fod dyn rhy garedig yn nesa' peth i ffwl, a bod pobl sentimental yn galed eu calonnau'.[73] Felly, er iddi ddechrau ysgrifennu'r stori ym 1945, cyn marwolaeth Morris, ar ei phrofiadau o 1946 ymlaen y seiliwyd y rhan fwyaf o'r gwaith.

Trawyd sawl darllenydd gan newydd-deb *Stryd y Glep*, o safbwynt arddull a chynnwys. Cyfeiriodd Saunders Lewis at y llyfr yn ei golofn 'Cwrs y Byd' yn *Y Faner* fel 'clasur bychan o gyfrwystra seicolegol ac o foeseg'.[74] Prin fod y Cymry yn haeddu llyfr 'mor aeddfed dreiddiol â hwn,' ychwanegodd, gan synio mai yn Ffrangeg y dylid bod wedi ei ysgrifennu.[75] Yn ôl Gwilym R. Jones yn y golofn 'Ledled Cymru', y peth pwysicaf ynghylch y stori oedd 'ei harwyddocâd fel cyfanwaith llenyddol seicolegol'.[76] 'Stori meddyliau yn anad dim yw *Stryd y Glep*,' meddai, gan nodi bod ynddi hefyd 'feirniadaeth ar y gymdeithas gyfoes'.[77] Fel stori yn ymwneud â meddyliau yr ystyriai Hugh Bevan *Stryd y Glep*, ac fel stori hefyd am boen, corfforol a meddyliol. Gan ddyfynnu 'Drudwy Branwen' R. Williams Parry, maentumiodd mai '"Santaidd epistol poen" yw *Stryd y Glep* ac nid hunangofiant ysbrydol',[78] ac fel Saunders Lewis, galwodd y llyfr yn gampwaith. Anghytunai John Gwilym Jones â'r beirniaid a fynnai fod Kate wedi newid ei harddull. 'Nid yw'r ffaith fod stori yn delio â meddwl yn hytrach nag amgylchiadau allanol yn newid arddull,' meddai, a gwelai ynddi 'yr un synwyrusrwydd rhyfeddol' ag a geid yn ei gweithiau eraill.[79] Edmygid prif gymeriad y stori, Ffebi Beca, gan sawl beirniad ac adolygydd. I John Gwilym Jones roedd 'ei harwriaeth ffyddiog a'i haniddigrwydd [*sic*] gobeithiol yn rhywbeth sy'n codi calon dyn'.[80] Dywedodd Hugh Bevan ei fod yn falch 'fod Tess Durbeyfield, yn y baradwys yr â anfarwolion llenyddiaeth iddi, o'r diwedd yn cael cwmni Ffebi Beca'.[81] Un arall a groesawodd y gwaith oedd Pennar Davies. 'Y mae *Stryd y Glep* yn un o'r pethau mwyaf meistrolgar a ysgrifennwyd yn y Gymraeg,' meddai.[82] Edmygai yntau hefyd dreiddgarwch seicolegol y stori.

Anfonodd Kate gopi o *Stryd y Glep* at D. J. Williams yn ogystal. Yr oedd ganddo yntau hefyd ddau lyfr yr hoffai weld eu cyhoeddi, a gofynnodd i Kate a hoffai gyhoeddi un o'r ddau gyda Gwasg Gee, un ai *Storïau'r Tir Du*, a oedd yn barod, neu gyfrol hunangofiannol, *Hen Dŷ Ffarm*, a oedd yn yr arfaeth. Bwriadai gynnig yr un a wrthodid gan Kate i Wasg Gomer, i gywiro hen addewid rhyngddo a'r wasg. Anfonodd Kate air yn ôl ato bron gyda'r troad i fachu'r hunangofiant, a chan geisio ei annog i ysgrifennu'r ddau lyfr 'o hyn i Fai nesaf, a'u cael allan erbyn Nadolig 1950'.[83] Gofynnodd hefyd am ei farn am *Stryd y Glep*. Ei bwriad yn y stori, meddai, oedd 'ceisio gwneud toriad croes ar draws enaid merch yn dioddef, a'i hysbryd yn dioddef mwy na'i chorff, a cheisio dangos fel mae person yn troi oddi wrth gymdeithas ato ef ei hun, a mor anodd yw bod yn onest mewn cymdeithas ragrithiol'.[84] Cydsyniodd D.J. mai rhoi *Storïau'r Tir Du* i Wasg Gomer fyddai orau, a'i hunangofiant i Wasg Gee. Roedd D.J. hefyd wedi cael ei gyffroi gan *Stryd y Glep*. 'Mae'r ddyfais yna o ddyddiadur yn eich gweddu chi'n dda sy'n gymaint campwr ar ddatrys meddyliau cudd y galon,' meddai wrthi.[85]

Cyflwynodd Kate *Stryd y Glep* i'w chydweithwyr cefnogol a theyrngar 'O.S.E./G.R.J./E.H.S.', sef Olwen Ellis, Gwilym R. Jones ac Eddie Simon. A hithau wedi colli ei rhieni a sawl aelod arall o'i theulu, ei chyfeillion oedd ei theulu bellach. A stori hir fer, neu nofel fer, am gylch o gyfeillion – a pherthnasau – yw *Stryd y Glep*. Adroddir y stori gan y prif gymeriad, Ffebi Beca, gwraig orweiddiog sy'n gaeth i'w gwely, ac eithrio'r troeon hynny pan gaiff ei chario i'r ardd ar dywydd braf, wedi iddi gael damwain yn siop y teulu. Stori yn y meddwl yw hon; hynny yw, trwy feddyliau Ffebi Beca, fel y dodir y meddyliau hynny fesul cofnod yn y dyddiadur, yr adroddir y stori.

O gylch gwely Ffebi Beca ar nosweithiau Sul y mae'r gyfeillach hon yn ymgynnull. Dyma ganolbwynt eu cread. Y cyfeillion hyn yw Ffebi Beca; Besi ei chwaer; Doli, eu cyfnither; Enid Rhodri, sy'n gweithio yn siop y teulu gyda John, brawd Ffebi a Besi; Dan, gŵr gweddw a chyfaill i Ffebi, Besi a John oddi ar ddyddiau eu plentyndod; Liwsi Lysti, sy'n helpu Besi i lanhau a chadw'r tŷ mewn trefn, a Lowri'r Aden. Dyma'r cylch dethol, a dyma un arall o fydoedd crwn, cyflawn Kate. Cymeriad pell, anhygyrch braidd yw John, brawd Ffebi a Besi, er mai ef sy'n cynnal y ddwy chwaer gyda'r elw a wneir yn y siop. Rhyw hofran ar gyrion y cylch a wna John. Mae Besi yn cadw tŷ i'r ddau. Pan ddaw John i mewn, a Ffebi yn ei mwynhau ei hun yng nghwmni Besi a Dan, 'Gwyddwn fod fy hapusrwydd drosodd y munud y daeth i mewn,' meddai Ffebi. Dau gymeriad arall yn y nofel yw Joanna Glanmor, dynes ddibriod, a Miss Jones, sy'n cadw tŷ i Dan, ond nid yw'r rhain yn aelodau o'r gyfeillach. 'Yn rhywle yng ngwaelod fy meddwl, fe boenwn, nid am fod Miss Jones wedi taro i mewn neithiwr, ond am y gall wneud bob nos Sul eto, ac os felly, dyna ddiwedd ar ein cwmni bach ni,' meddai Ffebi. Pan fo'r cylch yn gyflawn mae'r byd yn gyflawn. Nodir bod y 'cwmni yma'n grwn heno' gogyfer ag un nos Sul, ond, ar nos Sul arall, 'Pawb yma heno ond Dan', ac oherwydd hynny 'doedd dim llawer i sgwrsio yn ei gylch.

Mae John yn gofyn i Enid ei briodi, ond mae hi'n ei wrthod. Gyda nodyn Enid at Ffebi, yn nodi bod ganddi rywbeth pwysig i'w ddweud wrthi, y mae'r stori'n agor. Byd undonog mewn tref fach ddiflas yw byd y Ffebi orweiddiog, a nodyn Enid ati yw'r 'peth mwyaf cynhyrfus' i ddigwydd er pan aeth i orwedd dair blynedd yn gynharach. Wedi iddi gael noson ddi-gwsg a Ffebi yn dychmygu ei bod yn marw, o'r diwedd mae hi'n syrthio i gysgu, ac mae'r ofnau'n cilio. Wedyn y mae'n teimlo 'fe pe na bai dim wedi digwydd o gwbl a'm bod yn ôl yn yr un merddwr llonydd ag yr oeddwn ynddo wythnos yn ôl, ag yr oeddwn ynddo dair blynedd yn ôl,' meddai.

Pe byddai Enid wedi derbyn cynnig John i'w briodi, ni fyddai hynny yn amharu dim ar y cylch cyfeillion. Roedd y ddau yn cydweithio yn y siop fel yr oedd hi, a'r cam naturiol nesaf fyddai priodi. Byddai'r ddau yn rhan o'r cylch o hyd, er y byddai Ffebi a Besi yn gorfod byw heb gyflog John. Ond ni fyn Enid briodi John. Try John ei olygon wedyn at Joanna Glanmor, dynes drahaus, ffroenfalch y mae Ffebi yn ei chasáu. Pe bai John yn priodi Joanna, byddai hynny'n amharu ar undod y cylch, gan na fyddai croeso i Joanna ymuno ag ef.

Lle clawstroffobaidd yw Stryd y Glep. 'Mae'r stryd yma mor gul nes bod y cysgodion yn ymestyn dros ei gilydd drwy'r dydd,' cofnodir yn y dyddiadur. Mae Ffebi yn gaeth i'w hystafell wely, ac mae hi hefyd yn gaeth ynddi hi ei hun. Mae syniadau yn 'rhedeg fel meirch gwylltion' drwy ei phen, ac y mae emosiynau a theimladau cryfion yn corddi y tu mewn iddi, a hithau'n dyheu am ddihangfa rhagddynt. 'O! am fedru anadlu a thaflu'r plisgyn yma o gnawd i ffwrdd,' meddai. Un o weithiau cyfnod Dinbych yw *Stryd y Glep* yn sicr, ac roedd disgrifio'r dref fel 'rhyw dref bach ddwl' yn sicr o godi gwahanfur rhwng Kate a thrigolion Dinbych.

Nofel ar ffurf dyddiadur yw *Stryd y Glep*. Dyddiadur 1946 a'i hysgogodd yn bennaf. 'Lle i fod yn blaen yw dyddlyfr,' ysgrifenna Ffebi. 'Mae'n amhosibl dweud yn hollol yr hyn sydd ar ein meddwl ni, neu mi fyddai'r byd yn bendramwnwgl bob hyn-a-hyn,' meddai eto. 'Ar ragrith y sylfeinir cymdeithas,' cofnoda wedyn. Dyna ogoniant dyddiadur. Gellir dweud y gwir ynddo, gan mai rhywbeth personol yw dyddiadur, ac i wraig eirwir a hynod o onest – plaen o onest, mewn gwirionedd – roedd dyddiaduron, gwirioneddol neu ddychmygol, yn gaffaeliad mawr. 'Yn gyffredin, at ei ddyddlyfr yr â dyn pan fo mewn poen meddwl, oblegid mae dyddlyfr fel y peth nesaf at ddyn ei hun,' meddir, ac y mae rhai yn siarad â'u dyddlyfr 'fel pe baent yn siarad â hwy eu hunain, a rhai fel pe baent yn siarad â Duw'. Ac eto, ofnai Ffebi na allai fod yn hollol onest â hi ei hun mewn dyddiadur.

Ymgorfforwyd rhai o brofiadau Kate ym 1946, fel y cofnodwyd y profiadau hynny yn ei dyddiadur, yn nyddiadur Ffebi Beca. Yn wahanol i Kate, nid yw unigrwydd yn poeni Ffebi, 'gan fod gennyf rywun i'w ddisgwyl yn ôl bob amser'. 'Peth gwahanol fuasai pe na bai gennyf neb i'w ddisgwyl i'r tŷ,' meddai wedyn, sef yr union sefyllfa yr oedd Kate ynddi ar ôl colli Morris. A phrofiad Dan yn ei hiraeth ar ôl ei wraig, Annie, oedd profiad Kate: 'Aethai am dro i'r fynwent. Pen-blwydd Annie heddiw. Buasai'n bymtheg a deugain'. Dro ar ôl tro yn ei dyddiaduron, ceir cofnodion tebyg gan Kate, er enghraifft, yn nyddiadur 1946: 'Diwrnod penblwydd Dei fy mrawd. Buasai'n 48 heddiw a dim ond 19 yn marw'.

Ceir llawer o brofiadau eraill Kate yn *Stryd y Glep*, ar wahân i'w hiraeth am Morris. 'Mae yna lot o ddioddef yn y byd yma am fod pobl yn ysgwyd pen yn dosturiol ac yn rowlio eu tafodau mewn afiaith nefolaidd galon-feddal wrth siarad am bobl sy'n dioddef,' meddai Dan, a Kate hithau newydd ddod i ben â chasglu arian ar gyfer Cronfa Achub Ewrop. 'Dyna'r busnes yn mynd ar y goriwaered,' meddai Ffebi, gan adlewyrchu pryderon Kate ei hun ym myd busnes ar y pryd. Credai Kate fod pobl yn manteisio'n ormodol ar ei charedigrwydd, ac yn ei sathru oherwydd hynny. Dywed Ffebi wrth Enid 'ei bod yn amhosibl iddi fod yn anhunanol bob amser, a bod person rhy garedig yn nesa' peth i ffŵl'. Gallai Kate fod yn hynod o fyfïol, ond ni fu erioed yn hunanol; yn wir, casâi hunanoldeb. 'O! mae'n anodd dioddef pobl hunanol,' meddai Ffebi.

Stori hir fer seicolegol yw *Stryd y Glep* yn y modd y mae Ffebi yn dadansoddi ei meddyliau hi ei hun yn ogystal â meddyliau, natur a chymhellion cudd y cymeriadau eraill. Ac eto, dieithriaid i'w gilydd yw'r holl gymeriadau hyn. 'A oes rhywun yn adnabod ei gilydd?' gofynnir. Daw Ffebi i'r casgliad, yn y pen draw, mai 'Creadur digymdeithas yw dyn yn y bôn, ni fedr ddweud ei holl feddyliau wrth y nesaf ato, nac wrth yr un a gâr fwyaf'.

Chwalu a wna'r gwmnïaeth o gylch y gwely yn y pen draw, yn union fel y chwalwyd byd crwn Cae'r Gors a byd cyfan y Coleg ym Mangor, a phob byd arall sydd ar drugaredd amser. Amgylchiadau a throeon ffawd sy'n chwalu byd crwn y gyfeillach o gylch y gwely, wrth i Enid, yn un peth, orfod gadael y siop i brynu ei siop ei hun ac ildio'i lle i Joanna wedi iddi hi a John briodi. 'Mae ffordd bell rhwng y cwmni cynnes a gyfarfyddai o amgylch y gwely yma a'r enaid anhapus yma,' meddai Ffebi ar ôl y chwalfa. Ac o ganlyniad i'r chwalfa, mae Ffebi yn gorfod ei hwynebu hi ei hun.

Un peth sy'n poeni Ffebi drwy'r nofel yw'r casineb mawr sy'n ei chorddi. Gallai Kate hefyd gasáu gyda chryfder casineb na welwyd mo'i debyg, ac roedd hynny yn ei phoeni. Casâi Hannah a Dafydd, casâi bawb a wnaethai dro gwael â hi erioed, casâi lawer o drigolion Dinbych am eu culni, eu diffyg cydymdeimlad â hi yn ei phrofedigaeth, a chasâi Morris hyd yn oed yn y pen draw am ei gadael i wynebu unigrwydd a hiraeth, dyledion a dyletswyddau, ar ei phen ei hun. 'Dylswn i fy hun fod yn drech na'r amgylchiadau a medru gorchfygu'r holl gasineb yma,' cofnoda Ffebi. Felly hefyd, Kate. A daw Kate i'r casgliad mai hunanoldeb sy'n esgor ar gasineb, a hithau, yn y bôn, yn berson cwbl anhunanol. Dadansoddir natur casineb yn y nofel, wrth i Ffebi geisio dygymod â'r casineb mawr sydd ynddi:

> A ydym wedi ein tynghedu i gasáu rhywun neu rywbeth ar hyd ein hoes? Ai yn y bedd y ceir diwedd ar bob casineb a diwedd ar yr holl feddyliau yma sy'n rhedeg fel meirch gwylltion drwy fy mhen? Ac eto, wrth aros i feddwl peth mor braf fyddai cael gwared o'r holl feddyliau yma a'r holl gasáu, gofynnaf i mi fy hun a fyddwn yn hapus wedyn. Onid ydym yn hoffi casáu? Onid ydym yn nofio yn ei ddedwyddwch? Byddaf yn meddwl weithiau fod casáu yn rhoi rhyw deimlad o fodlonrwydd inni, ein bod drwy hynny yn rhoi ergyd i rywun neu rywbeth sydd yn ein herbyn ni. Ymdrech i orchfygu ydyw efallai.

'Yr wyf wyneb yn wyneb â mi fy hun erbyn hyn, ac wedi gorfod cydnabod nad yw'r holl feddyliau cas a'r gwenwyn ond canlyniad yr hunanoldeb sydd ynof,' meddai Ffebi ar ddiwedd *Stryd y Glep*. Bellach y mae'n rhaid i Ffebi gael gwared â'r hunan. Mae'n gwybod ei bod 'wedi mynd trwy fwlch cyfyng ac wedi myned heibio i'r hunan a'i wyneb hyll yn y bwlch'. Nid person hunanol a fu wrthi'n helpu casglu arian ar gyfer Cronfa Achub Ewrop, ac eto, gwyddai Kate y gallai gasáu fel y Diafol ei hun, ond gallai hefyd garu pobl gyda'r angerdd mwyaf. Gallai rannu ag un llaw a gwanu â'r llall.

Ym mis Awst ymunodd Mathonwy Hughes â staff y wasg fel is-olygydd *Y Faner*, i olynu Emlyn Bryan Jones, a fu farw'n ddisyfyd. Ymunodd E. Bryan Jones, gŵr o Goed-poeth, Wrecsam, â staff Gwasg Gee ar ddiwedd 1945, pan oedd Morris wrth y llyw, ac fel Morris, bu farw'n annhymig. Roedd Gwilym R. Jones a Mathonwy Hughes yn hen gyfeillion bore oes, ac ym 1949 sefydlwyd partneriaeth olygyddol rhyngddynt a oedd i barhau am flynyddoedd helaeth. Cafodd Kate hithau, trwy benodi Mathonwy Hughes i'r swydd, gydweithiwr a chyfaill ymlyngar a theyrngar.

Trwy gydol ail hanner 1949 bu llythyru brwd rhwng Kate a Lilla Wagner. Roedd Lilla o hyd yn awyddus i Daisy gael ei haddysgu yn Ysgol Howells, a chredai y byddai'n syniad da iddi letya gyda Kate yn y Cilgwyn fel y gallai fod yn gymorth iddi o gwmpas y tŷ. Rhestrodd nifer o gryfderau a gwendidau a berthynai i'w merch er mwyn helpu Kate i benderfynu a fyddai'n ei derbyn i'w chartref ai peidio. Dewis cael Daisy i aros gyda hi a wnaeth Kate, er iddi gael digon o rybuddion ymlaen llaw fod Daisy yn dueddol o gicio yn erbyn y tresi. Roedd Lilla a'i gŵr wedi derbyn llythyr gan Daisy yn eu hysbysu ei bod yn gadael ei hysgol breswyl yn Rolle yn yr Yswistir i fynd i Baris, heb unrhyw fath o eglurhad. Teimlai Lilla ei bod yn dechrau colli adnabyddiaeth o'i merch. Cafodd ar ddeall gan y prifathro yn yr Yswistir fod Daisy wedi cael ei diarddel o'r ysgol am fynd allan i ganlyn bachgen mewn ysgol breswyl arall. Fodd bynnag, 'doedd dim lle ar gael i Daisy yn Ysgol Howells, a phenderfynodd Lilla yr hoffai i'w merch fod yn ddisgybl dyddiol yn Ysgol Ramadeg Dinbych yn hytrach na mynd i Ysgol Howells. Pryderai y gallai mynychu Ysgol Howells droi Daisy yn snob.

Erbyn diwedd mis Tachwedd roedd Daisy wedi cyrraedd y Cilgwyn, ar ôl i Kate gyfarfod â hi ym Mharis, pan aeth yno am bwt o wyliau, fel yr eglurodd wrth D. J. Williams:

Daeth y ferch o Hwngaria yma ddiwedd Tachwedd a bu'n drafferthus iawn arnaf, gan nad oedd unrhyw howld ar ei gwario, wedi bod ym Mharis am ddeufis neu dri, a rhywun yno yn rhoddi arian iddi, a hithau'n gwario fel ledi. Erbyn hyn daeth i sylweddoli mor brin yw pethau yn y wlad hon ac mor brin yw fy arian innau … Mae hi'n gwmni mawr imi, a da hynny, oblegid yn yr haf bûm yn dioddef yn enbyd oddi wrth guriad y galon yn y nos. Mae ei thad a'i mam wedi dianc o Hwngaria ac y maent yn 'nelu at y wlad yma rywdro. Mae Daisy yn anelu at y Mericia – hynny yn yr arfaeth cyn iddi adael yr Yswistir.[86]

Er bod Daisy yn bur drafferthus gyda'i bwyd, aeth Kate yn hoff iawn ohoni. 'Mae Daisy yn gryn gysur imi erbyn hyn,' meddai wrth Lewis Valentine, gan ychwanegu fod yna 'bethau reit hoffus ynddi ac y mae hi'n gwmni mawr'.[87] Oedd, roedd Daisy yn gysur ac yn gwmni i Kate, ac nid Nadolig unig oedd Nadolig 1949 iddi, er bod i'r Nadolig hwnnw elfen o dristwch hefyd:

Anfonodd ei rhieni goeden Nadolig fechan iddi wedi ei chodi o goedwig ger eu trigfod yn Awstria. Plennais hi mewn pot, a dododd Daisy yr addurniadau arni y dydd cyn Nadolig a goleuo'r canhwyllau cyn myned i'r gwely. Yr oedd hi a minnau'n crio'n iawn.[88]

Yr oedd y tristwch yn parhau ar ddechrau'r flwyddyn. Ionawr oedd mis tywyllaf y flwyddyn i Kate, oherwydd bod marwolaeth gŵr a geni blwyddyn yn ddau beth cyfystyr iddi ers rhyw bedair blynedd bellach. Y dechreuad oedd y diwedd. Teimlai'n ddigalon iawn eto ym mis Ionawr 1950, fel yr eglurodd wrth Lewis Valentine:

Er bod pob dim o'r manylion trist yn dyfod i gof yr adeg yma ar y flwyddyn, nid ânt fawr byth o'm cof ar adegau eraill ychwaith. Maent yna o hyd o flaen fy meddwl, hyd yn oed ar adegau pan fyddaf yn chwerthin ac yn ymddangos yn llawen. Ac fel yr â'r blynyddoedd ymlaen nid oes arnaf gymaint o awydd byw. Ar y dechrau yr oedd yr awydd hwnnw'n gryf iawn, ac yr oedd arnaf eisiau byw i gario gwaith Morus ymlaen, ond erbyn hyn ni theimlaf felly. Efallai mai cyflwr y byd sy'n cyfrif am hynny. Mae'r dyfodol fel wal dywyll o flaen rhywun.[89]

Lilla Wagner a agorodd lygaid Kate i wir erchyllterau Natsïaeth, a pheri iddi boeni am gyflwr y byd. Rwsia, bellach, oedd y bwgan mawr. Câi Kate lythyrau cyson oddi wrth Lilla Wagner. 'Mae hi a'i gŵr yn awr yn y rhan Brydeinig o Awstria ac yn bur hapus,' meddai wrth Lewis Valentine.[90] Ar Ragfyr 12 yr anfonodd Lilla un o'r llythyrau hynny ati, a dywedodd ynddo fod Awstria, fel Hwngari, yn rhy agos at Rwsia i fod yn ddedwydd. Ond roedd Lilla Wagner yn hapus iawn fod Daisy yn aros gyda Kate. Roedd Kate yn chwarae'r fam yn y cyfnod hwn, ac yn falch o wneud hynny. 'Mae hi'n hoffi'r ysgol,' meddai wrth Valentine, gyda chryn dipyn o falchder mamol, 'a bu wrthi heno yn gwneud araith i agor dadl yn yr ysgol brynhawn yfory, o blaid jazz!'[91]

Cafodd Kate sioc enbyd ddechrau Ionawr pan anfonodd Saunders Lewis ati i ddweud ei fod yn rhoi'r gorau i'w golofn 'Cwrs y Byd' yn *Y Faner*, ar ôl deng mlynedd. Derbyniodd Kate y llythyr ymddiswyddiad ar Ionawr 6. 'Teimlwn yn drist iawn drwy'r dydd oherwydd ei bod yn ben blwydd y storm fwyaf a fu ar fy mhen erioed, ac wedi derbyn eich llythyr heno teimlaf yn ddwbl drist, o weld cyfnod arall yn dyfod i ben'.[92] Diolchodd i Saunders Lewis am ei gyfraniad unigryw i'r *Faner*, 'y peth gwychaf a fu erioed mewn newyddiaduraeth Gymraeg'.[93] Roedd Saunders Lewis ar fin mynd dan driniaeth lawfeddygol, 'dim byd difrifol enbyd', a chymerodd hynny fel cyfle i ymddeol o'r *Faner* ar yr un pryd.[94]

Bu Kate yn brysur trwy gydol Ionawr a Chwefror 1950 yn helpu ymgyrch Plaid Cymru i gael Gwynfor Evans wedi'i ethol yn Aelod Seneddol Sir Feirionnydd yn yr Etholiad Cyffredinol a oedd i'w gynnal ar Chwefror 23. Yr oedd y Blaid yn drwm ar ei meddwl yn ystod cyfnod yr ymgyrch. Bu farw D. J. Williams, yr ysgolfeistr a'r awdur llyfrau plant o Lanbedr Pont Steffan – ond o Gorris yn wreiddiol – yn sydyn ar y diwrnod cyntaf o Chwefror. Bu'n aelod o'r Blaid Genedlaethol o'i chychwyniad. 'Mae nifer y rhai ohonom a oedd yn Ysgol Haf Machynlleth yn mynd yn llai ac yn llai a thrist yw meddwl hynny,' meddai Kate wrth y D.J. arall.[95] Talodd Kate deyrnged iddo yn *Y Faner*. Roedd D. J. Williams 'yn enghraifft odidog o athro a phrif-athro ysgol yn y wlad',[96] ac ar ben hynny, roedd yn genedlaetholwr digymrodedd ac yn weithiwr dygn, a theimlai lawer o chwithdod o'i golli:

> I mi, mae'n beth trist gweld aelodau cynnar y Blaid yn myned o un i un: pobl a roes eu gorau i Gymru heb gyfri'r gost. Mae'n golled i wlad, nid i blaid yn unig, golli dynion fel D. J. Williams. Ni welwn eu cyffelyb yrhawg, os byth, dynion a diwylliant gwledig Cymru wedi myned yn rhan o'u cyfansoddiad, a dynion yn medru gwasgaru'r diwylliant hwnnw yn ddiymwybod.[97]

Mewn gwirionedd, roedd penderfyniad Saunders Lewis i roi'r gorau i'w golofn 'Cwrs y Byd' yn ergyd fawr i'r papur ar adeg argyfyngus iawn yn ei hanes, ac yn hanes Gwasg Gee hithau. Oherwydd cyfyngiadau a thoriadau Stafford Cripps, Canghellor y Trysorlys, ar gwmnïau bychain, âi hysbysebion yn llai ac yn llai, a phrin y gallai'r *Faner* mwyach dalu ei ffordd. Bu'n rhaid i Wasg Gee ymatal rhag cyhoeddi llyfrau am y tro a chanolbwyntio ar *jobbing*, sef argraffu pethau fel cylchgronau ac adroddiadau capeli a sioeau. Yn wir, hysbysebion oedd dylifiad gwaed y papur a'r cwmni, a phe bai'r llif hwnnw yn ceulo, gallai popeth ddod i ben. Nid poen iddi hi yn unig oedd cyflwr pethau; roedd yn fwy o boen, meddai, i gyfarwyddwyr y cwmni, a theimlai Kate yn ffodus iawn fod ganddi bobl gydwybodol, weithgar yn gefn iddi. 'Yr ydym yn myned drwy amser caled, a digon tebyg fod pethau gwaeth yn ein haros,' meddai wrth Saunders Lewis.[98] Pryderai y byddai'n rhaid iddi werthu'r Cilgwyn a mynd i fyw i ddwy ystafell, ond ei thŷ oedd 'yr ychydig lawenydd materol sydd ar ôl imi'.[99]

Perswadiwyd Saunders Lewis i ailfeddwl ynghylch rhoi'r gorau i ysgrifennu ar gyfer colofn 'Cwrs y Byd' gan olygydd y papur, Gwilym R. Jones. Cytunodd Saunders Lewis i ysgrifennu ar gyfer y golofn bob yn ail wythnos, unwaith y byddai wedi gwella ar ôl y llawdriniaeth. Newidiodd ei feddwl drachefn wedi i Pennar Davies ymosod ar yr Eglwys Gatholig yng ngholofn 'Cwrs y Byd' yn rhifyn Ebrill 19 o'r *Faner*. Y tro hwn bu'n rhaid i Kate ymyrryd, fel ffrind, gan obeithio y cymerai Saunders Lewis bopeth a ddywedai 'yn ysbryd cyfeillgarwch'.[100] Ni welai fod ymosodiad Pennar Davies ar Eglwys Rufain yn ddigon o reswm dros roi'r gorau i ysgrifennu ar gyfer 'Cwrs y Byd'. Esgus gan rai i beidio â derbyn ffordd Plaid Cymru o achub y genedl oedd yr ymosodiadau hyn ar Babyddiaeth Saunders Lewis, meddai. Darbwyllodd ei chyfaill i barhau i gyfrannu i'r *Faner*, yn wir, dibynnai ar ei gefnogaeth. 'Ni bu pethau'n hawdd o gwbl arnom fel ffyrm ers rhai blynyddoedd, ac oni bai bod yma ysbryd da rhwng cyfeillion ni buasai yma *Faner* o gwbl,' meddai.[101] Bu'n teimlo 'fel rhoi'r ysbryd i lawr' ganwaith, ond roedd ganddi nifer o gyfeillion cywir yng Ngwasg Gee, a bu Saunders Lewis yntau yn 'nodedig o ffyddlon'.[102] Llwyddodd Kate i berswadio Saunders Lewis i newid ei feddwl drachefn, a bu Griffith John Williams hefyd yn pwyso arno i beidio ag ymddeol.

Ym mis Mai bu'n rhaid i Kate hysbysu D. J. Williams na ellid cyhoeddi ei lyfr ar Mazzini am flynyddoedd, oherwydd sefyllfa ariannol simsan y wasg. Beiodd Stafford Cripps am ei bolisi ynglŷn â hysbysebion unwaith yn rhagor. 'Doedd dim digon o beiriannau gan y wasg i argraffu llyfrau arnynt, ac eithrio ambell lyfr a oedd yn talu amdano'i hun. Roedd y cwmni wedi archebu peiriant cysodi newydd ond cafwyd ar ddeall y byddai'n rhaid aros tair neu bedair blynedd amdano, gan y byddai yn cael ei fewnforio. Awgrymodd iddo gyhoeddi'r llyfr gyda gwasg arall.

Y tu ôl i'r llenni roedd llawer o bethau cudd a chyffrous yn digwydd. Rhoddodd Griffith John Williams ei henw ymlaen i Brifysgol Cymru am radd Doethur mewn Llenyddiaeth, a bu'n rhaid iddo ddwyn perswâd arni i dderbyn y ddoethuriaeth wedi i'r pwyllgor dewis gydsynio â'r cais. Camgymeriad fyddai gwrthod, meddai Griffith John, oherwydd pe bai pob Cymro egwyddorol yn gwrthod derbyn y graddau hyn, dim ond Saeson a hanner Cymry a fyddai'n eu derbyn. Roedd Kate mewn cyfyng-gyngor a ddylai dderbyn y radd ai peidio, a 'doedd y ffaith fod y wasg wedi cael gafael ar y stori cyn i Brifysgol Cymru ddatgan hynny yn swyddogol o ddim help iddi i benderfynu. Fel yr eglurodd wrth Cassie Davies:

> Ni wn sut yr aeth y sôn am y D. Litt i'r papur gan nad yw allan yn swyddogol eto. Yn sicr nid drwof fi. Bu'n frwydr galed yn fy meddwl a dderbyniwn oherwydd ymddygiad y Brifysgol at S.L. Wedi poeni digon i wneud fy ngwallt yn lâs [*sic*] (mae'n wyn eisoes) anfonais at G.J.W. [Griffith John Williams] i ofyn am gyngor, gan y dyfalwn efallai ei fod ef yn gwybod yn rhinwedd ei swydd. A dywedodd ef wrthyf am ei derbyn am (a) mai ein prifysgol ni ydyw a (b) os gwrthodir y graddau gan Gymry pybyr o hyd, fe'u rhoir i Sais-Gymr[y] a Saeson. Wel, fe setlodd hynny'r mater.[103]

Cynhaliwyd y seremoni i anrhydeddu Kate yn Abertawe ar Orffennaf 18, a thraddododd Griffith John Williams araith wych wrth ei chymeradwyo am y radd. Dathlwyd yr anrhydedd gan ei chydweithiwr Gwilym R. Jones yng ngholofn 'Ledled Cymru' yn *Y Faner.* 'Bydd yn anodd gennym ei chyfarch fel "y Dr Kate Roberts", ac ni bydd hi mewn gwirionedd damaid mwy o lenor ac ysgolhaig ar ôl cael y ddoethuraeth hon, ond llawenhawn wrth weled bod y Brifysgol wedi cael troedigaeth bwysig,' meddai, ond fel Dr Kate y byddai'n cael ei galw gan ei chyd-Gymry wedi hynny.[104] Derbyniodd Dr Kate bron i gant o gardiau a llythyrau yn ei llongyfarch am yr anrhydedd, ac ymhlith y rhai a'i cyfarchodd yr oedd Saunders Lewis ei hun. Gwyddai, meddai ar Orffennaf 15, pan gyhoeddwyd y newydd yn swyddogol, fod y Brifysgol wedi penderfynu cyflwyno gradd Ddoethur mewn Llenyddiaeth i Kate, ond cadwodd y gyfrinach. Ond yr oedd yn llawen ei bod wedi derbyn y radd, 'gan fod eisiau mawr am ddangos bri llenorion creadigol'.[105] Yn anffodus iddo, yn Abertawe y cynhelid y seremoni, ac ni allai ddod i weld Kate yn derbyn yr anrhydedd yn y Coleg a oedd wedi ei sarhau a'i wrthod trwy ei ddiswyddo wedi helynt yr Ysgol Fomio. Wrth ateb ei lythyr dywedodd Kate mai Griffith John Williams a'i perswadiodd i dderbyn yr anrhydedd, a hynny yn groes i'w greddf. Gwrthod yr anrhydedd a fynnai hi, gyda'r synnwyr cryf hwnnw o gyfiawnder a theyrngarwch a berthynai iddi, oherwydd y modd yr oedd y sefydliad yr oedd Saunders Lewis wedi ei wasanaethu mor wych wedi ei gam-drin.

Un arall a'i llongyfarchodd oedd Lilla Wagner. Anfonodd dri llythyr at Kate rhwng dechrau Mai a diwedd Mehefin, gan ei llongyfarch ar y Ddoethuriaeth ar Fehefin 7. Erbyn hyn roedd y berthynas rhwng Kate a Daisy dan gryn dipyn o straen. Gallai Daisy fod yn anhydrin ac yn gwerylgar ar brydiau, ac ni allai Kate ei rheoli o gwbl pan gâi byliau o'r fath. Gwrthodai ysgrifennu at ei rhieni a gwrthodai ateb cwestiynau ei thad. Ganol Mai gofynnodd Lilla i Kate ddioddef anaeddfedrwydd ei merch am ychydig amser eto, cyn y gellid dirwyn y trefniant i ben.

Cafodd Kate ei hanrhydeddu â doethuriaeth gan Brifysgol Cymru pan oedd ei hail gyfnod creadigol newydd ddechrau, a'i chael wedi iddi gyhoeddi saith llyfr yn unig. Yn ystod ei chyfnod cyntaf, cyfnod Rhosgadfan/Aberdâr, cyhoeddwyd ganddi chwe llyfr. Yn ystod y blynyddoedd i ddod, byddai ei gwaith yn aml yn pendilio rhwng Dinbych a Rhosgadfan, mewn gweithiau ar wahân, ac, ar brydiau, yn yr un gweithiau. *Stryd y Glep* oedd cynnyrch mawr cyntaf cyfnod Dinbych, a byddai gweithiau eraill yn dilyn. Lluniodd Kate ddwy stori ym 1950, a'r ddwy yn awgrymu bod cyfnod mawr ffrwythlon o'i blaen, a bod ganddi lawer i'w ddweud eto. Roedd ganddi bellach le newydd i'w osod yn gefndir i'w gwaith, sef tref Dinbych, ac ni allai wrthsefyll y demtasiwn i gymharu Dinbych yn anffafriol â'i hoff Rosgadfan. Lleolir sawl un o'r gweithiau hyn mewn tref a seiliwyd ar Ddinbych, ond y mae gan rai o'r cymeriadau gysylltiadau â'r wlad hefyd, a pherthnasau yno, a gallant ddianc yn awr ac yn y man o awyrgylch glawstroffobaidd y dref i feysydd agored y wlad. Yn y stori 'Te P'nawn', a gyhoeddwyd yn *Y Faner* ym mis Mehefin, ceir cyfeiriad dilornus at dref Dinbych. Cymeriad o'r enw Twm sy'n adrodd y stori, ac meddai ar y dechrau: 'Wedi cael gwyliau yn y wlad efo'm chwaer yn fy hen gartref, a dyfod yn ôl i dref bach snobyddol, hanner-Seisnig, ddifater, naturiol i ddyn deimlo'n hiraethus am dipyn o ddyddiau, a gadael i'w feddwl redeg yn ôl'. Yr 'hen gartref' yn aml yw Cae'r Gors, a Dinbych yw'r dref snobyddol, yn union fel y byddai Aberentryd yn *Y Byw sy'n Cysgu* ymhen ychydig flynyddoedd yn cynrychioli Dinbych, y dref y mae Lora Ffennig yn ei galw yn 'hen dre bach anniddorol' ac Aleth Meurig yn 'hen dre wedi colli'i diwylliant ers blynyddoedd', a Bryn Terfyn yn cynrychioli Cae'r Gors. Tynnai Kate bobl Dinbych i'w phen gyda sylwadau o'r fath, gan ei gwneud ei hun yn amhoblogaidd gyda llawer o drigolion y dref. 'Cofio dywediad

W.O. mai'r peth Cymreiciaf yn y dref hon oedd Saesneg y bobl,' meddai Kate yn bigog yn 'Dyddiadur Iaeth' yn *Y Faner* ym 1955.[106]

Un peth diddorol ynghylch y stori 'Te P'nawn' yw cyfeillgarwch y tri gweinidog a geir ynddi: Twm, y prif gymeriad, Huw, sy'n 'weinidog ar eglwys gyffelyb i minnau mewn tref wledig, Seisnigaidd', a Dafydd, gweinidog 'ar eglwys yn y wlad yng nghanol ffermwyr', tri chyfaill sy'n dod ynghyd bob adeg gwyliau. Mae'r cyfeillgarwch hwn yn rhagargoeli cyfeillgarwch cyffelyb yn *Tywyll Heno*, sef y cyfeillgarwch rhwng Gruff, Wil a Huw, y tri gweinidog, a Jac yr offeiriad. A daw ofnau Kate yn y cyfnod hwn wedi'r Ail Ryfel Byd i'r amlwg yn yr hyn a ddywedir am Dafydd yn y stori: 'Nid ydyw'n ddall i bydredd ein gwareiddiad, nac i'r perygl i ryfel ddinistrio hynny sydd ar ôl ohono'.[107]

Stori arall a gyhoeddwyd yn *Y Faner* ym 1950, ddeufis cyn cyhoeddi 'Te P'nawn', oedd 'Y Trysor', stori arall sy'n rhagargoeli nofel arall. Yn y stori mae Jane Rhisiart yn bwrw trem yn ôl ar brif ddigwyddiadau ei bywyd. Un o'r digwyddiadau mawr hynny oedd diflaniad ei gŵr Robat 'efo'i gyflog un nos Wener tâl', sef yr union ddigwyddiad y byddai *Y Byw sy'n Cysgu* yn troi o'i gylch. Roedd ymadawiad sydyn Morris ar ei meddwl o hyd. Ond stori ynghylch cyfeillgarwch, teyrngarwch a ffyddlondeb dwy fenyw yw 'Y Trysor', teyrngarwch a ffyddlondeb dwy wraig i'w gilydd yng nghanol brad ac anffyddlondeb eraill – plant Jane Rhisiart yn y cyswllt hwn – a stori sy'n amlygu un o'i phrif themâu. Ond mae cyfeillgarwch y ddwy yn y stori yn fwy na chyfeillgarwch pur; y mae'n serch angerddol na all neb arall ei ddirnad na'i ddeall, yn gariad dwfn rhwng dwy. Mae Jane yn colli Martha yn y stori, ac ni all geiriau cysurlon y gweinidog ei chysuro o gwbl; yn wir, dim ond Jane a Martha a all ddeall natur y berthynas rhyngddynt, a'r berthynas honno yn un gyfrinachol, gudd:

> Ni fedrai ef na neb arall ddeall mai dyna alar dyfnaf ei bywyd. Yr oedd ar fin dweud wrtho, dweud maint ei hiraeth a maint ei gorhoffedd yn y ffrind da a gawsai am ddeuddeng mlynedd. Yr oedd arni eisiau bwrw hynny wrth rywun, er mwyn cael dweud. Ond cofiodd am y sbonc a roesai ei chalon yn y Seiat y noson gynt pan ddywedasai rhyw blentyn yr adnod, "A'i fam Ef a gadwodd yr holl eiriau hyn yn ei chalon," adnod na roesai funud o sylw iddi erioed. Na, ni fedrai fynegi ei hangerdd wrth y gweinidog am yr hyn a gollasai. Wrth Martha'n unig y gallasai hi ddweud am y golled a gawsai drwy ymadawiad ei ffrind.

Dyma gariad na all eraill ei ddeall, ac fe ŵyr Jane yn iawn fod confensiwn a pharchusrwydd yn gwarafun iddi ddatgelu ei gwir deimladau, a gwir natur y cariad a fu rhyngddi a Martha. Ond mae adnod y plentyn, 'A'i fam Ef a gadwodd yr holl eiriau hyn yn ei chalon', yn rhoi glendid a harddwch i'r berthynas gudd rhwng y ddwy. Y mae yna hefyd elfen o gondemnio'r weinidogaeth – a Christnogaeth – yn y stori, oherwydd y mae Jane yn arswydo rhag dweud gormod wrth y gweinidog, rhag ofn iddo gondemnio'r berthynas a'i throi yn rhywbeth aflan, ffiaidd.[108]

Cafodd Kate ei hun gyfle i anrhydeddu Saunders Lewis ym mis Awst 1950, pan gyhoeddwyd llyfr pwysig gan Wasg Gee i ddathlu ei gamp a'i athrylith, *Saunders Lewis: Ei Feddwl a'i Waith*. Golygydd y gyfrol oedd Pennar Davies, sef yr union ŵr a oedd wedi ymosod ar Eglwys Rufain yn *Y Faner* ym mis Ebrill. Cyfraniad Kate i'r gyfrol oedd 'Rhyddiaith Saunders Lewis', ac iddi hi, yr oedd rhyddiaith a beirniadaeth lenyddol ei chyfaill yn un â'i grefydd a'i genedlaetholdeb. Dirwynodd ei hysgrif i ben gyda chymhariaeth drawiadol:

> … fel tresel Gymreig hardd y gwelaf fi ei waith. Mae tresel yn beth defnyddiol hefyd; trysorwyd yng nghypyrddau'r dresel hon drysorau gwerthfawr ein llenyddiaeth ni, ein diwylliant a'n dull o fyw. Maent yno nid i'w cadw o'r golwg ac i bydru. Ni âd yr un Cymro deallus i hynny ddigwydd. Nid trysorau amgueddfa mohonynt, ond trysorau cegin a chegin orau y Cymro, pethau y mae arno eu heisiau bob dydd o'i fywyd, pethau yr ymhyfryda yn eu defnyddio a chnoi cil arnynt, a phethau nad â fyth yn llai er eu defnyddio, drwy'r wyrth ryfedd honno sy'n cadw trysorau pob celfyddyd i'r oesoedd a ddêl.[109]

Roedd ysgrif Kate wedi plesio Saunders Lewis, a diolchodd iddi 'am *ddarllen* sy'n gwneud sgrifennu'n werth ymdrafferthu ag ef'.[110]

Erbyn diwedd mis Hydref roedd Lilla Wagner a Mátyás Vészy ar fin gadael Awstria am Lundain. Ym mis Tachwedd gadawodd Daisy y Cilgwyn ac ymunodd â'i rhieni yn Herne Hill yn Llundain, y tro cyntaf i'r tri fod yn ôl gyda'i gilydd ers tair blynedd. Arhosodd gyda Kate am flwyddyn gron gyfan, a diolchodd Lilla iddi am sefyll gyda hi a'i theulu yn eu horiau tywyllaf. Roedd Kate wedi beirniadu Daisy mewn llythyrau at ei mam, ond dywedodd Lilla wrthi am beidio â phoeni am hynny, a cheisiodd ei sicrhau bod Daisy yn gwerthfawrogi'r gefnogaeth a'r cymorth a gawsai ganddi. Ac aeth Kate yn ôl i wynebu tŷ unig a Nadolig unig.

Nadolig unig a dechrau blwyddyn unig. Anfonodd Lewis Valentine lythyr at Kate ym mis Ionawr 1951, mis ei phrofedigaeth fawr, yn ôl ei arfer. Cafodd ateb ganddi:

> Yr oedd yn garedig iawn ynoch gofio amdanaf eleni eto. Er nad yw Morus byth yn mynd o gefndir fy meddyliau, eto yr oedd yn y blaendir ers dyddiau lawer, a phob dim

a ddigwyddodd bum mlynedd yn ôl yn dyfod yn fyw iawn i'r cof. Ni theimlais mor unig a digefn fawr erioed ag a deimlais y gaeaf hwn, ac mae pob dim yn fy ngyrru'n ddigalon. Ni bûm yn dda fy iechyd ers wythnosau lawer, er fy mod yn rhygnu gwneud fy ngwaith.[111]

Yn ôl ei meddyg, J. G. Thomas, roedd Kate yn dioddef o'i nerfau, a hynny'n effeithio ar y stumog a'r galon. Fe'i cynghorwyd ganddo i roi'r gorau i weithio, ond ni fedrai. Er y credai fod J. G. Thomas yn feddyg gweithgar a gofalus, roedd hefyd 'yn rhy dawedog' gan Kate, 'ac ni ellir siarad ag ef'.[112] Fe'i beiodd i raddau helaeth am farwolaeth Morris. 'Credaf y buasai Morus yn fyw heddiw, petai'r Dr wedi siarad â mi, yn lle dweud dim,' meddai wrth Valentine.[113] Gwyddai J. G. Thomas am alcoholiaeth Morris yn well na neb, ond teimlai Kate y gallai fod wedi ei rhybuddio ynghylch ei gyflwr, a gwneud mwy i'w helpu. Ac roedd angen cymorth ar Kate hefyd. 'Mae arnaf ofn mynd i'm gwely'r nos, rhag ofn cael curiad y galon, neu gael gwasgfa wedi cyrraedd top y grisiau,' meddai'n ofidus, a gwnaeth drefniadau i fynd i weld Dr Emyr Wyn Jones.[114] Ac roedd ffrind y ddau, Ellis Dafydd, hefyd mewn cyflwr truenus, wedi i'r meddygon ganfod tyfiant yn ei goluddion.

Dechreuad gwael a gafodd Kate i'r flwyddyn newydd, a daeth Ionawr arall i agor bedd arall, a chreu bwlch arall yn y teulu. Ddiwedd y mis aeth Kate i Lerpwl i weld John, ei hanner brawd, a oedd wedi rhoi'r gorau i'w waith ers dwy flynedd oherwydd brest gaeth, ond chwaraeodd y mis Ionawr hwnnw gast creulon â hi. Nid y brawd a oedd yn clafychu a gymerwyd oddi arni. Adroddodd yr hanes wrth D. J. Williams:

Cafodd ef y ffliw a congestion, ac euthum i edrych amdano, Sadwrn Ionawr 27, a'i gael yn ddigon gwael. Ar ôl cyrraedd yn ôl tua 9.30 teleffoniais i Evan yn Llanberis i ddweud wrtho ef sut yr oedd John. Yr oedd Evan ar ei hwyliau gorau, yn ddoniol fel arfer. Fore Sul, ni frysiais i godi gan nad oedd gennyf lawer o waith; codais i wneud brecwast a myned ag ef i'r gwely, ac yna ddiogi dipyn yn rhagor. Daeth Miss Ellis i lawr a dweud bod ganddi newydd drwg imi, a thybiais, yn naturiol, mai am John yr oedd. Ond dyma hi'n dweud bod Evan wedi marw, wedi ei daro'n wael rywdro tua 12 p.m. a marw rhwng 4 a 5 a.m. o glefyd y galon. Yr oedd yn sioc ofnadwy.[115]

Ar ôl Dei, Evan oedd ei hoff frawd, a chael ei glwyfo yn y Rhyfel Mawr a achosodd ei farwolaeth annhymig yntau yn y pen draw. Bu Evan yn gefn mawr i Kate wedi iddi golli Morris. 'Yn fy awr gyfyngaf yn 1946, rhoes fenthyg £350 imi yn siriol a diffwdan, a hynny ar adeg pan oedd brawd a chwaer Morus yn greulon iawn wrthyf, ac yn cymryd eu pwys o gig fel Shylock oddi arnaf,' meddai wrth D. J. Williams, yn chwerw.[116] Dywedodd yr un peth wrth Olwen Samuel, gan nodi i Evan fod 'fel tad imi ers pum mlynedd'.[117] Roedd ganddi erbyn diwedd Ionawr un arall i hiraethu ar ei ôl, 'ac mae'r gwynt yn feinach, pan mae canghennau'r coed yn disgyn o un i un,' meddai wrth D.J.[118] Bregus bellach oedd pob un o ganghennau'r pren. Nid Kate a John yn unig a gwynai yn ystod y gaeaf blin hwnnw. Oherwydd gwaeledd, methodd y brawd arall, Richard, dalu'r gymwynas olaf i Evan, a dim ond Kate a Lena o'r perthnasau agosaf a aeth i'r angladd. Roedd Richard wedi cael archwiliad pelydr-X, a darganfuwyd bod rhywbeth yn bod ar y coluddion, yn ogystal â'r ffaith fod y diciâu ar ran fechan o'i ysgyfaint. Ofnai Kate fod y teulu yn cadw'r gwirionedd rhagddi.

Roedd yr holl helbulon teuluol hyn wedi gadael eu hôl arni. Cafodd archwiliad gan Emyr Wyn Jones yn Lerpwl ddechrau'r flwyddyn, a dywedodd wrthi nad oedd dim byd yn bod ar ei horganau. Er ei bod hi a Daisy wedi methu dod ymlaen â'i gilydd erbyn y diwedd, roedd hithau hefyd wedi gadael bwlch ar ei hôl yn y Cilgwyn. Roedd Kate bellach 'wedi mynd yn hollol ofnus ac yn methu dygymod o gwbl â'r unigrwydd yma'.[119] Bu Lena yn aros gyda hi am ddeng niwrnod ar ôl iddi gladdu Evan, a bu'r ddwy yn gysur mawr i'w gilydd. Byddai Kate wedi hoffi ei chael i fyw gyda hi yn barhaol, ond gwyddai na ddeuai gan ei bod wedi llwyr ymgartrefu yn Llanberis.

Sioc oedd marwolaeth Evan iddi. Ni ddisgwyliai hynny. Yn wir, dyma'r ail Ionawr i Kate orfod dygymod â marwolaeth sydyn, annisgwyl o fewn chwe blynedd. 'Yr oeddwn mewn tipyn o bryder yn eu cylch hwy,' meddai am ei brodyr John a Richard mewn llythyr at Saunders Lewis ddiwedd mis Mehefin, 'ond yn poeni dim ynghylch fy mrawd a gadwai'r post yn Llanberis'.[120] Ni ddaeth y gwanwyn na'r haf cynnar â gwaredigaeth i Kate, yn gorfforol nac yn feddyliol. Bu'n gaeth i'w gwely am ryw wythnos gyda gwres mawr ddechrau mis Mehefin, a chollodd bythefnos o waith i gyd. Roedd yn dioddef oddi wrth y crydcymalau eto, gyda phoen yn ei chefn a'i hysgwyddau; gwasgarodd y boen wedyn dros ei holl gorff, ac ni allai symud ber heb gymorth tabledi a gawsai gan y meddyg. A hithau'n haf, nid edrychai ymlaen at aeaf arall, meddai wrth Saunders Lewis, gan y gallai gaeaf oer arall gipio'i brodyr olaf oddi arni. Er hynny, ym mis Mehefin, roedd Kate 'yn gwneud nodiadau ar gyfer nofel fer y bwriadaf ei hysgrifennu y gaeaf nesaf'.[121] Astudiaeth oedd y nofel, meddai, 'o effaith dyn priod yn rhedeg i ffwrdd efo gwraig weddw neu wraig arall, ar ryw bedwar o bobl'.[122] Y nofel arfaethedig hon oedd *Y Byw sy'n Cysgu*, y cafwyd ei chynsail, o bosibl, yn 'Y Trysor'.

Ar Orffennaf 22, anfonodd lythyr at Lewis Valentine, ar ôl iddi gyrraedd 'rhyw stad o ddigalondid fel bo sgwennu at ffrind yn rhyw ryddhad'.[123] Soniodd wrtho am gyflwr bregus ei hiechyd. Cafodd archwiliad pelydr-X a ddangosodd 'fod rhyw esgyrn ar waelod asgwrn fy nghefn yn meddalu a bod hynny'n effeithio ar y sciatic nerve, a dyna sy'n achosi'r poenau mawr a gaf'.[124] Aeth i'r Rhyl i weld arbenigwr a dywedodd hwnnw 'mai arthritis sydd ar waelod asgwrn y cefn (dyna sydd wedi ei feddalu reit siŵr) ac nad oes obaith iddo wella'n llwyr ond y gellir gwneud pethau i leddfu'r boen'.[125] Roedd wedi cael ei ffitio am wregys a fyddai'n cynnal ei hasgwrn cefn, ond byddai'n rhaid iddi aros mis neu chwe wythnos amdano, ac âi i'r ysbyty ddwywaith yr wythnos i gael triniaethau i liniaru'r boen. Ond poenai fwy am Richard nag amdani hi ei hun. Roedd Gwerful ei ferch wedi cael swydd gyda'r Gwasanaeth Gwladol, ac roedd i fod i fynd i Lundain, ond dywedodd y meddyg wrthi na ddylai fynd oherwydd gwaeledd ei thad. 'Dim ods amdanaf fi, nid oes gennyf fi ddim i fyw er ei fwyn, ond mae ganddo fo ei wraig a'i blant, y mae'n meddwl y byd ohonynt,' meddai wrth Valentine.[126]

Yn ôl rhifyn Medi 26, 1951, o'r *Faner*, yr oedd Kate yn Ysbyty Alexandra, Y Rhyl, yn derbyn triniaeth, ac yn yr ysbyty y lluniodd ei chyfraniadau ar gyfer y rhifyn hwnnw o'r papur. Gyda'r dyfalbarhad diollwng hwnnw a oedd yn nodweddiadol ohoni, nid oedd yn fodlon gorffwys hyd yn oed ar ganol triniaeth. Trwy gydol y flwyddyn helbulus honno bu'n cyfrannu'n rheolaidd i'r *Faner*, ac ar ddiwedd y flwyddyn cyhoeddwyd stori fer newydd sbon o'i gwaith, 'Nadolig y Cerdyn', yn rhifyn Rhagfyr 19 o'r *Faner*, stori y byddai yn ei chynnwys fel y stori olaf un yn *Te yn y Grug* ymhen rhyw wyth mlynedd arall. Roedd y campwaith hwnnw yn tyfu'n araf-bwyllog dan ei dwylo, er gwaethaf yr holl boen a'r holl anghysur a ddioddefai ar y pryd.

Blwyddyn i'w hanghofio oedd 1951 iddi. Claddodd un brawd a bu hithau a'i dau frawd arall yn wael trwy gydol y flwyddyn. Ar ddechrau Ionawr 1952 anfonodd Lewis Valentine ei lythyr blwyddyn-newydd arferol at Kate. Anfonodd hithau air yn ôl ato, ond nid oedd ganddi ddim byd calonogol na chadarnhaol i'w ddweud. Dywedodd fod ei brawd yn waelach eto, a'i fod wedi ailddechrau pesychu a phoeri. Roedd Goronwy ei nai yn hwylio i briodi ganol y mis, ond 'doedd hynny o ddim cysur iddi. 'Priodas ddigalon fydd hi,' meddai wrth Lewis Valentine, a hynny oherwydd bod tad y priodfab yn clafychu gymaint.[127] Ac ar ddechrau blwyddyn arall, arwyddion angau a nychdod a welai ymhobman.

Clywodd o Dal-y-sarn hefyd – 'Jini wedi bod yn bur wael, ac yn gorwedd am tuag wythnos, y ddau yn gorwedd, ac yn dibynnu ar gymwynas cymdogion,' ac awgrymodd i Valentine y dylid gwneud tysteb fechan i Ellis.[128]

Wedi colli Evan, a chyda John a Richard mor fregus eu hiechyd, naturiol oedd i Kate droi at ddyddiau hapusach yn hanes y teulu, ac at y cyfnod pan oedd y teulu yn gyflawn ac yn grwn. Dechreuodd ysgrifennu'i hatgofion yn y golofn 'Ledled Cymru' yn *Y Faner*, a bu wrthi drwy gydol y flwyddyn. ''Ddarllenais i ddim a roes gymaint o bleser na chymaint o *ias* o fath imi ers tro,' meddai Saunders Lewis am rai o'r ysgrifau hyn, gan ei hannog i wneud llyfr o'i hatgofion.[129] Fe wnaeth hynny ddeng mlynedd yn ddiweddarach, gan roi *Y Lôn Wen* yn deitl i'r llyfr. Roedd Kate wedi mynegi ei bwriad i ysgrifennu'i hatgofion yn rhifyn Mai 30, 1950, o'r *Faner*. 'Gan fod atgofion pawb yn gliriach am fore eu hoes, a bod hwnnw'n troi o gwmpas cartref, a bod, yn y gorffennol, beth bynnag, gariad a hoffter ar y rhan fwyaf o aelwydydd, tueddwn i edrych ar fore oes ac ar ein cartrefi fel rhyw Eden na welsom byth yr un debyg iddi wedi hynny,' meddai yn y golofn 'Ledled Cymru' yn y rhifyn hwnnw o'r *Faner*.[130] Yn achos Kate, Eden yn sicr oedd Cae'r Gors, ond Eden goll ydoedd ers blynyddoedd helaeth bellach.

Ym mis Gorffennaf cafodd newydd syfrdanol. 'Cydiwch mewn rhywbeth rhag ofn i chwi syrthio,' ysgrifennodd at Saunders Lewis, gan egluro bod gair heb ei gymell wedi dod i'r swyddfa oddi wrth R. Williams Parry 'yn dweud ei fod am gyhoeddi ei waith, ac yn gofyn a ydyw Gwasg Gee yn dal i fod yn barod i'w gyhoeddi!!!'[131] Roedd Kate ar ben ei digon. O'r diwedd, roedd R. Williams Parry yn barod i gyhoeddi ei ail gasgliad hirddisgwyliedig o gerddi. Y tu ôl i orfoledd a gollyngdod Kate yr oedd hanes hir o addo ac oedi. Roedd Williams Parry wedi addo'r llyfr i Prosser Rhys a Gwasg Aberystwyth ers tua 1929, fel y gwyddai Kate yn iawn. Roedd wedi cadw'r llythyr a anfonodd R. Williams Parry at ei gŵr ar Fehefin 29, 1944, i ofyn iddo ddweud wrth Prosser na allai gyflawni ei addewid, a hynny rhag ofn y byddai ei wasgedd gwaed yn codi:

> ... y dydd o'r blaen gofynnodd fy noctor i mi pa bryd yr oeddwn am ymddeol o'r Coleg. "Diwedd Medi", ebra finnau. "Da iawn," ebra 'fynta. "Peidiwch â gwneud dim sydd yn ddiflas gennych. Mae'n waeth na dim at ych *blood pressure* chwi." Hwn a bair imi wrthod beirniadu awdlau'r Eisteddfod ers blynyddoedd bellach ... swm y cwbl a sgrifennwyd yw nad oes arnaf ddim mwy o eisiau cyhoeddi llyfr ar hyn o bryd nag y mae arnaf eisiau cur yn fy mhen.[132]

Roedd Saunders Lewis wrth ei fodd fod R. Williams Parry, o'r diwedd, am gyhoeddi ei ail gyfrol o gerddi. Awgrymodd y dylai Gwasg Gee lunio rhaglen gyhoeddi uchelgeisiol, anturus ac arbrofol, a gobeithiai y byddai ei lyfr ef, *Dwy Gomedi*, a oedd ar fin cael ei gyhoeddi gan y wasg, yn gaffaeliad yn hyn o beth.

Ym mis Awst cafodd Kate gryn ysgytwad. Ar Awst 25, bu farw un o'i chyfeillion agosaf, James Kitchener Davies, y gŵr y bu'n cydymgyrchu ag ef droeon yn enw'r Blaid Genedlaethol ac yn actio yn ei ddrama ddadleuol *Cwm Glo*. Lluniodd Kate deyrnged iddo ar gyfer *Y Faner*, ac roedd dan deimlad. 'Gyda gwefus grynedig iawn yr ysgrifennaf y nodyn hwn ar ôl fy hen gyfaill, Kitchener Davies,' meddai wrth agor ei theyrnged.[133] Ffrydiodd atgofion am y dyddiau dedwydd hynny yn Nhonypandy yn ôl iddi:

> Wedi inni fyned i Donypandy y tyfodd ein cyfeillgarwch yn gyflym. Yr oeddem yn gnewyllyn bychan o Blaid Cymru, ac yn fuan enillasom rai eraill atom a ffurfio cangen, ac ni bu cangen erioed yn fwy ymarferol weithgar na'r gangen honno … Yna wedi gorffen gwaith y dydd dyfod i'n tŷ ni am damaid a sgwrs. Byddem wedi blino gormod i baratoi dim llun o swper, a bodlonem ar seidr, bara ymenyn a chaws ar fwrdd crwn o flaen y tân. Cofiaf un noson felly yn dda, ac er mor flinedig oeddem treuliasom oriau wedyn i ffeirio straeon am hen gymeriadau Tregaron a Dyffryn Nantlle.[134]

Colled enfawr i Kate ar yr union un adeg oedd colli Tos, a fu'n gymaint o gwmni iddi o ddiwedd 1938 ymlaen, ac yn enwedig ar ôl marwolaeth Morris. Bu farw Tos ddiwrnod ar ôl i Kitchener Davies farw, yn bedair ar ddeg oed. Ddeuddydd wedi i Kate a Morris symud i'r Cilgwyn y prynwyd Tos ganddynt, i fod yn gwmni ac yn geidwad i Kate tra byddai Morris yn mynychu pwyllgorau ynglŷn ag Eisteddfod Genedlaethol Dinbych y flwyddyn wedyn. Amhosibl bron oedd iddi ddychmygu'r Cilgwyn heb Tos. Roedd bellach wedi colli'r ddau a fu'n rhannu'r aelwyd gyda hi o'r cychwyn cyntaf, ac roedd y tŷ a adawyd yn arswydus o wag ar ôl marwolaeth Morris wedi'i adael yn wacach fyth ar ôl marwolaeth Tos:

> Rhyw dŷ rhyfedd a oedd yma wedyn. Un peth yw gwacter, peth arall yw gwacter annioddefol. Addawswn i mi fy hun y crwydrwn fwy wedi i Tos fynd, ond nid oedd gysur mewn dychwelyd, ac yntau heb fod yma i roi croeso imi. Annifyr oedd y nosweithiau, nid oedd arnaf ofn yn hollol, ac eto, yr oedd pob sŵn yn y nos ddengwaith cymaint ag ydoedd mewn gwirionedd.[135]

Er mor wag oedd aelwyd y Cilgwyn, ni allai Kate feddwl am gael ci arall. Rai wythnosau ar ôl marwolaeth Tos, daeth gwraig ati a gofyn iddi a hoffai gymryd ei chi, ci o'r enw Bob, gan ei bod hi yn mynd i gadw geifr, a byddai'n rhaid ei ddifa pe na bai neb yn fodlon ei gymryd. Perswadiodd Kate ffrind iddi i'w gymryd, ac fe wnaeth; ond ymhen tridiau newidiodd ei meddwl, a gofynnodd hi a gâi'r ci. Roedd yn gyndyn i gael ci arall oherwydd bod yr ysgariad rhyngddi a Tos wedi ei sigo a'i siglo i'r byw, ac ni theimlai'n ddigon dewr i wynebu hynny am yr eildro; teimlai hefyd, yn rhinwedd y ffyddlondeb a'r teyrngarwch a oedd mor gynhenid i'w natur, y byddai'n bradychu Tos ac yn sarhau ei goffadwriaeth trwy gymryd ci arall yn ei le. 'Teimlais fel Judas am wythnosau, wedi bradychu hen gi a fu'n ffrind ffyddlon imi am gyhyd o flynyddoedd,' meddai, ond lliniarwyd rhyw ychydig ar ei chydwybod wedi iddi sylweddoli bod 'Bob mor debyg i Tos ag y gallai dau gi fod, a dim rhyfedd fy mod yn meddwl mai Tos ydyw hanner yr amser, ac yn camgymryd ei enw'.[136] Ac fel hyn y daeth Bob yn rhan anwahanadwy o fywyd Kate, fel Tos o'i flaen.

Disgwyliai i'w chyfeillion fod yr un mor ffyddlon a theyrngar iddi hi ag yr oedd hithau iddynt hwythau, ond weithiau câi ei siomi a'i brifo, hyd yn oed gan ei chyfeillion agosaf. Digwyddodd hynny adeg y ffrwgwd rhwng Morris a Saunders Lewis ym 1943, a digwyddodd eto ym 1952. Roedd D. J. Williams wedi rhoi ei lyfr o atgofion, *Hen Dŷ Ffarm*, i Wasg Aberystwyth i'w gyhoeddi, yn hytrach nag i Wasg Gee. 'Addawsoch i mi yn bendant mewn llythyr sydd yn fy meddiant, y byddech yn rhoi eich llyfrau ar ôl *Storïau'r Tir Du* i ni, fod rhyw ddealltwriaeth rhyngoch â Gwasg Aberystwyth ynglŷn ag ef (*Y Tir Du*),' meddai wrth D. J. Williams, ychydig ddyddiau cyn Nadolig 1952.[137] Roedd yr ergyd yn un ddwbwl, gan fod Kate, ar gais D. J. Williams ei hun, wedi adolygu *Storïau'r Tir Du* yn *Y Faner* ym mis Ebrill, ac wedi rhoi clod aruchel iddo fel llenor. Ar ôl darllen ei dri chasgliad o storïau byrion, 'gallwn ddweud yn ddibetrus fod yma lenor gwir fawr wedi bod wrthi'n creu cymeriadau diangof o gymdeithas arbennig iawn,' meddai.[138] Er iddi sôn am anawsterau cyhoeddi gyda D.J., roedd yn barod i wneud eithriad gyda phobl fel Saunders Lewis, R. Williams Parry ac yntau. 'Yn y dyddiau ofnadwy yma nid oes gan ddyn ddim ond ei gyfeillion, a phan mae cyfaill yn siomi, wel, mae dyn yn teimlo,' meddai Kate, wedi ei brifo i'r byw.[139]

Roedd yn rhaid i D. J. Williams ei amddiffyn a'i egluro ei hun, a gwnaeth hynny ddeuddydd ar ôl y Nadolig:

> Rown i'n golygu rhoi'r llyfr hwn i chi i'w gyhoeddi, a'ch bod chi amdano, fel
> y dywedais yn fy llythyr. Ond gan i chi fethu cyhoeddi *Mazzini* yn 'gystal â llyfr
> Theophilus Griffiths, oherwydd rhwystrau argraffu, ac i chi ddweud wrthyf yng

Ngarthewin nad oeddech chi'n credu hyd yn oed petai nofel gennych eich hun yn barod y gallai Gwasg Gee ei chyhoeddi yn awr, nid oeddwn i am wthio'r llyfr. Er i mi ddweud wrthych fod yr Atgofion yma ar waith gennyf ni soniasoch o gwbl y byddech chi yn leicio ei gyhoeddi. O ystyried y pethau yna gyda'i gilydd, a bod y farchnad lyfrau mor isel ar hyn o bryd, fe gymerais yn ganiataol nad oeddech yn awyddus i'w gael, ac mai caredicach â chi ac â finnau fyddai peidio â thrafod y mater ymhellach.[140]

'O'm rhan fy hun ni welaf fod angen i hyn ein gwneud yn ronyn llai o gyfeillion nag y buom drwy'r blynyddoedd,' meddai D.J., ond nid felly y bu.[141] Roedd rhesymau D. J. Williams dros beidio â rhoi *Hen Dŷ Ffarm* i Wasg Gee yn rhai dilys, ond nid dyna'r ffordd y gwelai Kate bethau, a cheir rhyw dair blynedd o fwlch yn yr ohebiaeth rhwng y ddau. Ac ar nodyn o siom y daeth y flwyddyn i ben iddi.

Ar nodyn o bryder y cychwynnodd 1953 hithau ei hymdaith. Anfonodd Lewis Valentine lythyr arall at Kate ym mis Ionawr, a diolchodd hithau iddo 'am gofio o flwyddyn i flwyddyn am farw Morris'.[142] Ar wahân i'r ffaith ei bod yn heneiddio, roedd dau beth yn peri pryder iddi. Un pryder oedd y busnes, fel yr eglurodd wrth Valentine:

> Teimlaf fod yr amseroedd yn dweud arnaf a'm bod yn mynd i oed. Mae digon o bryderon efo'r busnes, y cyflogau'n codi, a ninnau'n gorfod disgwyl yn hir am ein harian. Mae mwy na digon o waith a phrysurdeb, ond mae'r costau'n uchel.[143]

Pryder arall oedd salwch ei brawd, Richard. 'Prin y gall godi i'r gadair erbyn hyn, ac ni all symud o un ochr i'r llall heb i rywun ei droi,' meddai wrth Valentine.[144] Roedd Ellis a Jini hefyd yn dal i waethygu ac mewn cyflwr ofnadwy.

Buan iawn y digwyddodd yr hyn y bu Kate yn arswydo rhagddo, ond yn aros amdano. Ar y diwrnod cyntaf o Fai, bu farw Richard. Gwelodd Kate ei brawd ddiwedd Ebrill, chwe diwrnod cyn iddo farw, a gwyddai na fyddai'n para'n hir. 'Teimlo yn ddigon digalon yr wyf fi, cangen arall o'r goeden wedi syrthio ac "anodd caffael clyd",' ysgrifennodd at Lewis Valentine wedi iddo anfon llythyr o gydymdeimlad ati.[145] Roedd Kate bellach wedi colli pob un o'i brodyr ac eithrio ei hanner brawd John. Dywedodd wrth Valentine nad oedd 'dim eisiau mynd i Rosgadfan mor aml eto'.[146] Richard Cadwaladr oedd y cyswllt uniongyrchol olaf rhyngddi a Rhosgadfan, ac er ei bod yn ffrindiau pennaf â'i dwy chwaer-yng-nghyfraith, Lizzie Grace a Lena – Lena yn enwedig – gwyddai na fyddai ganddi lawer o achos i ddychwelyd i'w hen gynefin ar ôl colli Evan a Richard.

Bu'n beirniadu cystadleuaeth y Fedal Ryddiaith yn Eisteddfod Genedlaethol y Rhyl ym mis Awst, ar y cyd â Saunders Lewis a Hugh Bevan, ond teimlai'n wael drwy'r amser a bu'n falch o fynd adref, ond buan iawn y byddai'n dychwelyd i'r Rhyl. Cymerodd wythnos o seibiant cyn yr Eisteddfod, er mwyn ei hiechyd, ond aeth yn wael eto ym mis Medi. Roedd yn gweithio yn y swyddfa pan aeth pob dim yn ddu. Cafodd ymosodiad, meddai wrth Lewis Valentine, 'tebyg i anhwylder y galon am hanner awr, meddwl fy hun fy mod yn marw bob munud'.[147] Aethpwyd â hi i'r ysbyty yn y Rhyl, ac wedi iddi gael archwiliad, canfuwyd nad oedd dim byd yn bod ar ei chalon. Yn ôl y meddyg, 'torri i lawr a wnaeth y nerfau, wedi bod ar dyndra ofnadwy am fisoedd lawer, ac yna yn hollol ddirybudd yn torri'.[148]

'Yr oedd yn dda gennyf weld 1953 yn mynd er mwyn gweld a ddaw rhywbeth gwell yn 1954,' meddai Kate wrth Lewis Valentine ym mis Ionawr 1954.[149] Bu 1953 yn 'hunllef o flwyddyn' iddi mewn mwy nag un ystyr,[150] ac nid marwolaeth Richard na chyflwr bregus ei hiechyd hi ei hun a barodd yr hunllef honno, fel yr eglurodd wrth Valentine:

Yn yr hydref cefais sioc ariannol ofnadwy ynglŷn â threth yr Incwm. Â'n ôl i 1945 oherwydd rhywbeth a wnaeth Morris, a chan mai fi a etifeddai bopeth yn ôl ewyllys Morus etifeddais y dreth Incwm yma hefyd. Ni chredaf y gwyddai Morus beth a wnâi yn ystod blynyddoedd olaf ei fywyd. Fe gredwn i fod fy siociau drosodd ers tro, ond mae'n amlwg nad ydynt. Bydd hyn fel maen melin o amgylch fy ngwddf tra fyddaf byw ...[151]

Roedd Kate erbyn hyn mewn trybini ariannol mawr. Roedd Morris, dan effaith y ddiod, wedi ei gadael mewn twll, ac ar ben hynny, roedd arni arian i'r Dreth Incwm ar ei breindaliadau rhwng 1947 a 1953/54. Erbyn mis Ionawr 1954 roedd y Dreth Incwm yn hawlio taliad o £16.4s ar y Cilgwyn. Trefnwyd iddi weld arolygwr trethi yn y Rhyl ar Chwefror 24. Daeth i wybod ei bod wedi talu gormod o forgais i Hannah, ei chwaer-yng-nghyfraith. 'A bydd rhywbeth fel hyn yn codi'r hen gasineb ynof at Hannah a Dafydd,' meddai wrth Lewis Valentine, gan obeithio 'na bydd swyddogion y gyfraith yn mynd â'm cartref oddi arnaf'.[152] Nid dramateiddio'r sefyllfa yr oedd hi. Ym mis Mawrth derbyniodd y cais olaf am ôl-ddaliadau 1948–54, ac ym mis Ebrill derbyniodd lythyr yn ei hatgoffa ei bod mewn dyled o bron i £217 i'r Dreth Incwm o'r flwyddyn 1947 ymlaen, gan fygwth y bwm-beili arni.

Y mae llythyr a anfonodd at Lena, ei chwaer-yng-nghyfraith, yn adlewyrchu ei chyflwr ariannol helbulus a gofidus ar y pryd. Roedd Evan a Lena, yn ogystal â Dafydd a Hannah, wedi rhoi arian ar fenthyg iddi, a chysylltodd â Lena ar Chwefror 23, 1954:

> Cefais fy mhapurau treth incwm yn ddiweddar a gwelais fy mod yn cael ychydig iawn o lwfans am y ddwy fortgage sy gennyf ar y tŷ yma. Ysgrifennais yn ei gylch a chefais eglurhad gan yr accountant pan oedd yma ddifiau dwaetha ... Gwelwch y dylswn fod wedi tynnu'r dreth incwm cyn anfon yr arian oddi yma. Petai'n fantais i chi ni buaswn yn sôn amdano, ond y mae'n debyg eich bod chi yn talu'r dreth incwm ar y llog yn y pen yna. Felly pobl y dreth incwm sy'n cael y fantais, ac nid y fi. Rhwng y cwbl mae'n dwad i £30.18.6. Mae fy amgylchiadau ariannol mor enbyd fel na allaf adael i bobl y dreth incwm gael 30 ceiniog gennyf heb sôn am £30. Tybed a wnewch chi wneud cais yn y pen yna am iddynt dalu'r arian yn ôl i mi?[153]

Cynigiodd Kate dalu ei dyledion i'r Dreth Incwm fesul punt a chweugain yr wythnos, ond gwrthodwyd y cynnig, gan fod y ddyled mor fawr. Derbyniodd lythyr arall ddechrau mis Mai. Roedd wedi ad-dalu peth o'r arian a oedd yn ddyledus, ond roedd arni £176.12.6 i'r Dreth Incwm o hyd. Unwaith eto, roedd y Swyddfa Dreth yn y Rhyl yn bygwth atafaelu peth o'i heiddo, ac roedd y sefyllfa'n waeth nag erioed. Aeth Kate i weld un o swyddogion y Dreth yn y Rhyl ar Ebrill 27, a chafodd ar ddeall fod arni swm enfawr arall o £580 i'r Dreth Incwm, ar ben y ddyled a oedd ganddi eisoes. Roedd yn rhaid iddi anfon hanner y tâl yr oedd i'w dderbyn gan y BBC ddiwedd mis Mai, a rhoddwyd hyd at Fedi 24, fan bellaf, iddi i glirio'i dyled. Ac ar ben y dyledion roedd colledion. Cafodd un o gysodwyr gorau Gwasg Gee strôc ryw fis cyn y Nadolig, a bu hynny hefyd yn ergyd i Kate a hithau yn y fath argyfwng.

Y tâl yr oedd Kate yn ei ddisgwyl gan y BBC erbyn diwedd mis Mai oedd tâl am ddrama radio a luniwyd ganddi ar gais Aneirin Talfan Davies. Darlledwyd y ddrama, *Y Cynddrws*, ar Fai 25, gyda Goronwy Owen, un o hoff feirdd John Morris-Jones yn y Coleg gynt ym Mangor, yn brif gymeriad ynddi. Yr oedd y ddrama yn digwydd 'mewn cynddrws rhwng y byd a'r byd a ddaw', lle'r oedd chwech o feirwon yn gorfod aros, 'oherwydd iddynt fod yn anhapus neu'n anfodlon yn y byd hwn'.[154] 'Gyda chryn dipyn o gryndod y mentrais roi honna o flaen y cyhoedd,' meddai Kate wrth Saunders Lewis, a thema'r ddrama oedd mai meddiannu 'sy'n gwneud pobl yn anhapus, meddiannu cyfoeth, meddiannu plant, meddiannu cariadon, a meddiannu hapusrwydd ei hun fel yn achos GO'.[155] Roedd yn ddigalon iawn pan oedd yn ysgrifennu'r ddrama, ychwanegodd, 'ac yn waeth na digalon, mewn anobaith'.[156] 'A ydych yn cofio Ysgol Haf Machynlleth – 1926?' gofynnodd i Saunders Lewis ar ddiwedd ei llythyr, gan hiraethu am y digwyddiad a'r dyddiad pwysicaf yn ei bywyd o'i hanobaith ar y pryd.[157]

Nid rhyfedd fod Kate mewn stad o anobaith gyda bytheiaid y Dreth Incwm yn ei herlid yn barhaus. Bu'n mynd yn ôl ac ymlaen at ei chyfrifwyr ym Mae Colwyn trwy gydol y flwyddyn, a gofynnodd i'r Aelod Seneddol Rhys Hopkin Morris am gymorth hyd yn oed. Cysylltodd yntau â Henry Brooke, Ysgrifennydd Ariannol y Trysorlys, a chaniatawyd iddi dalu'i dyled fesul cyfran. Byddai'n rhaid iddi hefyd drosglwyddo hanner pob tâl a dderbyniai gan y BBC a hanner y breindaliadau a gâi am ei llyfrau i goffrau'r Dreth Incwm. Ond cafodd ryddhad mawr ar yr un pryd. Nid oedd angen iddi dalu'r ddyled o £524.17s.2c. a adawodd Morris ar ei ôl, oherwydd bod gormod o amser wedi mynd heibio oddi ar ei farwolaeth. Cyfnod anodd oedd hwn iddi, a threthwyd i'r eithaf yr egwyddor honno fod talu'r ffordd ac osgoi mynd i ddyled yn fater o anrhydedd.

Er i'r Swyddfa Dreth Incwm ei gorchymyn i glirio'i holl ddyledion erbyn Medi 24, 1954, roedd Kate yn dal i dalu'r dyledion hynny ym 1955, a hysbysodd bobl y Dreth ei bod yn bwriadu codi morgais arall ar ei thŷ er mwyn clirio'i dyledion erbyn y cyntaf o Fai, ond roedd yn rhaid iddi barhau i dalu cyfraniadau misol yn y cyfamser. Bu'n talu'r dyledion hyn i'r Dreth Incwm trwy gydol y flwyddyn. Cafodd ergyd arall ym mis Mehefin. Roedd Hannah, ei chwaer-yng-nghyfraith, ar fin symud tŷ, a gofynnodd am gael dreser ei nain yn ôl, gan ddiolch i Kate am ofalu amdani mor rhagorol ar hyd y blynyddoedd. Roedd Hannah, ar adeg mor argyfyngus ym mywyd Kate, wedi ymddwyn yn waeth na'r un bwm-beili.

Wedi mudandod hir, cysylltodd D. J. Williams â Kate bedwar diwrnod cyn y Nadolig, 1953, union flwyddyn bron ar ôl iddi ffraeo ag ef ar gownt *Hen Dŷ Ffarm*. Roedd Kate wedi dyfynnu rhan o *Hen Dŷ Ffarm* yng Ngholofn y Merched yn *Y Faner*, ac anfon ati i ddiolch am y sylw a roddodd i'w hunangofiant a wnaeth D.J., ond llythyr i dorri'r garw ydoedd yn y bôn, ac i geisio adfer hen gyfeillgarwch. Roedd y ffaith fod Kate wedi tynnu sylw at *Hen Dŷ Ffarm* yn arwydd sicr i D.J. ei bod yn barod i gymodi. Cymerodd flwyddyn a hanner arall cyn i'r ohebiaeth rhwng y ddau ailddechrau. Ysgrifennodd Kate at D.J. a Siân ar Fehefin 11, a hithau newydd ddychwelyd o angladd Ellis D. Jones yng Nghefnddwysarn. Yno gwelodd rai o hen gyfeillion y Blaid, pawb ac eithrio Lewis Valentine a D.J. ei hun. Roedd Jini, gweddw Ellis Dafydd, yn rhy brysur i adael i D.J. wybod ei bod wedi colli ei gŵr, ac ar ben hynny, roedd D.J. yn wael ar y pryd. Dywedodd

Kate wrtho hefyd ei bod yn ysgrifennu gwaith newydd, 'nofel o ryw fath', ond gofynnodd iddo gadw hynny yn gyfrinach.[158] Bu'r nofel hon yn corddi yn ei phen ers blynyddoedd, 'a chan nad oedd modd sgrifennu a bod yn y swyddfa, fe benderfynais roi fy ngwaith i fyny yno'.[159] Dechreuodd sylweddoli, a hithau ar fin cyrraedd oedran ymddeol, fod y blynyddoedd yn llithro'n gyflym o'i gafael. Hon oedd y nofel y cyfeiriodd ati ar Fehefin 23, 1951, wrth ohebu â Saunders Lewis.

Diolchodd D. J. Williams i Kate am adrodd hanes angladd Ellis mewn llythyr a anfonodd ati ar Orffennaf 14. Gofidiai na allai fod 'gyda'r criw gwych' a aeth i dalu'r deyrnged olaf i Ellis Dafydd, 'canys bu ef a finnau a'm cyfenw y D.J.W. arall a Val, yn gyfeillion anwahanadwy ymhob Ysgol Haf a llawer Pwyllgor Gwaith ac Eisteddfod Genedlaethol am lawer blwyddyn yn ystod blynyddoedd cyntaf yr Ysgol Haf, a chithau a Morris, a llawer iawn eraill o'r hen ffyddloniaid yn y cwmni, hyd nes i afiechyd a'r Chwalwr Mawr ddechrau gwneud eu gwaith'.[160] Yn ystod hanner cyntaf 1950 roedd Kate wedi colli dau frawd a thri chyfaill, James Kitchener Davies, D. J. Williams Llanbedr ac Ellis D. Jones, a phob un o'r tri ymhlith aelodau cynharaf y Blaid. Byddai gweddill y degawd yn dilyn yr un patrwm. Pan aeth Kate i Ysgol Haf y Blaid ym Mhorthmadog ym mis Awst, a thraethu ei hatgofion am yr ysgolion haf cynharaf yno, roedd y rhengoedd wedi eu bylchu yn arw. Collodd gyfaill agos arall ac aelod cynnar arall o'r Blaid Genedlaethol, R. Williams Parry, ar ddechrau 1956. Bu farw ar Ionawr 4, ar ôl llusgo byw ers rhai blynyddoedd. Roedd Kate wedi ei weld ym Methesda ar ddechrau Mai 1954, ac wedi cael braw. Roedd yn ddryslyd ei feddwl ac yn wael ei wedd. 'Gresyn ei weld wedi mynd fel yna, y fo a allai sgwrsio mor ddifyr,' meddai wrth Saunders Lewis.[161] Talodd deyrnged i'r bardd yn *Y Faner*, a chofiodd amdano yn rhai o ysgolion haf y gorffennol, gan gynnwys un atgof am Ysgol Haf Machynlleth ym 1926, yr Ysgol Haf dyngedfennol honno.

Erbyn diwedd 1955 a dechrau 1956 roedd Gwasg Gee a'r *Faner* mewn argyfwng pur ddifrifol. Roedd cylchrediad *Y Faner* wedi gostwng i ryw 3,000 o gopïau o ddiwedd y rhyfel ymlaen, gan beri colled ariannol sylweddol i'r cwmni. Cyhuddid *Y Faner* gan rai o fod yn bapur answyddogol Plaid Cymru, ac o fod yn bapur uchel-ael, gorlenyddol gan eraill. Ac roedd y cwmni mewn dyledion mawr.

Yr unig ryddhad a dihangfa i Kate yn ystod y cyfnod pryderus hwn oedd ei nofel newydd, *Y Byw sy'n Cysgu*. 'Bu fy nofel yn noddfa imi yn aml rhag anobaith,' meddai wrth D. J. Williams ym mis Ebrill 1956.[162] Yr anobaith hwnnw oedd pryder dros *Y Faner*. Erbyn dechrau 1956 roedd yn amlwg y byddai'n rhaid gwerthu Gwasg Gee neu wynebu methdaliad llwyr a chwalu'r cwmni. Daeth un o feibion Dinbych, Emlyn Hooson, y gwleidydd, i'r adwy, a ffurfiodd fwrdd newydd i brynu Gwasg Gee ac i dalu dyledion y cwmni. Gwahoddwyd Huw T. Edwards, Glyn Tegai Hughes a George Hamer, tad-yng-nghyfraith Emlyn Hooson, i ymuno â'r Bwrdd Cyfarwyddwyr. Penodwyd Tom Ellis Hooson, cefnder Emlyn Hooson, yn rheolwr-gyfarwyddwr y wasg, a Charles Charman yn oruchwyliwr neu reolwr y swyddfa. Nid aelodau o Blaid Cymru a reolai'r cwmni mwyach, fel Kate a Gwilym R. Jones, ond gwleidyddion o'r prif bleidiau eraill, Emlyn Hooson y Rhyddfrydwr, Tom Hooson y Ceidwadwr a Huw T. Edwards yr Undebwr Llafur a'r sosialydd mawr. Roedd gwrthdaro rhwng yr hen a'r newydd yn anochel.

Erbyn dechrau Mai roedd y stori am helyntion Gwasg Gee wedi cyrraedd Saunders Lewis. Clywodd fod Moses Griffith a Gwynfor Evans wedi bod yn trafod y posibiliad o brynu'r wasg yn enw Plaid Cymru, ond bod y cynllun hwnnw wedi methu a bod eraill bellach yn trafod y mater gyda Kate. 'Gwelaf yn awr fod *Y Faner* wedi mynd yn eiddo i eraill, er na wn i yn iawn pwy ydynt na pheth yw eu gweledigaeth na'u bwriadau'n benodol,' meddai D. J. Williams wrth Kate ym mis Gorffennaf.[163] Bwriad llythyr D.J. oedd talu teyrnged i Kate a Gwilym R. Jones ac aelodau eraill o'r staff am eu gwaith diflino gyda'r *Faner* a'r wasg, a hynny yn wyneb myrdd o anawsterau. 'Pan sgrifennir hanes y cyfnod hwn fe fydd i'r *Faner* le mor anrhydeddus â dim a berthyn iddo, ac fe bery eich enw chithau, fel y prif gyfarwyddwr, ar wahân i'ch gwaith fel llenor, yn enw i'w barchu a'i anrhydeddu,' meddai wrthi.[164]

Roedd llythyr D. J. Williams yn ddigon i agor y fflodiat. Roedd pethau wedi mynd ar y goriwaered ers blynyddoedd, meddai wrtho, ac wedi mynd yn waeth o 1954 ymlaen. Cadarnhaodd yr hyn a glywsai Saunders Lewis. Bu aelodau unigol o'r Blaid yn trafod y posibiliad o brynu'r cwmni, ond ni allent dalu dyledion y cwmni hyd yn oed, heb sôn am roi'r cwmni ar ei draed. Ac roedd hynny wedi achosi peth drwgdeimlad, fel yr eglurodd Kate wrth D. J. Williams:

> Fe gafwyd prisiwr trwyddedig o Lundain i brisio'r lle, a rhwng popeth, gwelwyd
> mai'r peth gorau fyddai ei werthu i rai a chanddynt ddigon o arian i wario arno. Fel
> y dywedais buasem yn yr un fan yn union ar yr arian y gallodd aelodau'r Blaid eu
> casglu. Yr oedd yn wir ddrwg gennyf fi am hyn, oblegid buasai'n well gennyf weld
> y Blaid yn ei gael na neb arall. Ond os am gadw pobl fel Mr. Simon, Miss Ellis a G.
> R. Jones mewn gwaith am amser go helaeth, nid oedd dim arall i'w wneud. Gwn fod

rhai aelodau o'r Blaid yn ddig iawn, a dangosodd J. E. Jones hynny yn ei gylchlythyr i ysgrifenyddion canghennau, drwy ddweud wrthynt y gwyddent beth i'w wneud â'r *Faner* yn awr, bod *Y Faner* newydd wedi gwrthod cyhoeddi rhestr tanysgrifiadau Gŵyl Dewi. Ni chymerasom ddim sylw o'r peth, ond fe allesid ateb J. E. Jones drwy ddweud na bu'r *Faner* erioed yn bapur swyddogol y Blaid, ac na ddiolchodd y Blaid erioed i gwmni'r *Faner* am y cymwynasau fil a wnaeth, er perygl iddi ei hun, â'r Blaid.[165]

Roedd Kate wedi colli ei holl arian bron yn *Y Faner*, a theimlai'n chwerw iawn ynghylch yr holl sefyllfa. Roedd ei gwaith caled hi a Morris wedi mynd i'r gwellt. Pryderai am ei dyfodol hefyd, gan mai ei hunig incwm fyddai'r tâl a gâi am ysgrifennu Colofn y Merched i'r *Faner* a'i phensiwn hen bobl. Poenai y byddai'n rhaid iddi symud o'r Cilgwyn a gadael Dinbych, er na wyddai i ble, gan nad oedd fawr o deulu ar ôl ganddi bellach.

Er i Saunders Lewis gydymdeimlo â Kate ddechrau mis Mai, a chynnig rhoi help ymarferol iddi pe gallai, newidiodd ei feddwl. Cysylltodd Gwilym R. Jones ag ef i ofyn iddo gyfrannu erthygl i golofn 'Cwrs y Byd' ambell waith, a chafodd ateb ffiaidd ganddo, yn ôl Kate, a dywedodd fod *Y Faner* yn bapur rhy sâl ganddo i gyfrannu iddo. Ac nid dyna'r unig gamwedd iddo'i chyflawni, yn ôl yr hyn a ddywedodd wrth D. J. Williams:

> … fe wnaeth S.L. beth gwaeth na hynyna â mi ym mis Tachwedd 1954. Yr oeddwn yn siarad ar y nofel Gymraeg yng Ngholeg Caerdydd, ac yr oedd S.L. yno, er mawr boen i mi. Ar y diwedd dyma fo'n codi ar ei draed a dweud, 'Dyma'r ddarlith fwyaf anfeirniadol a glywais erioed.' Wedi dweud hynyna, dyma fo'n troi at y myfyrwyr a eisteddai yn y tu ôl ac yn dweud, 'Yr ydym ni yn gwybod yn amgenach onid ydym, nid fel yna yr ydym ni yn trin llenyddiaeth?' Yr oedd tua chant neu ragor o bobl yn bresennol. Y cwbl a ddywedais i ar y diwedd oedd, wrth gydnabod y diolch, 'Yr wyf yn ddiolchgar iawn i chi am wrando mor dda ar ddarlith mor anfeirniadol.' Fe sleifiodd S.L. allan cyn y diwedd fel na fyddai'n rhaid iddo fy wynebu.[166]

Aeth bron i ddwy flynedd heibio cyn i'r ddau ddechrau gohebu â'i gilydd eto, oherwydd y digwyddiad hwn.

I Kate, yr unig lecyn golau yn ystod y cyfnod hwn o orfod gwerthu Gwasg Gee a'r *Faner* oedd ei nofel newydd, *Y Byw sy'n Cysgu*, ei gwaith mwyaf uchelgeisiol ers blynyddoedd lawer. Roedd y nofel i'w chyhoeddi gogyfer â'r Nadolig, ond bu'n ddigon ffodus i dderbyn peth tâl amdani cyn iddi gael ei chyhoeddi. Darlledwyd y nofel fesul pennod ar Raglen Cymru'r BBC, gan ddechrau ar Fai 4, gyda Nesta Harris yn chwarae rhan Lora Ffennig, a hynny yn ddeheuig iawn. Cyfaddaswyd y nofel ar gyfer y radio gan Emyr Humphreys, ac ef hefyd oedd y cyfarwyddwr.

Roedd Emyr Humphreys, y nofelydd a'r dramodydd a weithiai fel cynhyrchydd drama gyda'r BBC ar y pryd, o'r farn mai *Y Byw sy'n Cysgu* oedd gwaith gorau Kate, ac ni fynnai droi'n ôl at y stori fer, gan gymaint y mwynhad a gafodd yn ysgrifennu'r nofel, er ei bod, ar yr un pryd, yn awyddus i lunio dwy neu dair stori arall 'i orffen cyfres "Begw" a ddechreuais yn *Y Faner*'.[167] Anfonodd Saunders Lewis air ati i'w llongyfarch yn syth ar ôl iddo glywed y bennod gyntaf ar y radio. Ar ôl bron i ddwy flynedd o dawedogrwydd, gwyddai Saunders Lewis yn union sut i ennill maddeuant Kate.

Roedd Kate, yn 65, bellach yn barod i ymddeol, a daeth cyfnod i ben pan werthodd Wasg Gee a'r *Faner* i'r bwrdd rheoli newydd. Anfonodd Mathonwy Hughes lythyr ati ar Fehefin 11 i ddiolch iddi am y saith mlynedd a dreuliodd gyda hi yng Ngwasg Gee, ac i ddymuno'n dda iddi ar gyfer y dyfodol. Wrth ddiolch iddo am ysgrifennu ati, 'Chwi yw'r unig un a wnaeth a gwerthfawrogaf ef yn fawr iawn,' meddai, yn chwerw-siomedig.[168] Yr oedd llythyr Mathonwy Hughes yn gysur mawr iddi 'yn y dyddiau tywyll a fu arnaf, ac y sydd arnaf o hyd o ran hynny,' ychwanegodd, gan ddiolch iddo am fod 'yn deyrngarol ar hyd y blynyddoedd, ac mae dycnwch a theyrngarwch yn bethau prin iawn y dyddiau hyn'.[169] Bellach, bwriadai 'gael pob munud sbar i sgrifennu, o hyn i ddiwedd fy oes'.[170] Bu'r wasg yn Ninbych yr un mor gaethiwus â'r ysgol yn Aberdâr gynt, a dyma'r ail waith iddi gael ei rhyddhau o afael amgylchiadau a oedd yn ei llethu gorff ac ysbryd ac yn ei rhwystro rhag llenydda. Fodd bynnag, nid Mathonwy Hughes oedd yr unig un i ysgrifennu ati ar achlysur ei hymddeoliad. Ef oedd y cyntaf, er mai dim ond dau neu dri o rai eraill a gysylltodd â hi i ddatgan gwerthfawrogiad o'i gwaith caled diarbed yn ystod ei chyfnod yng Ngwasg Gee. Un o'r rheini oedd Lewis Valentine, a ddiolchodd iddi am ei holl lafur trwy gydol y blynyddoedd, gan nodi i Blaid Cymru fod yn lwcus o'r *Faner* i ddadlau ei hachos yn ystod ei chyfnod gyda'r wasg. Ond er iddi ymddeol ym 1956, ni fwriadai dorri pob cysylltiad â'r *Faner* nac â Gwasg Gee. Ni allai fforddio gwneud hynny hyd yn oed yn ariannol. Prin y gallai ragweld ar y pryd fod rhagor o helyntion i ddod, ac y byddai'r hyn a fu'n ffrwtian adeg gwerthu'r wasg yn ffrwydro erbyn i'r perchnogion newydd gael eu traed danynt.

Cyhoeddwyd *Y Byw sy'n Cysgu*, wedi ei gyflwyno i'w 'hen ddisgybl' Gwenallt, ar gyfer y Nadolig. Anfonodd D. J. Williams lythyr ati ar ôl y Nadolig, gan ddweud iddo ddarllen digon ar y llyfr 'i gael y blas a'r mwynhad arferol ar y sylwadaeth graff a'i sgrifennu cryno, cadarn, cywir, a theimlo yma hefyd …

ddarnau hunangofiannol diffuant Lora Ffenning [sic] a'i pherthynasau'.[171] Roedd
D. J. Williams yn ddigon craff i sylwi bod yna elfennau hunangofiannol amlwg
yn y nofel. Un arall a anfonodd air i'w llongyfarch oedd Bobi Jones. Y nofel
hon, meddai, oedd uchafbwynt rhyddiaith y ganrif. Erbyn canol Ionawr 1957
roedd Saunders Lewis wedi cael cyfle i ddarllen y llyfr, ac wedi ei gael 'yn llyfr
cyfoethog', ac roedd ei ddarllen am y tro cyntaf 'yn brofiad go fawr'.[172] Fe'i
llongyfarchwyd hefyd gan eraill, fel Lewis Valentine, Enid Parry, gwraig Thomas
Parry, Pennar Davies, Alun Llywelyn-Williams, yntau hefyd o'r farn mai'r nofel
oedd y gwaith gorau a ysgrifennodd erioed, ac Olwen Samuel, a'i cymhellodd i
ysgrifennu rhagor o nofelau.

Roedd Kate wedi ymlâdd erbyn Nadolig 1956 a dechrau'r flwyddyn newydd.
Dywedodd wrth Olwen Samuel ddiwedd mis Ionawr 1957 iddi fod 'yn ddigon
gwael yn ddiweddar'.[173] 'Mae gennyf "varicose ulcer", ers yn agos i flwyddyn,
a thipyn cyn y Nadolig, aeth fy iechyd i lawr yn l[â]n – "blood pressure" isel a
nerfau meddai'r meddyg'.[174] Ond eto, roedd llwyddiant Y Byw sy'n Cysgu yn
galondid mawr iddi. Rhwng canol mis Rhagfyr 1956 a Mawrth 31, 1957, roedd
y nofel wedi gwerthu 1,768 o gopïau. Gallai o'r herwydd gadw pobl y Dreth
Incwm yn weddol hapus yn ogystal â gwella rhywfaint ar ei sefyllfa ariannol hi ei
hun.

Wedi ei sbarduno gan yr ymateb i Y Byw sy'n Cysgu, aeth Kate ati i lunio
nofel hir arall yn ddiymdroi. Gofynnodd cyfarwyddwyr y wasg iddi ysgrifennu
erthyglau ar lenyddiaeth yn lle Colofn y Merched, ond teimlai na fyddai colofn
o'r fath yn ddigon da i'r llenorion a'r beirniaid a ddarllenai'r Faner. Cafodd
weledigaeth, sef llunio nofel newydd a'i chyhoeddi fesul pennod yn Y Faner.
'Nofel am bobl ieuainc fydd hi, pobl ieuanc a aeth trwy 1914–18,' meddai wrth
D. J. Williams, a gobeithiai gyfleu asbri 1913 ynddi.[175]

Cyhoeddwyd pennod gyntaf y nofel newydd, Tegwch y Bore, yn rhifyn
Mawrth 28 o'r Faner. Yn yr un rhifyn, cyhoeddwyd ei hysgrif deyrnged i Islwyn
Williams, un o'i disgyblion yn Ystalyfera gynt, a oedd newydd farw. Bu farw T.
Rowland Hughes, un o'i disgyblion yn Ysgol Elfennol Dolbadarn, ym 1949, ac
Islwyn Williams oedd yr ail o'i disgyblion llengar i farw o'i blaen hi. Roedd yr
athrawes bellach yn dechrau claddu'i disgyblion. 'Aeth fy meddwl yn ôl ddeugain
mlynedd i ystafell ddosbarth a oedd yn gegin hefyd, yn Ysgol Sir Ystalyfera, a
chofio am y bachgen pengrych golau a fyddai wrth ei fodd yn ateb cwestiynau,'
meddai am Islwyn Williams yn ei hysgrif goffa.[176] Byddai'n cael digon o gyfle i
ail-fyw cyfnod Ystalyfera wrth lunio ail ran Tegwch y Bore.

Roedd Kate yn gweithio ar *Tegwch y Bore* pan oedd pethau'n anodd iawn arni hi a'i chyn-gydweithwyr yn swyddfa Gwasg Gee. Ni allai dynnu ymlaen â'r rheolwr newydd o gwbl. Dywedodd Kate wrth D. J. Williams fod y cyfarwyddwyr wedi cael gafael 'ar oruchwyliwr sy'n anfon y ffyrm ar ei phen i ddinistr, dyn dwl, anwybodus, bwli di-grefydd, wedi bod yn y carchar (am yfed ar ôl amser cau pan oedd yn blismon – ni bu'n argraffydd ar hyd yr amser), ni ŵyr fawr ddim hyd yn oed am argraffu, caseir ef gan bawb yn y Swyddfa, ac mae'n troi ymaith y dynion gorau, er mwyn, mae'n debyg, cael y dynion salaf i gynffona iddo'.[177] Roedd Charles Charman, yn ôl Kate, wedi dweud celwydd wrthi ynghylch *Y Byw sy'n Cysgu*, er mwyn ei chael i arwyddo'r cytundeb, ac oherwydd hynny câi 'lai o 2½% o royalties nag a roir gan Wasg Aberystwyth'.[178] Er hynny, yr oedd ganddi 'ddigon o asbri eto i fedru sgrifennu nofel'.[179] Os oedd *Y Byw sy'n Cysgu* yn noddfa iddi rhag y pryder ynghylch sefyllfa ariannol y wasg ym 1955 a 1956, roedd *Tegwch y Bore* yn ddihangfa iddi rhag annhegwch yr oruchwyliaeth newydd ym 1957. 'Diniweidrwydd a daioni naturiol fydd nodweddion *Tegwch y Bore*, a da cael troi'n ôl i'r cyfnod yna, oddi wrth bobl gymhleth ein hoes ni yn awr,' meddai wrth D. J. Williams.[180] Yn ôl at safonau'r gorffennol yr âi Kate o hyd.

Ar Ebrill 10 yr ysgrifennodd at D. J. Williams i gwyno ynghylch Charles Charman. Roedd llawer gwaeth i ddod. Ar Ebrill 19, anfonodd Tom Hooson lythyr at Huw T. Edwards, aelod o'r Bwrdd Cyfarwyddwyr. Roedd cryn dipyn o anniddigrwydd yn bod ymhlith y staff dan y drefn newydd. 'The evidence I have indicates only one thing – a vendetta against the Manager, Mr. Charman, by 3 people,' meddai Tom Hooson.[181] Roedd y rhan fwyaf o'r staff yn ddigon bodlon eu byd dan yr oruchwyliaeth newydd, meddai, gan fod y cwmni newydd, yn wahanol i'r hen gwmni, yn talu cyflogau yn ôl cyfraddau'r Undeb i bob aelod o'r staff. Roedd adran gyfrifon y wasg mewn llwyr anhrefn, a gwrthododd Eddie Simon gydweithredu â'r rheolwr banc a benodwyd gan y cwmni i sefydlu dulliau newydd o gadw'r cyfrifon. Yn hytrach nag ildio i'r drefn newydd dan Charles Charman, dewisodd Eddie Simon ymddiswyddo. Diswyddwyd aelod arall o'r staff, Emrys Roberts, ym mis Ionawr, 'and he reacted with attacks on Gee's around Denbighshire,' meddai Tom Hooson.[182] Oherwydd i'w brawd-yng-nghyfraith, Emrys Roberts, gael ei ddiswyddo, gwrthododd Olwen Ellis hefyd gydweithredu â'r rheolwr newydd. Llwyddodd Tom Hooson i ddwyn perswâd arni i wneud ymdrech i gydweithio â Charles Charman am ychydig wythnosau, ond ymddiswyddo a wnaeth hithau hefyd yn y pen draw.

Ni allai Kate ychwaith gyd-dynnu â Charman, ond ni chymerai Tom Hooson ei chwynion ormod o ddifri. Yn wir, tueddai i wneud hwyl am ei phen:

> The Dr Kate Roberts troubles are, however, light relief from these important frictions. Gwilym R. Jones has already told you the facts … For some time, Emlyn Hooson has been troubled with minor grievances from Dr Kate Roberts, and now you, Gwilym R., Glyn Tegai Hughes, and I are being pulled in. My knowledge of Gwilym R. Jones convinces me that we can safely leave him to deal with the weekly grievances of this valuable *prima donna*![183]

Ddeuddydd cyn i Tom Hooson anfon at Huw T. Edwards, roedd Kate ei hun wedi cysylltu ag ef. Dywedodd wrtho ei bod yn bwriadu ysgrifennu at brif gyfarwyddwr Gwasg Gee 'i ddweud y byddaf yn torri pob cysylltiad â'r *Faner* ddechrau mis Mai'.[184] Roedd ganddi amryw byd o resymau pam y bwriadai gymryd cam o'r fath, ond, meddai wrth Huw T. Edwards, 'ni ddywedaf ddim mwy na dweud na allaf oddef dibristod *Y Faner* ohonof'.[185] Byddai'n well ganddi 'fynd i'r Wyrcws neu lwgu na gweithio i'r *Faner* ddim rhagor'.[186]

Yn ogystal ag anfon llythyr at Huw T. Edwards ar Ebrill 19, lluniodd Tom Hooson adroddiad manwl ar y sefyllfa rhwng Kate a'r wasg ar yr un diwrnod. Roedd Kate wedi gwireddu ei bygythiad i ymddiswyddo, ac anfonodd lythyr at Tom Hooson ar Ebrill 17 i'r perwyl hwnnw, gan nodi Mai 9 fel union ddyddiad ei hymddiswyddiad. Aeth Tom Hooson i'w gweld ar unwaith, ond 'dramatic gesture' oedd ei hymddiswyddiad yn ei dyb.[187] Roedd wedi cael ei chythruddo gan dri pheth bach, meddai. Hon oedd y gŵyn gyntaf:

> Y Faner had carried an anonymous letter on March 28 which criticised one of her opinions. This had come – as she had guessed – from Tegla Davies, and was good humoured banter. The shock was that this was the first time a criticism of her had ever appeared in "her" paper. The editor and I agree that this complaint is absurd, and that no contributor can expect to be immune from banter.[188]

Ac yna y mae'n dyfynnu'r cymal tramgwyddus yn llythyr Tegla Davies (dan y ffugenw 'Hosea'):

> Yn ôl tystiolaeth Dr Kate Roberts mewn llythyr, yr un peth yw'r Torïaid a'r Llafurwyr, a merch gall yw Dr Kate Roberts, neu mi fuasai'n ddigon effro i weld mai'r byw sy'n cysgu – "A'u hun, mor dawel yw!"[189]

Ail gŵyn Kate oedd y ffaith fod Gwilym R. Jones wedi gwrthod cyhoeddi nodyn byr ganddi am ymgeisydd seneddol Plaid Cymru yng Nghaerfyrddin, ond yn ôl Hooson, cyraeddasai'r nodyn hwnnw mor hwyr fel y byddai'n rhaid iddo ymddangos ar ôl yr etholiad, ac ar ben hynny, darn o bropaganda noeth oedd y nodyn. Roedd ei thrydedd gŵyn braidd yn afresymol. Câi gopi cyfarch o bob rhifyn o'r *Faner* gan y cwmni, ond ni chafodd gopi o un o rifynnau mis Ebrill. Dehonglodd hynny fel malais ar ran y cwmni, ond camgymeriad syml ar ran y clerc yn y swyddfa oedd y copi coll. Roedd ganddi hefyd nifer o fân gwynion eraill, gan gynnwys y modd y cafodd ei thwyllo gan Charles Charman i dderbyn 10% yn hytrach na 12½% o freindal ar *Y Byw sy'n Cysgu*, a bod y llyfr yn afresymol o hwyr yn cael ei adolygu yn *Y Faner*, ond nid bai'r cwmni oedd hynny. Yr adolygwr oedd yn hirymarhous.

Ond roedd Kate yn ceisio gwneud drwg i'r *Faner* yn ôl Tom Hooson, ac ar adeg pan oedd y papur yn ymladd am ei einioes, roedd hynny yn beth annoeth, os nad anfaddeuol, i'w wneud:

> She believes that Y FANER had fallen badly in its quality since she ceased to own it
> – and she goes about the Country telling people this – out of egotism, in the editor's
> opinion. She was not pleased to be told that the circulation has been rising every month
> for the last 7 months. The editor believes she will continue her campaign to injure the
> paper and that it will be taken seriously by those who do not know her.[190]

Ysgrifennodd Kate lythyr arall at Huw T. Edwards ddiwedd Ebrill, ar ôl ymweliad Tom Hooson. Addawodd i Hooson, meddai, y byddai'n parhau i ysgrifennu i'r *Faner* nes y byddai wedi gorffen ei nofel, *Tegwch y Bore*, 'ond *ddim hwy* na hynny'.[191] Dywedodd wrth Huw T. Edwards nad ymddiswyddo oherwydd Charles Charman yr oedd hi, er iddi fod yn ddig iawn wrtho adeg cyhoeddi ei nofel. *Y Faner* oedd gwir asgwrn y gynnen. Cwynodd fod y golygydd wedi gwrthod rhai pethau ganddi a oedd yn canmol Plaid Cymru. 'Teimlaf innau fod hynny yn driniaeth ffiaidd i mi, oblegid na buasai'r *Faner* yn bod erbyn heddiw onibai i Morris a minnau ei chymryd trosodd, ac fe gafodd pawb chwarae teg a mwy na chwarae teg o dan yr hen gwmni'.[192] Y peth lleiaf, meddai, y gallai'r cwmni newydd ei wneud oedd ei pharchu.

Adroddodd hynt a helynt y wasg a'r *Faner* wrth Lewis Valentine ym mis Mai:

> Rhoes Miss Ellis ei hymddiswyddiad i mewn a minnau, ond fe'n perswadiwyd i ddal
> ymlaen. Wrth gwrs dim ond cael "retaining fee" am ysgrifennu i'r *Faner* yr wyf fi, ond
> yr oeddwn wedi dwad i ben fy nhennyn am fod y golygydd yn gwrthod rhoi pethau
> o'm heiddo i mewn, pethau yn canmol y Blaid, ond yn cyhoeddi hen lythyr dienw

ffiaidd yn ymosod arnaf mewn ffordd neis. Dim ond nes byddaf wedi gorffen y nofel
newydd yma yr wyf wedi addo aros ymlaen. Duw a ŵyr beth a wnaf wedyn.[193]

Brad yn ei herbyn hi ac anfri ar aberth Morris, ym meddwl Kate, oedd y ffordd
y câi ei thrin dan y drefn newydd. Yn naturiol, roedd caniatáu i lythyr dienw, y
tybiai hi ei fod yn gwneud hwyl am ei phen, ymddangos yn *Y Faner* yn sarhad
eithafol, a hithau a Morris wedi aberthu cymaint i gadw'r wasg i redeg ac i sicrhau
parhad *Y Faner*. 'Yr wyf yn gweld mwy o chwithdod ar ôl Morris yn ystod
y flwyddyn ddwaethaf yma nag a welais ers rhai blynyddoedd,' meddai wrth
Valentine.[194]

O'r diwedd, cyrhaeddodd yr adolygiad ar *Y Byw sy'n Cysgu*, ac roedd yn
werth aros amdano. Canmolwyd *Y Byw sy'n Cysgu* gan Elis Gwyn Jones fel llyfr
a oedd yn cychwyn cyfnod newydd yn hanes y nofel Gymraeg. Roedd o leiaf
ddau symudiad mawr yn y nofel, meddai, 'sef effaith un camgymeriad anghyfrifol
ar fywydau pawb sydd o fewn cyrraedd y camgymeriad, a deffroad araf a phoenus
Lora Ffennig'.[195] Roedd *Y Byw sy'n Cysgu* yn nofel onest, ddewr:

> Wrth ddechrau byw wedi'r ffrwydrad mwyaf a allai ddigwydd yn ei bywyd, byw i'r
> boen y mae hi. Ac eto, y mae yma gymesuredd perffaith. Gellid efallai ddisgwyl y
> byddai i'r un boen fawr ei meddiannu a'i rhyddhau hithau o bob cyfrifoldeb arall, ond
> pery'r awdur i blicio'r gwirionedd fesul tipyn, gan wrthod osgoi.[196]

Yng nghanol yr holl helbulon hyn edrychai ymlaen at fynd i Lundain i
briodas Daisy Vészy, ond ychydig a oedd ganddi i edrych ymlaen ato o ddifri, gan
fod angau yn hofran o'i chwmpas yn barhaol. Collodd ei ffrind Jini ar Fehefin 25,
a theimlai Kate na châi hyd yn oed goffáu ei ffrindiau yn urddasol yn *Y Faner* dan
yr oruchwyliaeth newydd. Ym mis Gorffennaf, anfonodd lythyr o gŵyn at Huw
T. Edwards:

> Fe dorrwyd fy ysgrif goffa ar ôl fy ffrind Mrs Ellis D. Jones yn y *Faner* gan Mr
> Charman, er mwyn rhoi lle i hysbyseb, ac ni roddwyd enw'r awdur na dim i mewn. Fe
> dorrwyd ⅓ ohoni allan. Fe roes y peth loes fawr i mi. Dyna un o ragorolion y ddaear, a
> mawr yw fy hiraeth. Philistiad yw Mr. C.[197]

Dim ond 62 oed oedd Jini pan fu farw. 'Yr oedd yn Gymraes i'r carn, naturiol
a dirodres,' meddai Kate amdani.[198] Bu'n gofalu am ei gŵr ac am ei rhieni, y tri
yn eu tro. 'Aberthodd ei chysur ei hun er mwyn y tri, ac ni chyfrifodd hynny
yn aberth o gwbl,' meddai, gan nodi mai dyna oedd 'yn naturiol i'w hysbryd
anhunanol'.[199] Cafodd Kate gyfle i gyhoeddi'r deyrnged lawn i'w ffrind yn *Y
Ddraig Goch*. Roedd *Y Faner* wedi hepgor y darn tyneraf a hyfrytaf o'r holl

deyrnged, ac nid rhyfedd i Kate gael ei brifo gan ddiystyrwch Charles Charman. Cofio yr oedd am y dyddiau hynny pan oedd Morris, Ellis Dafydd a Jini i gyd yn fyw:

> Heno, y peth a erys fwyaf o flaen fy llygaid yw gardd Tŷ'r Ysgol, yng Nglyndyfrdwy, lle'r oedd ein cyfeillion yn byw cyn i'r dyddiau blin eu goddiweddyd. Gallaf weld yr ardd dwt gynhwysfawr honno ar ddyddiau poeth ym Mehefin a Gorffennaf ... pedwar ohonom yn cerdded trwyddi, yn mwynhau'r persawr, yn edmygu'r ffrwythau yn nhawelwch y wlad. Casglu llond dysgl o fefus neu fafon a mynd â hwy i'r tŷ at dê [*sic*], a siarad a chwerthin uwchben y danteithion. Felly yr hoffaf fi gofio Jennie Griffith, y ddynes hardd o bryd, nobl o bersonoliaeth, yn rhodio trwy'r ardd ar brynhawn o haf, yn ddiffwdan a siriol yng nghanol holl harddwch Dyffryn Dyfrdwy ...[200]

Un arall a'i coffaodd oedd Gwilym R. Jones, yn ei englyn 'Gwraig Hael':

> Fe rannodd fara'i henaid – ag eraill;
>   Hi garodd drueiniaid;
> Un hael at ei hanwyliaid
> A ffôl o wych dros ei Phlaid.

Erbyn ail hanner y flwyddyn roedd dyfodol *Y Faner* yn y fantol. Roedd Tom Hooson a'i gydgyfarwyddwyr yn bwriadu sefydlu papur newydd o'r enw *Welsh Farm News*, a phenderfynwyd na ellid parhau i gyhoeddi'r *Faner* ar golled. Golygai'r *Faner* lawer iawn i Huw T. Edwards, oherwydd hoffter ei dad o'r papur ac oherwydd ei fod yn awyddus i gadw Gwilym R. Jones a Mathonwy Hughes mewn gwaith. Cynigiodd brynu teitl y papur, 'a'r diwedd fu i berchenogion y papur ei gynnig am "gini" i'r Dr. Huw T. Edwards,' yn ôl Gwilym R. Jones.[201] Ffurfiodd Huw T. Edwards ymddiriedolaeth i sicrhau dyfodol *Y Faner*, a derbyniodd roddion ariannol o sawl cyfeiriad, gan gynnwys cyfraniad hael gan Jenkin Alban Davies, y gŵr cyfoethog o Lundain a oedd yn hynod o gefnogol i achosion Cymreig. 'Nid wyf fi'n meddwl rhoi dim, (os na ddarbwyllir fi i weld fel arall), fe gollais i fy arian yn yr hen *Faner*, ac ni theimlaf ar fy nghalon fentro eto,' meddai Kate wrth Olwen Samuel ym mis Rhagfyr.[202]

Roedd yn rhaid cael cartref newydd i'r *Faner*, a daeth Gwasg y Sir, Y Bala, i'r adwy. Torrodd y papur ei gysylltiad â hen wasg Thomas Gee, ac roedd Kate hithau erbyn diwedd y flwyddyn wedi hen adael y wasg. Fel y dywedodd wrth D. J. Williams ym mis Rhagfyr 1957:

> Bu'n rhaid imi adael Gwasg Gee mor sydyn, yn gynt nag oeddwn i fod (stori ffiaidd yw honno), fel y bu'n rhaid lluchio pob dim a oedd gennyf yn fy ystafell yno – hen ystafell

Thomas Gee – i focsus, ac fe'u rhoddwyd yn y cwt modur. Yno y buont am flwyddyn gron, oherwydd yr helynt a gefais efo'm coes. Yr haf eleni y cefais gyfle i ddyfod â hwynt i'r tŷ a rhoi rhyw ychydig o drefn arnynt.[203]

Byddai ei chytundeb â'r *Faner* yn dod i ben ym mis Mai 1959, ond nid oedd Kate yn rhyw ffyddiog iawn yn nyfodol y papur. 'Ni allaf fi weld yr ymddiriedolaeth yma yn llwyddo, ond gobeithio y gwna,' meddai wrth D. J. Williams.[204] Ei bwriad bellach oedd ailafael yn ei gwaith llenyddol. Cyn cyhoeddi *Tegwch y Bore*, bwriadai gasglu ei hatgofion o'r *Faner* gyda'i gilydd i'w cyhoeddi'n gyfrol dan y teitl *Y Lôn Wen*, 'enw ffordd rhwng Rhosgadfan a'r Waun-fawr – ffordd a droediais gannoedd o weithiau'.[205] Yn ystod y deng mlynedd y bu'n ysgrifennu i'r *Faner*, yr oedd wedi ysgrifennu nifer o straeon byrion, a gallai gasglu'r rheini ynghyd hefyd i'w cyhoeddi'n gyfrol. Roedd ugain mlynedd wedi mynd heibio oddi ar iddi gyhoeddi *Ffair Gaeaf a Storïau Eraill*, ac roedd peth o'i gwaith gorau eto i ddod.

Wedi cael ei phlagio gan ddyledion ers degawd cyfan, roedd yn rhaid i Kate, ar ôl ymddeol a gadael Gwasg Gee, wynebu dyfodol a oedd mor ansicr â dyfodol *Y Faner* ei hun. Fel sawl un o gymeriadau ei storïau a'i nofelau, brwydro i gael dau ben y llinyn ynghyd fyddai ei hanes o hynny ymlaen. A hithau bellach ar drothwy oed yr addewid, ac yn awdures enwog, uchel ei pharch a'i chlod, nid oedd geiniog yn gyfoethocach nag yr oedd hi a'i theulu gynt yng Nghae'r Gors. Roedd y Cilgwyn ganddi, ei hunig gysur materol a'r unig arwydd iddi ddringo yn y byd, ond pryderai yn aml y byddai'n rhaid iddi werthu ei chartref dim ond i fyw. Gadawodd Jini bron i ddeugain punt iddi yn ei hewyllys, ac roedd hynny'n gaffaeliad mawr, ond ni fyddai'n ddigon. Prin y gwyddai, ar ddiwedd 1957, y byddai rhai o'i chyfeillion yn dod i'r adwy, gan ddangos ar yr un pryd y gallai eraill hefyd, ar wahân iddi hi ei hun, fod yn driw ac yn deyrngar i ffrindiau.

12

HAF BACH MIHANGEL
1958–1967

'Trasiedi, ym mhriod ystyr glasurol y gair, yw bywyd yn ei hanfod i Kate
Roberts ...'

Alun Llywelyn-Williams, wrth gyflwyno Bathodyn Anrhydeddus
Gymdeithas y Cymmrodorion i Kate Roberts, Awst 10, 1961

Daeth Ionawr arall â phrofedigaeth arall pan gollodd Kate ei hanner chwaer,
Mary Evans, gwraig Moses Evans a laddwyd mewn damwain yn y chwarel,
dridiau cyn Nadolig 1912. Hi oedd chwaer hynaf Kate, wedi ei geni ugain
mlynedd o'i blaen, ac er nad oedd yn agos at ei dwy hanner chwaer, oherwydd y
gwahaniaeth oedran rhyngddynt, yr oedd cangen hynaf y pren bellach ar lawr.

Tra oedd Kate yn pryderu am ei dyfodol, roedd eraill yn gweithio yn y
dirgel i wella'i dyfodol, Saunders Lewis yn bennaf. Cysylltodd â Henry Brooke,
y Gweinidog dros Faterion Cymreig, i geisio cael pensiwn yn y rhestr sifil i Kate
i gydnabod ei chyfraniad unigryw i lenyddiaeth Gymraeg. Llwyddodd, ac roedd
y dyfodol yn edrych yn llawer goleuach iddi. 'Fe ddaeth y newydd ar adeg pan
oeddwn bron wedi penderfynu rhoi fy ngwaith i fyny gyda Gwasg Gee, dim
gwahaniaeth a fedrwn fyw ar yr hyn sy gennyf ai peidio,' meddai wrth Saunders
Lewis wrth ddiolch iddo.[1] Dywedodd mai hon oedd y gymwynas fwyaf a ddaeth
iddi yn y cyfnod hwnnw yn ei bywyd, a gallai bellach lenydda wrth ei phwysau.

Ni orffwysodd ar ei rhwyfau wedi iddi ymddeol, yn llenyddol nac yn
wleidyddol. Pryderai rhai o Gymry mwyaf pybyr Dinbych fod y Gymraeg yn
colli tir yn y dref. 'Mae Dinbych yn Seisnigo gyda chyflymder aruthrol,' meddai
Kate wrth Saunders Lewis ym mis Mai 1958.[2] I atal y dirywiad, ffurfiwyd mudiad
i gael ysgol Gymraeg i'r dref, gyda Kate yn gweithredu fel ysgrifennydd iddo.

O fis Gorffennaf ymlaen, bu paratoi brwd ar gyfer yr ymgyrch i sicrhau ysgol Gymraeg i Ddinbych. Trefnwyd cyfarfod cyhoeddus yn y dref ar Fedi 19 i fwrw'r maen i'r wal, a chysylltodd hithau â nifer o bobl ddylanwadol i ddod i annerch ynddo. Roedd ysbryd y Blaid Genedlaethol gynnar yn fyw ynddi o hyd.

Roedd iddi bellach le anrhydeddus ym mywyd y genedl. Cynhaliwyd cinio teyrnged iddi mewn gwesty yn Llanfair Dyffryn Clwyd ar Hydref 20, 1958. Llywyddwyd y noson gan Huw T. Edwards, ac roedd dau o'i chydweithwyr ar *Y Faner* gynt, Gwilym R. Jones a Mathonwy Hughes, wedi llunio englynion iddi ar gyfer y noson. Yn ystod y cyfnod hwn roedd y bardd a'r nofelydd Rhydwen Williams yn gyfrifol am y rhaglen *Dewch i Mewn*, y rhaglen Gymraeg a ddarlledid o Ganolfan Teledu Granada ym Manceinion, a gwahoddwyd Kate i'r stiwdio i draddodi cyfres o sgyrsiau amrywiol ar bynciau o'i dewis ei hun. 'Y gwir yw, heb gynnig gweu chwedl yn ei chylch na gorddychmygu na gorliwio dim, bu K.R. yn un o'r cyntaf i geisio dod i delerau â'r cyfrwng ifanc anhygoel,' meddai Rhydwen Williams.[3] Paratôi yn drylwyr ar gyfer pob rhaglen, a châi ei thrin fel brenhines unwaith y cyrhaeddai'r stiwdio:

> Ac nid unwaith na dwywaith y daeth ambell berfformiwr neu actor o Sais o stiwdio arall ataf yn y coridor i holi *pwy oedd* …? Agorai Jac y Porthor … y drws led y pen gan foes-ymgrymu'n gwrtais wrth i'r frenhines ddod i mewn, a gwenai Dr Kate arno cyn cerdded heibio ar ei sodlau chwim a'i chlogyn yn hedfan fel aderyn mawr o'i hôl. Nid syndod o gwbl i frenhines arall, Vivien Leigh, ar ôl ei gweld a'i gwrando ochr yn ochr yn yr ystafell-goluro, ddweud yn glustiau a llygaid i gyd, 'What a remarkable lady!' '*Very* remarkable!' meddwn innau.[4]

Roedd TWW hefyd yn darlledu rhaglenni Cymraeg o Bontcanna y pryd hwnnw, a châi Kate wahoddiad i ymddangos ar ambell raglen, fel *Gŵr Gwadd*. 'Nid wyf fi yn ysgrifennu llawer y dyddiau hyn gan brysured wyf gyda phethau eraill,' meddai wrth D. J. Williams ym mis Rhagfyr 1958.[5] Y pethau eraill hyn oedd mynd i Fanceinion bob pythefnos i ymddangos ar y teledu, traddodi nifer o ddarlithoedd yma a thraw drwy'r gaeaf, ac ymgyrchu i gael ysgol Gymraeg i Ddinbych, 'ond fe ddaw hynny i ben yn fuan, gyda llwyddiant mi obeithiaf,' ategodd.[6] Ond bu'n brysur gyda'r mudiad am dair blynedd, hyd nes yr agorwyd Ysgol Gymraeg Dinbych mewn adeilad dros dro, Ysgoldy'r Capel Mawr, ym 1961.

Gyda'r holl alwadau hyn yn pwyso arni, aeth Kate yn wael eto, a bu'n rhaid iddi fynd i'r ysbyty i gael archwiliad pelydr-X. Dywedodd Lilla Wagner wrthi fod teithio yn ôl ac ymlaen i Fanceinion yn rhoi gormod o straen arni, ac y dylai ymbwyllo. Ond roedd iechyd ei brawd John yn Lerpwl yn poeni mwy arni na'i hiechyd hi ei hun. Bu'n dioddef oddi wrth lid ar y frest ers blynyddoedd lawer, a hynny wedi effeithio ar ei galon. 'Ef a minnau yw'r unig rai sy'n fyw o wyth o blant erbyn hyn,' meddai wrth D. J. Williams, a byddai'n mynd i Lerpwl i weld John a'i deulu yn lled aml.[7]

Gobeithiai Kate y byddai llai o waith ganddi ar ddechrau'r flwyddyn newydd, fel y gallai ganolbwyntio ar ei chynlluniau llenyddol hi ei hun. Roedd Gwasg Gee wedi gofyn iddi gasglu ei hatgofion o'r *Faner* ynghyd, i'w cyhoeddi'n llyfr. Roedd pennod olaf *Tegwch y Bore* wedi ymddangos yn *Y Faner* ym mis Ebrill y flwyddyn flaenorol, a gobeithiai gyhoeddi'r nofel honno hefyd, ond nid cyn ei hailwampio. Ymddangosodd stori fer, 'Dianc i Lundain', ganddi yn rhifyn Nadolig 1958 o'r *Faner*. 'Yn fy marn fach i, mae hi'n astudiaeth lwyddiannus o eneth a faged ar aelwyd lân barchus, a geneth hŷn a faged ar aelwyd amharchus (ciari-dym), oherwydd iddi golli ei mam,' meddai Kate am y stori wrth D. J. Williams, gan gyfeirio at Begw a Winni Ffinni Hadog, dwy o'i chreadigaethau hoffusaf a grymusaf.[8] Bellach roedd straeon Begw, y straeon a fu'n corddi yn ei phen ers dechrau'r 1930au o leiaf, yn barod i'w casglu ynghyd, ac i ychwanegu atynt, i'w cyhoeddi'n gyfrol. Cyhoeddwyd y gyfrol honno, *Te yn y Grug*, ddechrau Mawrth 1959. Agorwyd y gyfrol gyda 'Gofid', sef y stori a gyhoeddwyd dan y teitl 'Begw' yn *Y Llinyn Arian* ym 1947, ond gan hepgor y rhan olaf. Cyhoeddwyd 'Y Cyfarwydd' yn *Y Faner* ym mis Rhagfyr 1948, a'i hailgyhoeddi dan y teitl 'Marwolaeth Stori' yn *Te yn y Grug*, ac ymddangosodd 'Nadolig y Cerdyn', stori olaf y llyfr, yn *Y Faner* ar drothwy Nadolig 1951. Darlledwyd 'Y Pistyll' ar y radio ar Ionawr 26, 1954, a'i chyhoeddi wedyn yn *Llafar*. Cyflwynodd Kate y llyfr i'w chyfeillion Griffith John Williams a'i briod Elisabeth.

Cafodd ymateb gwych gan gyfeillion ac adolygwyr i *Te yn y Grug*. Roedd Saunders Lewis wedi darllen y llyfr ddwywaith neu dair a bu Emyr Humphreys yn trafod camp y gyfrol gydag ef. Roedd 'graen proffesiynol ar bob un o'r straeon' ym marn Saunders Lewis.[9] Roedd gan Kate, yn ôl D. J. Williams, 'ddawn ryfeddol i fynd i mewn i seicoleg plentyn a gweld y manion dyrys sy'n dryfrith mor fyw yno'.[10] Un o'r adolygiadau gorau ar *Te yn y Grug* oedd adolygiad Gruffudd Parry yn *Lleufer*. Canmolodd 'y crefftwaith manwl a'r ysgrifennu cynnil a chelfydd gaboledig yr ydym mor gynefin ag ef yn ei holl weithiau',[11] ac er bod cynfas yr awdures yn gyfyng, eang oedd y darlun:

Dim ond dau dŷ mewn pentref a siop ac ochr mynydd a thri o blant oedd yn eisiau i greu *Te yn y Grug*. Ond cronnwyd yr hyd a lled i ddyfnder anghredadwy yng nghymeriadau Begw a Winni Ffinni Hadog a Mair. Trwyddynt hwy y mynega'r awdur sylwadaeth ei phrofiad mewn hapusrwydd a thristwch, mewn llawenydd a choegni, ac mewn rhyw gyffyrddiad o bob teimlad a berthyn i ddyn. Mewn cant namyn pump o dudalennau mae'r tair geneth fach wedi tyfu i fod yn gyfryngau mynegi darluniau cywrain o'r hen ddynoliaeth yma sy'n dal i rygnu ymlaen hyd wyneb y ddaear trwy bob cyfnewid.[12]

Ar deulu Cae'r Gors y seiliwyd teulu Begw yn *Te yn y Grug*. Merch fach bedair oed yw Begw yn y stori gyntaf, ac mae ganddi un brawd, Robin. Erbyn y bedwaredd stori, 'Te yn y Grug', mae Begw yn wyth oed, ac erbyn y bumed stori, 'Ymwelydd i De', mae'r teulu'n gyflawn: Robin, y brawd hynaf, Rhys a'r babi sy'n blentyn sugn. Yn wahanol i frodyr Ann yn *Tegwch y Bore*, yn enwedig Bobi, cymeriadau ymylol yw brodyr Begw, er bod Rhys yn cael rhan amlwg yn y stori olaf, 'Nadolig y Cerdyn'. Ond stori am dair merch – Begw, Mair, merch y gweinidog, a Winni Ffinni Hadog – yw *Te yn y Grug* yn y bôn, a stori am dair mam hefyd, Elin Gruffydd, mam Begw, Mrs Huws, mam snobyddol Mair, a Lisi Jên, llysfam ddiog Winni. Ac y mae yna fam arall yn y gyfrol hon o storïau hefyd, sef mam farw Winni, yr un y mae'n hiraethu mor daer amdani.

Stori merch fach ar ei thyfiant yw *Te yn y Grug*. Dywedodd Kate ein bod yn tueddu 'i edrych ar fore oes ac ar ein cartrefi fel rhyw Eden na welsom byth yr un debyg iddi wedi hynny'.[13] Yn wahanol i *Deian a Loli*, nid Eden goll plentyndod yw byd *Te yn y Grug*. Wrth iddi dyfu ac aeddfedu, mae Begw yn gorfod wynebu rhai o brofiadau mwyaf annymunol a brawychus bywyd. Yn y stori gyntaf, mae hi'n dod wyneb yn wyneb â marwolaeth, a mwy na hynny, mae'n dod wyneb yn wyneb â chreulondeb byd oedolion, pan ddaw i wybod mai ei thad sydd wedi boddi ei chath, Sgiatan. Yn yr ail stori, 'Y Pistyll', y mae'n llygad-dyst i weithred giaidd arall: 'Wil y Fedw wedi dyfod yno efo iâr eisiau gori a'i dal gerfydd ei thraed a'i phen i lawr o dan y pistyll, a hithau'n crio wrth weld ei greulondeb'. Ond daw Begw i sylweddoli bod yr un creulondeb yn ei natur hithau hefyd, yn barod i dorri trwodd. Yn yr ail stori mae hi'n sefyll y tu allan i dŷ Mrs Huws y gweinidog, 'wedi ei hoelio, ac ias o ofn a phleser cymysg yn mynd i lawr ei chefn' wrth ddisgwyl i Mair gael curfa gan ei mam. Y mae gwallgofrwydd hefyd yn rhan o fyd *Te yn y Grug*, a hyd yn oed hunanladdiad. Wrth i Robin ddweud iddo glywed Mr Huws y gweinidog yn mwngial siarad wrtho'i hun, a'i fod yn gwneud hynny yn aml, 'Mae arna i ofn wir y rhydd y dyn yna ben ar i fywyd ryw ddiwrnod,' meddai Elin Gruffydd.

Trwy'r wyth stori, mae plentyndod Begw yn graddol ddiflannu, fel tarth yr haf. Mae hi'n gorfod troi'n oedolyn, ac nid yw byd oedolion, byd sy'n llawn o greulondeb a chasineb, yn fyd i'w chwennych. 'Hen bobol gas ydyn nhw i gyd bob wan ohonyn nhw. Hen bobol frwnt. Robin a phawb,' meddai Begw yn 'Y Pistyll', wedi iddi gael hunllef. 'Yr oedd rhywbeth cas yn dŵad i'r golwg o hyd mewn pobl,' meddir, wedi i Winni ddychryn a brifo Begw trwy ddwyn ei bwyd hi a Mair ar y mynydd, a'i chwipio hithau. 'Paid ti â deisyfu d'oes, y machgen i, mi ddaw hi'n amsar cnau yn hen ddigon buan iti,' meddai Elin Gruffydd wrth Robin, gan roi is-ystyr rywiol i 'amsar cnau'. Ac mae amser ac amgylchiadau yn newid pawb. 'Nid yr un Winni ydy hi,' meddai Begw yn y stori 'Dieithrio', wedi i Winni ddechrau gweini. Digwyddodd yr un math o ymddieithrio i Loli yn *Laura Jones* wrth iddi hithau aeddfedu. 'Piti bod yn rhaid ein newid ni,' meddai Begw wedyn, ond, meddai'r fam, ''does yna ddim byd yn bod yn y byd yma ond newid'. Daw Begw i sylweddoli y bydd yn rhaid iddi hithau, fel Winni, 'sefyll ar ei sodlau ei hun ryw ddiwrnod'. Daw 'Dieithrio' i ben gyda Begw yn ceisio cadw'i gafael ar weddill ei phlentyndod: 'Teimlai'n oer ac yn unig a symudodd ei chadair at ymyl ei mam i swatio wrth y tân'.

Cyhoeddwyd *Te yn y Grug*, gyda'i deulu cyfan o fam a thad a phedwar plentyn, yn yr union flwyddyn y collwyd yr aelod olaf o deulu Cae'r Gors, ac eithrio Kate ei hun. Aeth i'r Eisteddfod yng Nghaernarfon ym mis Awst ac wedyn i Ysgol Haf Plaid Cymru yn Llangefni. Yno cafodd newyddion dirdynnol, fel yr eglurodd wrth Lewis Valentine:

> Euthum i'r Ysgol Haf brynhawn Gwener, a dydd Sadwrn pan oeddem ar ginio galwyd fi allan i'r cyntedd. Yr oedd neges wedi dyfod i Swyddfa'r Plismyn yn dweud fod fy mrawd wedi marw yn sydyn y bore hwnnw, newydd nas disgwyliwn o gwbl.[14]

Roedd Kate bellach wedi colli pob un o'i brodyr a'i chwiorydd. Dim ond hi oedd ar ôl. 'Teimlad digalon sobr yw teimlo mai fi yw'r olaf o deulu mawr,' meddai wrth Valentine.[15] Ysgytwad enbyd oedd y golled hon iddi. Arferai fynd i Lerpwl i weld ei brawd yn weddol aml, meddai wrth D. J. Williams, 'fel edefyn i afael ynddo rhag imi suddo'.[16]

Rhwng *Te yn y Grug*, *Y Lôn Wen* a *Tegwch y Bore*, roedd gan Kate dri llyfr parod ar ei dwylo i bob pwrpas, ond ni fynnai adael i bethau orffwys ar hynny.

Paratôdd ddrama gyfres o'r enw *Modryb a Nith* ar gyfer y radio, ac fe'i darlledwyd yn ystod mis Mai a dechrau mis Mehefin. Nid oedd yn un o'i gweithiau gorau, a bu rhai adolygwyr yn llawdrwm ar y ddrama. Cwynai hithau ei bod wedi gorfod ei llunio ar adeg o brysurdeb mawr. Ar yr un pryd ag yr oedd wrthi yn gweithio ar y ddrama roedd hi hefyd yn cynhyrchu anterliwt ar gyfer Gŵyl yr Urdd, yn beirniadu 61 o straeon byrion yng nghystadleuaeth y stori fer yn Eisteddfod Genedlaethol Caernarfon ac yn cyfieithu rhai pethau i'r Bwrdd Nwy. Ymdynghedodd na fyddai byth eto yn ymgymryd â gwaith y byddai'n rhaid iddi ei gyflawni yng nghanol myrdd o alwadau eraill.

Er hynny, derbyniodd gomisiwn arall pan ofynnodd Emyr Humphreys iddi ysgrifennu drama deledu, ond ni roddodd ateb pendant iddo ar unwaith gan nad oedd ganddi unrhyw syniad yn ei phen. Wedi peth ystyriaeth, derbyniodd y comisiwn. Gwnaeth hynny ar 'funud wallgof' meddai wrth D. J. Williams,[17] ac amlinellodd gynnwys y ddrama:

> Drama am was ffarm yn nechrau'r 19 ganrif ydyw, adeg dechrau gweithio'r chwareli yn Arfon, a dechrau codi'r capeli Ymneilltuol. Mae'r gwas ffarm yn mynd i'r carchar am losgi dyn gwellt o arglwydd y faenor, a thra fu yn y carchar, mae'r dywededig arglwydd wedi gosod y tir y dechreuasai ef a phartneriaid gloddio chwarel arno i gwmni a roddai fwy o dâl am y tir. Cyn mynd i'r carchar yr oedd y gwas wedi priodi merch ei feistr, o gariad o boptu. Hithau wedi syrffedu ar fod gartref ar y ffarm. Mae'r gwas yn mynd i weithio i chwarel y bobl newydd, gwell ganddo hynny nag aros ar y ffarm.[18]

Dywedodd wrth Saunders Lewis hefyd mai ar funud wallgof y cydsyniodd â chais Emyr Humphreys, a phoenai yn arw ar gownt hynny. Nododd fod ganddi 'thema ynglŷn â helyntion a fu yn fy hen ardal rywle rhwng 1800 a 1847, helyntion dwyn t[ir] comin i agor chwarel a oedd yn cydfyned ag agor capeli, pan oedd yr Eglwys yn ei chysgadrwydd mwyaf, amaethyddiaeth mewn tlodi a gweision ffermydd yn llwgu'.[19] A hithau wedi colli pob aelod o'i theulu uniongyrchol, ymlafniai i ddal ei gafael ar ei chynefin a'i gorffennol. Efallai mai W. Gilbert Williams, yr hanesydd lleol o Rostryfan, a blannodd y syniad o lunio drama ar yr union thema hon iddi. Ym mis Hydref 1950 anfonodd lythyr ati i nodi ei fwriad i ysgrifennu am helynt y Cilgwyn ym 1847–8, pan fethodd y cwmni dalu'r gweithwyr oherwydd anawsterau ariannol. Aeth wyth gweithiwr i'r chwarel tra oedd y cwmni mewn trafferthion, a chawsant eu carcharu. Bu cynnwrf yn y carchar oherwydd i'r awdurdodau leihau dogn bwyd yr wyth.

Anfonodd Kate nifer o gwestiynau at Gilbert Williams ynglŷn â hanes y fro ddegawd yn ddiweddarach, a derbyniodd lawer o wybodaeth ganddo ddechrau Chwefror 1960, gan gynnwys hanes ymgais Arglwydd Niwbro i gau'r comin yn Llanwnda a Llandwrog ym 1827. Ond roedd gan Kate nofel newydd ar y gweill pan ofynnodd Emyr Humphreys iddi am ddrama deledu, ac mae'r hyn sydd wedi goroesi o'r nofel honno yn cyfateb yn llwyr i'r amlinelliad o'r ddrama a roddodd i D. J. Williams. Wrth iddo holi Kate yn rhifyn y Sulgwyn, 1958, o'r *Arloeswr*, nododd Gwilym R. Jones fod ganddi 'nofel am fywyd ei Rhosgadfan hoff gan mlynedd yn ôl ar y gweill ar hyn o bryd'.[20] Cyhoeddwyd pennod gyntaf y nofel honno, *Gras a Llechi*, yn yr un rhifyn o'r *Arloeswr*. Roedd y nofel arfaethedig hon wedi ei lleoli yn ardal y chwareli adeg 'dechrau Ymneilltuaeth a chychwyn y chwareli ar ochrau Moeltryfan yn nechrau'r bedwaredd ganrif ar bymtheg'.[21] Dyma'r agoriad:

> Nid oes dim yn y capel heno, na seiat, na chyfarfod gweddi, na phregeth. Ni ddaw golau egwan cannwyll ohono, ac y mae'n sefyll yn y fan acw fel ysgubor dywyll.
>
> Nos yfory, fe fydd ei olau gwan yn tynnu'r tyddynwyr ato efo'u llusernau a'u ffyn, i'r seiat, fel gwyfod o bob cwr o'r rhostir yma. Mor rhwydd y daw'r geiriau, "capel," "cyfarfod gweddi" a "seiat" dros fy ngwefusau heddiw. Fe gymerodd amser maith imi gynefino efo hwy, a minnau wedi treulio fy ieuenctid yn sŵn y Credo a'r Salmau Cân a gweddïau'r Llyfr Gweddi.[22]

Yn ôl y bennod gyntaf hon, mae Deina, merch fferm o'r enw Pant-y-llyn yn ardal y chwareli, yn priodi Pyrs Elis, gwas ei thad, yn union fel yr oedd y gwas wedi priodi merch ei feistr yn y ddrama. Y peth mwyaf tebygol yw fod y nofel *Gras a Llechi* ar y gweill pan ofynnodd Emyr Humphreys iddi lunio drama deledu, ac iddi addasu deunydd y nofel ar gyfer y ddrama. Synhwyrai Emyr Humphreys mai crefft y nofelydd oedd amlycaf ynddi, ac nid oedd yn fodlon o gwbl arni, ddim mwy nag yr oedd Kate ei hun, ac ni ddaeth dim ohoni.

Cefndir tebyg sydd i'r stori 'Digwyddiad o Ddechrau Oes Victoria', stori a fyddai'n ymddangos yn *Hyn o Fyd* ymhen tair blynedd. Yn y stori hon mae goruchwyliwr y Chwarel Goch yn gwario arian y cwmni'n ofer ac yn mynd i drybini o'r herwydd. Mae chwarelwr ifanc wyth ar hugain oed, Ifan Jones, yn taro'r goruchwyliwr yn ei ddiod, ac yn cael ei ddedfrydu i chwe mis o garchar. Caiff ei lwgu yno, a phan ddychwel i'w gartref, y mae golwg fel drychiolaeth arno: '… yn lle y dyn glandeg, llyfndew a'u gadawodd bedwar mis ynghynt, ysgerbwd o ddyn yn hongian yng ngwagle ei ddillad a phantiau ei fochau wedi eu haddurno ag ymylon y farf fudr'.

Trwy ail hanner 1959 bu Pwyllgor yr Ysgol Gymraeg i Ddinbych yn chwilio am gartref dros dro i'r ysgol, cyn y gellid codi adeilad newydd yn unswydd ar ei chyfer. Anfonwyd at ymddiriedolwyr y Neuadd Goffa a swyddogion Capel Pendref a'r Capel Mawr i ofyn a allent roi lle i'r ysgol dros dro, ond cododd anawsterau ynglŷn â'r Neuadd Goffa a Chapel Pendref. Awgrymodd y Pwyllgor y gellid troi festri'r Capel Mawr yn ysgoldy dros dro, ond gwrthodwyd yr awgrym gan Bwyllgor Addysg Sir Ddinbych, ar y sail nad oedd tai bach addas yno ar gyfer y plant. Cododd cryn dipyn o wrthwynebiad i'r bwriad i sefydlu'r ysgol yn festri'r capel o du Aelwyd y Chwiorydd, a arferai gyfarfod yn y festri bob prynhawn Mercher. Anfonodd Kate air at D. J. Williams ar ddechrau mis Rhagfyr 1960 i ddweud wrtho fod ganddi nofel fer yn dechrau corddi yn ei meddwl …

> … sgrifennu hanes gwraig gweinidog a aeth i'r seilam oherwydd merched y capel. Os ysgrifennaf hi, *Y bais sy'n teyrnasu* fydd y teitl, a gwnaf i'r wraig ei hysgrifennu yn y person cyntaf, a dweud yr hanes ei hun, mynd yn ôl drosto pan mae hi'n dechrau gwella yn yr ysbyty. Fe fu ymddygiad merched y Capel Mawr yn ffiaidd yr adeg y buom yn cael Ysgol Gymraeg i'r dref hon, a dyna a roes y syniad imi. Y pryd hynny y gwawriodd arnaf gymaint y mae'n rhaid i weinidog a'i wraig ddioddef gan ferched sy'n mynnu bod yn geffylau blaen.[23]

Roedd *Tywyll Heno* eisoes yn dechrau ymffurfio yn ei phen yng nghanol ei holl fwrlwm o weithgarwch.

Roedd Kate bellach yn torheulo yn haf bach Mihangel ei bri fel awdures, a phan wawriodd y 1960au, roedd pethau yn dechrau edrych yn addawol. Ddiwedd 1959, paentiwyd portread ohoni gan Andrew Vicari, yr arlunydd o Aberafan a oedd yn ei ugeiniau cynnar ar y pryd, ond a ddaeth yn fyd-enwog wedyn. Tipyn o dreth ar enaid aflonydd fel Kate oedd gorfod eistedd yn ddisymud i'r arlunydd, fel yr eglurodd wrth Dewi ac Olwen Samuel dridiau cyn dydd Nadolig 1959:

> … nid wyf wedi cael dim un munud i mi fy hun ers wythnosau lawer; a bu'r wythnos diwethaf yn waeth na'r un. Rhyw arlunydd yma yn gwneud llun ohonof – Andrew Vicari – ar gyfer arddangosfa sydd ganddo yn y Deml Heddwch yng Nghaerdydd Ionawr 6 ymlaen am fis. Bu yma Iau, Gwener, Sadwrn a'r Sul, a gorfod sefyll am oriau iddo.[24]

Ddiwedd mis Ionawr yn y flwyddyn newydd, aeth Olwen Samuel i Gaerdydd yn unswydd er mwyn cael gweld y portread, a thynnodd sgwrs ag Andrew Vicari. Dywedodd wrtho fod y lliwiau yn rhy drwm ac atebodd yntau fod gan y gwrthrych gymeriad cryf, a'i fod am gyfleu hynny. Anrhydedd arall a ddaeth i'w rhan yn y flwyddyn newydd oedd y wobr o £100 a ddyfarnodd Cyngor Celfyddydau Cymru iddi am *Te yn y Grug*.

Cas ddyddiad yn nyddlyfr Kate oedd y diwrnod cyntaf o Chwefror. Dyna'r diwrnod y bu farw ei mam a dyna hefyd y diwrnod y claddwyd Evan ei brawd. Anfonodd Sibyl Davies lythyr at Kate ym mis Chwefror i ddweud wrthi fod ei chwaer, Betty Eynon, ffrind mawr Kate yn Ystalyfera, wedi marw ar y dydd cyntaf o Chwefror, 1960, yn yr ysbyty yn Hwlffordd, ar ôl cystudd creulon. Kate a adawodd i Margaret Price wybod am farwolaeth Betty. Hon oedd yr ail farwolaeth i Kate glywed amdani o fewn ychydig fisoedd. Ym mis Medi y flwyddyn flaenorol anfonodd Lilla Wagner lythyr ati i ddiolch iddi am gydymdeimlo â hi ar farwolaeth ei gŵr ac am ei gwahodd i aros gyda hi yn y Cilgwyn, ond ni allai dderbyn y gwahoddiad.

Ym mis Mai hysbyswyd Pwyllgor yr Ysgol Gymraeg i Ddinbych fod awdurdodau addysg y sir wedi cytuno i sefydlu ysgol Gymraeg yn y dref ar yr amod y gallai'r rhieni sicrhau cyflenwad digonol o blant i fynychu'r ysgol, a nodwyd bod angen cyfleusterau newydd ac addas ar gyfer plant yn y Capel Mawr. Agorwyd cronfa i dalu am adeiladu tai bach yn y Capel Mawr, a threfnwyd pob math o weithgareddau cymdeithasol i gasglu arian, fel cyngherddau a nosweithiau dawnsio gwerin. Apeliwyd at unigolion yn ogystal, a gwaith Kate oedd cysylltu â noddwyr a charedigion posibl. Anfonodd ugeiniau o lythyrau at wahanol bobl yn rhinwedd ei swydd fel ysgrifennydd y Pwyllgor. Erbyn mis Medi 1960 roedd rhieni Dinbych a'r ardaloedd cyfagos wedi anfon 38 o blant i dderbyn eu haddysg yn yr Ysgol Gymraeg. Gan nad oedd Ysgoldy'r Capel Mawr yn barod ar eu cyfer ar y pryd, bu'n rhaid i'r plant fynd i adeilad a oedd yn perthyn i Ysgol Fron-goch yn y dref, hyd at y Nadolig. Symudwyd y plant wedyn i Ysgoldy'r Capel Mawr ym mis Ionawr 1961.

Rhyw ddeufis cyn Nadolig 1960 cyhoeddwyd *Y Lôn Wen: Darn o Hunangofiant*, sef atgofion Kate wedi eu codi o'r *Faner*. O fis Tachwedd ymlaen, derbyniodd bron i hanner cant o lythyrau yn canmol y llyfr. Dau o'r rhai a anfonodd ati i'w llongyfarch oedd Alun Llywelyn-Williams a Gwenallt, ac roedd ymateb y ddau hyn i'r llyfr yn nodweddiadol o eirda eraill iddi. Meddai Alun Llywelyn-Williams ddechrau mis Ionawr:

> Mae'n anodd dweud beth a roes y mwynhad mwyaf – ai'r arddull sydd, yn ôl eich
> arfer, yn gain ac yn ddi-lol ar yr un pryd a phob amser yn hyfrydwch; ai'r atgofion cwbl
> bersonol a rhyfeddol fyw; ai'r darlun diddorol o'r gymdeithas. Mae'r cwbl yn wych,

ac rwy'n siŵr fod cannoedd o'ch darllenwyr yn teimlo, fel minnau, yn wirioneddol ddiolchgar i chi am eich cymwynas â ni.[25]

Ac ar ddiwedd y mis derbyniodd lythyr o werthfawrogiad oddi wrth Gwenallt:

Nid yw'r beirniaid llenyddol ifainc yma yn meddwl fawr ohono. Y maent yn canmol y bennod gyntaf a'r olaf; ond rhwng y ddwy y mae anialwch – disgrifio ardal, teulu a thylwyth. Nid ydynt yn ddigon hen eto i weled y dylanwadau ofnadwy sydd gan y rhain ar gymeriad dyn: y dylanwadau sydd yn penderfynu tynged dyn. Barn arall yw nad yw eich Hunangofiant i'w gymharu â Hunangofiant D.J. Y mae'n ddigon hawdd gweld mai Hunangofiant poblogaidd yw ei Hunangofiant ar gyfri ei rinweddau, rhinweddau'r galon. Ond calon lac yw calon D.J., ac ychydig sydd ganddo o ymennydd neu ddeall. 'Rydych chwi yn llenor deallus; y mae gennych ddisgyblaeth haearnaidd arnoch chi eich hun. 'Rwyf yn medru deall eich gwaith llenyddol, ei gynnwys a'i ddulliau, yn well ar ôl darllen eich Hunangofiant.[26]

Un o'r bobl ifainc hyn y cyfeiriai Gwenallt atynt oedd R. Gerallt Jones, a fu'n adolygu'r gyfrol ar y radio ychydig ddyddiau cyn Nadolig 1960. 'Ni welant mai corff y llyfr yw'r dylanwadau a wnaeth i mi ysgrifennu,' cwynai Kate wrth Saunders Lewis ym mis Mawrth 1961.[27] 'Doedd y gorffennol ddim yn bwysig i'r bobl ifainc hyn, meddai, ond golygai bopeth i Kate ac i'w rhieni o'i blaen. Er gwaethaf ambell sylw anffafriol, roedd Kate bellach yn llawn cynlluniau ac yn ferw o ynni creadigol. Bwriadai ailwampio rhywfaint ar ei nofel *Tegwch y Bore* cyn ei chyhoeddi, gobeithiai 'sgrifennu nofel fer iawn cyn y Nadolig, ac wynebu holl wendid ein capeli Anghydffurfiol',[28] sef *Tywyll Heno*, a gobeithiai hefyd lunio rhagor o straeon am Winni Ffinni Hadog rywbryd yn y dyfodol.

Roedd yr anrhydeddau yn parhau i ddod. Anfonodd John Cecil-Williams lythyr at Kate ym mis Rhagfyr 1960 ar ran swyddogion Cymdeithas y Cymmrodorion. Roedd y swyddogion yn awyddus i roi ei henw gerbron y Cyngor i dderbyn Ariandlws Anrhydeddus Gymdeithas y Cymmrodorion, a gofynnodd iddi am ei chaniatâd i wneud hynny. Gofynnodd Kate i Griffith John Williams, unwaith eto, a ddylai dderbyn yr anrhydedd, a'i darbwyllo i'w derbyn a wnaeth yntau. Yr oedd gwerth i anrhydeddau o'r fath, meddai Kate wrth D. J. Williams, gan y gallent fod 'yn help i agor llygaid y bobl ddwl Seisnigaidd eu hysbryd sy'n byw yn y dref yma'.[29] Roedd ymddygiad merched y Capel Mawr yn parhau i fod yn dân ar ei chroen:

Ar ôl yr helynt fu yn y Capel Mawr ynglŷn â chael y Festri i'r Ysgol Gymraeg, mae aelodau Aelwyd y Chwiorydd yn y Capel yn fy anwybyddu fi, yn fy mhasio heb edrych arnaf, er na ddywedais i air o'm pen. Ond y fi oedd ysgrifennydd yr Ysgol Gymraeg, a fi felly oedd y bwgan. Ond na hidiwch, mae'r Ysgol yn mynd yn ei blaen ac yn ffynnu.[30]

Er gwaethaf gwrthwynebiad merched y Capel Mawr i'r bwriad, yn festri'r capel y lleolwyd Ysgol Gymraeg Dinbych am y tro, hyd nes y byddai yn symud i adeilad newydd sbon. Agorwyd yr ysgol newydd yn swyddogol ar Fedi 19, 1961, ac erbyn hynny roedd 48 o blant yn yr ysgol. Rhoddodd ymdrechion Kate a'i chydymgyrchwyr ysgol Gymraeg i Ddinbych, a rhoddodd agwedd wrth-Gymreig rhai o ferched y Capel Mawr nofel i Kate, gydag elfen gref o ddialedd yn y nofel honno.

Gwerthodd *Y Lôn Wen* oddeutu 3,000 o gopïau. Daeth y gwerthiant anhygoel hwn â chryn dipyn o arian breindal iddi, ac fe'i defnyddiodd i gywiro hen addewid. Yr addewid honno oedd ymweld â bedd Dei yn Malta. 'Yr wyf yn ddigalon wrth feddwl am fynd, ac eto teimlaf fod yn rhaid imi fynd, ac mai dyma'r adeg cyn imi fynd yn rhy hen,' meddai wrth Lena, ei chwaer-yng-nghyfraith, ganol mis Chwefror, gan awgrymu yr hoffai i Lena fynd gyda hi, yn gwmni iddi.[31] Cychwynnodd y ddwy tua'r ynys ar y diwrnod cyntaf o Fai, ac aros mewn gwesty yn Valetta, prifddinas Malta, ar ôl cyrraedd. Aeth Lena â'i chamera gyda hi a thynnodd luniau o Kate ar lan bedd ei brawd. Arhosodd y ddwy am ychydig ddyddiau yn Rhufain ar y ffordd yn ôl. 'Cefais amser bendigedig, tywydd braf, profiadau hyfryd – taith nas anghofiaf byth,' meddai wrth Olwen Samuel.[32] Ond taith emosiynol oedd hon mewn gwirionedd. Am un eiliad, mewn mynwent yn Malta bell, roedd y ddau yn ysbrydol agos unwaith yn rhagor.

Cyflwynwyd Bathodyn y Cymmrodorion i Kate yn y Capel Mawr yn Rhosllannerchrugog ar Awst 10, adeg Eisteddfod Genedlaethol Dyffryn Maelor, gyda T. H. Parry-Williams, Llywydd y Gymdeithas, yn y gadair. Cyflwynwyd Kate gan Alun Llywelyn-Williams. Ceisiodd bwyso a mesur ei champ:

Mynegodd â chydymdeimlad a thosturi ei hadnabyddiaeth graff a sylwgar o'r natur ddynol ac o ymwneud pobl â'i gilydd. At ei storïau oll a'i nofelau, cymhwysodd ag addasrwydd di-feth ddisgyblaeth lem a difrifolder amcan y gwir artist, oherwydd enillodd iddi ei hun feistrolaeth gyffrous a chyfewin ar iaith, gan gyfuno yn ei harddull gain urddas ymadrodd y traddodiad rhyddiaith llenyddol a goludoedd geirfa lafar gyhyrog gwerin Arfon.[33]

Gweledigaeth drasig yn ei hanfod oedd gweledigaeth Kate o fywyd, meddai, ond eto yr oedd hi'n weledigaeth arwrol: 'Trasiedi, ym mhriod ystyr glasurol y gair, yw bywyd yn ei hanfod i Kate Roberts, fel yr ymddengys, mi dybiaf, i bob llenor o bwys, ac am hynny, y mae'n frawychus ac yn drist anaele, ond ar yr un pryd yn arwrol ac yn anorchfygol'.[34] Cyffyrddwyd Kate i'r byw gan sylwadau Alun Llywelyn-Williams. 'Yr oeddwn i bron â chrio pan godais i siarad ac yn cael trafferth i gadw'r dagrau i ffwrdd,' meddai wrth D. J. Williams.[35] Traddododd anerchiad ar 'Yr Iaith Gymraeg a Rhyddiaith Heddiw' ar ôl i Alun Llywelyn-Williams ei chyflwyno, gan faglu ei ffordd yn nerfus drwy'r brawddegau agoriadol, nes iddi sadio. Roedd hefyd yn un o dri beirniad cystadleuaeth y Fedal Ryddiaith yn Eisteddfod Genedlaethol Dyffryn Maelor, ond atal y wobr a wnaed.

Aeth ymlaen wedyn i Ysgol Haf Plaid Cymru yn Llangollen, ond Ysgol Haf ddigon anhapus a gafodd. Roedd y Blaid wedi Seisnigo, ac achosai hynny ofid mawr iddi. 'Pobl ddiwreiddiau hollol' oedd yno, 'yn siarad Saesneg, heb wybod dim am Gymru, nac yn ceisio gwybod'.[36] Yn wir, Saesneg oedd prif iaith yr Ysgol Haf honno, a theimlai Kate ar goll yn llwyr yno. 'Deuai llawer o atgofion melys a thrist i mi, ac nid oedd neb a gofiai hynny yno,' meddai wrth D. J. Williams.[37]

Methodd fynd ymlaen â'i nofel newydd, *Tywyll Heno*, y bwriedid ei chyhoeddi at y Nadolig, oherwydd bod y wraig a roddai help iddi yn y tŷ wedi cael plentyn. Er hynny, cyfnod rhyfeddol o greadigol oedd hwn iddi. Ymddangosodd un o'i straeon byrion grymusaf, 'Cathod mewn Ocsiwn', yng nghyfrol gyntaf y cylchgrawn newydd *Taliesin*, cylchgrawn chwarterol yr Academi Gymreig, dan olygyddiaeth Gwenallt, ym 1961. Newydd ei ffurfio, ddwy flynedd ynghynt, yr oedd yr Academi, a bu Kate yn driw i'r sefydliad am weddill ei bywyd, gan fynychu ei gyfarfodydd a'i gynadleddau yn rheolaidd, yn ogystal â chymryd rhan yn y cyfarfodydd hynny.

Parhaodd yr asbri creadigol hwn ymlaen i'r flwyddyn newydd. Ar ddechrau'r flwyddyn, o ddechrau mis Chwefror hyd at ddechrau Mawrth, cyhoeddwyd tair pennod o stori fer hir o'r enw 'Teulu Mari' yn *Y Faner*. Dyma un o'i straeon mwyaf rhyfeddol, stori ddoniol, ddychanol, swrrealaidd hyd yn oed, ond y tu ôl i'r miri a'r digrifwch yr oedd yna gryn dipyn o ddwyster a difrifoldeb. Anifeiliaid yw teulu Mari yn y stori, ac un arall o *personae* Kate yw Mari. Mewn lle digon tebyg i Gae'r Gors y cafodd ei magu. Ar ddechrau'r stori dywedir bod y gwynt 'yn cwyno'n ddigalon o'r tu allan fel y cofiai Mari ef pan oedd yn blentyn ac yn cysgu yn y siamber gefn', yn union fel yr oedd Kate yn clywed y gwynt 'yn ubain o gwmpas y tŷ ac yn crio fel plentyn' yn un o'i hatgofion cynharaf yn *Y Lôn*

Wen.[38] Anifeiliaid Kate ac anifeiliaid ei theulu a'i chynefin yw'r anifeiliaid hyn, a thrwyddynt mae hi'n ailgyffwrdd â'i gorffennol ac yn encilio o fyd creulon a hunanol pobl, a hwnnw'n fyd ynfyd o ffôl a chwbl ddireswm ar ben hynny. Mae'r anifeiliaid hyn yn siarad â Mari, fel y mae anifeiliaid yn siarad mewn llyfrau plant, a thrwy'r stori hon a'i hanifeiliaid rhyfedd, cafodd Kate gyfle i ddianc am ysbaid o fyd oedolion i fyd plant ac i fyd ei phlentyndod, a chael cyfle, ar yr un pryd, i ddychanu ffolinebau pobl.

Pedwar anifail ac un aderyn yw teulu Mari: Bob, y ci; Nedw, y mul; Ledi Miew, y gath; Cwlin, y mochyn bach; a Bwda, y byji. Bob, wrth gwrs, oedd Bob, ei chi ffyddlon. Mari a achubodd fywyd Bob. Oni bai am Mari, 'mi fasa'r ddynes arall wedi mynd â fi a'n rhoi fi i gysgu fel y bydd y merched neis yn dweud, am fy mod i am redeg ar ôl y geifr,' meddai Bob wrth Bwda. Hynny'n union a ddigwyddodd yn achos Bob. Chwe wythnos ar ôl marwolaeth Tos, daeth gwraig at ddrws y Cilgwyn 'a gofyn a gymerwn ei chi, ei bod yn mynd i gadw geifr, ac os na châi rywun i'w gymryd, y byddai'n rhaid gwneud ei ddiwedd'.[39] Ac felly y daeth Bob i fywyd Kate. Dei, ei brawd, oedd adarwr y teulu, a chadwai adar bach. Wrth sôn am ei bwriad i lunio stori 'am gath a'i diwrnod olaf' – sef stori gyntaf *Te yn y Grug* maes o law – wrth Saunders Lewis ym mis Tachwedd 1932, dywedodd Kate mai cath ei brawd Dei a oedd ganddi dan sylw.[40] 'Ym mhob llythyr a ysgrifennodd adref o'r fyddin dywedai wrth mam am gofio edrych ar ol ei gath a'i ganeri,' eglurodd.[41] Roedd Kate hefyd yn cadw cathod. Roedd Cwlin, y mochyn bach, yn ddolen gyswllt arall rhyngddi a'r gorffennol pell. Un o'i hatgofion cynharaf yn *Y Lôn Wen* oedd ei hymweliad â Bryn Gro, cartref Robert Jones, brawd Glasynys, lle gwelodd y mochyn bychan bach hwnnw yr oedd wedi dotio arno: 'Wrth fyned adref yr wyf yn siarad gyda nhad am y mochyn bach, ac mae nhad yn dweud mai "cwlin" neu "fach y nyth", y maent yn galw moch bach felly'.[42] Mae 'Teulu Mari' hefyd yn adlewyrchu hoffter Kate, a hoffter plant y tyddynnod yn gyffredinol, o anifeiliaid. 'Yn wahanol i blant ffermydd mawr, mae gan blant tyddynnod serch neilltuol at yr anifeiliaid,' meddai yn ei hysgrif 'Trwy Lygaid Plentyn'.[43] Un peth a gasâi Kate drwy ei bywyd oedd creulondeb tuag at anifeiliaid. 'Mae hanes diwrnod olaf yr hen gath y peth tristaf bron a glywais i erioed – oddigerth marw fy nau frawd,' meddai wrth Saunders Lewis, gan gyfeirio at farwolaeth Dei a hunanladdiad Owen, ei hanner brawd.[44]

Mae 'Teulu Mari' yn adlewyrchu siomedigaethau niferus Kate mewn pobl. Cyferbynnir rhwng pobl ac anifeiliaid drwy'r stori. Mae Bob yn gofyn beth yw amser, ond ni fedr Mari esbonio hynny i blentyn. 'Ond mi'r ydw i'n gallach na phlant, meddech chi y diwrnod o'r blaen,' yw ateb Bob. ''Dydan ni, Bwda, Cwlin, Nedw a Ledi Miew a minna ddim yn bobol,' meddai Bob. 'Nag ydach, diolch byth,' meddai Mari, gan nodi ei bod hi 'mor anodd byw efo pobol'. Ar ben hynny, mae pobl yn methu â rheoli'r byd a chadw trefn. 'Mi faswn i'n hoffi trafod efo chi, Mari Wiliam, y priodoldeb o ddysgu anifeiliaid i reoli'r byd: mae dyn wedi methu,' meddai'r Athro Jones-Jones, un o gymeriadau'r stori. 'Pethau gwirion ydy pobl,' meddai Cwlin, a chafodd Kate ddigon o gyfle i ddangos hynny yn 'Teulu Mari'. Mawlgan i greaduriaid a fu'n hoff ganddi yw 'Teulu Mari', a mawl yn arbennig i Bob, yn ogystal â Tos, am fod yn gefn ac yn gysur iddi pan oedd pobl ar eu mwyaf mileinig a'u mwyaf gwenwynig.

Mae creulondeb pobl yn dod dan y lach yn aml ganddi yn 'Teulu Mari', gan gynnwys calon-galedrwydd a diffyg Cristnogaeth pobl y capel. Roedd agwedd drahaus a sarhaus merched y Capel Mawr yn dal i losgi y tu mewn iddi. Mae Mari yn dweud wrth Bob ei bod yn gorfod mynd allan i'r eira i dorri coed tân a chodi glo. Gofynna Bob iddi a wnaiff rhywun ei helpu, ac ateba Mari fod pawb yn rhy brysur. 'Ddaru nhw ddim y Dolig chwaith?' meddai Bob. 'Na, 'roeddan nhw'n rhy brysur yn addoli Duw,' yw ateb Mari. I'r gorffennol, ac i Rosgadfan y gorffennol, y perthynai caredigrwydd, cymwynasgarwch ac ewyllys da rhwng pobl. Mae Mari yn edliw i Cwlin ei fod yn rhy ffeind wrth iddo geisio amddiffyn Nedw. ''Dydy hynny ddim yn talu yn yr oes yma,' meddai wrtho.

Ymosodir hefyd ar y Llywodraeth ac ar bolisïau Dr Richard Beeching, Cadeirydd Bwrdd y Rheilffordd Brydeinig, ynglŷn â'r toriadau a wnaed i'r gwasanaeth trenau ym Mhrydain ar ddechrau'r 1960au. I Kate, a oedd mor ddibynnol ar drafnidiaeth gyhoeddus i fynd o le i le, roedd y polisi hwn yn gamwri anfaddeuol. ''Rydw i'r un fath â dafad a llyffethair am fy nghoes,' meddai Mari. Ceir cyferbynnu hefyd rhwng yr hen oes a'r oes fodern. Oes y streiciau a'r breintiau mawr oedd yr oes fodern, ond ers talwm 'mi'r oedd tlodi yn gwneud i bobol ufuddhau'. Ond ni ŵyr Bob ddim byd am ers talwm. ''Doeddwn i ddim yn byw yr adeg honno,' meddai wrth Mari. O'r herwydd, mae hi'n braf iawn arno, am nad oes dim rhaid iddo edrych yn ôl o hyd. Ac mae Mari, fel yr oedd Kate ar y pryd, yn edrych yn ôl o hyd am nad oedd ganddi 'ddim i edrych ymlaen ato fo'.

Roedd Kate yn dechrau gorweithio eto, a bu'n wael am bum wythnos ar ddechrau'r flwyddyn. Cafodd ffliw, ac wedyn lid y gwythiennau, gan ddioddef poenau mawr yn ei choes. Roedd ganddi hefyd boen yn ei chefn, a bu'n rhaid iddi fynd i'r ysbyty i gael archwiliad pelydr-X. Roedd crydcymalau ar ei hasgwrn cefn, a'r boen yn y cefn yn peri i'r poenau yn ei choes waethygu. Cafodd ei mesur i gael gwregys. Un bore yn y gwely cafodd bwl drwg gyda'i chalon, a thybiai ei bod yn marw. Yna bu'n rhaid iddi gael ail archwiliad pelydr-X ddechrau mis Ebrill, ac roedd y stori honno yn stori ar ei phen ei hun, fel yr eglurodd wrth Lewis Valentine:

> … aeth gwraig y tŷ nesa â mi yn ei char i Lanelwy i gael y Pelydr-X. Ar ôl fy rhoi fi i lawr wrth y giât, aeth hi i fyny i'r dre i siop ei llysfam, ac yno ymhen rhyw hanner awr cafodd strôc ar y mennydd, ac yn yr ysbyty y mae byth yn anymwybodol … Yr oeddwn i'n poeni gan feddwl mai mynd â fi yn y car a brysurodd y strôc, ond dywedai pawb wrthyf, ein bod yn lwcus nad yn y car y digwyddodd hyn.[45]

Trwy gydol 1962 bu Kate yn gweithio ar *Tywyll Heno*, heb fawr ddim byd i'w rhwystro ac eithrio blinder a phoenau corfforol a beirniadu cystadleuaeth y nofel yn Eisteddfod Genedlaethol Llanelli. Gwobrwyodd nofel Jane Edwards, *Dechrau Gofidiau*, ond nid heb ei chystwyo am ddefnyddio rhai cymariaethau anaddas a chamddefnyddio rhai geiriau ac ymadroddion, er iddi hefyd gydnabod camp y nofel. Erbyn diwedd Medi roedd *Tywyll Heno* wedi ei chwblhau, ac anfonodd lythyr at ei ffrind Cassie Davies i ofyn a gâi gyflwyno'r llyfr iddi, gan ei rhybuddio ymlaen llaw y gallai'r nofel godi storm:

> Mi fydd yna brotestio pan ddaw fy nofel allan, os nad yw Cymru wedi mynd yn rhy ddicra i hynny. Rwyf yn dweud pethau go gas am y capeli. Am wraig gweinidog y mae hi.[46]

Hon oedd y nofel a ysbrydolwyd gan ymweliadau Kate â'r Ysbyty Meddwl yn Ninbych a chan ymddygiad merched y Capel Mawr pan oedd y cynlluniau i leoli'r ysgol Gymraeg yn festri'r capel ar y gweill. Fis yn ddiweddarach, anfonodd Kate at Cassie Davies i ddiolch am ei chaniatâd i gyflwyno'r nofel iddi, a dywedodd ragor amdani:

> Iselder ysbryd gwraig Gweinidog yw'r thema a'r capel yw ei chefndir, ac mae'r wraig yn cymharu ei chyflwr i Ystafell Cynddylan. Felly *Tywyll heno* yw'r teitl. Mae'r "peisiau yn teyrnasu" ynddi ond rhan fechan yw hynny o'r stori.[47]

Anfonodd gopi o'r nofel at John Gwilym Jones i ofyn am ei farn cyn iddi gael ei chyhoeddi, a dywedodd yntau ei bod yn 'llithrig, gryno a hollol ddiwastraff, yn symud yn sionc a rhywbeth diddorol yn digwydd drwy'r adeg'. Ymgorfforwyd ei sylwadau yn y broliant.[48]

Cyhoeddwyd *Tywyll Heno* ddechrau Tachwedd. Ar Dachwedd 7 anfonodd

Islwyn Ffowc Elis lythyr at Kate i ddweud wrthi ei fod wedi adolygu'r nofel ar gyfer *Lleufer*, ac er iddo ei mwynhau'n fawr, yr oedd yn rhaid iddo, o ran cwrteisi, ei rhybuddio ymlaen llaw fod yr adolygiad yn un llym. Roedd yn condemnio'r llyfr, meddai, am fod ynddo frychau iaith, sef y math o frychau y byddai hi yn eu condemnio yng ngwaith rhywun arall. Gobeithiai na fyddai ei sylwadau yn peri loes iddi. Ymddangosodd yr adolygiad hwnnw yn rhifyn Gaeaf 1962 o'r cylchgrawn. Nid beirniadaeth i gyd mo'r adolygiad. Canmolodd y nofel – neu stori fer hir – am fod ynddi 'ddarlun hollol gredadwy a byw o wraig yn mynd drwy gyfnod anodd ar ei bywyd, yn cael yr hyn a elwir yn gyffredin yn *nervous breakdown*'.[49] Yna cwynodd am y ffordd yr oedd Kate wedi trin ei deunydd. Dywedodd mai nofelwraig 'naturiolaidd' oedd hi, sef bod popeth yn ei gweithiau yn digwydd yn naturiol ac yn rhesymegol yn ôl trefn amser, ond, meddai,

> … mae'n amheus gen' i a ellir *cyfleu* gwallgofrwydd o fewn ffrâm synhwyrgall y nofel naturiolaidd. Hyd yn oed os gellir hynny, mae'n anodd iawn i gymeriad ddisgrifio dadfeiliad ei feddwl ef neu hi ei hun mor eglur-gall ag y medrech chi neu fi ddisgrifio pnawn o siopa.[50]

Ni chredai fod rhai o'r cymeriadau yn argyhoeddi, ac roedd o'r farn fod llawer gormod o ganmol ar arddull Kate. Nid ei harddull oedd ei chryfder. 'Ei chryfder,' meddai, 'yw ei hamgyffred eithriadol o sefyllfa a chymeriad, o gyfraniad manion bywyd i'w gyfanrwydd, ei hymdeimlo mawr â'r elfennaidd a'r sylfaenol, yn enwedig lle y mae colli o ryw fath, neu fod heb rywbeth, yn profi ac yn bychanu dyn'.[51] Er gwaethaf ei harddull ac nid o'i herwydd yr oedd hi yn llenor mawr. Ceid enghreifftiau o anghywirdeb, anystwythder ac amwysedd yn y nofel, a hefyd o ysgrifennu diofal ac anhynod; ac ynglŷn â'i harddull, meddai, gan roi mêl ar y wermod:

> Bob tro y bydd Kate Roberts yn arfer y gair "fel", fe dybir bod yn rhaid gweiddi haleliwia. Aeth yn ystrydeb dweud bod ei chymariaethau – ei "feliau" enwog – yn goron ar ei harddull.[52]

Fodd bynnag, canmolwyd y nofel gan eraill. *Tywyll Heno* oedd ei gwaith gorau yn ôl Lewis Valentine, a dywedodd Kate wrtho fod amryw byd yn cytuno ag ef. Wfftiai at adolygiad Islwyn Ffowc Elis ac nid oedd adolygiad Derec Llwyd Morgan yn *Y Dyfodol*, papur myfyrwyr Prifysgol y Gogledd ym Mangor, fawr gwell ganddi. Ond eithriadau oedd y rhain. Teimlai D. J. Williams fod Kate wedi suddo 'i ddyfnder malltod a diffrwythdra'r cyfnod hwn, a'i ddadansoddi'n hynod

o dreiddgar drwy'r wraig wallgof yma a llawer o'i chymheiriaid'.[53] Roedd Kate
ei hun yn hoff o'r hyn a ddywedodd un o golofnwyr y *Western Mail*, 'Iolo', am
y nofel. Gwelodd yntau hefyd falltod a diffrwythdra'r cyfnod, fel D. J. Williams.
Roedd Cymru, meddai, wedi methu cymodi â'r byd, ac roedd bod 'yn Gymro
Cymraeg bron wedi mynd yn gyfystyr â bod yn wladwr yn byw mewn rhyw noson
lawen dragwyddol'.[54] 'Rhyw wraig i weinidog o genedl yw Cymru,' meddai,
a gososdd Kate 'y gymdeithas y mae hi yn rhan ohoni dan y meicroscôp, a
chroniclodd â gofalwch y gwyddonydd yr hyn a welodd'.[55]

Ni chafodd Kate lonydd i lawenhau yn y ganmoliaeth i'w nofel nac i
fwynhau'r Nadolig. Digwyddodd trychineb. Os bu hi yn lwcus i beidio â chael
ei lladd mewn car ar ddechrau'r flwyddyn, ni fu Bob mor ffodus ddiwedd y
flwyddyn. Rhyw wythnos cyn y Nadolig fe'i bwriwyd gan gar. Adroddodd yr
hanes wrth Olwen Samuel: 'Aeth i grwydro gyda dau gi arall, ac wrth iddo
groesi'r briffordd at y llwybr a arweiniai at y Cilgwyn, fe'i trawyd gan gar a'i
ladd yn y fan a'r lle'.[56] Roedd bron â thorri ei chalon, meddai, 'oblegid bu'n
gwmni ac yn llawenydd i mi am ddeng mlynedd o amser'.[57] Yr un oedd ei chŵyn
wrth Lewis Valentine. Roedd lwmp mawr yn ei brest byth oddi ar y ddamwain,
meddai wrtho, a bu'n rhaid iddi gael moddion gan y meddyg i ymgynnal. 'Nid
babi mwytha o gi ydoedd, ond hen gyfaill ffyddlon iawn i mi …'[58]

Roedd Olwen Samuel hefyd yn llawn canmoliaeth i *Tywyll Heno*, ond bu'n
rhaid i Kate ei goleuo ynghylch un peth:

> Na nid wyf yn meddwl bod a wnelo rhyw ddim byd â'r pruddglwyf ar Bet. Y math o
> ddigalondid a ddaw ar bobl ystyriol oedd arni, pobl sy'n ddigon dewr i edrych ar y byd
> yn ei wyneb heddiw.[59]

Ond roedd Kate hefyd yn ei huniaethu ei hun â Bet. 'Yr wyf fi'n cael y pyliau
yna o ddigalondid, efallai mai nerfau ydyw, neu gyflwr meddwl, ond yr wyf yn
ddigon sicr ei fod yn brofiad real,' meddai.[60] Ar Ionawr 9, 1963, yr ysgrifennodd
Kate at Olwen Samuel, ac yr oedd i'r dyddiad hwnnw arwyddocâd ingol iddi:

> Synnais yn fawr fod Hannah wedi ymddarostwng cymaint i brynu fy llyfr, a hithau
> wedi fy nirmygu a'm hanwybyddu am 17 mlynedd. 17 mlynedd i heddiw y claddwyd
> Morris, ac yn ystod yr amser yna yr wyf wedi dioddef pob math o boen ac o ofid, ac
> un o'r pethau a ddioddefais oedd creulondeb Hannah a'i brawd Dafydd, a darganfod
> ymhen misoedd fod Hannah wedi fy mradychu.[61]

Er gwaethaf adolygiad anffafriol Islwyn Ffowc Elis ar *Tywyll Heno*, cafodd y
llyfr dderbyniad gwresog gan eraill. Cafodd Griffith John Williams flas anghyffredin

ar y llyfr ac ni allai ddeall beirniadaeth Islwyn Ffowc Elis o gwbl. Hwn, meddai, oedd ei llyfr gorau.

Ymatebodd Cassie Davies i'r nofel hefyd. Ysgrifennodd lythyr at Kate wythnos cyn y Nadolig. Darllenodd y nofel ddwywaith, a gadawodd argraff ddofn arni, mwy nag un llyfr arall a ddarllenodd erioed. Wrth ddarllen y llyfr, daeth rhai o brofiadau dwysaf a thristaf ei bywyd yn ôl iddi. Collodd frawd yn y Rhyfel Mawr, a chafodd ei mam strôc o glywed y newydd. Dychwelodd brawd arall o'r rhyfel a'i nerfau'n chwilfriw, a bu'n rhaid iddo fynd i'r ysbyty meddwl yng Nghaerfyrddin yn y diwedd. Bu farw yng Nghaerfyrddin a bu i'w mam farw yn fuan wedyn, yn 68 oed. Methodd sôn am yr helyntion hyn wrth neb, ond mae'n amlwg iddi synhwyro y byddai Kate yn glust iddi.

Ionawr prudd arall oedd Ionawr 1963 iddi. Ar Ionawr 10 bu farw un o'i chyfeillion agosaf, un a fu'n gyfaill iddi ers 34 o flynyddoedd. Arferai Kate a Morris weld Griffith John Williams yn aml yng nghyfarfodydd y Blaid Genedlaethol yng Nghaerdydd, pan oedd ef a'i briod Elisabeth yn byw yng Ngwaelod-y-garth, a Kate a Morris yn byw yn Nhonypandy. Cafodd Kate fwy o'i gwmni pan symudodd ei frawd i Ddinbych i fyw, a mam y ddau yn symud at y brawd ymhen blynyddoedd wedyn. Talodd Kate deyrnged iddo yn *Y Faner*, gan roi canmoliaeth iddo fel ysgolhaig, llenor a chenedlaetholwr. Yr oedd hefyd yn coledd ambell atgof mwy personol:

> Cofiaf yn dda adeg Ysgol Haf Plaid Cymru, Caerdydd 1960, i Mr. a Mrs Williams fynd
> â mi yn eu car, brynhawn Gŵyl y Banc, trwy Fro Morgannwg. Yr oedd rhannau o'r
> Fro yn adnabyddus iawn i mi, a rhannau yn ddieithr. Aethom drwy'r rhannau dieithr,
> ar ôl cael cinio yn y Bont-faen, byth nid anghofiaf y prynhawn pleserus hwnnw a Mr.
> Williams yn ei afiaith yn dangos y lleoedd a oedd yn gysegredig iddo ef oherwydd
> eu cysylltiadau llenyddol, a'i wybodaeth yn ychwanegu at ddiddordeb y prynhawn
> balmaidd hwnnw, diddordeb a ddygwyd oddi ar drafodaethau gwleidyddol y Blaid,
> megis gan blant yn chwarae triwant.[62]

Mewn gwirionedd collodd Kate ddau ffrind pan fu farw Griffith John Williams. Bu ei farwolaeth ddisyfyd yn ormod o ergyd i'w wraig, ac enciliodd i'w chragen. Ni welodd neb fawr ddim ohoni wedi hynny.

Roedd Cassie Davies wedi ymddiried ei chyfrinachau i Kate, ac anfonodd hithau lythyr maith at ei ffrind ar Chwefror 22, 1963. Roedd Kate yn ddwfn yn y felan ar y pryd oherwydd marwolaeth Bob. 'Bûm fel sbruddach byth, hynny a'r tywydd wedi mynd â phob egni oddi arnaf,' cwynai.[63] Aeth yn seiat gyfnewid profiadau rhyngddi hi a Cassie Davies. Soniodd am farwolaeth

Dei i ddechrau. Trwy'i bywyd teimlai Kate ei bod wedi rhoi gormod o sylw i farwolaeth Dei ac wedi anwybyddu dioddefaint Evan oherwydd hynny. Evan a hawliai'r llwyfan i gyd iddo'i hun bellach, ac o'r diwedd dyma Kate yn dadlennu ei gwir deimladau ynghylch ei brawd, a dyfnder ei phryder amdano:

> Yn y cyfamser clwyfasid brawd arall i mi ar y Somme yn 1916. Aeth shrapnel drwy ei ysgyfaint a llechu wrth ei galon. Cafodd naw operasiwn cyn gadael Ffrainc a phedair wedi cyrraedd Prydain. Rhoddwyd hyfforddiant iddo at waith clerc mewn coleg, ond yr oedd ei ochr yn rhy ddrwg iddo allu eistedd wrth ddesg. Agorodd siop fechan yn Rhosgadfan efo arian yr oedd fy rhieni a minnau wedi eu casglu i'm brawd arall ar ôl clywed iddo golli ei goes.[64]

Bu farw Owen, hanner brawd Kate, trwy ei law ei hun, a gallai'r un peth fod wedi digwydd i Evan. Bregus oedd ei iechyd, yn gorfforol ac yn feddyliol. Y tu ôl i wên lydan a pharod Evan, yr oedd llawer iawn o wewyr meddyliol:

> Fe briododd a chael tŷ del i fyw ynddo. Ond oherwydd cystadleuaeth efo'r siopau eraill, bu'n rhaid iddo ddechrau gwerthu blodiau … ac aeth y gwaith yn rhy drwm iddo. Aeth ei nerfau yn racs. Bu gartref yn wael yn hir, a'i wraig yn ceisio gwneud gorau y gallai yn y siop, ei adael ef yn ei wely yn y tŷ, gryn bellter o'r siop, a'r meddyg yn dweud wrthi am gadw pob cyllell a rasal oddi wrtho. O'r diwedd bu'n rhaid iddo fynd i ysbyty milwrol yn Lerpwl, cafodd drafferth fawr i gael y pensiwn a oedd yn ddyledus iddo. Ond fe ddaeth yn well, ac ymhen rhai blynyddoedd cafodd le yn bostfeistr y Groeslon. Gwnaeth gymaint o lwyddiant o hwnnw, fel y gwnaed ef yn bostfeistr Llanberis yn 1939. Cawsai salwch mawr cyn gadael y Groeslon, casgliad enfawr ar waelod asgwrn ei gefn, bu'r twll yn agored, a pheth yn rhedeg allan ohono hyd ei farw yn 1951. Bu farw o thrombosis yn sydyn yn 55 oed, mae ei weddw'n cadw'r post yn Llanberis o hyd.[65]

Adroddodd Kate hanes ei brawd Owen a'i thad wedyn:

> Yr oedd pedwar brawd i mi yn y fyddin a nhad yn gweithio yn Lerpwl. Nid aeth y ddau frawd arall dros y môr, ond buont heb waith yn ystod y Dirwasgiad am tua chwech i saith mlynedd. Aeth gwraig un ohonynt yn wael o'r cancer o'i gwddw, a bu farw wedi dwy flynedd o gystudd. Aeth fy mrawd yn ddigalon iawn wedi ei cholli a rhoes ben ar ei fywyd ymhen tri mis yn 52 oed. Torrodd fy nhad ei galon a bu farw ymhen naw mis ar ôl fy mrawd. Yn 1930 a 31 y bu hyn.[66]

Soniodd wedyn am farwolaeth Richard o'r diciâu, ac yna am aelod arall o'r teulu a fu'n dioddef oddi wrth iselder ysbryd:

Yr oedd yr iselder ysbryd yma yn nheulu fy nhad. Chwi gofiwch Owen Pritchard, y
Gaerddu (cefnder i nhad), yn yr adroddiad o'r Lôn Wen yn Llanelli. Dioddefai ef oddi
wrth iselder ysbryd o hyd, a gorfod aros gartref o'r chwarel am wythnosau. Yr oedd fy
mrawd a roes ben ar ei fywyd yr un fath yn union yn ei flynyddoedd olaf.[67]

Pryder arall i Kate oedd cyflwr iechyd ei mam:

Ar ôl 1918 bu mam yn cwyno gan ei stumog ac aeth yn dyfiant. Cafodd boenau
ofnadwy a dywedwyd nad oedd obaith ohoni yn 1926. Modd bynnag cafodd wared o'r
tyfiant trwy i'r meddyg roi rhywbeth iddi a wnaeth iddi daflu i fyny am dridiau a bu
fyw hyd 1944.[68]

Roedd Kate hithau yn gyfrannog o'r un gwendid ag aelodau eraill o'i theulu. 'Yr
wyf finnau'n cael yr iselder ysbryd yna, ac o brofiad yr ysgrifennais ran helaeth o'r
llyfr, ag eithrio'r ffrwydro yn y seiat,' meddai wrth Cassie Davies.[69]

Cywasgwyd llawer o ddioddefaint personol Kate i mewn i *Tywyll Heno*,
ac nid ei hiselder ysbryd a'i hunigrwydd yn dilyn marwolaeth Morris yn unig.
Y llinell 'Stafell Gynddylan ys tywyll heno' yng Nghanu Heledd o'r nawfed
neu'r ddegfed ganrif a roddodd i'r nofel ei theitl. Yn yr englynion saga hyn, y
mae Heledd wedi colli pob un o'i brodyr, gan gynnwys y brenin Cynddylan a
deyrnasai yn gynnar yn y seithfed ganrif, ac mae Ystafell Gynddylan bellach yn
adfail, 'heb dân, heb wely'. Yn *Tywyll Heno* y mae Bet yn darllen hanes Heledd
yn 'llyfr y Dr. Thomas Parry', sef *Hanes Llenyddiaeth Gymraeg hyd 1900* (1945),
'a'i galar ar ôl ei brawd uwchben adfeilion ei hen gartref'. 'Gwyddwn,' meddai
Bet, 'nad digalondid colli ffydd oedd ei galar hi, eithr galar noeth pagan ar ôl y
marw, galar un heb grefydd yn ganllaw iddi, yn derbyn ei thynged yn ddi-obaith
a chael ei naddu hyd i'r asgwrn'. Kate bellach oedd Heledd; brodyr meirw Kate
oedd brodyr coll Heledd; Cae'r Gors oedd Ystafell Gynddylan. Heledd oedd yr
aelod olaf o deulu brenhinol Powys, Kate oedd yr aelod olaf o deulu gwerinol
Cae'r Gors. Ac roedd Cae'r Gors yn prysur fynd â'i ben iddo.

Degawd gwleidyddol oedd y 1960au yng Nghymru, gyda boddi Capel
Celyn ym Meirionnydd, yng Nghwm Tryweryn, i gyflenwi Lerpwl â dŵr yn
corddi llid cenedlaetholwyr Cymreig. Traddododd Saunders Lewis ei ddarlith
chwyldroadol, 'Tynged yr Iaith', Darlith Flynyddol y BBC yng Nghymru ar gyfer
1962, ar y radio ar Chwefror 13, 1962. O ganlyniad, ffurfiwyd Cymdeithas yr
Iaith y flwyddyn ddilynol, er nad sefydlu mudiad newydd oedd bwriad Saunders
Lewis, ond, yn hytrach, cael Plaid Cymru i ysgwyddo'i chyfrifoldeb. 'Prif werth
eich darlith oedd ein dychryn a'n deffro,' meddai Kate, ond anghytunai â rhai o

syniadau Saunders Lewis.[70] Cytunai mai trwy ddulliau gwleidyddol y gellid achub Cymru, a dyna pam yr ymunodd â'r Blaid yn y lle cyntaf, ond gan fod cyflwr y Gymru Gymraeg mor druenus, roedd yn rhaid bellach ddatgysylltu diwylliant oddi wrth wleidyddiaeth. Ni cheid dim trwy ofyn amdano neu geisio ei hawlio yn enw'r Blaid, ac ni fyddai ysgolion Cymraeg yng Nghymru, fel yr ysgol Gymraeg newydd yn Ninbych, pe gofynnid am ysgolion o'r fath yn enw'r Blaid. 'Yr wyf bron wedi anobeithio y gellir achub yr iaith Gymraeg o gwbl oherwydd ein taeogrwydd,' meddai wrth Saunders Lewis.[71]

'Gyda'r bechgyn hyn sy'n torri'r gyfraith ac yn wynebu ar garchar y mae fy holl gydymdeimlad i, ac ynddynt hwy a'u dilynwyr yn unig y mae gobaith,' meddai Saunders Lewis wrthi.[72] 'Yr wyf yn hollol gytuno â chwi am y bechgyn ieuainc yna sy'n achosi difrod yn Nhryweryn &c, ac yr wyf yn eu cynorthwyo hyd eithaf fy ngallu efo arian, ond yn fy ngweld fy hun yn hollol hunanol yn curo fy nwylo am eu gwaith hwy, a minnau'n gwneud dim fel yna,' atebodd.[73] Difrodwyd trawsnewidydd trydan ar safle Corfforaeth Lerpwl yng Nghwm Tryweryn gan dri chenedlaetholwr, Emyr Llewelyn Jones, Owain Williams a John Albert Jones, ar Chwefror 10, 1963. Teimlai Kate, fel y dywedodd wrth D. J. Williams, fod ysbryd newydd yng Nghymru. Bu'n wraig wadd mewn pedwar cyfarfod Gŵyl Ddewi ym 1963, a chafodd ddweud pethau yn y cyfarfodydd hyn na fyddai byth wedi cael eu dweud bum mlynedd ynghynt. 'Mae gweithred Emyr Llew Jones wedi symud pobl,' meddai wrth D.J.[74] Anfonodd lythyr o gefnogaeth at Emyr Llewelyn, ac anfonodd yntau lythyr yn ôl ati yn diolch iddi am ei geiriau caredig. Roedd Kate wedi dioddef ac aberthu llawer er mwyn Cymru, meddai Emyr Llewelyn, ac roedd llafurio'n gyson ddi-baid fel y gwnaethai hi yn feunyddiol yn golygu mwy o aberth nag un weithred ramantus, boed ym Mhenyberth neu yn Nhryweryn.

Erbyn diwedd mis Hydref roedd Kate wedi gorffen llyfr newydd o straeon, 'ac ni bûm erioed yn treio sgwennu llyfr o dan y fath anfanteision,' eglurodd wrth ei chwaer-yng-nghyfraith Lena.[75] Prysurdeb a salwch oedd yr anfanteision hynny:

> Rhyw alwadau arnaf beunydd, a phobl yn galw &c &c. Ond mwy na hynny bûm yn
> ddigon ciami yr holl amser. Cael cricymalau drwy fy holl gorff, camdreuliad, ac yn fwy
> na dim rhyw besychu mwyaf ofnadwy. Ni chefais erioed y fath besychu, a dyma'r tro
> cyntaf erioed i'm brest fod yn gwichian, ac fe barhaodd felly am fis cyfa. Erbyn hyn
> mae o wedi mynd ar y lwlod a'r bledren ac yn effeithio ar y dŵr.[76]

'Mae arnaf ofn mai llyfr sâl iawn fydd o,' meddai wrth Lena.[77] Cyhoeddwyd y llyfr, *Hyn o Fyd*, ddechrau mis Rhagfyr 1963. Cynhwysai bum stori: 'Teulu Mari', sef fersiwn estynedig o'r stori a ymddangosodd mewn tair pennod yn *Y Faner*, 'Yr Atgyfodiad', 'Digwyddiad o Ddechrau Oes Victoria', sef y stori am garchariad Ifan Jones adeg helyntion chwarel y Cilgwyn, 'Cathod mewn Ocsiwn' a 'Penderfynu'.

Y stori dywyllaf yn y casgliad – os stori hefyd – yw 'Yr Atgyfodiad', a luniwyd 'Ar ôl gaeaf mawr 1963'. Myfyrdod sy'n dilyn techneg llif yr ymwybod, gydag un peth yn awgrymu rhywbeth arall, a geir yma, 'Meddyliau yn mynd ac yn dŵad', fel y dywedir yn y stori. Lluniwyd 'Yr Atgyfodiad' ar ffurf dyddiadur, dyddiadur tri diwrnod, gan ddod â dyddiaduron 1940 a 1946 i'r cof, yn ogystal â'r darnau o ddyddiaduron a gyhoeddwyd yn achlysurol yn *Y Faner*. Bu gaeaf 1962 a 1963 yn aeaf mawr i Kate yn bersonol. Rhyw wythnos cyn Nadolig 1962, wrth gwrs, y lladdwyd Bob, ac mae Kate yn galaru amdano yn 'Yr Atgyfodiad': 'Piau y bedd dan y pren? Bedd fy hen gyfaill ffyddlon, y bu ei gwmni yn nefoedd imi am gyd o amser, ei lyfiad cyfeillgar a'i duth hapus'.

Mae'n gwanwyno ar ôl y gaeaf mawr, a'r ddaear yn atgyfodi o'i thrwmgwsg – 'Y dail gwyrdd ieuainc allan o'r pridd fel plant yn cysgu a'r dillad gwely at eu gyddfau' – ond gofynnir, yn y bôn, pa fath o atgyfodiad sy'n bosibl i'r fath fyd â hwn. Bu'n aeaf ar y ddynoliaeth ers blynyddoedd helaeth:

> Poen y ddynoliaeth ugain mlynedd yn ôl yn Warsaw – y dyngarwr a aeth â'r cannoedd plant i'r gwersyll ac i'r siamberi nwy megis mynd â hwy am drip smalio. Eu beddau megis bedd Arthur – yn guddiedig. Y dyn unig a ddaeth allan o'r cystudd mawr i ddweud yr hanes. Atgyfodiad i un – cymryd ugain mlynedd i ddweud ei boen.

Dyna wir boen y ddynoliaeth. Methodd nifer helaeth o'r Iddewon a oroesodd y gwersylloedd-cadw draethu am eu profiadau erchyll dan law'r Natsïaid am flynyddoedd lawer.

Gofid am gyflwr y byd a geir yn 'Yr Atgyfodiad': 'Ceir ar y stryd yn rhedeg drwyn wrth din, trafnidiaeth loerig, lladd a dwyn, gorymdeithiau yn erbyn arfau niwcliar, paldaruo mewn cynadleddau, hollti blew a hidlo'r mintys, llenwi papur a phorthi ffyliaid ...' Adleisir englynion y beddau o'r canol oesoedd drwy'r stori, gan gloi gyda'r cwestiwn 'Piau y bedd hwn?', sef bedd y byd. Yn sicr, mae ôl cyfeillgarwch Kate â Lilla Wagner ar 'Yr Atgyfodiad'.

Adolygwyd y gyfrol gan Saunders Lewis yn dreiddgar ac yn hael yn y *Western Mail*. Anfonodd Kate lythyr ato i ddiolch iddo am ei adolygiad. Roedd yn falch ei fod wedi rhoi sylw i 'Teulu Mari' gan na fu llawer o ganmol arni gan eraill. Nid dychan dwfn a geid ynddi ond 'rhywbeth bach ysgafn chwareus'.[78] Roedd yn falch hefyd fod Saunders Lewis wedi cywiro'r bobl a soniai byth a beunydd am y frwydr yn erbyn tlodi yn ei gwaith. 'Nid tlodi mono, rhaid i ddyn fod ar lawr wedi ildio i fod yn dlawd; ond ymdrech i gael y ddeupen llinyn ynghyd oedd ein [h]ymdrech ni'.[79] Beirniadaeth arall gan 'bobl ddi-weld', meddai, oedd y cyhuddiad fod ei byd yn rhy gul, ond credai Kate mai'r bobl hyn eu hunain oedd yn gul, 'ac fel y dywedais yn y stori "Penderfynu", y teledu sy'n cyfyngu ar welediad pobl'.[80]

Roedd agwedd elyniaethus merched y Capel Mawr adeg yr ymgyrch i gael ysgol Gymraeg i Ddinbych wedi tarfu ar Kate. Aeth crefydd braidd yn ddiystyr ganddi. Wedi'r cyfan, yr hyn a achosodd gwymp Bet yn *Tywyll Heno* oedd y ffaith ei bod yn wraig i weinidog. Methiant Anghydffurfiaeth a'i hyrddiodd i'r Ysbyty Meddwl. Meddai Bet: 'Mi es yn ddigalon ac yn isel fy ysbryd am fy mod i'n gweld nad oedd dim ystyr i fywyd. 'Fedrwn i ddim credu bod Duw yn rheoli'r byd wrth weld yr holl greulondeb sydd ynddo fo, a 'roeddwn i'n gweld nad oedd dim gwahaniaeth rhwng pobol y capel a phobol y byd. Y dach chi'n gweld, gwraig i weinidog ydw i'.

Ymddangosodd sgwrs rhwng Kate a Lewis Valentine yn rhifyn Gaeaf 1963 o *Seren Gomer*, a olygid gan Valentine ar y pryd. Yn y sgwrs honno traethodd Kate rywfaint am gefndir *Tywyll Heno*:

> Mae ymdrin â phroblemau anodd yn rhoi sbardun i mi at ysgrifennu, ac mae'n rhoi delweddau a darluniau i'm harddull ... Creais sefyllfa fwy anodd i mi fy hun trwy wneud Bet yn ddynes groendenau, synhwyrus, yn cael ei brifo yn hawdd. Nid dynes o bersonoliaeth gref yn gwrthwynebu yr hyn a ddigwyddai yn y capel ydoedd, eithr dynes yn dadansoddi ei theimladau o hyd: dioddefai oddi wrth iselder ysbryd ysbeidiol hefyd, ac yr oedd sefyllfa crefydd yn gyffredinol ac fel y gwelai hi yn ei chapel ei hun yn gyrru'r iselder yn waeth.[81]

'Oes y mae llawer iawn ohonof fi yn Bet,' cyfaddefodd wrth Valentine, gan ailadrodd yr hyn a ddywedodd wrth Cassie Davies ynghylch yr iselder ysbryd a etifeddasai oddi wrth ei theulu, ac fel y bu i hynny arwain at drychineb mawr unwaith, sef hunanladdiad Owen.[82]

Wrth draethu ei meddyliau ac agor ei chalon i Lewis Valentine, roedd Kate yn bur nerfus. Ofnai y byddai rhai pwyntiau o'i heiddo yn brifo ei chyfaill, 'oblegid mae ef yn credu mewn pregethu, ac nid wyf fi fawr erbyn hyn ... mae holl drefn yr Anghydffurfwyr wedi mynd yn gas gennyf,' meddai wrth Saunders Lewis.[83] Roedd wedi anfon ysgrif at *Y Drysorfa*, ar gais y golygydd, ac ymddangosodd yr ysgrif honno, 'Yr Eglwys, y Byd a'r Wladwriaeth', yn rhifyn Mehefin 1964 o'r cylchgrawn. Methiant Anghydffurfiaeth oedd un o bynciau'r ysgrif honno, a methiant y gyfundrefn addysg i sylweddoli gwir werth y Gymraeg. Aeth crefydd yn beth materol. Gan adleisio geiriau Bet yn *Tywyll Heno* – ''roeddwn i'n gweld nad oedd dim gwahaniaeth rhwng pobol y capel a phobol y byd' – meddai Kate yn yr ysgrif: 'Yr argraff a gaf fi yw nad yw safonau Cristionogion yn wahanol i safonau'r byd. Safon y llog uchaf ar arian a'r rhent uchaf am dŷ yw safon Cristionogion yn ôl yr hyn a glywn'.[84]

Bu'r capeli yn ganolfannau diwylliant unwaith, nes i gyfundrefn addysg Seisnig gychwyn ar y broses o ddisodli a distadlu'r Gymraeg. Bellach roedd addysg a chrefydd yn milwrio yn erbyn y Gymraeg mewn rhai eglwysi. Ymosododd, yn gyfrwys-gudd, ar ferched gwrthwynebus y Capel Mawr a'u tebyg, gan gofio i Gyngor Eglwysi Rhyddion Cymru fod yn un o noddwyr y mudiad i gael ysgol Gymraeg i Ddinbych:

> O'n heglwysi y daeth y gri am ysgolion Cymraeg fynychaf; dyma bobl a gyfrifai ei
> bod yn bwysicach i'w plant wybod iaith eu mam a'u mwydo yn niwylliant ein cenedl
> yn hytrach na chael swyddi bras. Yr oeddynt yn fodlon talu am gludo eu plant i'r
> ysgolion a thalu am athrawon yn yr ysgolion meithrin. Rhoes *rhai* eglwysi fenthyg
> eu hysgoldai; *rhai* a ddywedaf; mae rhai yn gwrthod hefyd. Cyfyd gwrthwynebiad i'r
> ysgolion Cymraeg yn yr eglwysi eu hunain, nid gan y byd, ond gan Gymry Cymraeg;
> nid gan Saeson na Sais-Gymry. A dyma ni yn yr un fan ag yr oeddem pan sefydlwyd
> ein cyfundrefn addysg – pobl am wneud y gorau o ddau fyd.[85]

Er iddi ladd ar Anghydffurfiaeth yn *Y Drysorfa*, cyhoeddwyd ysgrif amdani yn rhifyn Gorffennaf 29, 1964, o'r papur Cristnogol Americanaidd, *The Christian Science Monitor*. Aeth aelod o staff y papur, Godfrey John, i Ddinbych i holi Kate am ei gwaith a'i bywyd. Deallodd natur a hanfod ei gwaith:

> For her, the past is a living entity. Somehow the long ago becomes the here and now,
> and what is past must have its impact on the present. She writes as if above all she wants
> to preserve the genuineness of her people – the quick, clean rush of their being.[86]

Eglurodd Kate iddo mai tynnu maeth o'r gorffennol a wnâi fel llenor. 'I have to go back: I feel I can't describe the modern world,' meddai wrtho.[87] Er hynny, meddai, '… I am deeply affected by what is happening in the world'.[88] Esboniodd Kate mai marwolaeth ei brawd ieuengaf yn y Rhyfel Mawr a'i sbardunodd i ysgrifennu. 'The shock changed me,' meddai, gan ymhelaethu: 'All my work has something of this element of struggle. But there is no room in it for cynicism – any more than for idle sentiment'.[89] Ac eto, fel y nododd y gohebydd:

> Dr. Roberts has been intimate with both poverty and tragedy. But she has not always written under a gray sky. Her genius is nourished by the glow of childhood ...[90]

Dywedodd Kate wrtho mai *Te yn y Grug* oedd ei llyfr gorau. Gadawodd Godfrey John y Cilgwyn yn llawn edmygedd ohoni. Anfonodd Kate air ato yn ddiweddarach. 'It gives me great pleasure to think that other nations may come to know about what is done in the Welsh language,' meddai wrtho.[91] Tynnu sylw at y Gymraeg oedd y peth pwysig iddi hi, nid rhoi llwyfan i'w gwaith. O ganlyniad i'r erthygl yn *The Christian Science Monitor*, derbyniodd Kate rai llythyrau o America yn holi am *A Summer Day*.

Bu'r haf hwnnw yn un pleserus iawn i Kate. Aeth i'r Eisteddfod Genedlaethol yn Abertawe, ac ar ôl yr Eisteddfod bu Winifred Rees a'i ffrind Ray Evans yn aros gyda hi yn y Cilgwyn am wythnos, a bu'r tair yn mynd o gwmpas. Un o gyn-ddisgyblion Ysgol Ramadeg y Merched yn Aberdâr oedd F. Ray Evans, ac er mai ffrind Winifred Rees ydoedd yn bennaf, roedd yn ffrind i Kate yn ogystal. Yn ystod mis Awst hefyd mynychodd Kate ei deugeinfed Ysgol Haf namyn un. Yn Abergwaun, tref fabwysiedig D. J. Williams, y cynhaliwyd yr Ysgol Haf honno, a threfnwyd cyfarfod teyrnged i D.J. a'i briod Siân i gloi'r ysgol. Un o'r siaradwyr, yn naturiol, oedd Kate, ac er ei bod dan gryn deimlad, siaradodd yn ardderchog.

Aeth ymlaen wedyn i Lundain i weld Lilla Wagner, ac oddi yno i Elsted yng ngorllewin swydd Sussex. Adroddodd yr hanes wrth Olwen Samuel:

> Cawsom ein dwy wahoddiad i fynd i fwrw'r Sul at Mrs Ernest Jones, gweddw'r Cymro a oedd yn awdurdod ar Freud, i'w bwthyn yn Elsted. Yr oedd fy ffrind, Lilla Wagner, yn ysgrifennydd i Dr Ernest Jones, am rai blynyddoedd cyn ei farw, a hi a orffennodd y mynegai i'w gofiant Saesneg i Freud. Mae'r bwthyn ar odre'r South Downs, a byth nid anghofiaf dawelwch y wlad a'r golygfeydd; yn enwedig y machlud. Yr oedd Mrs Jones hithau yn ddynes hoffus, fodlon, braf; psycho therapist yw hi, a'm ffrind yn psycho-analyst.[92]

Er ei bod yn ddynes hoffus a bodlon ei byd, Iddewes o Vienna oedd ail wraig Ernest Jones, Katherine Jokl cyn priodi, ac fel yr eglurodd Kate wrth D. J. Williams: 'Dinistriwyd llawer o'i theulu gan Hitler mewn gwersylloedd gwarchod'.[93]

O ddechrau mis Hydref ymlaen bu Kate yn hynod o brysur. Roedd yn gweithio ar dair stori newydd, 'Brwydro efo'r Nadolig', a ymddangosodd yn rhifyn mis Rhagfyr o *Barn*, 'Y Daith', a ymddangosodd yn rhifyn Ionawr 1965 o'r *Traethodydd*, a 'Poen wrth Garu – Stori Hen Ffasiwn', a gyhoeddwyd yn rhifyn Gwanwyn 1965 o *Hon*. Roedd deunydd ar gyfer cyfrol arall o storïau byrion yn prysur grynhoi ganddi. Hefyd roedd wedi dechrau llunio cyfres o storïau ar gyfer plant dan un ar ddeg, 'Storïau o Lenyddiaeth Cymru', i *Trysorfa'r Plant*, a gâi ei olygu gan Jennie Eirian Davies ar y pryd. Ymddangosodd stori o'i heiddo ymhob rhifyn o'r cylchgrawn misol hwn ym 1965. Yn wir, rhwng mis Hydref a mis Rhagfyr, ysgrifennodd naw o bethau i gyd, a chwynodd wrth Olwen Samuel a'i gŵr mai gwaith di-dâl oedd yr holl waith hwn. 'Duw a'i gŵyr,' meddai, 'yr wyf wedi gweithio'n galed ers 18 mlynedd, heb ddim ond ychydig iawn o orffwys; ac mae'n ymddangos erbyn hyn fy mod yn mynd i gael fy ngorchfygu'.[94] Cwynodd hefyd mai ychydig iawn o waith a gâi gan y BBC bellach, 'dim ond rhyw sgyrsiau byr nad yw'n werth y drafferth i fynd i Fangor i'w recordio'.[95] Nadolig llwm a'i hwynebai y flwyddyn honno:

> Ni allaf fi anfon dim i chwi eleni. Yn ariannol dyma'r Nadolig mwyaf digalon a
> gefais erioed, ac nid yw'n edrych yn rhy dda at y dyfodol. Mae'n siŵr y byddai'n rhoi
> llawenydd mawr i Hannah o wybod ei bod hi drwy ei gweithredoedd bradwrus yn
> rhannol gyfrifol fy mod yn y sefyllfa hon heddiw.[96]

Dywedodd hefyd wrth Olwen Samuel ei bod wedi syrthio o flaen torf o bobl yn Llanrwst wrth annerch cyfarfod adeg Etholiad Cyffredinol 1964, a gynhaliwyd ar Hydref 15. Baglodd a syrthiodd ar ei hyd. Cafodd ysgytwad a brifo ychydig. Roedd Kate bellach yn ei saithdegau cynnar, a 'doedd yr anffawd yn Llanrwst ddim yn argoeli'n rhy dda ar gyfer y dyfodol.

Bu'n brysur eto yn y flwyddyn newydd. Lluniodd ddrama fer neu stori ar ffurf deialog yn dwyn y teitl 'Rhyfel' ar gyfer y gyfres 'Comisiwn 1965'. Darlledwyd y stori ar y radio nos Fawrth, Mawrth 16, ond ni chafodd Kate ei boddhau. Cwynodd wrth Saunders Lewis fod y cynhyrchydd, Meirion Edwards, wedi andwyo ei stori, 'trwy roi dyn â llais bachgen 16 oed i wneud cymeriad bachgen tua 25 wedi cael profiad yn y fyddin, a hynny er i ME ddyfod yma i'm gweld trwy ei gais ef ei hun, i drafod y cymeriadau'.[97]

Ers rhai blynyddoedd bellach, ac o ddechrau'r 1960au ymlaen yn enwedig, bu Kate yn pryderu ynghylch cyflwr Cae'r Gors, a mynegodd ei phryder wrth amryw. Bu'n ystyried prynu'r lle ei hun, ond ni allai ei fforddio. Cysylltodd Islwyn Ffowc Elis â hi ddechrau Medi 1964. Dywedodd mai'r genedl a ddylai ysgwyddo'r cyfrifoldeb am Gae'r Gors ac nad oedd unrhyw reidrwydd arni hi i brynu'r lle.

Roedd yn beth gwarthus, meddai, fod yn rhaid i rywun alw sylw o hyd at gartrefi enwogion y gadawyd iddynt ddirywio. Ffurfiwyd Ymddiriedolaeth gan Blaid Cymru i brynu Cae'r Gors, gyda'r bwriad o'i atgyweirio, a'r ymddiriedolwyr yn aelodau amlwg o'r Blaid: Islwyn Ffowc Elis, R. E. Jones, J. E. Jones, John Gwilym Jones, Elwyn Roberts, Cassie Davies, J. R. Cadwaladr ac Ifor Wyn Williams, prifathro Ysgol Rhosgadfan ar y pryd. Cododd Kate y mater gyda Saunders Lewis:

> Soniodd Islwyn Ffowc Elis wrthyf ei fod wedi sgrifennu atoch ynglŷn â'r hyn y bwriedir ei wneud i adfer rhyw gymaint ar fy hen gartref, a dywedodd wrthyf beth oedd eich ymateb. Felly sgwennu i egluro yr ydwyf. Nid wyf yn hollol sicr sut y cychwynnodd y peth, heblaw mai peth i mi yn bersonol ydoedd ar y cychwyn. Yr oedd rhyw Sais a ddaethai'n blentyn cadw i Rosgadfan yn ystod y Rhyfel wedi prynu'r tyddyn, wedi adeiladu tŷ unllawr newydd iddo ef ei hun a gadael i'r hen dŷ fynd â'i ben iddo. Yn wir, mae'r tir bron wedi dychwelyd i'w gyflwr cyntefig o frwyn a mawndir. Bob tro yr awn i Rosgadfan … byddwn yn torri fy nghalon wrth weld yr hen dŷ. Ni allwn ei brynu fy hun, oblegid yr oedd ar y dyn eisiau crocbris amdano, buasai'n rhaid imi godi arian ar y Cilgwyn, ac fe allai hynny yn y pen draw olygu fy mod yn mynd i fyw i fwthyn a gadael y tŷ yma.[98]

Brian Jones oedd enw'r Sais a aeth i Rosgadfan yn blentyn cadw adeg y rhyfel. Roedd yn gofyn £300 am y tŷ, ond byddai angen £700 arall i'w atgyweirio, cyfanswm o £1,000 i gyd; yna gofynnodd y perchennog am £550 amdano. 'Yn awr yr oedd arnaf i eisiau ei gadw am ei fod yn golygu cymaint i mi yn bersonol, yr un fath ag y buasai unrhyw berson calon feddal arall yn ei ddymuno, ac nid am y buasai'n golygu rhywbeth i'r genedl am fy mod i wedi digwydd bod yn sgrifennu storïau am ryw ddeugain mlynedd,' meddai wrth Saunders Lewis.[99] Nid mater i Kate oedd yr ymgyrch i brynu Cae'r Gors bellach, 'ac ni fiw i mi ymliw'.[100]

Collodd Kate ffrind arall ddechrau Mehefin, pan fu farw Siân, gwraig D. J. Williams. Roedd triwyr Penyberth – a'r tri yn gyfeillion pennaf i Kate – ar dir y byw o hyd, ond roedd llawer iawn o'i chyfeillion eraill wedi ymadael. Gwelodd Kate a D.J. ei gilydd yn Ysgol Haf y Blaid ym mis Awst. Ym Machynlleth y cynhaliwyd yr Ysgol Haf ym 1965, bron i ddeugain mlynedd ar ôl cynnal yr Ysgol Haf gyntaf erioed yno ym 1926. Trefnwyd cyfarfod teyrnged i Kate yn Ysgol Haf 1965, wedi ei drefnu gan Cassie Davies a'i chwaer. 'Yr oedd arnaf ofn torri i lawr. Llais oer Gwynfor a'm rhwystrodd mi gredaf,' meddai wrth Cassie Davies.[101]

Roedd Cronfa Deyrnged Kate Roberts wedi cyrraedd deuddeg cant o bunnoedd, digon bellach i brynu Cae'r Gors, gyda rhai cannoedd yn weddill. 'Buasai'n well gennyf o lawer … fod wedi ei brynu fy hun, ond fe olygasai hynny godi arian oddi ar y Cilgwyn,' meddai Kate wrth Saunders Lewis.[102] Fodd bynnag, cafwyd adroddiad pensaer ar Gae'r Gors ddechrau 1966, ac yn ôl yr adroddiad hwnnw byddai'n amhosibl adnewyddu'r tŷ i fod yn addas i rywun fyw ynddo heb newid cymeriad y lle. Gan na chasglwyd digon o arian i adnewyddu'r tŷ, byddai'n rhaid bodloni ar atgyweirio rhannau ohono'n unig, fel y gellid cadw cragen yr adeilad ar gyfer adnewyddu'r tŷ rywbryd yn y dyfodol. Pryderai Kate o hyd am gyflwr Cae'r Gors. Ysgrifennodd at Cassie Davies ddiwedd mis Ionawr 1966, a dywedodd fod y tŷ 'yn prysur ddiflannu, mae plant ysgol yn mynd yno ac yn tynnu'r to a'r waliau i lawr'.[103] Yr oedd Kate i fod i gyfarfod â'r pensaer a oedd i ailgynllunio'r tŷ yng Nghae'r Gors un diwrnod, ond ni ddaeth. Ni theimlai fod angen pensaer. 'Ni chawsom ni'r un i gynllunio'r Cilgwyn; fi gymerodd bensel a phapur, a gwneud cynllun ar fesur llai o gynllun yn yr *Ideal Home*,'[104] meddai wrth Cassie Davies. Roedd y sefyllfa gyda'r tŷ yn ei chadw'n effro'r nos ac yn boen iddi drwy'r dyddiau.

Roedd sefyllfa ariannol Kate ar ddechrau 1966 yr un mor fregus â chyflwr Cae'r Gors. Fe'i gwahoddwyd i feirniadu yn Eisteddfod fawr Pontrhydfendigaid, yr eisteddfod a noddid gan y miliwnydd o Gymro, Syr David James. Roedd wedi gwrthod rhai gwahoddiadau o'r fath yn y gorffennol, oherwydd nad oedd y gydnabyddiaeth am y gwaith yn ddigonol, ond roedd yn ystyried derbyn y gwahoddiad y tro hwn, fel yr eglurodd wrth Cassie Davies:

> Clywais mai ychydig a delir i'r beirniaid o'i gymharu â'r gwobrau; ac mae'n bur debyg y bydd llawer yn cystadlu am y fedal ryddiaith. Gan mai miliwnydd sy'n noddi'r Steddfod, ni fyddai'n deg iddynt roi tâl bychan am waith mawr, ac yr wyf am ddal am dâl a fydd yn ddigon am y gwaith. Yr wyf wedi gwneud gormod o waith am ddim yn ystod 45 mlynedd o lenydda, ac erbyn hyn yr wyf yn cael trafferth i gael y deupen llinyn ynghyd …[105]

Yr un oedd ei chŵyn wrth D. J. Williams yr Ionawr hwnnw: 'Yr wyf i'n gorfod gwneud rhyw fân betheuach i'r B.B.C. − er mwyn cael bwyd a dillad a tho uwch fy mhen, yn lle cael mynd ymlaen efo gwaith pwysicach, ac yn gwneud llawer o ysgrifennu heb dâl na diolch'.[106] Ni ddymunai adael y Cilgwyn na rhannu'i chartref gyda neb arall ychwaith, gan y byddai hynny yn amharu ar ei llenydda, ond os oedd costau byw yn mynd i godi eto, ofnai y byddai'n rhaid iddi adael y Cilgwyn yn y pen draw. Roedd yn ystyried mynd i gartref hen bobl hyd yn oed.

Erbyn mis Medi 1966 roedd Kate o'r diwedd wedi cyfarfod â'r pensaer, a chafodd fwy fyth o ysgytwad wrth weld cyflwr y tŷ, fel yr eglurodd wrth Olwen Samuel:

> Pythefnos yn ôl, euthum i'm hen gartref gyda'r pensaer i weld ynghylch ei ail godi neu wneud rhywbeth iddo. Ni welais erioed y ffasiwn beth; mae ei gyflwr yn gwaethygu, mwy a mwy ohono'n syrthio i lawr …[107]

Ac er bod yr Ymddiriedolaeth wedi gweithio'n galed iawn i gasglu arian, ansicr oedd dyfodol Cae'r Gors o hyd:

> Ni ellir gwneud dim ond gwneud hen gofadail o'r tŷ erbyn hyn, a 'dwn i ddim pryd y cychwynnir ar y gwaith. Mae'r peth yn hunllef arnaf byth, a methaf yn glir ei gael oddi ar fy meddwl nes wyf wedi mynd i stad o iselder ysbryd parhaol.[108]

Gweld ei hen gartref yn dadfeilio yr oedd Kate. Yng Nghae'r Gors y bu'r byd cyfan hwnnw a chwalwyd yn raddol gan ryfel, henaint ac afiechyd, ac yn y pen draw, gan amser. Ac ar ôl chwalu'r teulu, roedd amser, ynghyd â'r elfennau, yn chwalu'r aelwyd. Dim ond trwy weithiau Kate y gallai'r teulu hwnnw fyw bellach. Erbyn ail hanner 1967 roedd Kate wrthi yn paratoi *Tegwch y Bore* ar gyfer cael ei gyhoeddi gan Lyfrau'r Dryw cyn y Nadolig. Newidiodd rywfaint ar y sgwrsio yn y nofel, ond ni newidiodd fawr ddim arall. Am rai wythnosau roedd hi'n ôl yng Nghae'r Gors, yn y Coleg ym Mangor, yn Llanberis ac yn Ystalyfera, ac yng Nghae'r Gors yn anad unman. Daeth y teulu ynghyd yn ei chof ac yn ei dychymyg i ddathlu Nadolig 1913:

> Eisteddent yn deulu cyfan o gwmpas y bwrdd. Huw wedi codi erbyn hynny, pawb yn eistedd yn yr un lle ag yr eisteddent ynddo pan oeddynt blant. Aent yn reddfol i'r un lle wrth y bwrdd, yn union fel yr âi pob buwch at yr un rhesel yn y beudy. Pe newidid y drefn, fe deimlai pob un y byddai rhywbeth ofnadwy yn siŵr o ddigwydd. Buasai'n temtio Rhagluniaeth fel mynd o dan ysgol, yn lle heibio iddi. Yr oedd y bwyd yn mygu'n gynnes, gan nad oedd fawr o ffordd o'r popty i'r bwrdd, y cig yn frau, y tatws-yn-popty yn gochion y tu allan, ac yn flodiog y tu mewn, y fresychen wen wedi ei malu'n fân ac yn iraidd mewn menyn, a'r gwlych heb gymorth dim ffug, yn goch tywyll fel derw. A'r menyn melys yn llifo'n ffrwd ogoneddus a chuddio'r pwdin. Digonedd o'r cyfan, a Bobi a Rolant yn mynnu cael peth o'r menyn melys ar ei ben ei hun ar y diwedd fel y caent pan oeddynt yn blant. Pawb yn siarad, Rolant yn asio'n glosiach ac yn dyfod yn nes bob munud i'r hyn ydoedd cyn mynd i ffwrdd.

Ni fuasai gartref er yr haf ac ni ddeuai hyd yr haf nesaf, ni allai ei fforddio. Criai bob tro cyn cychwyn yn ôl nes byddai ei lygaid wedi chwyddo fel sgwigen. Byddai Ann yn mynd i grio gydag ef am na allai wneud dim arall.

13

EDRYCH YN ÔL
1968–1985

'Yr oeddym mor hapus y pryd hynny yn ein hymdrechion i gael y ddau ben llinyn ynghyd.'

Kate Roberts at Cassie Davies, Ebrill 14, 1969

Er ei bod yn agosáu at ei phedwar ugain oed, roedd Kate yn anterth ei bri a'i phoblogrwydd wrth i'r 1960au ddirwyn tua'r terfyn. Roedd newydd gyhoeddi *Tegwch y Bore* ym mis Rhagfyr y flwyddyn flaenorol, ac ar ddechrau 1968 derbyniodd wobr o £600 gan Gyngor Celfyddydau Cymru, sef prif wobr y Cyngor wrth anrhydeddu llenorion 1967, am ei chyfraniad i lenyddiaeth Gymraeg. Roedd Kate, yn ôl ei harfer, wedi anfon copïau cyfarch o *Tegwch y Bore* at gyfeillion a pherthnasau, ac wedi cael ymateb calonogol gan amryw. Sylweddolodd Saunders Lewis yn syth mai nofel hunangofiannol oedd *Tegwch y Bore*. 'Mae llawer iawn o'ch bywyd chi yn y nofel, ac mi fydd hi byw ac yn bwysig oherwydd hynny,' meddai wrthi.[1] Roedd Lena, chwaer-yng-nghyfraith Kate, wedi mwynhau *Tegwch y Bore*, yn well na *Te yn y Grug* hyd yn oed. Trwy'r nofel gallai ail-fyw cwmni rhieni Kate ac Evan ei gŵr, oherwydd ei bod wedi disgrifio eu bywyd mor odidog.

Erbyn dechrau Ionawr roedd Llewelyn Wyn Griffith wedi anfon y teipysgrif o'i gyfieithiad o *Te yn y Grug* at John Idris Jones, yn barod i'w argraffu. Teitl y llyfr yn Saesneg fyddai *Tea in the Heather*, ac roedd i'w gyhoeddi at y gwanwyn. Roedd Bobi Jones wrthi'n ddyfal yn casglu deunydd ar gyfer cyfrol deyrnged i Kate a oedd i'w chyhoeddi dan nawdd yr Academi a than ei olygyddiaeth yntau. Derbyniodd Llewelyn Wyn Griffith lythyr ddechrau Ebrill oddi wrth Storm Jameson yn canmol *Tea in the Heather*. Cafodd lythyr o werthfawrogiad gan Lilla Wagner yn ogystal.

Agorwyd Ysgol Gynradd Twm o'r Nant, yn ei lleoliad a'i hadeilad newydd ar Ffordd y Rhyl, Dinbych, yn swyddogol gan Kate ar Ebrill 23, 1968. Roedd hi hefyd wedi cynhyrchu rhai o anterliwtiau Twm o'r Nant ar gyfer yr achlysur, ond achlysur o anghysur fu hwnnw iddi, yn union fel yr oedd seremoni derbyn gwobr y Cyngor Celfyddydau yng Nghaerdydd wedi peri cryn dipyn o anghysur iddi, fel yr eglurodd wrth Cassie Davies dridiau ar ôl agoriad swyddogol Ysgol Twm o'r Nant:

> Mae'r briw o hyd ar fy stumog, a'r Llun wedi bod yng Nghaerdydd yn ôl y wobr, bu'n rhaid i mi fynd i weld doctor i Lerpwl, a dywedodd fod y briw yn "very active", ac roedd arno eisiau imi fynd i Ysbyty'r Northern yn Lerpwl am dair wythnos. Ond yr oedd yr anterliwtiau ar fynd ar y pryd a chefais ganiatâd i ohirio. Cefais waith mawr gyda'r anterliwtiau, ond bu'n llwyddiant arbennig.[2]

Âi i'r Eisteddfod Genedlaethol o hyd ac i Ysgolion Haf Plaid Cymru, a mynychai amryw byd o gyfarfodydd diwylliannol eraill yn ogystal. Ond roedd henaint yn dechrau dweud arni. Mwynhaodd yr Eisteddfod yn y Barri y flwyddyn honno, ond roedd yn hwyr glas ganddi ddychwelyd i'r Cilgwyn. 'Erbyn hyn, mae rhyw ddigalondid yn dyfod drosof wrth feddwl am adael fy nhŷ, a medrwn grio bob tro y rhof glo ar y drws,' meddai wrth D. J. Williams.[3]

Parhai i golli cyfeillion. Bu farw Gwenallt ar Noswyl y Nadolig, 1968, ar ôl wythnosau o waeledd. Bu Kate ac yntau yn gyfeillion agos oddi ar y dyddiau cynnar hynny yn Ystalyfera, ac aeth y berthynas rhwng athrawes a disgybl yn berthynas glòs rhwng dau lenor a dau genedlaetholwr. Y peth olaf a ysgrifennodd Gwenallt oedd ysgrif ar gyfer y gyfrol deyrnged i Kate yr oedd Bobi Jones yn ei chywain ynghyd. 'Cefais y fraint o fod yn athrawes am gyfnodau byrion ar T. Rowland Hughes, Islwyn Williams a Gwenallt ac yn awr mae'r tri wedi mynd o'm blaen i,' meddai wrth dalu teyrnged i Gwenallt yn *Y Faner*.[4] Methodd fynd i angladd Gwenallt oherwydd gerwinder y tywydd, er mawr ofid iddi.

Roedd yn cwyno'n arw am ei hiechyd ar ddechrau'r flwyddyn newydd. Am dri mis yn ystod y flwyddyn flaenorol bu'n teimlo'n wantan. 'Cefais friw ar y troed chwith – peth a eilw'r Sais yn "varicose ulcer",' meddai wrth D. J. Williams.[5] Bu'n rhaid iddi fynd i'r ysbyty bob wythnos am chwe wythnos i dderbyn triniaeth, yna, ddeuddydd cyn y Nadolig, cafodd friw tebyg ar y droed arall, ac ni allai gerdded heb gymorth tabledi lladd poen. Cynghorodd y meddyg hi i fynd i'r ysbyty i orffwys, ond roedd 'gormod o aroglau angau' iddi yno.[6] Câi lawer o help gan ei dwy nith, Pegi ac Eirian, a'u mam, ei chwaer-yng-nghyfraith Maggie. Er gwaethaf cyflwr ei hiechyd, ni rwystrodd hynny mohoni rhag cymryd rhan mewn Seiat Holi yng Nghymdeithas y Cymric yn ei hen goleg ym Mangor nac ychwaith rhag siarad ar Richard Hughes Williams ym Mhrifysgol Lerpwl ym mis Ionawr.

Cyhoeddwyd *Kate Roberts: Cyfrol Deyrnged* ar ddechrau 1969, a chyflwynwyd y gyfrol iddi gan yr Academi mewn cyfarfod arbennig ym mis Ebrill. Cynhwyswyd yn y gyfrol nifer o luniau ohoni hi a'i theulu. Ychydig ddyddiau ar ôl iddi dderbyn y gyfrol gan yr Academi, anfonodd lythyr at Cassie Davies, i ddiolch iddi am ei chyfraniad i'r gyfrol, 'Cenedlaetholreg'. Roedd y lluniau wedi codi hiraeth mawr arni ac wedi peri iddi sylweddoli bod oes o siom a galar, ac oes o ymladd o blaid iawnderau Cymru a'r Gymraeg, yn nannedd gwawd a rhagfarn yn aml, wedi llwyr weddnewid ei phersonoliaeth:

> A ydych yn hoffi'r lluniau? Dônt â lwmp i'm gwddw i. Yr oeddym mor hapus y pryd hynny yn ein hymdrechion i gael y ddau ben llinyn ynghyd. Dwy waith yn ddiweddar mae rhai oedd gyda mi yn yr ysgol yng Nghaernarfon ac yn y coleg wedi dweud wrthyf, "Yr oeddech chi mor addfwyn ac mor ddistaw y pryd hynny." Yr awgrym cudd wrth reswm ydyw fy mod i'n fwli cas erbyn hyn. Wel petai'r ddwy hynny wedi ymladd cymaint â fi dros iawnderau cenedl a phethau mwy personol, mi fuasent hwythau yn fwlïod hefyd.[7]

A hawdd y gallai Kate deimlo'n chwerw iddi ymladd mor daer dros iawnderau cenedl, a'r genedl honno yn parhau i fod yr un mor daeogaidd ag erioed. Ar y diwrnod cyntaf o Orffennaf dathlwyd Arwisgiad y Tywysog Siarl yng Nghastell Caernarfon gan filoedd o Gymry. 'Diolch byth bod rhialtwch y tywysog drosodd,' meddai wrth Lewis Valentine ddeuddydd ar ôl y digwyddiad.[8] 'Wfft i'n beirdd a'n gweinidogion a dderbyniodd y gwahoddiad,' ychwanegodd, gan nodi i'r Frenhines ei gwahodd hithau.[9] 'Hyfryd oedd gwrthod,' oedd ei hymateb i'r gwahoddiad.[10]

Ar Awst 22, cafodd Kate ddamwain gas. Syrthiodd wrth olchi'r feranda yn y Cilgwyn, a thaflwyd ei hysgwydd dde o'i lle. Fe'i rhuthrwyd i'r ysbyty yn Ninbych i gael morffin, ac aethpwyd â hi ymlaen wedyn i'r Rhyl i fynd dan anesthetig i gael ei hysgwydd wedi ei gosod yn ei lle. Bu'n taflu i fyny drwy'r nos, ac ni chafodd fynd yn ôl i'r Cilgwyn tan y bore wedyn. Rhoddwyd ei braich mewn sling am fis cyfan, a dioddefai boen o hyd ym mis Tachwedd er bod y ddamwain wedi digwydd ers rhai misoedd.

Erbyn diwedd y flwyddyn roedd Kate wrthi yn cywiro proflenni llyfr newydd o straeon byrion o'i heiddo, er bod ei braich yn boenus o hyd. *Prynu Dol a Storïau*

Eraill oedd enw'r llyfr, a straeon a berthynai i ail hanner y 1960au oedd y rhain, cynnyrch cyfnod rhyfeddol o greadigol rhwng 1964 a 1969. Roedd y gyfrol wedi ei dylunio'n gain gan yr arlunydd adnabyddus Eric Malthouse, a oedd yn uwch-ddarlithydd yng Ngholeg Celf Caerdydd ar y pryd.

Ûn o'r adolygiadau mwyaf diddorol ar *Prynu Dol* oedd adolygiad John H. Watkins yn *Y Traethodydd*. Credai fod angen tafoli gwaith Kate yn ofalus ac yn bwyllog yn hytrach na thalu gwrogaeth iddi yn ddall ddifeddwl. Nid trwy foesymgrymu'n eilunaddolgar iddi y gellid mesur ei gwir fawredd:

> Fe all fod yna lawer o dreisiedi ifainc, addawol – a rhai heb fod mor ifanc chwaith
> – yn sefyllian yn eiddgar ar ymylon maes llenyddol ein gwlad, ond dim ond un fuwch
> gysegredig sydd yno, a Kate Roberts yw honno. Hynny yw – a rhoi'r peth mewn
> ffordd mwy [*sic*] parchus a llai eithafol – nid oes amheuaeth o fath yn y byd nad awdur
> *Prynu Dol a Storïau eraill* yw *doyenne* ein llên a ffigur mwyaf poblogaidd y celfyddydau
> yng Nghymru ar hyn o bryd. Ond fel gyda phopeth a berchir yn afresymol o deyrngar,
> mae yna berygl i'w heilunaddolwyr foesymgrymu a phlygu glin heb edrych arni'n fanwl
> iawn, a chanu ei chlodydd heb unrhyw wir syniad am ei dawn, ei chwmpas moesol
> a'i rhinweddau alegorïaidd; heb unrhyw amgyffred chwaith o'r berthynas deuluol sy
> rhwng ei storïau a'i nofelau a chynnyrch rhai o enwogion llenyddol gwledydd eraill
> Ewrop.[11]

Credai hefyd fod angen astudio'i gwaith mewn cyd-destun ehangach na'r cyd-destun plwyfol a chyfyngedig arferol:

> Ochr yn ochr â'r goreuon, ac yng nghefndir campweithiau llenyddiaeth gwledydd eraill
> y mesurir nofelau Jane Austen, Virginia Wolf [*sic*] ac Ivy Compton-Burnett, neu storïau
> a nofelau a chyfrolau cymdeithasegol George Sand, Colette, a Simone de Beauvoir.
> Ond yn amlach na pheidio, gyda D. J. Williams, neu Tegla Davies, neu T. Rowland
> Hughes y gosodir Kate Roberts, ac ar raddfa leol, gartrefol neu deuluol yn unig y
> traethir amdani.[12]

Nododd mai 'yr hiraeth am yr hyn a fu, a'r awydd i ail-goffáu a deall Gwynfa Goll ei phlentyndod a dyddiau "sanctaidd deyrnas Ienctyd" oedd prif gymhelliad y llenor yn Kate Roberts', a'i bod hefyd yn 'llenor a ddewisodd wneud penyd-wasanaeth yn nhrofannau *un* thema arbennig … a'r thema hon – thema'r "llwybrau gynt lle bu'r gân" neu'r myth: "ar drywydd y dyddiau coll" – sy'n ymrithio'n barhaus ar dudalennau'r naw stori fer hyn, storïau sydd hefyd, bron bob un ohonynt, yn rhyfedd iawn, yn ddrych neu'n alegori o broblemau dyrys a chymhleth y bywyd Cymreig yng nghanol yr ugeinfed ganrif'.[13]

Anfonodd D. J. Williams lythyr at Kate i ddiolch iddi am *Prynu Dol* ar Ragfyr

30. 'Bendith arnoch chi, Kate, wedi cael y ddawn a'r doethineb i ddewis y rhan dda na ddygir byth oddi arnoch,' meddai wrthi.[14] Hwnnw oedd ei lythyr olaf ati. Bu farw nos Sul, Ionawr 4, 1970, ar ôl traddodi anerchiad byr mewn cyngerdd cysegredig yng Nghapel Rhydcymerau, yn ei ardal enedigol. Roedd Ionawr yn ei gwatwar o hyd. Ergyd ddidostur oedd marwolaeth D.J. iddi. 'Byddaf i yn 79 y mis nesaf, ac mae gweld hen ffrindiau yn mynd fel hyn yn dweud yn fawr arnaf,' meddai wrth Lewis Valentine ar ddechrau Ionawr.[15] 'Yr oedd yn ddyn arbennig iawn – ni cheir ei debyg am hir, ac yr oedd llawer o'i nodweddion yn dyfod o'r pridd y codwyd ef arno,' meddai wrth Saunders Lewis.[16] Nid D. J. Williams oedd yr unig genedlaetholwr a hawliwyd gan yr Ionawr hwnnw. Bu farw Trefor Morgan ym Mhen-y-bont ar Ogwr ddiwrnod o flaen D. J. Williams. Aeth Trefor Morgan i gartref Kate a Morris pan oeddent yn byw yn Nhonypandy i holi ynghylch polisïau'r Blaid Genedlaethol. Ymunodd â'r Blaid wedyn, a byddai Kate a'i phriod yn cael llawer iawn o'i gwmni yn Nhonypandy.

Yng nghanol ei holl enwogrwydd roedd unigrwydd, ac roedd byw ar ei phen ei hun yn y Cilgwyn yn ei gadael yn beryglus o agored i ymyriadau o'r tu allan. Bu Nadolig 1969 yn un digon hapus iddi, meddai mewn llythyr at ei chwaer-yng-nghyfraith, Lena, ym mis Ionawr 1970, ar wahân i un digwyddiad:

Rhyw 10 diwrnod cyn y Nadolig dechreuodd rhywun fy ngalw ar y ffôn tua hanner nos a gwneud sŵn dyn meddw. Erbyn y diwedd, nid oedd dim sŵn, dim ond y ffôn yn mynd a neb yn galw. Cefais chwe galwad felly y tri diwrnod cyn y Nadolig, y rhai dwaetha tua 11 p.m. Yr oeddwn wedi rhoi'r peth yn nwylo'r plismyn a buont i lawr bob nos, a cherdded o gwmpas y tŷ yn oriau mân y bore. Mi ddaru iddynt stopio ar ôl y Nadolig. Yr oedd arnaf ofn ofnadwy gan fy mod yma fy hun.[17]

A hithau bellach yn henaint ei dyddiau, câi ei pharchu a'i hanrhydeddu gan ei chenedl. Ddechrau 1970 cafodd ei hethol yn Llywydd yr Academi Gymreig. Syndod i lawer oedd y driniaeth a gafodd gan Caradog Prichard yn rhifyn mis Gorffennaf o *Barn* wrth iddo adolygu'r gyfrol *Storïau '70*, a olygwyd gan Gwilym Rees Hughes ac Islwyn Jones. Penderfynodd Caradog Prichard roi'r 'driniaeth eisteddfodol' i'r gyfrol a chloriannu'r storïwyr 'fel naw ymgeisydd yng nghystadleuaeth y stori fer'.[18] Dyfarnodd y wobr gyntaf i R. Gerallt Jones, a'r ail wobr i Pennar Davies. Rhannodd y drydedd wobr rhwng dwy o ddisgyblion Kate, Rhiannon Davies Jones ac Eigra Lewis Roberts. Yn bumed y gosodwyd Kate druan. 'Ond fel twll pry yn y cwpwrdd y mae nam ar waith y feistres,' meddai, gan nodi bod Robat yn y stori, 'Y Trysor', wedi troi'n Rolant.[19] Cyfaddefodd er hynny mai hollti blew oedd chwilio am wendidau o'r fath 'yng ngwaith un sydd, trwy gysondeb a didwylledd ei hartistri, wedi trechu triciau pob adolygydd clyfar ers llawer dydd'.[20]

Wrth i Nadolig 1970 nesáu, gyda'i phen-blwydd yn 80 oed hefyd yn llechu yng nghuddfannau'r flwyddyn newydd, teimlai Kate yn ddigon digalon. Ysgrifennodd at Cassie Davies dridiau cyn y Nadolig:

> Rwyf wedi cael helynt mawr efo'm coes ers tri mis. Varicose ulcer eto. Cefais un o'r blaen ddwy flynedd yn ôl, ond bod hwn yn waeth. Af at arbenigwr i'r Rhyl unwaith bob wythnos a daw nyrs i'r tŷ i'w drin unwaith yr wythnos. Cefais boenau dirdynnol a methu cysgu. Digwyddodd un peth chwithig. Rhoes y meddyg dabledi anghywir imi at leddfu'r boen, a bûm yn sâl iawn yn "i gweld nhw" a phob dim. Gallaswn fod wedi marw oni bai imi fod ddigon call i'w stopio.[21]

Ym 1971 bu farw sawl aelod o Blaid Cymru, gan gynnwys dwy o'r merched a fu'n flaenllaw gyda'r Blaid Genedlaethol o'r cychwyn cyntaf. Ym mis Chwefror bu farw Cathrin Daniel, sef priod J. E. Daniel, un o brif arweinwyr y Blaid cyn ei farwolaeth ddisyfyd ym 1962. Roedd Kate wedi ei hadnabod ers deugain mlynedd. Pan oedd hi a Morris yn byw yn Nhonypandy y cyfarfu Kate â hi am y tro cyntaf, a hithau yn eneth ifanc ddeunaw oed. Cathrin Huws oedd hi bryd hynny, ac arferai hi a'i chwaer Gwladwen deithio o Gaerdydd, lle'r oeddent yn byw, i Donypandy ar brynhawniau Sadwrn i ganfasio dros y Blaid. Weithiau byddai Cathrin Huws yn bwrw'r Sul gyda Kate a Morris. Wrth dalu teyrnged iddi yn *Y Faner*, dywedodd Kate ei bod yn 'fwy brwdfrydig na'r rhan fwyaf o Blaid Cymru', a'i bod yn credu 'mewn defnyddio grym dros sicrhau hawliau Cymru'.[22] Roedd Cathrin Daniel wedi siarad o blaid gweithredu anghyfansoddiadol yn Ysgol Haf 1961, a Kate wedi cytuno â hi. Colled enfawr i Gymru, ac i Kate yn bersonol, oedd marwolaeth y wraig urddasol, fonheddig hon.

Yr aelod cynnar arall o'r Blaid Genedlaethol a gollwyd ym 1971 oedd Mai Roberts, o Ddeiniolen. Fel Kate, yr oedd yn bresennol yn Ysgol Haf Machynlleth ym 1926, a bu'n deyrngar i'r Blaid fyth oddi ar hynny. Bu farw ar Awst 4, ac ar faes Eisteddfod Genedlaethol Rhydaman y clywodd Kate am ei marwolaeth, wedi i Cassie Davies ddweud wrthi ei bod yn ddifrifol o wael. Er nad oedd Kate a Mai Roberts yn arbennig o agos at ei gilydd, roedd ei marwolaeth yn argoeli diwedd cyfnod, a hwnnw'n gyfnod mewn hanes, mewn gwirionedd. Bellach, dim ond Saunders Lewis, Lewis Valentine, Cassie Davies a Kate ei hun oedd yn fyw o blith sylfaenwyr ac aelodau cynharaf y Blaid Genedlaethol. Roedd Morris, Prosser Rhys, Kitchener Davies, R. Williams Parry, Ellis Dafydd a Jini, Griffith John Williams, Gwenallt a D. J. Williams i gyd wedi mynd. Ysgrifennodd Kate at chwaer Mai Roberts, Priscie, hithau hefyd yn genedlaetholwraig frwd, yn syth ar ôl yr Eisteddfod. 'Fe wnaeth Mai ddiwrnod da iawn o waith yn enwedig yn y dyddiau cynnar, pan oedd hi'n anodd iawn gweithio dros Gymru,' meddai wrthi, gan ailalw dyddiau cynnar y Blaid Genedlaethol i gof.[23] Un arall a gollwyd ym 1971 oedd Waldo Williams, ac er mai un o gyfeillion D. J. Williams ydoedd yn bennaf, roedd Kate hefyd yn ei adnabod ac yn ei barchu.

Caewyd Cronfa Deyrnged Kate Roberts ym mis Rhagfyr 1968, wedi iddi fod ar agor ers dechrau Ebrill 1965. Methodd yr Ymddiriedolaeth â chodi digon o arian i adnewyddu Cae'r Gors, a gwrthododd Cyngor Sir Gaernarfon gais a wnaed am gymhorthdal i adfer y tŷ. Dymchwelwyd y to, a oedd wedi dirywio'n ddifrifol, ac fe godwyd digon o arian i smentio topiau'r muriau rhag i'r tŷ ddirywio ymhellach, ac fel y gellid cadw'r gragen ar gyfer ei gyweirio yn y dyfodol. Rhwystrwyd y tŷ rhag dadfeilio'n llwyr, a phenderfynodd Kate gyflwyno Cae'r Gors i'r genedl.

Trefnwyd diwrnod arbennig, dydd Sadwrn, Mai 1, 1971, i gyflwyno Cae'r Gors i'r genedl. Daeth tyrfa enfawr ynghyd i Rosgadfan ar y diwrnod hwnnw. Cafwyd cyfarfod yng nghapel y Methodistiaid Calfinaidd yn Rhosgadfan i ddechrau, gyda Gwilym R. Jones yn llywyddu. Cassie Davies a siaradodd gyntaf. Dywedodd fod gwaith Kate fel 'tapestri amryliw'.[24] Roedd i'r tapestri hwnnw

> ... lawer o liw du, yn cyfleu siom a gofid a hiraeth calon drom ac enaid clwyfus. 'Roedd iddo liw tywyll, heb fod mor ddu, yn cyfleu caledi gwaith a'i greithiau a'r dioddefiadau. 'Roedd iddo hefyd liwiau llachar, tanbaid, yn codi o ddewrder y trigolion, pobl wedi gorchfygu eu hamgylchiadau yn ddewr.[25]

Dywedodd Cassie Davies fod nifer o gasbethau gan Kate, ond y peth casaf ganddi oedd pobl a fynnai fod yn anffyddlon i'w cenedl. Traethodd Islwyn Ffowc Elis am fawredd ei gwaith, a thrafododd Dafydd Glyn Jones y stori 'Ffair Gaeaf'. Yr olaf i annerch y gynulleidfa oedd Derec Llwyd Morgan, a oedd wedi seilio'i anerchiad ar ei adnabyddiaeth bersonol o Kate. Roedd rhai, meddai, yn meddwl amdani 'fel gwraig galed oherwydd y lle a roddir yn ei storïau i galedi a dioddefiadau'r cymeriadau, a'r camsyniad fod y fath amgylchiadau wedi ei chyflyru hithau', ond 'gwraig garedig, groesawus ac annwyl' oedd

Kate iddo ef.[26] Ar ôl y cyfarfod, ymgynullodd y dyrfa o flaen Cae'r Gors, ac yno cyflwynodd Kate ei hen gartref i'r genedl mewn seremoni seml.

Bron nad oedd yr achlysur yn ormod i Kate. Iddi hi, roedd ysbrydion o'r gorffennol yn llenwi'r lle ac yn gweu drwy'r dorf. Anfonodd air at Cassie Davies i ddiolch iddi am ei chyfraniad i'r diwrnod:

> 'Roedd y cyfarfod yn Rhosgadfan yn un i'w gofio, ac fe siaradasoch chi gystal â neb. 'Roeddych yn hael iawn yn eich geirda. Fe siaredais i yn fflat o bwrpas yng Nghae'r Gors rhag imi dorri i lawr a chrïo. 'Roeddwn mewn cyflwr rhyfedd, ac nid wyf byth wedi dyfod ataf fy hun, dim ynni i ddim.[27]

Dechrau gofidiau iddi oedd y ddamwain a gafodd ar y feranda ym mis Awst 1969. Oddeutu mis cyn Nadolig 1971, cwympodd a thorrodd ei choes. Bu yn yr ysbyty am bedwar mis, ac am fis a rhagor bu'n rhaid iddi fwyta ar wastad ei chefn. Erbyn mis Chwefror roedd yn cael codi i'r gadair, a gwellhaodd yn raddol, ond ni chafodd ddychwelyd i'r Cilgwyn tan ddiwedd Mawrth. Ysgrifennodd at Cassie Davies o Ysbyty Dinbych sawl gwaith yn ystod mis Chwefror 1972. Dyma ran o'r llythyr a anfonodd ati ar Chwefror 7:

> ... diolch i chi am fod mor garedig wrthyf yn yr awr boenus pan gefais y weithred law feddygol. Na ni chefais godwm ar y pryd ond yr oedd yr arbenigwr yn dweud nad oedd yn deall pethau yn iawn fod y peth wedi digwydd ers tro. Bygythiais syrthio wrth ddyfod o'r dref y diwrnod dwaetha y bûm allan a chefais drafferth i gyrraedd cartref oherwydd gwendid. Wedyn bûm am bum diwrnod mewn poen ofnadwy yn fy nghoesau. Ni fedrwn sefyll ar fy nhraed. Meddwl y mae fy Nr i fy mod wedi cracio'r asgwrn beth amser yn ôl a gorffen ei dorri rwan.[28]

Ond roedd ei chyflwr yn fregus erbyn hyn. Cwympodd eto ddechrau Awst y flwyddyn ddilynol, a thorri'r glun arall. Roedd ei hadferiad yn gyflymach wedi'r ail ddamwain, ac erbyn diwedd Awst roedd wedi dechrau cerdded eto. Bu yn yr ysbyty am ddeufis y tro hwnnw.

Ym 1972, dioddefodd rhai o'i ffrindiau agosaf golledion mawr. Anfonodd lythyr at Olwen Samuel ym mis Mai i gydymdeimlo â hi ar farwolaeth ei brawd, Llew Rees. 'Colli yr ydym pan mae ein rhai annwyl yn marw, a thueddwn i gredu fod y golled yn fwy na'r hyn a gawsom,' meddai wrth geisio cysuro Olwen Samuel.[29] 'Oblegid hynny,' ychwanegodd, 'y bûm i yn hiraethu cymaint ar ôl fy mrodyr'.[30] Ar Fedi 12, pan oedd Kate yn yr ysbyty, bu farw Ray Evans, ffrind mawr Winifred Rees, a ffrind i Kate hithau oddi ar ddyddiau Aberdâr, ar ôl blynyddoedd maith o afiechyd. Cafodd newyddion drwg am ffrind arall,

L. M. Roberts, prifathrawes Ysgol Coed-y-brain, Llanbradach, yn ymyl Caerffili cyn iddi ymddeol, a ffrind hefyd i Cassie Davies, ym mis Rhagfyr 1973. Fel yr eglurodd wrth Olwen Samuel:

> … cefais Nadolig hapus ar wahân i'r newydd a glywais am fy ffrind L. M. Roberts Caerffili. Yr ydym yn ffrindiau ers dros 50 mlynedd. Y mae ganddi dŷ del yng Nghaerffili (hen brifathrawes Llanbradach yw hi) ac mae hi hefyd yn rhentu rhan o dŷ yn ymyl ei hen gartref yn Nhŷ Nant ger Corwen. Ni ŵyr neb yn iawn beth sydd wedi digwydd, ond meddwl y maent ei bod wedi syrthio a bod hynny wedi amharu ar ei hymennydd. Mae hi yn y Seilam yma, gan na fedrai neb wneud dim ohoni, yr oedd hi mor ddryslyd. Ond mae hi'n well.[31]

Cyhoeddodd gasgliad newydd sbon o straeon byrion ym mis Rhagfyr 1972, *Gobaith a Storïau Eraill*. Roedd straeon y gyfrol newydd hon yn rhychwantu 30 o flynyddoedd, o 1941 hyd at 1971. Cyhoeddwyd 'Dwy Ffrind' yn rhifyn Awst/Medi 1941 o *Heddiw*, a 'Torri drwy'r Cefndir' yn y canfed rhifyn o *Barn*, Chwefror 1971. Un arall o straeon y 1940au oedd 'Teulu', a gyhoeddwyd yn rhifyn Ebrill 7, 1948, o'r *Faner*. Cyhoeddwyd 'Y Trysor' yn rhifyn Ebrill 12, 1950, o'r *Faner*, a 'Te P'nawn' yn rhifyn Mehefin 14, 1950 eto, o'r un papur. Ceir tipyn o naid wedyn. Cyhoeddwyd 'Cyfeillgarwch' yn *Storïau'r Dydd* (goln Islwyn Jones a Gwilym Rees Hughes) ym 1968, a 'Dici – Stori Nadolig i Blant' yn *Y Faner*, Rhagfyr 19, 1968, dan y teitl 'Dici Ned'. Cyhoeddwyd 'Dychwelyd' yn *Y Traethodydd*, Gorffennaf 1970, a chyhoeddwyd 'Y Mul' yn rhifyn Rhagfyr 23, 1970, o'r *Cymro*. Ymddangosodd 'Gobaith' yn *Taliesin*, Gorffennaf 1971, a 'Gwacter' yn rhifyn Rhagfyr 22, 1971, o'r *Cymro*.

Un o straeon grymusaf *Gobaith a Storïau Eraill* yw 'Dychwelyd', ac ynddi mae Kate yn cyferbynnu rhwng Dinbych ei phresennol a Rhosgadfan ei gorffennol, ond ceir tri math o amser yn y stori mewn gwirionedd. Yn y rhan gyntaf, y mae hen wraig o'r enw Annie yn cael ei gwawdio a'i gwatwar gan fechgyn ysgol:

> Cerddai'n ysgafn-galon i fyny'r lôn a âi oddi wrth ei thŷ gan ysgwyd ei basged negesi. Yr oedd yn hapus am ei bod wedi gorffen ei gwaith, ac edrychai ymlaen at gael noson o ddarllen wrth y tân. Daeth criw mawr o fechgyn ysgol i lawr y lôn; aeth hithau heibio iddynt heb gymryd sylw ohonynt. Wedi iddynt ei phasio dyma rai ohonynt yn ei dynwared fel y byddai yn eu rhwystro rhag mynd ar gefn eu beiciau ar lôn breifat. Dywedodd hithau y byddai yn anfon at eu prifathro i gwyno ynghylch eu hymddygiad. Ar hynny, dechreuasant weiddi'r iaith futraf a glywsai erioed, iaith ry fudr i'w hailadrodd. Aeth yn ei blaen dan blygu ei phen, ei chrib wedi ei dorri.

Mae hi'n sylweddoli 'nad oedd hi yn da i ddim erbyn hyn, dim ond rhyw hen
greadur oedd yn destun gwawd i labystiaid o hogiau ysgol'. Mae ymddygiad y
bechgyn ysgol hyn yn arwydd o ddirywiad cymdeithasol, o ddirywiad mewn
gwareiddiad, mewn gwirionedd. Arwydd arall o'r afiechyd modern oedd
ymddygiad anweddus y bechgyn hyn. Roedd hiraeth Kate am ei gorffennol
yn fwy na hiraeth am deulu a chymdogaeth, ac am fan a lle; yr oedd yn
hiraeth am safonau'r gymdeithas y cawsai ei magu ynddi ac am werthoedd
ac egwyddorion y gymdeithas honno. Yr oedd bellach yn byw mewn oes
ddiwerthoedd ac mewn tref ddiegwyddor. 'Yn ei dyddiau hi yr oedd ysgol
yn sefyll dros foneddigeiddrwydd,' meddir am Annie, ond erbyn heddiw 'nid
oedd ddim gwell na chartref ciaridymod a'i hiaith yn iaith gwlad yn mynd i'r
trueni'.

Y mae i'r stori gefndir. Llwybr cyhoeddus oedd y llwybr a ddirwynai
heibio i'r Cilgwyn tuag at y caeau pêl-droed, ond roedd Kate yn hawlio mai
ffordd breifat ydoedd. Bu gwrthdaro rhyngddi a phobl leol ynghylch y lôn am
flynyddoedd lawer. Ar Fai 22, 1947, anfonodd lythyr at Glerc Cyngor y Dref:

> Dymunaf alw eich sylw at y ffaith fod nifer fawr o fechgyn yn defnyddio'r ffordd
> heibio i'r Cilgwyn a'r Parciau i fynd ar gefn eu beiciau i'r Recreation Ground.
> Wrth alw eu sylw at y rheol nad ydynt i wneud hynny, daw rhai i lawr yn ddigon
> moesgar, ond â'r mwyafrif yn eu blaenau gan ddefnyddio'r iaith fwyaf ofnadwy.
> Mae'r bwrdd rhybudd a roesoch chwi ger ein tŷ ni wedi hen ddiflannu ers misoedd.
> Mae un a rowd gan Mr Watkins a minnau ger yr Eglwys yn sefyll. Credaf y dylid
> gwneud rhywbeth yn y mater.[32]

Yn ôl R. M. Owen, yr hanesydd lleol o Ddinbych, nid oedd hawl gan
Mrs Williams y Cilgwyn i rwystro neb, na beicwyr na cherddetwyr, rhag mynd
heibio i'w chartref. Er hynny, gorfododd Gyngor y Dref i osod pyst ar draws
y lôn, gyferbyn â'r Cilgwyn, i rwystro ceir rhag gyrru ar ei hyd. Ac yn ôl Bobi
Owen: 'Aeth mor bell [â] hyfforddi Bob, ei chi bach, i neidio o gysgod y giât at
olwyn flaen unrhyw feic [a âi] heibio gyda'r canlyniad weithiau fod y beiciwr
druan yn cael ei daflu'n ddigon diseremoni i'r llawr'.[33] Dywedodd nad oedd
Kate yn boblogaidd iawn yn ystod ei chyfnod yn Ninbych:

> Symudai mewn cylch cyfyng a gallai fod ar adegau yn finiog ei thafod ac yn
> anghynnes, hyd yn oed at rai oedd mewn cysylltiad agos ati. Honnai nad oedd
> Cymraeg na Chymreictod y bobl leol yn dderbyniol, gan gynnwys aelodau'r
> Capel.[34]

Deallai Bobi Owen mai magwraeth galed Kate a'r ffaith iddi golli ei brawd Dei yn Malta, 'yn ogystal â'i phriodas anaddas', a barodd iddi ei hynysu ei hun yn swyddfa Gwasg Gee yn ystod y dydd ac yn y Cilgwyn yn ystod y nos.[35]

Un o'r bechgyn ysgol hyn a âi heibio i'r Cilgwyn yn gyson oedd Bryn Rowlands, ac mewn ysgrif fer ragorol yn y cylchgrawn *Barn*, soniodd am y cyfnod hwnnw pan oedd Mrs Williams y Cilgwyn yn dwrdio'r bechgyn:

> Defnyddiais ganwaith y llwybr bach a âi heibio'r Cilgwyn i lawr am y caeau pêl-droed
> a than bont y rheilffordd i ddod allan ar y ffordd fawr ychydig yn uwch i fyny na'n
> tŷ ni. Yr oeddwn ymhell yn fy arddegau cyn i mi erioed wneud hynny heb arswyd.
> Arswyd rhag y wraig flin â'r gwallt gwyn a fyddai'n aml iawn yng ngardd y Cilgwyn,
> a phob amser yn bwrw cipdrem, gan gymryd arni anwybyddu'r criw a âi heibio.
> Bwriad hyn yn fwy na dim oedd gwneud yn siŵr nad oedd yr un ohonom ar gefn beic.
> Oherwydd er bod y llwybr bach yn hyfryd o wastad, ac i bob golwg yn addas iawn i
> feicio ar ei hyd, 'doedd hynny ddim i fod. Llwybr preifat, i'w gerdded yn unig, oedd y
> llwybr yn swyddogol. A gwae unrhyw un a gymrai yn ei ben y gallesid teithio ar hyd-
> ddo mewn unrhyw fodd arall. Byddai gwraig wallt gwyn y Cilgwyn yn siŵr o osod y
> Ddeddf o'i flaen. Pwy bynnag ydoedd.[36]

Roedd Bryn Rowlands yn cofio Bob yn dda: 'Hen gi bychan, blewog, snaplyd a fyddai bob amser yn cyfarth yn gras ar unrhyw un dieithr a feiddiai droedio'n haerllug o agos at y giât, ac a fyddai'n cyfarth yn ffyrnig ar unrhyw un a fynnai gael cyrraedd drws y ffrynt'.[37] Ac nid rhyfedd, meddai, fod gan Kate feddwl y byd o Bob:

> Gallai hithau fod yn ddigon snaplyd a byddai hithau'n cyfarth ar rai dieithriaid, a
> gwyddai ambell un a droediodd yn haerllug ar ei hegwyddorion finioced ei brath
> hithau. Gallai gwraig y Cilgwyn fod yn gignoeth ei sgwrs.[38]

Ond fe wyddai Bryn Rowlands, yn wahanol i lawer o rai eraill, am yr ochr arall i gymeriad Mrs Williams y Cilgwyn. Gwraig unig ac ynysig oedd Mrs Williams yn ôl yr hyn y gallai Bryn Rowlands ei gofio ohoni, gan ategu'r hyn a ddywedodd Bobi Owen:

> Ychydig, ysywaeth, o'r bobl o'i chwmpas a ddeallodd ei chrwydro. Ni allodd y
> cyffredin ohonom synhwyro fod yn Mrs Williams y Cilgwyn, o dan y cyfarth a'r pigo,
> haen o deimladrwydd cleisiadwy na roddwyd mohono ond i ychydig iawn o blant
> dynion. Dioddefodd yn arw o'i herwydd, a chododd gaerau i geisio ei guddio. Ond
> ohono creodd fyd tragwyddol ei dychymyg.[39]

Crwydro a wna Annie hithau yn 'Dychwelyd', crwydro yn ôl yn ei chof i fyd ei phlentyndod. Mae'r hen lwybrau yn hollol gyfarwydd iddi, ac am eiliad y mae amser wedi peidio â bod: 'Cerddodd at y gamfa a mynd drosti i gael golwg ar y cwm lle'r oedd yr afon yn un llinyn llwyd difywyd fel petai wedi stopio rhedeg'. Ond dyma'r cwm a'i gwnaeth yn filain pan welodd ef am y tro cyntaf: 'Yr oedd hi wedi meddwl nad oedd dim yn y byd ond ei mynydd hi, y pentref a'r môr o'i flaen cyn belled ag y gallai weled. Siom iddi oedd gweld bod llefydd eraill yn bod'. Ni fynnai Kate i leoedd eraill fod, ac un o drasiedïau mawr ei bywyd oedd gorfod gadael bychanfyd Cae'r Gors, gadael teulu a chynefin, gadael diogelwch, sicrwydd ac adnabod, a mentro i'r byd mawr llydan. A hithau yn ôl ym myd ei phlentyndod, daw darluniau o'i phlentyndod yn ôl iddi. Mae'n gweld malwen yn yr ardd, ac mae'n adrodd hen rigwm plant: 'Malwen, malwen, estyn dy bedwar corn allan/Ne mi tafla'i di i'r Môr Coch at y gwartheg cochion'. A dyma bedwar corn y falwen 'yn neidio allan fel pigau pennor'. Ac Annie, meddir, 'oedd wedi gwneud iddi ufuddhau'. Mae Annie, neu Kate, yn blentyn eto, ac yn credu, fel plentyn, fod ganddi bwerau hud.

Ceir dau ddarlun hoffus, cartrefol wedyn, dau atgof dedwydd, braf. I ddechrau, mae hi'n cofio cario cath fach o'r beudy i'r tŷ yn ei brat, a'r gath fawr wrth ei chwt. Mae'n rhoi'r gath fach ar y bwrdd, a honno wedyn yn cerdded 'yn wysg ei hochr at y lle'r oedd ei mam yn gwneud toes ar lechen las'. Cyn y gallai neb ei rhwystro, mae'n sefyll ar y deisen, a'r gath fawr yn neidio ar y bwrdd wrth glywed Annie a'i mam yn gweiddi.

Darlun o Annie a'i brodyr yn cerdded adref o'r ysgol mewn storm fawr o wynt a glaw yw'r ail ddarlun neu atgof:

Daeth y fam i gyfarfod â hwy tua hanner y ffordd efo cotiau, ond nid oedd ddiben eu rhoi drostynt. 'Rŵan, at y tân yna, a gollyngwch bob cer[p]yn ar lawr.' Yr oedd mor anodd tynnu'r sanau gan eu bod wedi glynyd yn y croen efo'r glaw. Cymerodd eu mam liain a'u sychu o flaen y tân coch; yr ager yn mynd i fyny oddi wrth eu cyrff. Mor braf oedd y gwres ar ôl y gwlybaniaeth creulon ar eu crwyn. Estynnodd y fam ddillad isaf glân cynnes o'r popty bach, a rhoi eu siwtiau gorau amdanynt. Yna y powleidiau potes poeth wrth y bwrdd.

Awgrymir tlodi a phrinder yn gynnil yma. Mae'r fam yn gorfod rhoi eu siwtiau gorau am y bechgyn oherwydd mai dyna'r unig ddillad sbâr a oedd ganddi ar eu cyfer. Ac fel hyn y daw ail ran y stori i ben, gyda darlun cofiadwy o glosrwydd teulu a gofal mam.

Gweld y golygfeydd hyn trwy atgof y mae Annie. Maen nhw'n bodoli yn ei chof hi'n unig. Yn nhrydedd ran y stori mae hi'n mynd gam ymhellach. Mae hi'n mynd i chwilio am y byd coll hwn, gan herio amser ei hun. Mae hi'n edrych ymlaen at weld ei rhieni eto, gan wybod y caiff gysur a chefnogaeth ganddynt: 'Mor braf fyddai eu gweld eto, cael sgwrs wrth y tân, a chael dweud wrthynt am yr hen hogiau rheglyd hynny'. Ond mae hi'n cael anhawster i gael hyd i'r llwybr sy'n arwain at dŷ ei rhieni. Mae hwnnw wedi diflannu. 'Does dim defaid ar y mynydd ychwaith. Mae'r lle wedi newid. Yn ail ran y stori roedd Annie wedi clywed un o'r hen bobl, Leusa Parri, 'yn cerdded ôl a blaen o flaen ei thŷ yn ei chlocsiau dan ysgwyd pwcedi'. Yn y drydedd ran mae hi'n galw yn nhŷ Leusa Parri i ofyn iddi am furum gwlyb i'w roi yn anrheg i'w rhieni. Ond Saesnes sy'n trigo yn nhŷ Leusa Parri bellach, ac ni ŵyr beth yw burum gwlyb. Yn wir, mae'r holl le wedi newid:

> Yr oedd y rhan fwyaf o'r tai wedi mynd a ffatri fawr yn sefyll yng nghanol y cwm. Brysiodd oddi ar y gamfa a rhedodd at y domen chwarel. Nid oedd sŵn llwyth yn disgyn oddi ar ben y domen.

Mae hi'n penderfynu mynd i weld y ffrwd yr ochr isaf i'r ffordd, ac mae'n gweld un brithyll unig yn ymddolennu trwy'r dŵr. Mae hi'n cofio'r hen gân werin drist, 'Ar lan hen afon Ddyfrdwy ddofn', ac mae'n canu 'Ti, frithyll bach, sy'n chwarae'n llon/Yn nyfroedd oer yr afon' dros bob man. 'Yna fe'i cafodd ei hun yn beichio crio wrth edrych ar y brithyll'. A dyma Kate yn ail-greu golygfa arall o'i phlentyndod. Yn ei hysgrif 'Trwy Lygaid Plentyn', a gyhoeddwyd yn *Y Llenor* ym 1931, mae hi'n sôn am y wraig a arferai ei gwarchod hi a'i brodyr pan âi'r fam oddi cartref i rywle. Arferai'r wraig honno ganu'r gân werin hon, ac meddai Kate yn yr ysgrif:

> … bob tro y deuai Siân Huws at y llinellau
>
> Ti, frithyll bach, sy'n chwarae'n llon
> Yn nyfroedd oer yr afon,
>
> teimlwn yn brudd ac yn barod i grio. A hyd y deallaf yn awr, fel hyn y gweithiai fy meddwl: mewn rhyw ffordd neu'i gilydd, gwnâi'r dôn, neu'r dull y canai Siân Huws hi, imi feddwl mai'r gaeaf oedd hi ar y brithyll, a phoenwn dros y creadur bach yn gorfod byw yn y dŵr oer.[40]

Wrth ddod i fyny oddi wrth y ffrwd, mae Annie yn baglu ac yn syrthio, nes bod ei phen-glin yn gwaedu. Hen wraig yw hi bellach, yn ceisio dychwelyd i fyd ei phlentyndod coll, ond mae ei chyflwr corfforol yn rhwystr iddi. 'Meddyliodd am eiliad na allai byth gerdded i'w hen gartref'. Wrth fynd ymlaen gyda herc a chyrraedd y ffordd, gwêl 'griw o labystiaid o hogiau efo gwalltiau hir budr yn dyfod, yr un fath â'r hogiau ysgol a'i rhegodd'. Mae bechgyn ysgol y rhan gyntaf yn awr yn ymyrryd â hi yn ei hen gynefin. Mae'r presennol yn ymyrryd â'r gorffennol; mae ddoe a heddiw yn ymgymysgu. 'Gwthiwch hi i'r wal i'r diawl, 'does dim eisio i beth hen fel hyn gael byw,' meddai un o'r llabystiaid rheglyd hyn. Ond daw llais rhyw ddyn y tu ôl i'r bechgyn hyn, ac mae'r dyn yn dweud wrthyn nhw am fynd 'adra i'ch gwlad ych hun'. Mae'r rhain wedi dod o wlad y presennol i wlad y gorffennol, o bresennol Dinbych i orffennol Rhosgadfan, a 'does dim hawl ganddynt i fod yno. 'Rŵan, 'y ngenath i, cerddwch yn ych blaen, ac mi gerdda' inna y tu nôl i chi,' meddai'r dyn. Mae'r hen wraig 'wrth ei bodd fod rhywun wedi ei galw'n "eneth" a hithau'n hen'. Ysbryd o'r gorffennol yw'r dyn hwn, a geneth ifanc yw'r hen wraig iddo, ond nid yw'r hen wraig yn sylweddoli hynny. Er bod y dyn wedi ei ddanfon at y pentref lle mae ei rhieni yn byw, mae Annie yn cael anhawster i weld y tŷ. Mae'r lle wedi newid ac mae tai ymhobman. O'r diwedd, mae'n dod o hyd i'w hen gartref yn ymguddio rhwng dau dŷ.

Yna mae'r stori yn troi'n stori ysbryd iasoer, yn hunllef swrrealaidd, a hynny am fod Annie wedi meiddio ymyrryd ag amser:

> Curodd yn ysgafn ar ddrws y portico, a rhoi ei phen i mewn yn y gegin cyn ei gau. Ciliodd y boen o'i phen-glin yn sydyn. Yr oedd y gegin fel petai caenen o niwl drosti, ei thad a'i mam fel cysgodion yn ei ganol. Yr oedd eu hwynebau o liw pwti llwyd-wyrdd, eu bochau yn bantiau ac yn bonciau, eu gên a'u trwynau crwbi bron yn cyrraedd ei gilydd. Edrychent fel cartwnau ohonynt eu hunain. Eto medrai eu hadnabod. Yr oedd y tân yn isel yn y grât.

Mae rhywbeth o'i le. Cysgodion yw'r tad a'r fam, cartwnau ohonynt eu hunain. Mae Annie wedi mentro i fyd dieithr, byd nad oes ganddi hawl o gwbl i fod ynddo. Mae'r rhieni wedi bod yn disgwyl amdani. 'Dyma hi wedi dwad o'r diwedd,' meddai'r tad. 'Mae hi wedi bod yn hir iawn,' meddai'r fam, 'a finna wedi dweud wrthi am frysio'. 'Mi ddois cynta y medrwn i,' meddai Annie, ond roedd y llabystiaid rheglyd ar y ffordd. Ni chymerant unrhyw sylw o hynny, gan mai i fyd arall ac i amser arall – i fyd Annie yn hen – y mae'r rhain yn perthyn, yn union fel yr oedd y boen yn ei phen-glin wedi digwydd mewn amser arall ac wedi cilio yn sydyn ar ôl iddi gyrraedd cartref ei rhieni. 'Mae'r bwyd yn dy ddisgwyl di ers blynyddoedd,' meddai'r fam, ond 'doedd dim blas o gwbl ar y bwyd. Rhith o aelwyd a geir yma, cysgod o gartref, gyda'r tân isel yn y grât yn awgrymu hynny.

Yna, yn sydyn, mae'r olygfa yn newid:

Fesul tipyn cliriai'r niwl, ac fel y deuai'r gegin yn oleuach, deuai wynebau'r ddau yn fwy naturiol: codai'r pantiau. Daeth gwrid i fochau'r tad; aeth wyneb y fam yn llwyd naturiol. Daeth eu trwynau'n ôl i'w ffurf gynt. Aeth y tai o gwmpas y tŷ o'r golwg. Daeth y cae yn amlwg efo'r goeden a'r iâr a'r cywion. Daeth tân siriol i'r grât a goleuodd y gegin i gyd. Gwenai'r tad yn hapus; daeth tiriondeb glas i lygaid y fam.

Am eiliad mae popeth yn union fel yr oedd yn yr hen amser. Mae Annie yn cael cip ar ei chartref fel yr oedd gynt. Mae'r fam wedi coginio teisen does. 'Fel ers talwm,' meddai Annie, ac mae'r deisen yn flasus, yn wahanol i'r bwyd a oedd yn ei disgwyl ar y bwrdd wrth iddi gyrraedd. Ac mae'r tri yn hel atgofion:

'… Ydach chi'n cofio fy nghath bach i yn cerdded i'ch teisen does chi?'

'Ydw,' a chwarddodd y fam. 'Dim ond cofio sydd rŵan.'

'Ia.'

Yr oedd ar fin sôn am yr hen hogiau hynny a'u hiaith fudr, ond yr oedd mor hapus fel y penderfynodd beidio â sôn rhag tarfu ar y sgwrs.

'Ydach chi'n cofio, nhad, y moch yn dengid o'u cwt ganol nos ar wynt mawr cefn gaea', a chithau yn rhedeg ar eu holau hyd y weirglodd yn ych trôns?'

Ac wrth hel atgofion fel hyn, mae Annie yn sylweddoli mai twyll yw'r cyfan. 'Dim ond cofio sydd rŵan,' meddai'r fam. Ac mae rhywbeth mawr ar goll. Nid yw gweddill y teulu yno. Roedd Kate bellach wedi colli pob un o'i brodyr a hi'n unig a oedd ar ôl. Wrth iddi sylweddoli hynny, daw ofn a phanic i'w llais:

Ydach chi'n cofio? Ydach chi'n cofio? a hithau ar fin gofyn Lle mae …? Lle mae …? Lle mae'r lleill?

Ond mae hi'n peidio â gofyn y cwestiwn, rhag tarfu ar yr hwyl. Daw'r stori i ben gydag Annie yn rhoi dwy sigarét i'w thad i'w rhoi yn ei bibell, gan ofni cael cerydd gan ei rhieni am ei bod yn ysmygu, fel pe bai hi'n ferch ifanc eto. Ond mae'r fam yn gwenu. 'Mi gymera' innau un,' meddai'r fam, gan gofio fel y byddai ei modryb 'yn dwad acw ac yn smocio pibell'. Yma eto mae Kate yn dwyn atgof o fyd ei phlentyndod. Sonia yn *Y Lôn Wen* am yr hen wraig yr arferai ei mam fynd i'w gweld pan oedd yn byw yn y Groeslon, adeg ei phriodas gyntaf, a honno'n smocio pibell glai, 'arfer a oedd yn mynd allan o fod erbyn hynny'.[41]

Ar ddiwedd 'Dychwelyd' mae'r tri yn mwynhau mygyn yn hapus, ac mae Annie ar fin gofyn y cwestiwn 'Lle'r oedd y lleill?' eto, ond yn ymatal. Mae'n peidio â gofyn y cwestiwn oherwydd bod yr ateb yn rhy boenus. Ceisiodd Annie ddychwelyd yn llythrennol i'w hen gartref, ond mewn atgof yn unig yr oedd y byd hwnnw yn ddigyfnewid ac yn gyfan. Mewn atgof yn unig yr oedd ei brodyr yn byw yno. Ceisio dianc i Rosgadfan ei phlentyndod a wnaeth Kate yn 'Dychwelyd', a dianc rhag y bechgyn ysgol anfoesgar hynny a oedd yn ei rhegi ac yn ei sarhau. Ac yr oedd y bechgyn hyn yn boendod iddi. Ceir cyfeiriad atynt mewn stori arall hyd yn oed, 'Dau Grwydryn' yn *Yr Wylan Deg*, lle mae un o'r cymeriadau yn dweud iddo basio 'rhyw ysgol ramadeg a'r plant yn dwad allan, dyma rai o'r hogiau yn gweiddi ar fy ôl, ac yn defnyddio'r iaith futraf glywaist ti 'rioed'.

Edrych yn ôl a byw yn y gorffennol a wnâi Kate yn aml yn ystod ei blynyddoedd olaf. Adolygodd *Maes Mihangel*, cyfrol hunangofiannol J. G. Williams, yn *Y Traethodydd* ym 1975. Yn *Maes Mihangel* mae'r awdur yn sôn am ei fywyd yn y blynyddoedd cyn yr Ail Ryfel Byd ac yn ystod y rhyfel hwnnw, gan ddisgrifio cymdeithas debyg iawn i'r un y cafodd Kate ei magu ynddi:

> Bywyd cefn gwlad Eifionydd ydyw, a Chymraeg hardd Eifionydd a geir yn y llyfr. Dyna ei hyfrydwch yn ogystal â'r bywyd a ddisgrifir – bywyd o weithio crefftus hamddenol, bywyd o fynd i'r capel, ac o wneud darluniau, bywyd o fwynhad ac o gymdogaeth dda, ac o fynd i dai y naill a'r llall gyda'r nos i adrodd straeon ac ati. Mae'n gwneud ichi feddwl mai mewn cymdeithas Gymreigaidd fel hon yn unig y ceir hapusrwydd i Gymro.[42]

Nid dyna'r math o gymdeithas a geid yn Ninbych, ac ni fu Kate erioed yn gwbl hapus yn y gymdeithas drefol honno. 'Y mae fy nghorff yn Nyffryn Clwyd, a dyffryn hardd ydi o, ond mae fy meddwl yn dal i fynd yn ôl i lethrau Moel Tryfan,' meddai wrth Gwilym R. Jones unwaith.[43]

Yn ystod deng mlynedd olaf ei bywyd, bu cyfeillion a chymdogion yn fawr eu gofal amdani. Fodd bynnag, colled fawr iddi oedd ymadawiad ei gweinidog W. I. Cynwil Williams â Dinbych am Gaerdydd ym 1975. Bu Cynwil Williams a Kate yn ffrindiau agos iawn am ddeng mlynedd, oddi ar ei sefydlu yn weinidog y Capel Mawr ar Fai 22, 1965. Meddyliai Kate y byd ohono, ac roedd ei chyfeillgarwch a'i chefnogaeth hi wedi golygu llawer iddo yntau hefyd. Daeth i'w hadnabod yn dda yn ystod ei gyfnod yn Ninbych, a cheisiodd ei helpu ar sawl achlysur, gan lwyddo i gael pensiwn sifil o £35 yr wythnos iddi ym 1977 drwy wneud cais i'r Llywodraeth amdano.

Coleddodd Cynwil Williams sawl atgof amdani a chofnododd lawer o'i syniadau a'i dywediadau. Roedd Kate, meddai, yn athrawes Ysgol Sul ardderchog:

> Nid oedd neb yn fwy ymwybodol na hi o'r drwg a'r anghyfiawnder sydd yn y byd. Arweiniodd feddyliau ei dosbarth Ysgol Sul trwy'r blynyddoedd i ystyried trueni dyn. Byddai ei dosbarth yn casglu at achosion da, ac 'roedd elusengarwch yn un o'r dyletswyddau. Bu bywyd a chenhadaeth Miss Helen Rowlands yn ddylanwad mawr arni. Dywedai yn aml: "Rwy'n fodlon i Schweitzer a'r Fam Teresa gael y clod haeddiannol, ond ni ddylem ni anghofio am funud am wasanaeth clodwiw Helen Rowlands.[44]

Cenhades gyda'r Methodistiaid Calfinaidd oedd Helen Rowlands, a phrifathrawes ysgol iaith Darjeeling yn India o 1925 hyd 1931. Roedd gan Kate le cynnes iddi yn ei chalon oherwydd bod y ddwy yn cyfoesi â'i gilydd yn y Coleg ym Mangor, y dyddiau hapus hynny yn ei bywyd. 'Yr wyf yn ei chofio'n dda yn y coleg ym Mangor, yn ifanc bryd golau, gydag wyneb llwyd, llygaid glas, caredig, deallus, gwallt o liw mêl, ysgafn ei chorff, ac eto yn rhoi ei thraed yn y ddaear yn benderfynol,' meddai Kate amdani, gyda'i chof maith a'i sylwgarwch anhygoel yn disgrifio Helen Rowlands yn fanwl-fyw.[45] Pan fyddai'n teithio ar y trên o Gaernarfon i Fangor yn ystod ei blwyddyn gyntaf yn y Coleg, câi Kate ei chwmni o Borthaethwy ymlaen.

Fel hen wraig yn myfyrio am ddoe y cofiai Cynwil Williams am Kate yn aml. Rhoddodd nofel Leon Uris, *Exodus*, nofel am ddioddefaint yr Iddewon, iddi i'w darllen, ac meddai hithau:

> Mae'r nofel 'na roesoch chi i mi – *Exodus* – yn dangos yn glir mai cofio'r gorffennol a'u cadwodd rhag diffygio. Ac rwy'n cofio fel y byddai Bertrand Russell yn dweud dro ar ôl tro yn ei gofiant mai'r hyn a fyddai'n rhoi pleser iddo fyddai cofio doe. Ac rwy'n gweld ei fod yn llygad ei le. Mae lot o ddioddefaint yng ngorffennol pawb ohonom, a llawer o dristwch, ond prydferthwch y gorffennol sy'n mynnu aros. Mae diflastod yn cilio ac yn diflannu gydag amser.[46]

Edrych yn ôl ar ei bywyd a wnâi'n aml yng nghwmni Cynwil Williams. Geneth swil oedd hi pan oedd yn ieuanc. 'Rwy'n cofio i mi dorri i lawr y tro cyntaf y bu i mi geisio talu diolch mewn cyfarfod yng Ngholeg y Brifysgol ym Mangor,' meddai wrtho unwaith.[47] Roedd gorfod ymladd brwydrau, brwydrau personol yn ogystal â brwydrau gwleidyddol, wedi hen ddifa'r swildod hwnnw. Un o'r brwydrau personol hynny oedd ei brwydr i gadw'i ffydd yng nghanol tristwch ac annhegwch bywyd. Cofiai am ei chyfnodau yng Nghaerdydd a Thonypandy, ac nid oedd yr haul yn tywynnu drwy'r amser hyd yn oed yn y cyfnodau heulog hynny: 'Bûm trwy gyfnodau maith o anffyddiaeth yn Nhonypandy,' meddai wrtho, ac nid oedd yn gapelwraig yng Nghaerdydd ychwaith.[48] Ac roedd Dei a Morris ar ei meddwl drwy'r amser. Un o brofiadau mwyaf ei bywyd, 'os nad y mwyaf, oedd sefyll ar lan bedd fy mrawd ar ynys Malta'.[49] Daeth crefydd yn ôl i'w bywyd, yn ôl yr hyn a ddywedodd wrth Cynwil Williams, wedi iddi golli Morris, a gweinidog, y Parchedig R. S. Hughes, a ddaeth ag achubiaeth iddi:

> Rwy'n cofio R. S. Hughes yn galw acw ar ôl marw Morus. Cofiaf o hyd ei eiriau
> – 'Bywyd Tragwyddol – y peth hawsaf i mi gredu ynddo yw bywyd ar ôl hwn.[50]

Adeg helynt y Capel Mawr, J. H. Griffith o Rydymain, un o gyfoedion Kate a David Ellis yn y Coleg ym Mangor, oedd y gweinidog. Sosialydd mawr oedd J. H. Griffith, a chythruddai Kate yn aml pan gyhuddai genedlaetholwyr mewn ambell bregeth o fod yn gul. Er hynny, roedd Kate ac yntau yn ffrindiau. Olynydd J. H. Griffith yn y Capel Mawr oedd W. I. Cynwil Williams. Cyrhaeddodd Ddinbych ychydig ar ôl helynt y Gwragedd. Daeth Cynwil Williams i wybod am yr helynt yn y capel trwy Kate, a bu J. H. Griffith yn hynod o gefnogol i Kate a Phwyllgor yr Ysgol Gymraeg, a hynny yn erbyn aelodau o'i gapel ef ei hun:

> Canmolai ef am ei arweiniad dewr yn ystafell y blaenoriaid, a safiad dewrach fyth yn
> erbyn eu gwragedd, pan wrthwynebodd Aelwyd y Chwiorydd y penderfyniad a wnaed
> gan swyddogion yr Eglwys i roi yr ystafelloedd y tu cefn i'r Capel Mawr yn gartref i'r
> Ysgol Gymraeg ym 1960. 'Fi' meddai Kate Roberts wrthyf yn 'Y Cilgwyn', 'yw Bet,
> gwraig y gweinidog yn *Tywyll Heno*, fi yn wynebu her rhai o ferched y Capel Mawr.'
> A hi, gyda chefnogaeth ei phwyllgor a J. H. Griffith a orfu.[51]

Aeth Cynwil Williams yn weinidog i'r Capel Mawr yn fuan ar ôl cyhoeddi *Tywyll Heno* a *Hyn o Fyd*. Roedd yn ffrind agos i Kate pan oedd yn gweithio ar rai o'r straeon a gyhoeddwyd yn *Prynu Dol*, *Gobaith a Storïau Eraill* a'i chasgliad olaf ond un, *Yr Wylan Deg*. Yn ôl Cynwil Williams, mae cysgod tri sefydliad pwysig yn Ninbych yn hofran dros y cyfrolau hyn. Y sefydliad cyntaf i adael ei ôl ar ei gwaith oedd yr Ysbyty Meddwl:

> Ni chofiaf yr awdur yn ymweld â'r ysbyty mawr. Yn wir tueddai i gadw draw. Ond fe
> fyddai yn dal i sôn am ei hymweliadau â'r lle flynyddoedd lawer ynghynt. Bu'n ymweld
> â mam Caradog Pritchard [*sic*] yno, ac ag eraill o Arfon. Rhaid bod cyflwr y cleifion

wedi gwneud argraff ddofn arni. Daliai i ddisgrifio'u cyflwr ac i ddyfynnu ambell bwt o ymson y cleifion truenus. Ac 'roedd ganddi ffrind ar y cyfandir, merch o seiciatrydd, a fyddai'n gohebu â hi. Ond rhyw le rhyngddi a hyfrydwch Nantglyn a'r wlad oedd y sefydliad mawr, rhyw fyd bygythiol ar gyrion y dref.[52]

Ni allai Kate oddef yr Ysbyty Meddwl. Rheidrwydd a dyletswydd a'i gyrrai yno ambell waith, ynghyd â dogn hael o dosturi. 'Yn ffortunus, ni byddai fy ymweliadau â'r lle digalon hwnnw yn hir,' meddai cyn belled yn ôl â 1952.[53]

Yr ail sefydliad dylanwadol oedd Ysgol Twm o'r Nant. Roedd cael ysgol Gymraeg i dref Dinbych 'yn fater enaid iddi, ac 'roedd unrhyw un a wrthwynebai [b]roses achub yr iaith yn golledig a thwp'.[54] Collfarnai'r Cymry a oedd yn addoli yn Gymraeg yn y Capel Mawr ond yn gwrthod anfon eu plant i'r Ysgol Gymraeg. Y trydydd sefydliad oedd y Capel Mawr ei hun. Casâi hunan-dwyll a rhagrith o bob math, a byddai'n lladd ar wendidau ei chydgapelwyr yn bigog ac yn ddidostur. Ac yn ôl Cynwil Williams, rhoddodd y Capel Mawr lawer o gymeriadau a syniadau iddi ar gyfer ei gwaith llenyddol:

> Yma, lle gall mil o eneidiau ymgynnull, yr eisteddodd Kate Roberts yn cenhedlu, mewn rhyw ysbryd neu'i gilydd, ei storïau seicolegol – barddonol. Mae pensaernïaeth y capel hwn wedi gadael ei ôl ar ei llenyddiaeth. Yr oedd ei dosbarth Ysgol Sul yn gwrthwynebu ei syniadau i gyd. Cynrychiolwyr capelwyr yr oes wedi'r rhyfel oeddent. A hwy a'u tebyg a'i hyrddiodd i faes seicoleg – y maes hwnnw sy'n dwyn ymwybyddiaeth a realiti ynghyd. Ac fel pob awdur arall sy'n cymryd diddordeb yn y seicolegol, mae Kate Roberts yn hallt ei beirniadaeth ar ei chymdeithas.[55]

Mewn gwirionedd, mae *Tywyll Heno* yn cyfuno'r tri byd. O ran ei ffyddlondeb i'r Capel Mawr dylasai Kate fod wedi cael ei hethol yn un o flaenoriaid yr eglwys, ond ceidwadol oedd agwedd y blaenoriaid ar y pryd. 'Unwaith,' meddai Cynwil Williams, '… cyffesodd yn gynnil, y gallai'r eglwys a wasanaethodd gyhyd fod wedi rhoi'r cyfle iddi wrthod y swydd o flaenor'.[56] Efallai mai hyn a symbylodd y stori 'Yr Enaid Clwyfus' yn ôl Cynwil Williams, 'stori arall sy'n cyplysu Capel Mawr â'r Ysbyty Meddwl'.[57]

Ym mis Ionawr 1976, a Kate ar drothwy ei phen-blwydd yn 85 oed, darlledwyd rhaglen gan HTV amdani. Cynhyrchwyd y rhaglen gan Gwyn Erfyl, a gofynnodd iddi a oedd hi'n dal i 'fyw' yng Nghae'r Gors. 'Ydw,' atebodd, gan ychwanegu:

> Yn rhyfedd iawn, ar hyn o bryd, 'rydw i'n breuddwydio am Gae'r Gors o hyd – ble bynnag 'rydw i'n mynd dwi'n dod yn ôl yno, a dwi'n gweld trên, ac mae'r trên yma'n mynd i fyny i Rosgadfan, ac mae eisiau dal y trên o hyd, ac i Gae'r Gors 'rydw i'n mynd.[58]

A daliai i hiraethu am Rosgadfan ei phlentyndod:

> … 'roedden nhw'n bobl lawen a digon o hwyl yn y chwarel, yn bobl gymdeithasgar
> iawn, yn bobl yn helpu ei gilydd heb feddwl cael tâl na dim byd arall. Dwi'n cofio fel
> bydde mam yn mynd pan fydde plentyn yn cyrraedd rhywle, yn mynd at y merched, a
> phan oedd 'na salwch hefyd, 'doedd hi'n disgwyl cael dim byd, a gorfod codi ganol nos
> weithiau i fynd.[59]

Byd o werthoedd oedd y byd hwnnw a fodolai yn Rhosgadfan cyn y Rhyfel
Byd Cyntaf, ond byd a gollwyd ydoedd. Lladdwyd gwarineb yr hen fyd gan
anwarineb y byd modern:

> 'Da[n] ni ddim yn sylweddoli un peth – fod 'na ddau ryfel byd wedi digwydd yn
> y ganrif yma, a dwi'n meddwl ein bod ni'n hollol ddifater ynghylch y peth mewn
> gwirionedd – trychinebau ofnadwy – a dyden nhw heb gael effaith fawr ar neb – 'da[n]
> ni'n mynd ymlaen yn hapus braf, fel 'tasa dim byd wedi digwydd. Ond os ewch chi
> i feddwl am y pethau ddigwyddodd, wel mae o'n rhoi rhyw dristwch i chi a rhyw
> wrthwynebiad i'r pethau 'ma.[60]

Ar ddydd ei phen-blwydd yn 85 oed, cyhoeddwyd casgliad newydd sbon
o straeon ganddi, *Yr Wylan Deg*. Anfonodd Saunders Lewis lythyr ati ar ddydd
ei phen-blwydd i'w llongyfarch ar y gyfrol. Canmolodd 'Yfory ac Yfory' yn
benodol, fel 'campwaith a gem o stori'.[61] 'Y mae'r llyfr i gyd yn drysor a'r Gymraeg
ar ei disgleiriaf drwyddo,' ychwanegodd.[62] Roedd y straeon hyn eto yn perthyn
i wahanol gyfnodau yn ei bywyd. Ymddangosodd 'Yfory ac Yfory' yn rhifyn
Nadolig 1949 o'r *Faner*. Cyhoeddwyd 'Yr Apêl' yn *Y Genhinen* ym 1950, a 'Heb
Gyffro Mwy' yn rhifyn Nadolig 1953 o'r *Faner*. Yn rhifyn Nadolig 1955 o'r *Faner*
y cyhoeddwyd 'Ymweliad' (dan y teitl 'Ymwelydd i De'), a stori Nadolig *Y Faner*
ar gyfer 1965 oedd 'Un Funud Fach'. Mae straeon eraill yn perthyn i'r 1970au.

Roedd Cynwil Williams yn cofio'r adeg pryd y lluniwyd y stori a roddodd
i'r gyfrol ei theitl yn fyw iawn:

> Yn ysbyty Abergele yr oedd ar y pryd. Cofiaf ei chyfarfod yn dod o'r theatr yn welw
> ac oer ar olwynion. Rhoddwyd pin yn ei chlun wedi'i chodwm. Ni welaf eto ddarlun
> o unigrwydd mwy. 'Roedd yn brynhawn Sadwrn heb neb o gwmpas ysbyty agored
> Abergele. 'Roedd yr un a wybu sefyll yn ddewr, yn ddiymadferth. A oedd rhyw
> felyster yn mynd i ddod o enau'r llew y tro hwn? Fe ddaeth, ymhen rhai dyddiau yn
> 'Yr Wylan Deg' a welai o'i hystafell sengl.[63]

Yn y stori, mae hen wraig glaf, Lisa Ifans, yn dotio at wylan sy'n dod at y
lawnt y tu allan i'w hystafell bob dydd. Yr wylan hon yw canolbwynt ei holl sylw.

Mae'n syllu arni drwy'r ffenest yn feunyddiol. Yng nghanol ei thrueni, mae'r wylan yn rhoi cysur a phleser i'r hen wraig. Mae'n codi ei chalon ac yn dod â llawenydd a thawelwch meddwl iddi. Mae'r wylan yn cynrychioli harddwch a phurdeb oes arall iddi. 'Ydach chi'n licio'i lliw hi hefyd?' gofynna'r nyrs, ar ôl i'r hen wraig ddweud ei bod yn cael ei llygad-dynnu gan blu llyfn yr aderyn. 'Dyna liw dillad priodas merched ers talwm. Lliw purdeb,' meddai wrth ateb y nyrs. '"Gwlanan y môr" fydden ni yn eu galw ers talwm,' meddai eto wrth y nyrs. A dyna fynd â'r darllenydd yn ôl i fyd Deian a Loli gynt, ac i fyd ei phlentyndod yng Nghae'r Gors. A hithau yn y fath gyflwr bregus, mae'r wylan yn ei hatgoffa am ddyddiau pell ei phlentyndod, ac yn dod â llawenydd iddi wrth feddwl am y dyddiau dihafal ddedwydd hynny, pan oedd y teulu'n grwn ac yn gyfan. 'Oeddat ti yn licio yn lan y môr?' gofynna Deian i Loli wedi i'r ddau ddianc yno. 'Oeddwn,' meddai Loli, 'a mi liciwn i fynd eto, i weld gwlanan y môr yn nofio'. Ond mae'r hen wraig yn y stori yn cael ei symud i ysbyty arall yn ymyl ei chartref, ac mae hi'n gorfod ffarwelio â'r wylan – a ffarwelio â'i phlentyndod am byth yn sgil hynny – gyda dagrau yn ei llygaid.

Trwy gydol y 1970au, dirywiodd ei hiechyd yn raddol. Cwympodd fwy nag unwaith, a bu'n dioddef oddi wrth lid y gwythiennau. Ar fore Ionawr 12, 1977, cafodd gwymp gas arall. Syrthiodd ar y 'landing' yn ei chartref a thorrodd ei braich. Aethpwyd â hi i'r ysbyty yn Ninbych, a bu yno o Ionawr 12 hyd at ddechrau Mai, pan symudwyd hi i'r Ysbyty Coffa yn y Rhyl. Cafodd ei symud wedyn ar Fai 16 i Langwyfan, cyn iddi gael ei hanfon adref ar y diwrnod cyntaf o Fehefin. Ond bu'n hir cyn gwella. 'Na, *nid* wyf i yn gwella,' meddai wrth Olwen Samuel, gan ychwanegu: 'Dal y mae'r boen yn fy mraich ac yr wyf yn bur simsan ar fy nhraed'.[64]

Er ei bod yn cael llawer o gymorth a gofal gan amryw yn ystod ei blynyddoedd olaf, wrth i'w hiechyd ddirywio ac wrth i'r damweiniau amlhau, weithiau roedd yn y tŷ ar ei phen ei hun, yn hen wraig ddiamddiffyn. Cafodd rai profiadau annifyr yn ystod y blynyddoedd olaf hyn. Digwyddodd un peth diflas a brawychus iddi ym mis Mai 1978. Adroddodd yr hanes wrth Olwen Samuel:

Cefais i brofiad digon annymunol ddydd Gwener diwethaf. Tua 5.30 pm cerddodd rhywun dierth i mewn i'r tŷ trwy ddrws y cefn ac i mewn i'r tŷ bach. (Nid oedd clo ar ddrws y cefn). Digwyddwn i fod yn y gegin ar y pryd, ac ni chlywais ef neu hi yn defnyddio'r tŷ bach. Gwelais wedyn ei fod ef neu hi wedi cymryd cist de fach oddi ar y silff yn y scullery a'i gosod ar fwrdd y ffenestr yn y tŷ bach. Mae'n debyg ei fod wedi meddwl bod arian ynddi. Gwelais hefyd ei fod wedi mynd allan trwy ffenestr y tŷ bach. Ni chollais ddim.[65]

Cafodd brofiad mwy brawychus fyth bedair blynedd yn ddiweddarach, ym mis Tachwedd 1982:

> Cefais brofiad cas ddydd Mawrth dwaetha. Dyn o'r Rhyl yn ffonio ataf. Fe'i galwai ei hun yn David Roberts a dweud fy mod yn ei nabod a'i fod am ddyfod yma i'm gweld i. Dywedais wrtho na châi ddyfod. Yn y diwedd dywedodd ei bod [*sic*] am ddwad yma i dynnu fy nillad a'm rhoi yn y gwely. Dywedais wrtho fy mod yn galw'r plismyn, a daeth swyddog i lawr. Cefais wybod fod yr un dyn wedi galw [yn] y cwfaint yma. Yr oeddwn wedi dychryn yn arw, gan fy mod yn gorfod gadael y drws cefn yn agored am oriau bob dydd.[66]

Gadawai ddrws y cefn yn agored er mwyn i'r rhai a oedd yn gofalu amdani ac yn ei chynorthwyo fedru dod i mewn ac allan fel y mynnent. Talai i eraill am gysgu dros nos gyda hi yn y Cilgwyn. Ergyd greulon ar ran ffawd oedd mai David Roberts oedd yr enw a roddodd yr ymyrrwr dros y ffôn, yr un enw yn union â Dei. Troes harddwch plentyndod yn hunllef henaint.

Roedd Kate yn dirywio, yn gorfforol ac yn feddyliol. Cofnododd ei phryderon a'i gofidiau yn ei dyddiaduron, yn un cronicl trist, torcalonnus o ddiwedd oes. 'Meddwl am 1977. Blwyddyn galed i mi'.[67] Dyna gofnod agoriadol y flwyddyn 1978. Gwyddai fod ei chyflwr yn gwaethygu:

> Teimlo'n ddigalon sobr. Gweld dim o'm blaen ond mynd ymlaen fel hyn o'r naill ddydd i'r llall.

> Teimlo'n ddigalon. Ddim yn gwella dim. Fy ngweld fy hun yn mynd ymlaen fel hyn am hir. Nid wyf yn medru meddwl, teimlo'n annifyr.[68]

Roedd y corff a fu unwaith mor wydn bellach yn gyndyn i wella. 'Blwyddyn i heddiw y syrthiais a thorri fy mraich,' cofnododd ar Ionawr 11, 1978, gan synnu 'cyn lleied o welliant a fu iddi mewn blwyddyn'.[69] Poenai ynghylch ei chyflwr yn feunyddiol. Gwyddai nad oedd gwella iddi: 'Rhyfedd meddwl nad oes arnaf eisiau dillad rwan – henaint a gwaeledd!'[70] Ac eto, roedd dyddiadau pwysig wedi eu serio ar ei chof, ac ni allai amser na henaint eu dileu. Ar Ionawr 9, 1978, ceir y cofnod hwn yn ei dyddiadur: '32 mlynedd i heddiw oedd cynhebrwng M. 22 mlynedd i heddiw oedd cynhebrwng R. W. Parry'; ac ar Chwefror 1, yr un flwyddyn: 'Penblwydd marw mam yn 1944. Penblwydd cynhebrwng Evan fy mrawd yn 1951'.[71]

Ym mis Chwefror 1978 cafodd newydd trist:

Newydd drwg iawn y bore yma. Gair oddi wrth Daisy fod Lilla, ei mam, wedi marw. Buom yn ysgrifennu at ein gilydd er 1946. Chwith iawn gennyf ei cholli. Dynes ddysgedig, addfwyn, ddiymhongar[.] Nid oedd ond rhyw 74 blwydd oed.[72]

Newydd farw, ar Ionawr 23, yr oedd Lilla Wagner, un o ffrindiau pennaf Kate. Ionawr oedd ei phoenydiwr o hyd. Roedd ei byd i gyd yn chwalu, yn llithro'n ôl i'r gorffennol. Erbyn diwedd 1979 roedd Hannah, ei chwaer-yng-nghyfraith, wedi marw hefyd, ac er iddi hi a Kate bellhau oddi wrth ei gilydd wedi marwolaeth Morris – yn wir, er bod Kate wedi ei chasáu ers blynyddoedd maith – daeth rhyw bwl rhyfedd o chwithdod drosti pan glywodd y newydd. 'Rhoes hanes marw Hannah ysgytwad difrifol i mi,' meddai wrth Olwen Samuel ganol Rhagfyr 1979.[73] Ac eto, ni allai ddeall ymddygiad Hannah ati hyd at y diwedd un. Un arall a fu farw ym 1979 oedd Elisabeth Williams, gweddw Griffith John Williams, a oedd wedi cefnu ar y byd ar ôl marwolaeth ei gŵr. Ysgrifennodd Kate at Cassie Davies ym mis Mawrth:

Clywais am farw Mrs G. J. Williams drannoeth wedi ei marw … Yr oedd Morris a finnau yn ffrindiau mawr efo'r ddau. Ond nid ysgrifennodd hi ddim gair ataf ar ôl marw G.J. er imi sgrifennu dair gwaith ati mewn cydymdeimlad.[74]

Ar gerdyn yr ysgrifennodd Kate y geiriau hyn, a chyda'r cerdyn hwn y daw'r ohebiaeth rhyngddi a Cassie Davies i ben.

Er gwaethaf problemau henaint, roedd Kate wrth ei bodd yn derbyn llythyrau gan gyfeillion. Bu Derec Llwyd Morgan a'i briod Jane Edwards, y nofelwraig, yn arbennig o dda wrthi, yn anfon llythyrau ati yn gyson, yn llawn o hanesion teuluol a llenyddol. Parhai i ddarllen llyfrau a chylchgronau, hyd at y diwedd bron. Nodai yn ei dyddiadur bob llyfr a ddarllenai ar y pryd, a thraethai ei barn yn groyw am bob dim a ddarllenai ac a glywai ar y radio. Cymerai ddiddordeb byw yn y Gymraeg a'i diwylliant o hyd, ac mewn gwleidyddiaeth. Siom iddi oedd canlyniad y Refferendwm ar Ddatganoli ar ddydd Gŵyl Ddewi 1979, fel y nododd wrth Olwen Samuel:

Yr oeddwn innau'n drist iawn ar ganlyniad y refferendwm. Cenedl anwybodus, daeogaidd ydym. Yr oedd y Blaid Lafur yn Ninbych yn rhannu papurau i ddweud wrth bobl am bleidleisio *Na.*, er mai *Ie* oedd polisi'r Blaid Lafur.[75]

Erbyn canol 1980 roedd Kate yn yr Inffyrmari yn Ninbych eto. 'Wedi dwad i ben fy nhennyn. Y briw ar fy nghoes yn ddrwg ac yn methu cerdded,' ysgrifennodd at Olwen Samuel.[76] Bu yn yr ysbyty am rai wythnosau, ac ar ôl dychwelyd i'r Cilgwyn âi i'r ysbyty bob dydd i gael triniaeth i'r briw ar ei choes. Roedd ei chof hefyd yn tywyllu, y cof anhygoel hwnnw a gofnodai bob manylyn ac a gadwodd y gorffennol mor fythol fyw. 'Dydd Gwener dwaetha, collais fy nghof. Ni fedrwn gofio dim a bu felly hyd ddydd Sul,' meddai wrth Olwen Samuel ym mis Hydref 1980.[77]

Dioddefai boenau corfforol yn ddyddiol erbyn y diwedd. Roedd y gwynegon yn achosi poen enbyd iddi yn ei choesau a'i breichiau. Y daith rhwng ei chartref a'r ysbyty oedd ei chofiant mwyach. Roedd yn yr ysbyty eto ar ddechrau 1981. Archebodd yr ysbyty gadair olwyn drydan iddi, ac ni châi ddychwelyd i'r Cilgwyn nes bod y gadair wedi cyrraedd. Ym mis Awst 1981, chwyddodd ei llaw chwith oherwydd bod ei modrwy briodas yn rhy dynn am ei bys. Bu'n rhaid i'r meddyg dynnu'r fodrwy i ffwrdd: yr ysgariad trist, terfynol rhyngddi a Morris.

Erbyn 1982 roedd ei chof yn gwaethygu. Cadwai ddyddiadur o hyd, ond âi ei llawysgrifen yn fwy a mwy crynedig. Roedd henaint ac amser yn llurgunio'r llawysgrifen gain honno a fu'n addurno'r Gymraeg ers trigain mlynedd a mwy. Ar Ionawr 3, 1982, cofnododd hyn yn ei dyddiadur: '36 mlynedd i heddiw y bu Morris farw. Ymddengys fel ddoe. A mae ei deulu i gyd wedi mynd erbyn hyn. A dyma finnau yn da i ddim yn fan'ma'.[78] Ond ar Ionawr 6 y bu Morris farw, nid ar Ionawr 3. Roedd yn dechrau anghofio'r dyddiadau mwyaf dirdynnol a phellgyrhaeddol ar galendr ei bywyd. Ym 1983 anfonodd lythyr at Olwen Samuel gyda'r dyddiad '26/1/43' arno.[79] Câi drafferth i lefaru'n eglur erbyn y diwedd hefyd. Ac eto, er bod ei chof yn pallu ac yn pylu, roedd ei meddwl yn effro o hyd. Ar Ebrill 27, 1983, yr anfonodd ei llythyr olaf at Olwen Samuel, ac ynddo'r sylw: 'Cefais hwyl ar ddarllen yn ddiweddar Hunan gofiant Gwilym R. a Personau Dr Peate, y ddau yn ddifyr iawn'.[80]

Ar Chwefror 13, 1981, roedd Kate wedi cyrraedd ei 90 oed, ond hen wraig fregus oedd hi bellach. Dydd Gwener oedd y diwrnod hwnnw, sef diwrnod ei genedigaeth. Cyfannwyd y cylch, a daeth y dechrau a'r diwedd ynghyd drwy newid trefn dau rif – 1891 a 1981. Trefnwyd derbyniad arbennig iddi yn Ysgol Twm o'r Nant i ddathlu ei phen-blwydd. Llywiwyd y cyfarfod gan Alun Llywelyn-Williams, cyflwynwyd anrhegion a chyfarchion pen-blwydd iddi gan Gwyn Erfyl, Glyn Tegai Hughes a Bedwyr Lewis Jones, a thalwyd y diolchiadau gan Gwyn Thomas. Cyflwynodd Bedwyr Lewis Jones gopi o *Bro a Bywyd: Kate Roberts* iddi wedi ei rwymo'n arbennig, a daeth Glyn Tegai Hughes â thudalennau enghreifftiol o'r gyfrol *Two Old Men*, cyfieithiad Elan

Closs Stephens a Llewelyn Wyn Griffith o 'Dau Hen Ddyn' y bwriadai Gwasg Gregynog ei chyhoeddi yn ddiweddarach yn y flwyddyn, gyda lluniau gan Kyffin Williams. Traddododd Derec Llwyd Morgan, golygydd *Bro a Bywyd: Kate Roberts*, ddarlith ar fywyd a gwaith Kate yn ystod y diwrnod, a chyflwynwyd rhaglen bortread ohoni gan John Idris Owen, *Y Lôn Wen*, yn Theatr Twm o'r Nant ar y nos Wener a'r nos Sadwrn.

Un o'r rhai a anfonodd lythyr ati i'w llongyfarch ar gyrraedd 90 oedd Islwyn Ffowc Elis. Ymddiheurodd na allai ddod i Ddinbych ar ddiwrnod ei phen-blwydd i ymuno yn y dathliadau, a dywedodd ei fod yn edifarhau iddo feirniadu *Tywyll Heno* yn annheg yn ei adolygiad ar y gyfrol. Hwnnw oedd yr adolygiad a ymddangosodd yn rhifyn Gaeaf 1962 o *Lleufer*. Bellach credai Islwyn Ffowc Elis fod *Tywyll Heno* yn nofel 'grefftus, gyfoethog ac enbyd o dreiddgar'.[81] Yn wir, derbyniodd doreth o lythyrau i'w llongyfarch ar ei phen-blwydd, gan gynnwys llythyr gan Kyffin Williams, a oedd wedi cael ei gomisiynu i ddarlunio *Two Old Men*. Roedd yn adnabod ardal Rhosgadfan yn dda, meddai, a hoffai i'r lluniau fod mor blaen, mor syml ac mor onest â'r straeon eu hunain.

Ym 1981 hefyd y cyhoeddwyd ei chyfrol olaf o straeon byrion, *Haul a Drycin*, casgliad o chwech o straeon byrion a gyhoeddwyd ar drothwy Nadolig 1981, a chafodd help gan John Emyr, awdur *Enaid Clwyfus*, sef ei draethawd M.A. ar waith Kate a gyhoeddwyd ym 1976, i ddod o hyd i rai straeon. Ym 1963 y lluniwyd y stori gynharaf yn y gyfrol, 'O! Winni! Winni!'. Fe'i cyhoeddwyd yn rhifyn Rhagfyr 26 o'r *Faner*. Straeon am Winni Ffinni Hadog yw tair o'r straeon: 'Pryder Morwyn', a ymddangosodd yn *Y Traethodydd* ym 1978, a 'Haul a Drycin', a gyhoeddwyd yn y cylchgrawn i ferched, *Pais*, ym Mawrth/Ebrill 1979, ac 'O! Winni! Winni!'. A dyna gyflawni'r hyn a addawsai iddi hi ei hun ym 1960, sef ysgrifennu am Winni Ffinni Hadog eto rywbryd yn y dyfodol.

Mae'n sicr y bwriadai Kate i'r straeon newydd am Winni Ffinni Hadog ffurfio cyfrol newydd, fel dilyniant i *Te yn y Grug*, ond roedd yn rhy wael ac yn rhy hen i fwrw ymlaen â'i bwriad wrth iddi nesáu at ei deg a phedwar ugain oed. Stori gyntaf *Haul a Drycin* yw 'Pryder Morwyn'. Mae Winni erbyn hyn yn bedair ar ddeg oed, ac wedi mynd i weini. Ei chyflogwyr yw Mr a Mrs Hughes, ac mae gofalu am eu mab bychan Robert yn un o'i dyletswyddau. Mae bachgen hŷn na hi, o'r dref, yn ceisio'i hudo i fynd am dro gydag ef. Er bod Winni yn gwrthod mynd gyda'r bachgen, mae ei meistr yn digwydd dod heibio ac yn camddeall y sefyllfa. Gan bryderu y gallai golli ei swydd, mae Winni yn mynd i weld Elin Gruffydd a Begw, i gael peth cysur. Nid yw Winni yn colli ei swydd wedi'r cwbl, ac mae Mr a Mrs Hughes yn hynod o garedig wrthi.

Yn yr ail stori, 'Haul a Drycin', mae Winni yn cyfarfod â morwyn arall, Gwen, ac mae'r ddwy yn dod yn ffrindiau agos. Yn y stori hon eto, daw un o brif themâu Kate i'r amlwg, sef cyfeillgarwch rhwng merched, a hwnnw'n gyfeillgarwch dwfn, teyrngar, triw ac, ar brydiau, yn ddyfnach ac yn fwy angerddol na hynny. Daliai Begw i fod yn ffyddlon iddi, 'ond plentyn oedd Begw wrth ei hymyl hi'. Trwy ennill Gwen yn ffrind iddi, ac yn ffrind sy'n hŷn na hi o ryw bedair blynedd, mae Winni yn dechrau magu annibyniaeth. Y mae'r berthynas rhwng Winni a Sionyn, ei brawd bach, yn adlewyrchu'r berthynas rhwng Kate a Dei, ond gŵyr Winni, fel y gwyddai Ann yn *Tegwch y Bore*, y byddai'n rhaid i'r cwlwm rhyngddi a'i brawd gael ei dorri rywbryd neu'i gilydd:

> Mae'n wir bod Sionyn yn tynnu wrth ei chalon, ond byddai'n rhaid iddi ymryddhau oddi wrtho yntau rywdro, os medrai. Dyna oedd y cwestiwn mawr. Yr oedd wedi rhoi ei holl gariad iddo ef. Byddai ef yn prifio a byddai hithau yn mynd yn ddynes. Dynes! Ni allai ei hamgyffred ei hun yn ddynes, ac eto, wrth fynd o'r capel y bore yma, teimlai nad oedd yn blentyn mwyach.

Gwen yw'r un sy'n dweud wrth Winni am y newidiadau a fyddai'n digwydd i'w chorff, wrth iddi aeddfedu'n gorfforol a chyrraedd yr oedran priodol.

Yn y drydedd stori, 'O! Winni! Winni!', mae hyd yn oed Begw yn sylwi ar y newidiaeth yn Winni:

> Teimlai ei bod yn ddynes erbyn hyn, a phe gofynasid i Begw buasai hithau yn dweud nad yr un Winni a bregethai yn huawdl ar y mynydd oedd hon; yn dwyn ei brechdanau o'i basged ac yn dawnsio'n droednoeth. Yr oedd wedi dofi er hynny. Ond fe dyfai hithau ryw ddiwrnod i oed Winni a chael bod yn gyfartal â hi.

Straeon am Winni yn prifio ac yn newid o fod yn blentyn i fod yn ferch ifanc yw'r tair stori, sef fersiwn arall o stori Laura Jones. Roedd y tair stori fel ei gilydd yn gyfle i Kate ail-fyw ei phlentyndod unwaith eto, yn rhith Begw, ac ail-fyw ei phrofiadau'n ferch ifanc, yn rhith Winni y tro hwn, ac nid dan groen Laura Jones. Yn y tair stori, mae Winni yn cael cyfle mewn bywyd, sef yr union gyfle yr oedd ei magwraeth arw wedi ei warafun iddi. Mae'n cael cartref newydd, cartref clyd a chysurus Mr a Mrs Hughes, ac mae'n cael ffrind newydd. Rhoddwyd diweddglo hapus i stori Winni.

Straeon diweddar oedd y tair stori arall yn *Haul a Drycin*. Cyhoeddwyd 'Dechrau Byw' yn *Y Traethodydd* ym 1976, 'Gwacter', stori ar ffurf dyddiadur ysbyty, eto yn *Y Traethodydd*, ym 1977, a 'Maggie' yn *Taliesin* ym 1978. Seiliwyd 'Gwacter' ar ei phrofiadau mewn gwahanol ysbytai wrth i'w hiechyd ddirywio fwy a mwy. Stori ar ffurf dyddiadur ydyw, a gwraig glaf sy'n cofnodi ei meddyliau ynddo. Mae'r stori yn adlewyrchu pryderon Kate ar y pryd. Mae'r wraig glaf yn hiraethu am ei chartref cysurus ac yn poeni y bydd yn rhaid iddi werthu ei chartref i fynd i gartref mamaeth oni bai ei bod yn cael rhywun i ofalu amdani yn ei thŷ ei hun. I lenwi'r gwacter sy'n ei llethu yn yr ysbyty ac i'w rhwystro rhag hiraethu'n ormodol am ei chartref, mae'r hen wraig yn cyfansoddi stori serch yn ei phen. Dyma dechneg gyfarwydd yng ngwaith Kate, sef llunio stori oddi mewn i stori, er mwyn cyferbynnu rhwng dau fyd. Mae'r stori y mae'r wraig glaf yn ei chyfansoddi yn fodd iddi ddianc rhag ei sefyllfa a'i hamgylchiadau hefyd, a rhag trueni henaint yn anad dim. 'Yr oedd yn rhaid iddi fod yn stori am bobol ifanc,' meddai'r wraig, ac mae'n dechrau llunio stori am garwriaeth merch ifanc 25 oed o'r enw Jane â gweinidog o'r enw Wiliam Richards. Yn union fel yr oedd yr wylan yn 'Yr Wylan Deg' wedi galluogi Kate i ddianc yn ôl i fyd ei phlentyndod, mae'r stori garwriaeth yn 'Gwacter' yn galluogi'r wraig glaf i ddianc yn ôl i fyd ei hieuenctid: 'Ni fedrwn ei hysgrifennu, yr oeddwn wedi blino gormod, ond fel yr awn drosti daeth Jane a minnau'n un, cymerais ei lle'. Mae cyfeillion i'r hen wraig yn dod o hyd i rywun i ofalu amdani, fel nad oes angen iddi fynd i gartref mamaeth, a dyma ddiweddglo'r stori: 'Efallai yr awn ymlaen efo hi. Awn drosti o hyd ac o hyd yn fy meddwl, a thybio o hyd mai Jane ifanc oeddwn'. Dihangfa, bellach, oedd ei chelfyddyd.

Dianc a wna yn un arall o straeon y gyfrol, 'Dechrau Byw', dianc i ardal y llechi unwaith eto, ac i ganrif wahanol. Ailwampiad neu fersiwn newydd o bennod gyntaf y nofel anorffenedig *Gras a Llechi* yw'r stori hon. Ym mhennod gyntaf y nofel honno, roedd Deina, merch Pant-y-llyn yn ardal y chwareli, wedi priodi Pyrs Elis, gwas ei thad, yn union fel yr oedd y gwas wedi priodi merch ei feistr yn y ddrama 'Y Gwas'. Deina yw'r prif gymeriad yn 'Dechrau Byw' hefyd, ond Harri yw enw'r gwas y mae wedi ei briodi, er mai Pant-y-llyn yw enw'r fferm yn y nofel a'r stori, a Grasi ac Elisabeth yw enw chwiorydd Deina yn y ddwy. Fel hyn y disgrifir Pyrs ym mhennod agoriadol *Gras a Llechi*: 'Yr oedd yn hogyn clws, gwallt cringoch a natur crychu ynddo, llygaid tywyll o liw gwlân cochddu'r ddafad a chroen glandeg'; ac fel hyn y disgrifir Harri yn 'Dechrau Byw': 'Yr oedd yn fachgen cydnerth, gyda llygaid gwinau cynnes, gwallt cringoch, ffurf pen hardd, dannedd da, a chroen ac ôl y tywydd arno'. Ail-fyw ei chyfarfyddiad a'i charwriaeth â Morris yr oedd Kate yn y gweithiau hyn. Morris oedd yr un a chanddo wallt cringoch, ac yr oedd priodas Kate a Morris yr un mor annerbyniol ac anghydnaws â phriodas Deina â Phyrs neu â Harri. Gyda *Haul a Drycin* y daeth gyrfa lenyddol lachar, athrylithgar Kate i ben, ac addas oedd teitl ei chyfrol olaf o gofio iddi brofi haul a drycin, a mwy o ddyddiau drycinog nag o ddyddiau heulog, trwy gydol ei hoes faith.

Bu Kate yn ffyddlon i'r Capel Mawr hyd at y diwedd, a chyhyd ag y medrai. Ym 1983 trefnwyd tysteb genedlaethol iddi, a bu dau o'i chyn-weinidogion, Cynwil Williams a'i olynydd, W. H. Pritchard, yn sôn am ei pherthynas â'r Capel Mawr. Erbyn 1983 roedd yn rhy fethedig i fynychu oedfaon y Capel Mawr. 'Gwnaeth ymdrech arbennig i ddod hyd yn oed ar ôl iddi fynd yn analluog i gerdded,' meddai W. H. Pritchard amdani.[82] Bu'n feirniadol o Anghydffurfiaeth, meddai Cynwil Williams, a bu bron iddi 'golli ei ffydd a'i phwyll ar ôl gweld mor gib-ddall y gall pobl, sy'n honni byw yn y golau, fod yn eu capel'.[83]

Ym 1983 y cysylltodd Kate a Saunders Lewis â'i gilydd am y tro olaf. Derbyniodd Saunders Lewis radd Doethuriaeth mewn Llenyddiaeth gan Brifysgol Cymru, wedi iddo'i gwrthod unwaith, a chyflwynwyd y radd iddo yn ei gartref ym Mhenarth mewn seremoni fechan ar Chwefror 18, 1983. Ysgrifennodd Kate ato i'w longyfarch ar y Ddoethuriaeth, yn falch fod y Brifysgol wedi cyflawni ei dyletswydd o'r diwedd. 'Yn y gongl yr wyf fi,' meddai wrtho, gan adleisio geiriau ei mam pan oedd hithau yn cael ei llethu a'i llorio gan henaint a gwaeledd, 'Gobeithio na chei di byth dy wasgu i'r fath gongol â hyn, Cadi bach', yn ôl cofnod Ebrill 4 o ddyddiadur 1946.[84] Dywedodd wrth Saunders Lewis na allai sefyll ar ei thraed na cherdded heb gael cymorth, ond bod ganddi nifer o ferched a ofalai amdani, a'i bod yn medru darllen. Yn grynedig ei ysgrifen ac yn wallus ei iaith, anfonodd Saunders Lewis lythyr byr yn ôl ati i ddiolch am ei geiriau caredig. 'Yr eiddoch o hyd a thra byddaf' oedd ei eiriau olaf.[85]

Bu farw Kate ar Ebrill 14, 1985, yn yr Inffyrmari yn Ninbych, lle bu'n glaf ers misoedd lawer. Cynhaliwyd yr angladd ddydd Mercher, Ebrill 17. Cynhaliwyd gwasanaeth yn y Capel Mawr dan arweiniad ei gweinidog, y Parchedig W. H. Pritchard. Talodd wrogaeth iddi fel gwraig a fu'n hynod o ffyddlon i'r Capel Mawr ac i'r Ysgol Sul, a nododd ei chyfraniad enfawr i'r gymdeithas yr oedd yn rhan ohoni, ac fel y bu iddi sefyll yn ddiwyro dros ei hiaith a'i diwylliant, ac o blaid hawliau ei chenedl, drwy'i bywyd. Bu farw Saunders Lewis ychydig fisoedd ar ei hôl, ar y diwrnod cyntaf o Fedi.

Talodd W. H. Pritchard deyrnged iddi hefyd yn *Y Goleuad*. Ategodd yr hyn a ddywedodd ar ddiwrnod ei hangladd. Yr oedd yn ymwneud â phob agwedd ar fywyd Cymraeg y dref; hi oedd un o sefydlwyr y gangen leol o Ferched y Wawr, a gwasanaethodd fel Llywydd Anrhydeddus i'r gangen. Mynychai gyfarfodydd y Gymdeithas Lên a Cherdd yn rheolaidd, a chredai fod ei rhan yn y gwaith o sefydlu Ysgol Twm o'r Nant yn un o'i chyfraniadau pwysicaf i fywyd Cymru. Yr oedd yr un mor deyrngar i eglwys y Capel Mawr, a pharhai i fynychu'r oedfaon tra gallai. Ei gwaith fel athrawes Ysgol Sul oedd ei chyfraniad pennaf i'r Capel Mawr. 'Llenor, cenedlatholwraig, gwraig athrylithgar a galw mawr ar ei hamser a'i hegni' oedd Kate hyd y diwedd.[86]

Dyddiau creulon oedd ei dyddiau olaf. 'Cafodd gystudd hir a phoenus,' meddai Gwilym R. Jones, 'ond daliodd i ymddiddori yn y Pethe bron hyd y diwedd, a'r loes mwyaf iddi oedd colli'r pleser o ddarllen ac ysgrifennu'.[87] Gwyddai Gwilym R. Jones am y ddwy ochr i bersonoliaeth Kate yn well na neb:

Fe greodd "Brenhines ein Llên" resi o elynion am ei bod yn Gymraes mor ddigyfaddawd a llym ei cherydd i'w gwrthwynebwyr, ond gwn fod gan rai o'i gwrthwynebwyr ffyrnicaf barch tuag ati – yn y bôn. Yn baradocsaidd iawn, gallai'r wraig gadarn hon fod yn hynod dyner a hael lle gwelai angen ymhlith ei ffrindiau.[88]

Un arall a dalodd deyrnged iddi oedd R. Tudur Jones, yn *Y Cymro*:

Cwynfannus oedd ei sgwrs. Yr oedd llawer o bethau'n ei phoeni a llawer o bobl yn dod o dan ei sgrafell. Ac yn wir gallai lethu pobl â'i digalondid. Cofiaf y newyddiadurwr George Gale yn galw i'w gweld pan oedd yn paratoi erthyglau ar ryw wedd ar fywyd Cymru. Gŵr tra siaradus oedd hwnnw … Ond ar ôl awr o sgwrs gyda Kate, a hithau yn un o'i phyl[i]au mwyaf pesimistaidd, ei unig sylw oedd 'Good God!'

Am ryw reswm na allaf ei esbonio, yr oedd ei phesimistiaeth yn fy nharo i bob amser fel peth digrif iawn. Lawer gwaith yn ystod y blynyddoedd, fe'm cefais fy hun yn mynd i chwerthin yn aflywodraethus wrth ei gwrando'n mynd trwy ei phethau. A thoc byddai hithau'n ymateb yn yr un ffordd. Er enghraifft, gwelais hi pan oedd ar ganol llunio stori fer. Dechreuodd ddweud beth oedd wedi ei hysgogi i ysgrifennu. Gwraig i ryw saer a oedd hefyd yn ennill ei fywoliaeth fel claddwr y meirw a oedd wedi cyffroi ei dychymyg. 'Dynes ddrwg a dideimlad oedd hi', meddai Kate. 'Wyddoch chi beth oedd hi'n ei wneud?' 'Na wn i.' 'Pan fyddai rhai o'i chymdogion yn dechrau gwaelu, byddai'n dechrau mynd â blodau iddyn nhw.'

Yr oeddwn eisoes yn teimlo ysfa chwerthin yn fy ngorchfygu. Aeth hithau ymlaen i roi enghreifftiau pellach o ddulliau hel busnes y wraig hon. Erbyn hyn yr oeddwn yn glanna chwerthin. Ond yr oedd Kate hefyd yn chwerthin. Yn wir, câi anhawster mawr i fynd ymlaen â'i stori oherwydd hynny. Yr wyf yn deall mai ychydig o'i chydnabod sy'n gwybod am yr ochr yma i'w chymeriad. Ond anaml y byddwn yn cael sgwrs â hi heb i rywbeth tebyg ddigwydd.[89]

Y stori fer a oedd ganddi ar y gweill ar y pryd oedd 'Blodau', a gyhoeddwyd yn rhifyn Hydref 1965 o'r *Traethodydd*, ac wedyn yn *Prynu Dol*.

Llenor gwarcheidiol oedd Kate Roberts, llenor y cof. Bu'n brwydro, trwy'i chelfyddyd, i adfer yr hyn a gollwyd. Yn raddol cymerwyd popeth a oedd yn werthfawr yn ei golwg oddi arni. Nid amser oedd yr unig elyn. Roedd ynfydrwydd dyn ac annhegwch bywyd yn gyffredinol yn gymaint o elynion iddi ag ydoedd amser. Y Rhyfel Mawr a ddygodd ddau o'i brodyr oddi arni, Dei ac Evan. Y shrapnel yn ei gorff a achosodd farwolaeth annhymig Evan. Annhegwch bywyd a gymerodd ei wraig oddi ar Owen, a pheri iddo ei ladd ei hun mewn anobaith. Afiechyd a laddodd ei dau frawd arall, a henaint ac afiechyd a hawliodd ei rhieni. O dderbyn mai afiechyd yw alcoholiaeth, afiechyd a ddygodd Morris oddi arni hefyd, hynny a gorweithio. Fel yr oedd amser ac amgylchiadau yn chwalu teulu Cae'r Gors, roedd hithau, trwy ei llenyddiaeth, yn ail-greu Cae'r Gors fel yr oedd cyn y chwalfa fawr. Erbyn y diwedd, hi'n unig a oedd ar ôl, fel derwen gadarn a wrthodai blygu i'r stormydd a ruai o'i chwmpas, tra oedd pob coeden arall yn y goedwig ar lawr.

Rhoddwyd Kate i orffwys wrth ochr Morris. Morris a Dinbych a'i hawliodd yn y diwedd, nid ei theulu na Rhosgadfan. Roedd y ddau bellach yn un, wedi deugain mlynedd o ysgariad. Claddwyd Cymraes fwyaf yr ugeinfed ganrif ym mhridd dieithr Dinbych yn hytrach nag yn naear gyfarwydd Rhosgadfan, ond byddai Kate a Begw ac Ann Owen ac Annie yn y stori 'Dychwelyd', a Dei a Bobi a Winni Ffinni Hadog a phawb, yn tramwyo'r Lôn Wen ac yn rhodio llethrau Moeltryfan am byth, neu o leiaf tra byddai'r Gymraeg yn fyw. Ar y garreg fedd yn y fynwent yn Ninbych ceir tri enw, Morris T. Williams, Catherine Williams, a 'Dr. Kate Roberts' rhwng cromfachau dan ei henw priod. Mae'r cromfachau yn cau am ei henw fel yr oedd muriau'r Cilgwyn yn cau amdani hi yn ei hiraeth a'i hunigrwydd wedi marwolaeth Morris, nes i'w hunigrwydd droi'n ffyrnigrwydd ar adegau, wrth iddi gyfarth ar y Gymru daeogaidd a'r byd anghyfiawn a welai o'i hamgylch. Ond un enw yn unig a gysylltir â Chae'r Gors, a Chae'r Gors yw ei gwir gofeb gyhoeddus, y tŷ ar ei newydd wedd, wedi iddo gael ei adnewyddu yn 2006 a'i agor yn Ganolfan Dreftadaeth ar Fai 14, 2007. Ei hiraeth am Gae'r Gors a'i galar am ei theulu a'i troes yn llenor. Yno y dechreuodd y daith ac yno y daeth i ben.

NODIADAU

Pennod 1: Cae'r Gors a Rhosgadfan 1891–1910

1   *Y Lôn Wen*, 1960, t. 7.

2   Ibid., t. 8.

3   Ibid., t. 26.

4   Ibid.

5   Ibid.

6   Ibid., t. 81.

7   Ibid.

8   Ibid., t. 82.

9   Ibid., t. 77.

10   Ibid.

11   Ibid., tt. 78-9.

12   'Tyddynwyr Cymru', *Erthyglau ac Ysgrifau Llenyddol Kate Roberts*, Golygydd: David Jenkins, 1978, t. 369. Cyhoeddwyd 'Tyddynwyr Cymru' yn *Y Faner*, Chwefror 9, 1949, ac ymddangosodd yr ysgrif yn wreiddiol yn rhifyn mis Hydref 1948 o'r cylchgrawn *Bibby's Hearth and Farm*.

13   *Y Lôn Wen*, t. 55.

14   'Tyddynwyr Cymru', t. 368.

15   Ibid., t. 370.

16   Kate Roberts, *Atgofion*, cyf. 1, 1972, t. 9.

17   *Y Lôn Wen*, tt. 90–1.

18   Ibid., t. 92.

19   Ibid., t. 94.

20   Ibid., t. 98.

21   Ibid., t. 107.

22   Gwilym R. Jones, 'Y Gymraeg yn ei Dillad Gorau', *Y Faner*, Chwefror 13, 1981, t. 12.

23   *Y Lôn Wen*, t. 99.

24   Ibid., t. 107.

25   'Ble'r Awn Ni', *Erthyglau ac Ysgrifau Llenyddol Kate Roberts*, t. 23; ymddangosodd yr ysgrif yn wreiddiol yn *Llafar,* cyf. V, 1956.

26   *Y Lôn Wen*, tt. 18–19.

27   'Ledled Cymru', *Y Faner*, Mehefin 18, 1947, t. 4.

28   Ibid.

29   Ibid.

30   *Y Lôn Wen*, tt. 8–9.

31   Ibid., t. 14.

32   *Atgofion*, tt. 17–18.

33   Ibid., t. 18.

34   Ibid., t. 21.

35   Ibid., t. 20.

36   Ibid., tt. 20–1.

Pennod 2: Coleg y Brifysgol, Bangor 1910–1913

1   'Coleg Bangor – 1910', *Erthyglau ac Ysgrifau Llenyddol Kate Roberts*, t. 38; ymddangosodd yr ysgrif yn wreiddiol yn *Y Dyfodol*, Awst 1969.

2   Ibid.

3   'Ledled Cymru', *Y Faner*, Mawrth 9, 1949, t. 4.

4   Ibid.

5   *Atgofion*, t. 23.

6   Ibid., t. 24.

7   'Syr John Morris-Jones', *Erthyglau ac Ysgrifau Llenyddol Kate Roberts*, t. 176; ymddangosodd yr ysgrif yn wreiddiol yn *Barn*, Awst 1964.

8   'Coleg Bangor – 1910', tt. 38–9.

9   Ibid., t. 39.

10   Ibid.

11   Ibid.

12   Ceir tri chopi o'r ddrama ymhlith papurau Kate Roberts yn y Llyfrgell Genedlaethol, sef Papurau Kate Roberts, 2515, 2516 a 2517.

13   'Y Gymdeithas Gymraeg', *The Magazine of the University of North Wales*, cyf. 20, rhif 1, Rhagfyr 1910, t. 45.

14   'Coleg Bangor – 1910', t. 39.

15   'Syr John Morris-Jones', tt. 176–7.

16   *Annwyl Kate, Annwyl Saunders*, Golygydd: Dafydd Ifans, 1992, llythyr 71, Tachwedd 14, 1932, t. 93.

17   'Syr John Morris-Jones', t. 177.

18   Ibid., tt. 177–8.

19   'David Ellis: Bardd a Gollwyd', *Erthyglau ac Ysgrifau Llenyddol Kate Roberts*, t. 156; ymddangosodd yr ysgrif yn wreiddiol yn *Taliesin*, Rhagfyr 1965.

20   Ibid., t. 155.

21   Gwybodaeth bersonol a gafwyd gan Gwilym R. Jones. Kate ei hun a ddywedodd wrtho am y garwriaeth.

22   *Y Lôn Wen*, t. 81.

23   Gw. *Y Bardd a Gollwyd: Cofiant David Ellis*, Alan Llwyd ac Elwyn Edwards, 1992, t. 23.

24   'David Ellis: Bardd a Gollwyd', t. 156.

25   Yn ôl Kate Roberts, 'David Ellis: Bardd a Gollwyd', t. 158: 'Os cofiaf yn iawn gellid anfon cerdd Gymraeg neu Saesneg i'r gystadleuaeth, a rhoddwyd y gadair i Gwladys Charles-Jones, Caernarfon, a chan fod awdl David Ellis mor dda, penderfynwyd rhoi coron iddo yntau. Ymddangosodd yr

awdl yn rhifyn Mehefin 1913 o gylchgrawn y Coleg – yr unig damaid o Gymraeg a geir yn y cylchgrawn.' Ond roedd yn camgofio. Ym 1912 yr enillodd Gwladys Charles-Jones y gadair am gerdd Saesneg.

26   Ibid., t. 158.

27   Ibid., tt. 158-9.

28   'Macwyaid Bangor', *Y Brython*, Tachwedd 7, 1912, t. 6.

29   Ibid., Tachwedd 21, 1912, t. 5.

30   Ibid., Chwefror 13, 1913, t. 2.

31   Ibid., Mawrth 6, 1913, t. 8.

32   Papurau Kate Roberts, 12, tystlythyr gan John Morris-Jones yn cymeradwyo Kate Roberts ar gyfer dysgu Cymraeg, Mai 19, 1913.

33   Papurau Kate Roberts, 2807 vii, tystlythyr yn cymeradwyo Kate Roberts ar gyfer swydd fel arolygwraig gyda'r Bwrdd Addysg, Ebrill 7, 1927.

34   Papurau Cassie Davies, 164, llythyr oddi wrth Kate Roberts, Gorffennaf 23, 1973.

Pennod 3: Miss Kate Roberts B.A. 1913–1917

1   'Fy Hen Lyfr Emynau', *Erthyglau ac Ysgrifau Llenyddol Kate Roberts*, tt. 33–4; ymddangosodd yr ysgrif yn wreiddiol yn *Llafar*, 1952.

2   'David Ellis: Bardd a Gollwyd', t. 166.

3   'Fy Hen Lyfr Emynau', tt. 33–4.

4   *Atgofion*, t. 26.

5   'David Ellis: Bardd a Gollwyd', t. 155.

6   Ibid., t. 162.

7   Ibid.

8   Papurau Kate Roberts, 16, tystlythyr gan J. E. Jones, Mai 19, 1914.

9   Ceir y cofnod canlynol yn y Llyfr Cofnodion ar gyfer Ysgol Ferched Genedlaethol Conwy (Archifdy Conwy, CE3/10): '14 Sept 1914 Miss K Roberts began duties today as temporary teacher'.

10   'David Ellis: Bardd a Gollwyd', tt. 162–3.

11   Ibid., t. 163.

12   Ibid., t. 164.

13   Ceir y cofnod canlynol yn y Llyfr Cofnodion ar gyfer Ysgol Ferched Genedlaethol Conwy (Archifdy Conwy, CE3/10): '16 Nov Miss K Roberts left to take up duties at Llandudno National Infants School'.

14   Papurau Kate Roberts, 22, tystlythyr gan Margaret A. Jones, Ebrill 10, 1915.

15   Ceir y cofnodion canlynol yn y Llyfr Cofnodion ar gyfer Ysgol Llangystennin ar ddechrau 1915 (Archifdy Conwy, CE8/2): 'January 4th. Took temporary charge of this school this morning.' 'Feb 12th. My service as temporary teacher comes to an end here to-day'.

16   Llyfr llofnodion Kate Roberts, ym meddiant y teulu.

17   'David Ellis: Bardd a Gollwyd', t. 164.

18   *Atgofion*, t. 26.

19 'Dathliad Gwyl Dewi/Cymdeithas y Ddraig Goch. Ystalyfera', *Llais Llafur/Labour Voice*, Mawrth 6, 1915, t. 3.

20 Cofnodion Ysgol Sir Ystalyfera, E/YST/SEC 4, 23, Archifdy Abertawe, Mawrth 10, 1915.

21 Central Welsh Board (Bwrdd Canol Cymru), Subsidiary Inspection, 1915–1916, ymweliad Mehefin 8, 1915.

22 *Atgofion*, t. 28.

23 'Ledled Cymru', *Y Faner*, Mehefin 1, 1949, t. 4.

24 'David Ellis: Bardd a Gollwyd', t. 164.

25 'Ledled Cymru', *Y Faner*, Mehefin 1, 1949, t. 4.

26 'David Ellis: Bardd a Gollwyd', t. 164.

27 *Atgofion*, t. 27.

28 'Ystalyfera Notes', *Llais Llafur/Labour Voice*, Rhagfyr 4, 1915, t. 3.

29 Ibid.

30 'Eluned Morgan', *Erthyglau ac Ysgrifau Llenyddol Kate Roberts*, t. 174; ymddangosodd yr ysgrif yn wreiddiol yn *Y Faner*, Chwefror 3, 1966.

31 Ibid., t. 175.

32 Ibid.

33 Papurau Kate Roberts, 35, llythyr oddi wrth Evan Roberts at Kate Roberts, Ionawr 25, 1917.

34 *Atgofion*, t. 27.

35 'Kate Roberts yn Ateb J. E. Caerwyn Williams', *Erthyglau ac Ysgrifau Llenyddol Kate Roberts*, t. 134; ymddangosodd yn wreiddiol yn *Ysgrifau Beirniadol III*, Golygydd: J. E. Caerwyn Williams, 1967.

36 'Nos Gwyl Dewi yn Ystalyfera', *Llais Llafur/Labour Voice*, Chwefror 26, 1916, t. 5.

37 'Ystalyfera Notes', ibid., Mawrth 4, 1916, t. 3.

38 'Ystalyfera', ibid., Ionawr 20, 1917, t. 2.

39 Cofnod ym meddiant y teulu.

40 Cofnodion Ysgol Sir Ystalyfera, E/YST/SEC 4, 75, Archifdy Abertawe, Mehefin 14, 1916.

41 Ibid., E/YST/SEC 4, 78, Gorffennaf 12, 1916.

42 Ibid., E/YST/SEC 4, 73, Mehefin 14, 1916.

43 Papurau Kate Roberts, 31, tystlythyr gan Henry Rees yn cymeradwyo Kate Roberts ar gyfer swydd darlithio yn y Coleg Normal, Bangor, Mehefin 15, 1916.

44 Ibid.

45 'Ystalyfera Notes', *Llais Llafur/Labour Voice*, Hydref 28, 1916, t. 2.

46 Papurau Kate Roberts, 36, llythyr oddi wrth Kate Roberts at Lce Cpl H. E. Williams, Ionawr 26, 1917.

47 Ibid.

48 Ibid.

49 Papurau Kate Roberts, 2128, llythyr oddi wrth James Smith at Catrin Roberts, Mawrth 4, 1917.

50 Ibid., 2129, llythyr oddi wrth G. D. Whitaker at Catrin Roberts, Mawrth 4, 1917.

51 Ibid., 2130, llythyr oddi wrth G. D. Whitaker at Catrin Roberts, Mawrth 12, 1917.

52 Ibid., 2135, llythyr oddi wrth Kate Roberts at David Roberts, Mawrth 29, 1917.

[53]   Ibid.

[54]   Ibid., 2132, llythyr oddi wrth C. Macnaughton-Jones A.S. at Kate Roberts, Mawrth 17, 1917.

[55]   Cofnodion Ysgol Sir Ystalyfera, E/YST/SEC 4, 100, Mawrth 14, 1917.

[56]   Ibid., E/YST/SEC 4, 106, Mehefin 13, 1917.

[57]   'Ystalyfera Notes', *Llais Llafur/Labour Voice*, Mawrth 24, 1917, t. 2.

[58]   Ibid.

[59]   *Atgofion*, tt. 27–8.

[60]   Papurau Kate Roberts, 2133, llythyr oddi wrth David Roberts at deulu Cae'r Gors, Ebrill 10, 1917.

[61]   Ibid., 2134, llythyr oddi wrth David Roberts at deulu Cae'r Gors, Ebrill 12, 1917.

[62]   Ibid., 2141, llythyr oddi wrth David Roberts at Kate Roberts, diddyddiad, 1917.

[63]   Ibid., 2144, llythyr oddi wrth Kate Roberts at David Roberts, Mehefin 18, 1917.

[64]   Ibid.

[65]   Ibid.

[66]   Ibid., 2150 (ii), llythyr oddi wrth David Roberts at Kate Roberts, diddyddiad, 1917.

[67]   Ibid., 2150 (ii)–2150 (iii).

[68]   Ibid., 2153 a 2154, Gorffennaf 17, 1917.

[69]   Ibid., 2155, Gorffennaf 18, 1917.

[70]   Ibid., 2158, llythyr oddi wrth David Roberts at Kate Roberts, diddyddiad, 1917.

[71]   Ibid., 2159, llythyr oddi wrth Sister Downey at Catrin Roberts, Gorffennaf 23, 1917.

[72]   Ibid., 2160, Gorffennaf 25, 1917.

[73]   Ibid., 2156, llythyr oddi wrth Catrin Roberts at y fyddin, diddyddiad, 1917.

[74]   Ibid., 2165, Gorffennaf 27, 1917.

[75]   'Ystalyfera Notes', *Llais Llafur/Labour Voice*, Gorffennaf 14, 1917, t. 2.

[76]   Cofnodion Ysgol Sir Ystalyfera, E/YST/SEC 4, 110, Medi 12, 1917.

[77]   Ibid., E/YST/SEC 4, 119, Rhagfyr 12, 1917.

[78]   Ibid.

[79]   Papurau Kate Roberts, 38, tystlythyr gan Ben T. Jones yn cymeradwyo Kate Roberts fel athrawes ysgol uwchradd, Mai 5, 1917.

[80]   *Atgofion*, t. 27.

[81]   'Islwyn Williams', *Erthyglau ac Ysgrifau Llenyddol Kate Roberts*, t. 194; ymddangosodd yr ysgrif yn wreiddiol yn *Y Faner*, Mawrth 28, 1957.

[82]   *Atgofion*, t. 27.

[83]   Papurau Kate Roberts, 40, llythyr oddi wrth David James Jones at Kate Roberts, Awst 20, 1917.

[84]   Ibid.

[85]   Ibid., 2176, llythyr oddi wrth K. M. Fairfax-Taylor at Catrin Roberts, Medi 2, 1917.

[86]   *Annwyl Kate, Annwyl Saunders*, llythyr 32, Hydref 1, 1928, t. 43.

[87]   Ibid., llythyr 178, Mawrth 8, 1961, t. 192.

[88]   'Dyddiadur Gwyliau'r Nadolig 1957', *Erthyglau ac Ysgrifau Llenyddol Kate Roberts*, t. 64; ymddangosodd yn wreiddiol yn *Y Faner*, Ionawr 9, 1958.

Pennod 4: Aberdâr 1917–1920

1   F. Ray Evans, 'Appreciation of the First Headmistress', *Aberdare Girls' Grammar School 1913–1963* [llyfryn a gyhoeddwyd ar achlysur dathlu hanner can mlwyddiant yr ysgol], t. 7.

2   Winifred Rees, 'Cyd-athrawes', *Kate Roberts: Cyfrol Deyrnged*, Golygydd: Bobi Jones, 1969, t. 188.

3   'Fy Hen Lyfr Emynau', t. 37.

4   'Ystalyfera Notes', *Llais Llafur/Labour Voice*, Hydref 27, 1917, t. 2.

5   *Atgofion*, t. 29.

6   Ibid., tt. 29–30.

7   Ibid., t. 31.

8   Ibid.

9   Ibid.

10   'Y Jazz Band', Aelwyd y Beirdd, *Y Darian*, Chwefror 3, 1927, t. 6.

11   'Cymrodorion Aberdar', ibid., Chwefror 10, 1927, t. 8.

12   Margaret S. Cook, 'Reminiscences of Early Days in Aberdare Girls' County School', *Aberdare Girls' Grammar School 1913–1963*, t. 4.

13   Olwen Samuel, 'Atgofion Cyn-ddisgybl', *Kate Roberts: Cyfrol Deyrnged*, t. 183.

14   Ibid., tt. 183–4.

15   Ibid., t. 185.

16   'Cyd-athrawes', ibid., tt. 189-90.

17   'Atgofion Cyn-ddisgybl', ibid., t. 182.

18   Ibid., tt. 186–7.

19   'Cyd-athrawes', ibid., t. 189.

20   John Samuel, 'Gohebiaeth', *Taliesin*, cyf. 85, Gwanwyn 1994, t. 107.

21   Papurau Kate Roberts, 42, llythyr oddi wrth J. R. Tryfanwy at Kate Roberts, Hydref 10, 1917.

22   Ibid.

23   Ibid., 46. Ceir cerdd Kate Roberts i'w brawd ar gefn llythyr a anfonodd J. R. Tryfanwy ati, diddyddiad, 1917, ynghyd â'r pennill newydd. Gw. hefyd Dafydd Ifans, 'Kate Roberts – Bardd?', *Barddas*, rhifau 111/112, Gorffennaf/Awst 1986, tt. 17-18. Golygwyd y testun gwreiddiol gan Dafydd Ifans; cadwyd at y testun gwreiddiol yma.

24   *Crefft y Stori Fer*, Golygydd: Saunders Lewis, 1949, t. 11.

25   'Y Stori: y Diafol yn 1960', *Y Darian*, Tachwedd 21, 1918, t. 3.

26   Ibid.

27   Ibid.

28   Ibid.

29   Ibid.

30   Ibid.

31   Ibid.

32   'Y Cymdeithasau: Aberdar', ibid., Hydref 24, 1918, t. 3.

33   Ibid.

34   'David Ellis: Bardd a Gollwyd', tt. 166–7.

Pennod 5: Dechrau Llenydda 1921–1925

1   'Aberdar', *Y Darian*, Mawrth 8, 1921, t. 3.

2   Ibid.

3   'Fy Iaith, fy Ngwlad, fy Nghenedl', ibid., Ebrill 21, 1921, t. 1.

4   Cyhoeddwyd 'Y Man Geni' yn *Cymru*, cyf. LXIII, Hydref 1922; 'Prentisiad Huw' yn *Cymru*, cyf. LXII, Ebrill 1922; 'Y Chwarel yn Galw'n Ôl' yn *Cymru*, cyf. LXIII, Gorffennaf 1922. Ailgyhoeddwyd y tair stori yn *O Gors y Bryniau* (1925), gan roi'r teitl 'Hiraeth' i 'Y Chwarel yn Galw'n Ôl'.

5   *Atgofion*, tt. 30–1.

6   'Taith Cymrodorion Aberdar i Bantycelyn', *Y Darian*, Gorffennaf 21, 1921, t. 8.

7   Ibid.

8   Ibid.

9   *Annwyl Kate, Annwyl Saunders*, llythyr 2, Ionawr 23 [1923], t. 2. Soniodd Kate am y cyfnod cystadleuol cynnar hwn yn *Atgofion*, t. 31: 'Ysgrifennais ddwy arall ati ['Y Man Geni'] a'u hanfon i gystadleuaeth ysgrifennu tair o storïau byrion yn Eisteddfod Genedlaethol Caernarfon 1921 o dan feirniadaeth y Parch. R. Dewi Williams. Rhowd fi yng ngwaelod yr ail ddosbarth. Anfonais hwy wedyn i eisteddfod yn Lerpwl dan feirniadaeth yr Athro W. J. Gruffydd, a chael y wobr gyntaf. Yna, er mwyn cywreinrwydd, anfonais hwy, neu ddwy ohonynt, i eisteddfod yn Aberystwyth o dan feirniadaeth yr Athro T. Gwynn Jones. Cefais y wobr eto, a dyna orffen cystadlu ar y stori fer am byth'. Ond camgofio yr oedd Kate yma. Nid i eisteddfod yn Lerpwl yr anfonwyd y tair stori, ond fe ddilynwyd y gamdybiaeth hon gan eraill, er enghraifft, Geraint Wyn Jones yn *Fel Drôr i Fwrdd: Astudiaeth o Waith Kate Roberts hyd 1962* [2010], t. 24. Ar Ebrill 9, 1921, y cynhaliwyd Eisteddfod Undeb y Ddraig Goch, Lerpwl, cyn Eisteddfod Genedlaethol Caernarfon, a gofynnwyd am 'Stori Fer newydd yn disgrifio bywyd Cymreig yn Lerpwl'.

10   Ibid.

11   'O'r Gogledd', *Y Darian*, Tachwedd 10, 1921, t. 8.

12   'Eisteddfod Gadeiriol Manceinion', ibid., Tachwedd 17, 1921, t. 2.

13   Papurau Kate Roberts, 2114.

14   'Llith y Tramp', *Y Darian*, Hydref 27, 1921, t. 3.

15   'Y Gymraeg yn yr Ysgolion Sir', ibid., Hydref 20, 1921, t. 5.

16   Ibid.

17   Ibid.

18   'Y Gymraeg yn yr Ysgolion Sir', ibid., Hydref 27, 1921, t. 3.

19   Ibid.

20   Ibid.

21   Ibid.

22   'Coffa Enwogion', ibid., Mawrth 16, 1922, t. 6.

23   Ibid.

24   Ibid.

25   Ibid.

26   'Llith Aberdar: Dirmygu'r Gymraeg', ibid., Mawrth 30, 1922, t. 5.

27 Ibid., Ebrill 6, 1922, t. 8.

28 'Llith Aberdar', *Y Darian*, Ebrill 20, 1922, t. 8.

29 Ibid.

30 Ibid.

31 'Y Gymraeg yn Aberdar', ibid., Medi 28, 1922, t. 4.

32 Ibid.

33 Ibid.

34 Ibid.

35 'Llith Aberdar', ibid., Gorffennaf 6, 1922, t. 5.

36 Ibid.

37 Ap Hefin, 'Miss Kate Roberts, B. A. (Awdur "Athronydd" yn yr Efrydydd.)', ibid., Gorffennaf 6, 1922, t. 4.

38 Cyhoeddwyd y stori 'Newid Byd' yn *Yr Efrydydd*, cyf. III, rhif 2 (Ionawr 1923). Ailgyhoeddwyd y stori yn *O Gors y Bryniau*.

39 *Annwyl Kate, Annwyl Saunders*, llythyr 1, Ionawr 20, 1923, t. 1.

40 Ibid.

41 Ibid., llythyr 2, Ionawr 23 [1923], t. 2.

42 Ibid.

43 Ibid.

44 Ibid.

45 'Ynys yr Hud a Chaneuon Ereill (W. J. Gruffydd)', *Y Darian*, Mawrth 8, 1923, t. 3.

46 Ibid.

47 Ibid.

48 *Annwyl Kate, Annwyl Saunders*, llythyr 3, Mawrth 14 [1923], t. 3.

49 Papurau Kate Roberts, 62, llythyr oddi wrth William Davies at Kate Roberts, Mawrth 19, 1923.

50 Dyna awgrym Dafydd Ifans yn ogystal. Gw. 'Papurau Kate Roberts', *Taliesin*, cyf. 77, Gorffennaf 1992, t. 50.

51 *Annwyl Kate, Annwyl Saunders*, llythyr 6, Hydref 11, 1923, t. 5.

52 Ibid., t. 6.

53 Ibid.

54 Ibid.

55 Ibid., llythyr 7, Hydref 16, 1923, t. 7.

56 Ibid., tt. 7–8.

57 Ibid., t. 8.

58 Ibid.

59 'Llith Aberdar', *Y Darian*, Chwefror 14, 1924, t. 7.

60 Richard Williams, 'Y Cylchgronau', ibid., Tachwedd 22, 1923, t. 1.

61 'Llith Aberdar', ibid., Tachwedd 8, 1923, t. 8.

62 Ibid., Chwefror 14, 1924, t. 7.

63 'Syr John Morris-Jones', *Erthyglau ac Ysgrifau Llenyddol Kate Roberts*, t. 180.

64 'Llith Aberdar', *Y Darian*, Chwefror 14, 1924, t. 7.

[65] 'Syr John Morris Jones, M. A., Ll. D., yn Aberdar', ibid., Chwefror 21, 1924, t. 1.

[66] Ibid.

[67] 'Cymrodorion Aberdar', ibid., Mawrth 20, 1924, t. 8.

[68] Ibid.

[69] *Annwyl Kate, Annwyl Saunders*, llythyr 8, Mehefin 8, 1924, t. 9.

[70] Ibid.

[71] Ibid., t. 8.

[72] Ibid.

[73] Saunders Lewis, 'Celfyddyd Miss Kate Roberts', *Y Faner*, Gorffennaf 3, 1924, t. 5. Ailgyhoeddwyd yr ysgrif yn *Meistri a'u Crefft*, Golygydd: Gwynn ap Gwilym, 1981.

[74] Ibid.

[75] Ibid.

[76] *Annwyl Kate, Annwyl Saunders*, llythyr 8, Mehefin 8, 1924, t. 8.

[77] Ibid., t. 9.

[78] Ibid., llythyr 9, Ebrill 5, 1925, t. 9.

[79] Ibid.

[80] Papurau Kate Roberts, 71, llythyr oddi wrth T. Gwynn Jones at Kate Roberts, Ebrill 14, 1925.

[81] T. Gwynn Jones, 'Lluniau Byw', *Y Darian*, Mai 7, 1925, t. 5.

[82] Ibid.

[83] Ibid.

[84] Ibid.

[85] W. J. Gruffydd yn adolygu *O Gors y Bryniau*, *Y Llenor*, cyf. IV, rhif 4, Gaeaf 1925, t. 254.

[86] Ibid.

[87] Ibid., t. 256.

[88] Ibid.

[89] Toriadau o'r papurau a gadwyd gan Kate Roberts ei hun, Papurau Kate Roberts, 2969.

[90] Papurau Kate Roberts, 68, llythyr oddi wrth Roparz Hemon at Kate Roberts, Mawrth 5, 1925.

[91] Ibid.

[92] 'Ysgolion Aberdar a'r Gymraeg', *Y Darian*, Medi 10, 1925, t. 2.

[93] Ibid.

[94] Ibid.

[95] Ibid.

[96] Ap Hefin, 'Llwydd a Nerth i'n Llywydd Ni', ibid., Hydref 1, 1925, t. 1.

[97] 'Cymrodorion Aberdar', ibid., Tachwedd 12, 1925, t. 1.

[98] Richard Williams, 'Y Brodyr Francis yn Aber Dar', *Y Darian*, Tachwedd 5, 1925, t. 1.

[99] 'Y Parch. Richard Williams, Aberdâr', *Erthyglau ac Ysgrifau Llenyddol Kate Roberts*, t. 196; ymddangosodd yr ysgrif yn wreiddiol yn *Y Traethodydd*, Ionawr 1933.

[100] Ibid., t. 197.

[101] Ibid.

[102] Ibid., t. 196.

103 'Y Brodyr Francis yn Aber Dar', *Y Darian*, Tachwedd 5, 1925, t. 1.

104 Ibid.

Pennod 6: Morris, Kate a Prosser 1926–1928

1 'T. E. D.', 'Nodiadau Aberdar', *Y Darian*, Ionawr 28, 1926, t. 3.

2 'Dysgu Cymraeg yn Aberdar: Syniadau Llygredig am Addysg', ibid., Ionawr 21, 1926, t. 6.

3 Ibid.

4 Ibid.

5 Ibid.

6 Ibid.

7 'Cymrodorion Aberdar', ibid., t. 8.

8 'Yr Iaith a Chenedlaetholdeb', ibid., Chwefror 25, 1926, t. 4.

9 Ibid.

10 Papurau Kate Roberts, 2840.

11 'Cymrodorion Aberdar', *Y Darian*, Mawrth 4, 1926, t. 3.

12 'Nantymoel', ibid.

13 Ibid.

14 Ibid.

15 'Aberdar', ibid., Mawrth 11, 1926, t. 8.

16 Ibid.

17 Ibid.

18 Ibid.

19 Ibid.

20 'T. E. D.', 'Nodiadau Aberdar', ibid., Ebrill 1, 1926, t. 2.

21 Ceir adroddiad ar yr achlysur, 'Cofio Telynog', dan y pennawd 'Cymrodorion Aberdar', yn *Y Darian*, Mai 6, 1926, t. 5. Ceir y llun o Kate Roberts yn dadorchuddio'r gofeb yn rhifyn Mai 27, 1926, t. 7.

22 *Annwyl Kate, Annwyl Saunders*, llythyr 5 [Hydref 1923], t. 4.

23 Ibid., llythyr 6, Hydref 11, 1923, t. 5.

24 Ibid.

25 'Yr Eisteddfod Genedlaethol. Beirniadaethau', *Y Darian*, Awst 12, 1926, t. 2.

26 'Aberdar a'r Eisteddfod', ibid., Awst 19, 1926, t. 5.

27 Ibid.

28 Ibid.

29 Ibid.

30 Ibid.

31 Ibid.

32 Ibid.

33 'Aberdar a'r Eisteddfod: Llythyr oddiwrth Miss Kate Roberts, B. A.', ibid., Awst 26, 1926, t. 5.

34 Ibid.

35 'Edward Prosser Rhys', *Erthyglau ac Ysgrifau Llenyddol Kate Roberts*, t. 185; ymddangosodd yr ysgrif yn wreiddiol yn *Y Faner*, Chwefror 14, 1945.

36 'Y Blaid Genedlaethol', *Y Darian*, Medi 9, 1926, t. 2.

37 *Annwyl Kate, Annwyl Saunders*, llythyr 10, Hydref 10, 1926, t. 10.

38 Saunders Lewis, 'The Novel and the Short Story', *An Introduction to Contemporary Welsh Literature*, Traethodau'r Deyrnas (English Series), rhif 1, 1926, t. 13.

39 Ibid.

40 *Annwyl Kate, Annwyl Saunders*, llythyr 10, Hydref 10, 1926, t. 10.

41 Ibid.

42 'S.D.', 'Abercwmboi: y Blaid Genedlaethol', *Y Darian*, Tachwedd 4, 1926, t. 5.

43 *Annwyl Kate, Annwyl Saunders*, llythyr 10, Hydref 10, 1926, t. 12.

44 Ibid.

45 Ibid., t. 13.

46 Ibid.

47 'Ysgolfeistr y Bwlch I', *Y Llenor*, cyf. V, rhif 3, Hydref 1926, t. 163.

48 Ibid., t. 166.

49 'Ysgolfeistr y Bwlch II', ibid., cyf. VI, rhif 3, Hydref 1927, t. 159.

50 Ibid.

51 Ibid., t. 160.

52 Ibid.

53 Ibid., t. 161.

54 *Annwyl Kate, Annwyl Saunders*, llythyr 11, Hydref 10, 1926, t. 13.

55 Papurau Kate Roberts, 3577-98, llythyr at Morris T. Williams, Hydref 26, 1926.

56 Ibid.

57 Ibid.

58 Ibid.

59 Ibid.

60 Ibid.

61 'Pontardawe', *The Labour Voice* (*Llais Llafur* gynt), Hydref 23, 1926, t. 6.

62 Papurau Kate Roberts, 3577-98, llythyr at Morris T. Williams, Rhagfyr 18, 1926.

63 Ibid.

64 'Llyfrau Awr Hamdden: *Deian a Loli*, gan Kate Roberts', *Y Darian*, Chwefror 3, 1927, t. 3.

65 Ibid.

66 Ibid.

67 Ibid.

68 Ifan ab Owen Edwards, 'Llyfrau a Llenorion', *Cymru*, cyf. 72, rhif 427, Chwefror 1927, t. 57.

69 Ibid.

70 Ibid.

71 'Y Gymraeg yn yr Ysgolion Sir', *Y Darian*, Hydref 20, 1921, t. 5.

72 Ibid.

73 'Llyfrau Awr Hamdden: *Deian a Loli*, gan Kate Roberts', t. 3.

74 *Atgofion*, t. 12. Gw. hefyd *Y Lôn Wen*, t. 17.

75 *Annwyl Kate, Annwyl Saunders*, llythyr 12, Ionawr 18, 1927, t. 15.

[76] Ibid.

[77] Ibid.

[78] 'Cymrodorion Aberdar', *Y Darian*, Ionawr 27, 1927, t. 5.

[79] Ibid.

[80] Ibid.

[81] Ibid.

[82] Ibid.

[83] Ibid.

[84] 'Cymrodorion Caerdydd', ibid., Chwefror 3, 1927, t. 4.

[85] Ibid.

[86] 'What Wales Still Lacks/National Consciousness and a Prose Writer', *Western Mail*, Ionawr 29, 1927, t. 7.

[87] Ap Hefin, 'Miss Kate Roberts, B.A. yn Darlithio ar y "Nofel Gymraeg"', *Y Darian*, Chwefror 3, 1927, t. 1.

[88] *Annwyl Kate, Annwyl Saunders*, llythyr 13, Chwefror 10, 1927, t. 16.

[89] Ibid., llythyr 14, Chwefror 11, 1927, t. 17.

[90] Ibid.

[91] Ibid.

[92] Ibid.

[93] Papurau Kate Roberts, 3106, llythyr oddi wrth Saunders Lewis at Morris T. Williams, Medi 5, 1926.

[94] Ibid.

[95] Ibid.

[96] Ibid.

[97] Papurau Kate Roberts, 3107, llythyr oddi wrth Saunders Lewis at Morris T. Williams, Rhagfyr 10, 1926.

[98] Papurau Kate Roberts, 3452, llythyr oddi wrth E. Prosser Rhys at Morris T. Williams, Medi 23, 1925.

[99] *Annwyl Kate, Annwyl Saunders*, llythyr 12, Ionawr 18, 1927, t. 14.

[100] Ibid., t. 15.

[101] Papurau Kate Roberts, 3930, sef drafft o'r nofel a luniwyd gan Morris T. Williams yn ystod ei arhosiad ym Mharis ym 1924, a 3931-3, drafft a luniwyd rhwng 1924 a 1926. Gw. yn ogystal drafodaeth ragorol Peredur Lynch, 'Morris T. Williams y Nofelydd', *Taliesin*, cyf. 85, Gwanwyn 1994. Roedd gan yr awdur deitl arall i'w nofel, yn ogystal â *Troi a Throsi*, sef *Marweidd-dra*. *Troi a Throsi* oedd y teitl gwreiddiol. Yn ôl y llythyr a anfonodd Kate Roberts at Saunders Lewis ar Hydref 9, 1930, 'Ar hyn o bryd â Morus ymlaen gyda'i ail nofel, "Marweidd-dra" …' Ond fersiwn arall o *Troi a Throsi* oedd yr ail nofel hon. Gw. *Annwyl Kate, Annwyl Saunders*, llythyr 51, t. 68.

[102] *Annwyl Kate, Annwyl Saunders*, llythyr 13, Chwefror 10, 1927, t. 17.

[103] Ibid., llythyr 15, Ebrill 4, 1927, t. 20.

[104] Ibid.

[105] Papurau Kate Roberts, 3577-98, llythyr at Morris T. Williams, Ebrill 6, 1927.

[106] *Annwyl Kate, Annwyl Saunders*, llythyr 16, Ebrill 6, 1927, t. 21.

[107] Papurau Kate Roberts, 3577-98, llythyr at Morris T. Williams, Ebrill 6, 1927.

[108] Ibid.

[109] *Annwyl Kate, Annwyl Saunders*, llythyr 17, Ebrill 10, 1927, t. 22.

[110] Papurau Kate Roberts, 3577-98, llythyr at Morris T. Williams, Mai 8, 1927.

[111] Ibid.

[112] Ibid.

[113] Ibid., llythyr at Morris T. Williams, Mehefin 21, 1927.

[114] 'Atgofion Cyn-ddisgybl', t. 187.

[115] Papurau Kate Roberts, 3577-98, llythyr at Morris T. Williams, Awst neu Fedi, 1927.

[116] Papurau Kate Roberts, 2807(iv), tystlythyr gan Margaret S. Cook yn cymeradwyo Kate Roberts ar gyfer swydd Arolygydd Ysgolion, Mawrth 22, 1927.

[117] Papurau Kate Roberts, 2807(vi), tystlythyr gan W. J. Gruffydd yn cymeradwyo Kate Roberts ar gyfer swydd Arolygydd Ysgolion, Mawrth 25, 1927.

[118] *Annwyl Kate, Annwyl Saunders*, llythyr 21, Mehefin 8, 1927, t. 27.

[119] Ibid.

[120] Papurau Kate Roberts, 3577-98, llythyr at Morris T. Williams, diddyddiad.

[121] Papurau Kate Roberts, 4213, llythyr oddi wrth Morris T. Williams at E. Prosser Rhys, Awst 24, 1927. '... yr wyf innau fel Barbellion yn rhoi fy mys ar guriadau fy mywyd': cyfeiriad at *The Journal of a Dissapointed Man* (1919) gan W. N. P. Barbellion (1889–1919), dyddiadur gŵr claf sy'n rhychwantu'r blynyddoedd 1903–17. Ynddo mae'r awdur yn dadansoddi ac yn cofnodi gwahanol agweddau ar ei waeledd, ac yn datgan ei siomedigaethau mewn bywyd. Enw iawn Barbellion oedd Bruce Frederick Cummings. Roedd Kate Roberts yn berchen ar gopi o ddyddiadur Barbellion oddi ar Fehefin 3, 1920, ac yn ôl llythyr a anfonodd at Saunders Lewis ar Ionawr 12, 1931, 'Dyna fi wedi darllen rwan, *The Journal of a Dissapointed Man* (Barbellion) ...' Gw. *Annwyl Kate, Annwyl Saunders*, llythyr 57, tt. 72–3.

[122] Papurau Kate Roberts, 3577-98, llythyr at Morris T. Williams, Awst 18, [1927].

[123] Ibid., llythyr at Morris T. Williams, Awst 29, 1927.

[124] Ibid.

[125] Ibid.

[126] *Annwyl Kate, Annwyl Saunders*, llythyr 24, Rhagfyr 5, 1927, t. 30.

[127] Ibid.

[128] Ibid.

[129] Ibid.

[130] Ibid., llythyr 25, Rhagfyr 8, 1927, t. 30.

[131] Ibid.

[132] Ibid.

[133] Ibid.

[134] Ibid.

[135] Ibid.

[136] Ibid.

137 Ibid., t. 31.

138 Ibid.

139 Ibid.

140 Ibid.

141 Ibid., llythyr 27, Mawrth 28, 1928, t. 33.

142 Ibid.

143 Ibid.

144 Ibid.

145 'Caeau', *Erthyglau ac Ysgrifau Llenyddol Kate Roberts*, t. 27; ymddangosodd yr ysgrif yn wreiddiol yn *Y Llenor*, cyf. VII, rhif 2, Haf 1928.

146 Ibid.

147 Ibid., t. 28.

148 *Annwyl Kate, Annwyl Saunders*, llythyr 29, Mai 13, 1928, t. 37.

149 Ibid., llythyr 30, Mai 15, 1928, t. 35.

150 *Annwyl D.J.: Detholiad o'r ohebiaeth rhwng D. J. Williams, Kate Roberts a Saunders Lewis 1924–69*, Golygydd: Emyr Hywel, 2007, llythyr 12, Mehefin 18, 1928, t. 53.

151 *Annwyl Kate, Annwyl Saunders*, llythyr 32, Hydref 1, 1928, t. 42.

152 Papurau Kate Roberts, 3577-98, llythyr at Morris T. Williams, Medi 12, 1928.

153 Ibid.

154 Ibid.

155 *Annwyl Kate, Annwyl Saunders*, llythyr 32, Hydref 1, 1928, t. 43.

156 Ibid.

157 Ibid., llythyr 34, Hydref 22, 1928, t. 47.

158 'Y Nofel Gymraeg', *Erthyglau ac Ysgrifau Llenyddol Kate Roberts*, tt. 232, 233; ymddangosodd yr ysgrif yn wreiddiol yn *Y Llenor*, cyf. VII, rhif 4, Gaeaf 1928.

159 Ibid., t. 233.

160 Ibid.

161 Ibid., t. 234.

162 *Annwyl Kate, Annwyl Saunders*, llythyr 35, Tachwedd 23, 1928, t. 49.

163 Ibid.

164 Papurau Kate Roberts, 125, llythyr oddi wrth E. Prosser Rhys at Kate Roberts, Tachwedd 21, 1928.

165 Ibid.

166 Ibid.

167 Ibid.

168 Ibid.

169 'Marriage of Miss Kate Roberts, B.A.', *Aberdare Leader*, Ionawr 5, 1929, t. 2. Richard David oedd enw'r ficer, nid Richard Davies, fel y nodir mewn rhai cyhoeddiadau. Richard David yw'r enw a geir ar dystysgrif briodas Kate a Morris, ac yn hynny o beth, mae adroddiad yr *Aberdare Leader* yn gywir.

170 'Yma ac Acw yn Aberdar: Ymadawiad Kate Roberts, B.A.', *Y Darian*, Rhagfyr 27, 1928, t. 8.

171 Papurau Kate Roberts, 128, llythyr oddi wrth Betty Eynon Davies at Kate Roberts, Rhagfyr 21, 1928.

Pennod 7: Rhiwbeina a Thonypandy 1929–1935

1 *Annwyl D.J.*, llythyr 13, Rhagfyr 27, 1929, t. 55.
2 Ibid.
3 Ibid.
4 Ibid., t. 56.
5 'Byw yn Rhiwbeina', *Erthyglau ac Ysgrifau Llenyddol Kate Roberts*, t. 41; ymddangosodd yr ysgrif yn wreiddiol yn *Y Dinesydd*, Chwefror/Mawrth 1974.
6 *Annwyl Kate, Annwyl Saunders*, llythyr 38, Ionawr 9, 1929, t. 51.
7 Ibid.
8 Ibid., t. 52.
9 Ibid.
10 Ibid.
11 Papurau Kate Roberts, 3577-98, llythyr at Morris T. Williams, Chwefror 3, 1929.
12 *Annwyl Kate, Annwyl Saunders,* llythyr 38, Ionawr 9, 1929, t. 52.
13 Ibid.
14 Ibid.
15 Ibid., llythyr 41, Mawrth 17, 1929, t. 55.
16 'Byw yn Rhiwbeina', t. 41.
17 Ibid.
18 'Ledled Cymru', *Y Faner*, Ionawr 15, 1947, t. 4.
19 Iorwerth C. Peate, *Rhwng Dau Fyd: Darn o Hunangofiant*, 1976, t. 87.
20 'Byw yn Rhiwbeina', t. 41.
21 Ibid., t. 42.
22 Ibid., t. 43.
23 Papurau Kate Roberts, 146, llythyr oddi wrth Saunders Lewis at Kate Roberts, Mawrth 20, 1929. Ni chynhwyswyd y llythyr hwn yn *Annwyl Kate, Annwyl Saunders*.
24 Ibid., 150, llythyr oddi wrth E. Prosser Rhys at Kate Roberts, Gorffennaf 17, 1929.
25 *Annwyl Kate, Annwyl Saunders*, llythyr 46, Hydref 21, 1929, t. 61.
26 Ibid., t. 62.
27 Saunders Lewis, 'A Welsh Classic', *Western Mail*, Ionawr 2, 1930, t. 9.
28 Ibid.
29 W. J. Gruffydd yn adolygu *Rhigolau Bywyd a Storïau Eraill*, *Y Llenor*, cyf. IX, rhif 1, Gwanwyn 1930, t. 56.
30 Ibid.
31 Ibid.
32 Ibid., t. 57.
33 Ibid., t. 58.
34 *Annwyl Kate, Annwyl Saunders*, llythyr 50, Mehefin 26, 1930, t. 65.

[35] Ibid., llythyr 53, Tachwedd 28, 1930, t. 70.

[36] *Annwyl D.J.*, llythyr 24, Chwefror 3, 1931, t. 69.

[37] Iorwerth C. Peate yn adolygu *Laura Jones*, *Y Llenor*, cyf. X, rhif 1, Gwanwyn 1931, t. 64.

[38] Ibid.

[39] *Annwyl D.J.*, llythyr 23, Ionawr 18, 1931, t. 68.

[40] *Annwyl Kate, Annwyl Saunders*, llythyr 57, Ionawr 12, 1931, t. 72.

[41] Ibid.

[42] Ibid.

[43] Ibid.

[44] Ibid., t. 73.

[45] Ibid., llythyr 58, Ionawr 14, 1931, t. 75.

[46] Ibid., tt. 75–6.

[47] Ibid., llythyr 59, Ionawr 14, 1931, t. 77.

[48] 'Ledled Cymru', *Y Faner*, Awst 28, 1946, t. 4.

[49] Papurau Kate Roberts, 3577-98, llythyr at Morris T. Williams, Awst 12, 1931.

[50] Ibid., llythyr at Morris T. Williams, Awst 13, 1931.

[51] Ibid.

[52] *Annwyl D.J.*, llythyr 26, Rhagfyr 8, 1931, t. 71.

[53] Ibid.

[54] *Annwyl Kate, Annwyl Saunders*, llythyr 57, Mawrth 20, 1932, t. 88.

[55] Ibid.

[56] Ibid., llythyr 67, Mai 23, 1932, t. 89.

[57] Ibid., llythyr 71, Tachwedd 14, 1932, t. 94.

[58] *Annwyl D.J.*, llythyr 24, Chwefror 3, 1931, t. 69.

[59] Ibid., llythyr 26, Rhagfyr 8, 1931, t. 72.

[60] 'Cofio'r Dyddiau Cynnar yn y Rhondda', *Erthyglau ac Ysgrifau Llenyddol Kate Roberts*, t. 44; ymddangosodd yr ysgrif yn wreiddiol yn *Y Ddraig Goch*, Mai 1967.

[61] 'Ledled Cymru', *Y Faner*, Mehefin 1, 1949, t. 4.

[62] Papurau Kate Roberts, 201, llythyr oddi wrth Vera Brittain at Kate Roberts, Tachwedd 29, 1933.

[63] Ibid.

[64] *Annwyl Kate, Annwyl Saunders*, llythyr 79, Rhagfyr 12, 1933, t. 103.

[65] *Annwyl D.J.*, llythyr 31, Chwefror 12, 1934, t. 76.

[66] *Annwyl Kate, Annwyl Saunders*, llythyr 84, Rhagfyr 25, 1934, t. 108.

[67] Ibid.

[68] Ibid., tt. 108–9.

[69] Ibid., t. 109.

[70] Ibid., t. 108.

[71] Ibid., llythyr 85, Rhagfyr 28, 1934, tt. 111–12.

[72] Papurau Kate Roberts, 210, llythyr oddi wrth E. Prosser Rhys at Kate Roberts, Tachwedd 15, 1934.

[73] 'Cofio'r Dyddiau Cynnar yn y Rhondda', t. 45.

74 Ibid.

75 Llew Penrhys, 'Drama Gymraeg yn y Rhondda', *Y Darian*, Rhagfyr 22, 1932, t. 8.

76 Ibid.

77 'Kitchener Davies', *Erthyglau ac Ysgrifau Llenyddol Kate Roberts*, tt. 151–2; ymddangosodd yr ysgrif yn wreiddiol yn *Y Faner*, Awst 27, 1952.

Pennod 8: Dinbych a Gwasg Gee 1935–1939

1 *Annwyl D.J.*, llythyr 33, Hydref 6, 1935, t. 78.

2 Ibid., llythyr 35, Mawrth 24, 1936, t. 80.

3 Ibid., t. 79.

4 *Annwyl Kate, Annwyl Saunders*, llythyr 87, Chwefror 14, 1936, t. 113.

5 *Annwyl D.J.*, llythyr 35, Mawrth 24, 1936, t. 80.

6 Ibid., llythyr 37, Ebrill 23, 1936, t. 83.

7 T. J. Morgan yn adolygu *Creigiau Milgwyn*, *Y Llenor*, cyf. XV, rhif 1, Gwanwyn 1936, t. 48.

8 Ibid., t. 49.

9 *Annwyl D.J.*, llythyr 38, Ebrill 27, 1936, tt. 84–5.

10 *Annwyl Kate, Annwyl Saunders*, llythyr 88, Mai 6, 1936, t. 115.

11 Morris Thomas yn adolygu *Traed mewn Cyffion*, *Y Traethodydd*, cyf. XCI (V), 1936, t. 187.

12 Ibid., t. 188.

13 Ibid.

14 W. J. Gruffydd, 'Nodiadau'r Golygydd', *Y Llenor*, cyf. XV, rhif 2, Haf 1936, t. 65.

15 W. J. Gruffydd yn adolygu *Traed mewn Cyffion*, ibid., t. 123.

16 Ibid., t. 124.

17 Ibid., t. 127.

18 Papurau Lewis Valentine, 5/1, llythyr oddi wrth Kate Roberts, Medi 10, 1936.

19 *Annwyl D.J.*, llythyr 40, Medi 11, 1936, t. 88.

20 Ibid.

21 Ibid.

22 Ibid., t. 89.

23 Ibid.

24 'Dathlu Canmlwyddiant Daniel Owen/Protest Nofelydd', *Y Brython*, Mai 28, 1936, t. 4.

25 *Annwyl Kate, Annwyl Saunders*, llythyr 89, Hydref 9, 1936, t. 115.

26 *Annwyl D.J.*, llythyr 45, Rhagfyr 3, 1936, t. 94.

27 Ibid.

28 Ibid.

29 NLW MS 22085C, 8.

30 Ibid., 1, llythyr oddi wrth G. Oswald Hughes ac I. D. Hooson at 'Messrs Woolley Tyler & Bury', Cyfreithwyr, 5 a 6 Clements Inn, Strand, Llundain, Ionawr 28, 1937.

31 Ibid., 5–6, 'Opinion', Ionawr 29, 1937.

32 Ibid., 12–13, llythyr oddi wrth Caradog Prichard at Kate Roberts a Morris T. Williams, diddyddiad [1937].

33 Papurau Kate Roberts, 747, llythyr oddi wrth Betty Eynon Davies at Kate Roberts, Chwefror 7, 1937.

34 Ibid.

35 *Arian ac Aur: Comedi Bedair Act*, 1937, dim rhif tudalen.

36 Kate Roberts yn adolygu *Hen Atgofion*, W. J. Gruffydd, *Y Llenor*, cyf. XVI, rhif 1, Gwanwyn 1937, t. 59.

37 Papurau W. J. Gruffydd 2 (B), 741, llythyr oddi wrth Kate Roberts at W. J. Gruffydd, Mawrth 4, 1937.

38 'Rhai Eisteddfodau', *Erthyglau ac Ysgrifau Llenyddol Kate Roberts*, t. 329; ymddangosodd yr ysgrif yn wreiddiol yn *Barn*, Awst 1963.

39 Papurau Kate Roberts, 3949, 'Er Mwyn yr Achos Da'.

40 R. Dewi Williams yn adolygu *Ffair Gaeaf a Storïau Eraill*, *Y Traethodydd*, cyf. XCIII (VII), 1938, t. 112.

41 Ibid., tt. 112–13.

42 Ibid., t. 113.

43 Ibid.

44 Ibid., tt. 113–14.

45 Ibid., tt. 114.

46 *Annwyl D.J.*, llythyr 55, Ebrill 20, 1938, t. 103.

47 Ibid.

48 D. J. Williams yn adolygu *Ffair Gaeaf a Storïau Eraill*, *Heddiw*, cyf. 3, rhif 8, Mawrth 1938, t. 326.

49 Ibid.

50 Ibid.

51 Ibid., t. 328.

52 Glyn Jones yn adolygu *Ffair Gaeaf a Storïau Eraill*, *Tir Newydd*, rhif 11, Chwefror 1938, t. 18.

53 Ibid., t. 19.

54 T. J. Morgan yn adolygu *Ffair Gaeaf a Storïau Eraill*, *Y Llenor*, cyf. XVII, rhif 1, Gwanwyn 1938, t. 61.

55 *Atgofion*, t. 34.

56 *Annwyl D.J.*, llythyr 45, Rhagfyr 3, 1936, t. 93.

57 Cyhoeddwyd 'Sbri'r Pregethwr' yn *Heddiw*, cyf. 3, rhif 8, Mawrth 1938.

58 *Annwyl D.J.*, llythyr 55, Ebrill 20, 1938, t. 103.

59 'Fy Hen Gi', *Erthyglau ac Ysgrifau Llenyddol Kate Roberts*, t. 46; ymddangosodd y ddwy ysgrif yn wreiddiol yn *Y Faner*, Rhagfyr 24 a 31, 1952.

60 'Mr Gwilym R. Jones/Yn Ymuno â Staff "Y Faner"', *Y Faner*, Ionawr 4, 1939, t. 9.

61 Gwilym R. Jones, 'Y Gymraeg yn ei Dillad Gorau', ibid., Chwefror 13, 1981, t. 12.

62 'Rhai Eisteddfodau', *Erthyglau ac Ysgrifau Llenyddol Kate Roberts*, t. 326.

63 Ibid., t. 325.

Pennod 9: Blynyddoedd yr Ail Ryfel Byd 1939–1945

1   'Fy Hen Gi', t. 48.

2   Ibid., t. 49.

3   Ibid.

4   Gwilym R. Jones, *Rhodd Enbyd*, 1983, t. 81.

5   Ibid., t. 85.

6   *E. Prosser Rhys 1901–45*, Rhisiart Hincks, 1980, t. 165; dyfynnir o atgofion anghyhoeddedig E. Prosser Rhys.

7   *Rhodd Enbyd*, t. 83.

8   'D. T. Davies', *Erthyglau ac Ysgrifau Llenyddol Kate Roberts*, t. 150; ymddangosodd yr ysgrif yn wreiddiol yn *Y Faner*, Gorffennaf 19, 1962.

9   *Atgofion*, t. 34.

10   Papurau Kate Roberts, 299, llythyr oddi wrth Eirian Roberts at Kate Roberts, Medi 24, 1940.

11   Ibid., 302, llythyr oddi wrth Maggie Roberts at Kate Roberts, Tachwedd 23, 1940.

12   *Annwyl Kate, Annwyl Saunders*, llythyr 102, Ebrill 17, 1941, t. 127.

13   Ibid., tt. 127–8.

14   Ibid., t. 128.

15   H. E. Bates, *The Modern Short Story*, 1941, argraffiad 1988, *The Modern Short Story from 1809 to 1953*, t. 211.

16   Ymddangosodd 'Dwy Ffrind' yn *Heddiw*, cyf. 6, rhif 11, Awst/Medi 1941. Fe'i cyhoeddwyd drachefn yn *Gobaith a Storïau Eraill*.

17   *Annwyl Kate, Annwyl Saunders*, llythyr 102, Ebrill 17, 1941, t. 128.

18   Ibid., llythyr 105, Medi 18, 1942, t. 131.

19   Ibid., llythyr 110, Hydref 31, 1943, tt. 134–5.

20   Ibid., t. 134.

21   *Annwyl D.J.*, llythyr 65, Tachwedd 29, 1943, t. 116.

22   Ibid.

23   Ibid., t. 117.

24   Papurau Lewis Valentine, 5/6, llythyr oddi wrth Kate Roberts, Mawrth 14, 1944.

25   *Annwyl Kate, Annwyl Saunders*, llythyr 112, Chwefror 22, 1944, t. 136.

26   Ibid.

27   *Annwyl D.J.*, llythyr 67, Chwefror 7, 1944, t. 118.

28   Ibid., llythyr 68, Mawrth 29, 1944, t. 119.

29   'Edward Prosser Rhys', t. 185.

30   Ibid.

31   Ibid., tt. 186–7.

Pennod 10: Blwyddyn Marwolaeth Morris 1946

1   'Ledled Cymru', *Y Faner*, Ionawr 16, 1946, t. 4.

2   'Marw Morris T. Williams', ibid., Ionawr 9, 1946, t. 1.

3   Ibid.

4 Ibid.

5 'Angladd Morris T. Williams', ibid., Ionawr 16, 1946, t. 4.

6 Ibid.

7 R. Williams Parry, 'Morys T. Williams', ibid., t. 1; cyhoeddwyd y pedwar englyn yn *Cerddi'r Gaeaf* (1952) yn ogystal, t. 86.

8 Gwilym R. Jones, 'I Gofio am Gyfaill', ibid.; ailgyhoeddwyd y gerdd yn *Cerddi Gwilym R.* [1969], t. 103.

9 T. Gwynn Jones, 'Doethineb Dirodres', ibid.

10 I. D. Hooson, 'Y Dyn Busnes', ibid.

11 Ibid.

12 D. J. Williams (Llanbedr), 'Y Dadleuwr a'r Cyhoeddwr', ibid.

13 Lewis Valentine, 'Y Cyfaill Mawr', ibid.

14 Ibid.

15 Ibid.

16 Ibid.

17 Papurau Lewis Valentine, 5/7, llythyr oddi wrth Kate Roberts, Ionawr 16, 1946.

18 Ibid.

19 Griffith John Williams, 'Yr Ymladdwr Dewr', *Y Faner*, Ionawr 16, 1946, t. 3.

20 Ibid.

21 Ibid.

22 Thomas Parry, 'Y Bachgen a'r Dyn', ibid.

23 [Gwilym R. Jones], 'Ledled Cymru', ibid., t. 4.

24 Ibid.

25 Ellis D. Jones, 'Cymru ar Ben ei Raglen', 'Er Cof am Morris Williams: Teyrnged Dau Gyfaill', ibid., Ionawr 23, 1946, t. 5.

26 D. J. Williams, [Dibennawd], 'Er Cof am Morris Williams: Teyrnged Dau Gyfaill', ibid.

27 *Annwyl D.J.*, llythyr 78, Ebrill 1, 1947, t. 138.

28 Ibid., llythyr 72, Chwefror 24, 1946, t. 126.

29 Ibid.

30 Ibid.

31 Ibid.

32 Ibid., t. 127.

33 Thomas Parry, *Llenyddiaeth Gymraeg 1900–1945* (Cyfres Pobun VIII), 1945, tt. 43, 45.

34 Ibid., t. 46.

35 Ibid.

36 Ibid.

37 Ibid.

38 Ibid.

39 Ibid.

40 Ibid.

41 Ibid., tt. 47–8.

42 *Annwyl D.J.*, llythyr 73, Chwefror 26, 1946, t. 128.

43   Ibid.

44   Ibid.

45   Ibid.

46   Ibid.

47   Ibid.

48   Ibid., t. 129.

49   Ibid.

50   Ibid.

51   Ibid.

52   Ibid.

53   Ibid.

54   Ibid., t. 130. Ar gefn ei chopi hi o'r stori yn Llyfrgell Genedlaethol Cymru, Papurau Kate
     Roberts, 2667A, ceir y geiriau: 'Ysgrifennwyd y stori hon dan amgylchiadau anodd'.

55   'Y Tri: Stori Anorffenedig', *Y Ddolen: Chweched Llyfr Anrheg 1946*, Cyfres y Cofion, rhif 6,
     Golygydd: D. R. Hughes, tt. 88–91.

56   *Annwyl D.J.*, llythyr 73, Chwefror 26, 1946, t. 130.

57   Ibid.

58   Ibid.

59   Ibid.

60   Rwy'n ddiolchgar iawn i Bobi Owen, Dinbych, am roi imi'r wybodaeth hon am Annie Mary
     Jones, ac am holi nith Annie Mary Jones, Phoebe, ar fy rhan.

61   *Y Lôn Wen*, t. 125.

62   Ymddangosodd 'Yr Apêl' yn *Y Genhinen*, cyf. I, 1950, a'i hailgyhoeddi yn *Yr Wylan Deg*.

63   'Rhwng Dau (Y Dr. Kate Roberts a'r Parch. Lewis Valentine)', *Erthyglau ac Ysgrifau Llenyddol
     Kate Roberts*, t. 123; ymddangosodd y sgwrs yn wreiddiol yn *Seren Gomer*, cyf. LV, rhif 4, Gaeaf
     1963.

64   Ibid.

65   'Achub Ewrop yn Awr', *Y Faner*, Chwefror 13, 1946, t. 8.

66   Ibid., Mawrth 20, 1946, t. 8.

67   'Ledled Cymru', ibid., Mawrth 27, 1946, t. 4.

68   Storm Jameson, 'Foreword', *A Summer Day and Other Stories*, 1946, t. 8.

69   Ibid., t. 9.

70   Ibid., tt. 10–11.

71   Ibid., t. 13.

72   Ibid., tt. 13–14.

73   'Ledled Cymru', *Y Faner*, Mehefin 19, 1946, t. 4.

74   Ibid., Gorffennaf 3, 1946, t. 8.

75   Ibid.

76   Gw. *Y Lôn Wen*, t. 126.

77   Keidrych Rhys, '*A Summer Day and other stories*', *Wales*, rhif 25, Gwanwyn 1947, t. 230. Nodir i'r
     adolygiad gael ei atgynhyrchu yn *Wales* 'By courtesy of the Welsh Region of the B.B.C – from

book reviews by Keidrych Rhys, broadcast in "Book Lovers' Corner" July 30th, 1946', ond ar Orffennaf 29 y gwrandawodd Kate ar yr adolygiad yn ôl y dyddiadur.

[78]   Papurau Lewis Valentine, 5/9, llythyr oddi wrth Kate Roberts, Medi 10, 1946.

[79]   Ibid.

[80]   Ibid.

[81]   Ibid.

[82]   *Annwyl D.J.*, llythyr 107, Mawrth 13, 1951, t. 183.

[83]   Ibid., llythyr 75, Tachwedd 21, 1946, t. 132.

[84]   Ibid.

[85]   Papurau Kate Roberts, 721, llythyr oddi wrth Lilla Wagner, Rhagfyr 8, 1946.

[86]   Ibid.

[87]   Papurau Kate Roberts, 723, llythyr oddi wrth Lilla Wagner, Rhagfyr 19, 1946.

[88]   Ibid.

[89]   'Cronfa Achub Ewrop', *Y Faner*, Tachwedd 20, 1946, t. 3.

[90]   Cyhoeddwyd 'Dewis Bywyd' yn *Taliesin*, cyfrol 15 (1967), a'i hailgyhoeddi yn *Prynu Dol* (1969).

[91]   Papurau Lewis Valentine, 5/10, llythyr oddi wrth Kate Roberts, Rhagfyr 29, 1946.

[92]   Ibid.

[93]   *Annwyl Kate, Annwyl Saunders*, llythyr 71, Tachwedd 14, 1932, t. 93.

[94]   Ibid.

Pennod 11: Brwydro Ymlaen 1947–1957

[1]   *Crefft y Stori Fer*, t. 11.

[2]   'Rhwng Dau', t. 123.

[3]   Papurau Lewis Valentine, 5/11, llythyr oddi wrth Kate Roberts, Ionawr 17, 1947.

[4]   Ibid.

[5]   Ibid.

[6]   *Annwyl D.J.*, llythyr 78, Ebrill 1, 1947, t. 139.

[7]   Ibid.

[8]   Papurau Lewis Valentine, 5/12, llythyr oddi wrth Kate Roberts, Gorffennaf 19, 1947.

[9]   'Ledled Cymru', *Y Faner*, Gorffennaf 2, 1947, t. 4.

[10]   Ibid.

[11]   Papurau Lewis Valentine, 5/12, llythyr oddi wrth Kate Roberts, Gorffennaf 19, 1947.

[12]   Ibid.

[13]   *Annwyl D.J.*, llythyr 80, Awst 18, 1947, t. 141.

[14]   Ibid., t. 142.

[15]   Ibid., llythyr 81, Hydref 18, 1947, t. 143.

[16]   Papurau Lewis Valentine, 5/16, llythyr oddi wrth Kate Roberts, Rhagfyr 22, 1947.

[17]   Papurau Kate Roberts, 747, llythyr oddi wrth Lilla Wagner at Kate Roberts, Medi 21, 1947.

[18]   Papurau Lewis Valentine, 5/16, llythyr oddi wrth Kate Roberts, Rhagfyr 22, 1947.

[19]   Ibid.

20   Ibid.

21   Ibid.

22   'Annwyl Kate, Annwyl Saunders – Atodiad', *Cylchgrawn Llyfrgell Genedlaethol Cymru*, cyf. 29, rhif 3, Haf 1996, t. 342. Ni chynhwyswyd y llythyr hwn, dyddiedig Medi 5, 1947, na'r llythyr gan Saunders Lewis sy'n ei ateb, dyddiedig Medi 9, yn *Annwyl Kate, Annwyl Saunders*. Daethpwyd o hyd i'r llythyrau gan yr Arglwydd Emlyn Hooson, ac fe ddylent ddilyn llythyr rhif 114 yn *Annwyl Kate, Annwyl Saunders*.

23   Ibid.

24   *Annwyl D.J.*, llythyr 81, Hydref 18, 1947, t. 144.

25   *Crefft y Stori Fer*, t. 11.

26   Ibid., t. 14.

27   Ibid., t. 16.

28   Papurau Lewis Valentine, 5/16, llythyr oddi wrth Kate Roberts, Rhagfyr 22, 1947.

29   *Annwyl D.J.*, llythyr 86, Rhagfyr 21, 1947, tt. 150–1. Gw. hefyd Papurau Kate Roberts, 1024, llythyr at Kate Roberts oddi wrth Caradog Prichard, Mai 16, 1954.

30   Papurau Kate Roberts, 758, llythyr oddi wrth Lilla Wagner at Kate Roberts, Rhagfyr 5, 1947.

31   Papurau Lewis Valentine, 5/17, llythyr oddi wrth Kate Roberts, Ionawr 28, 1948.

32   Ibid.

33   Ibid.

34   Papurau Kate Roberts, 747, llythyr oddi wrth Lilla Wagner at Kate Roberts, Medi 21, 1947.

35   'Ledled Cymru', *Y Faner*, Tachwedd 19, 1947, t. 4.

36   '"Arian yw duw Cymru": Araith Kate Roberts yn Llangwm', ibid., Mehefin 30, 1948, t. 8.

37   Ibid.

38   Ibid.

39   Papurau Lewis Valentine, 5/17, llythyr oddi wrth Kate Roberts, Ionawr 28, 1948.

40   *Annwyl Kate, Annwyl Saunders*, llythyr 122, Mehefin 14, 1948, t. 142.

41   Ibid.

42   Ibid., t. 143.

43   Ibid., llythyr 123, Gorffennaf 23, 1948, t. 144.

44   Papurau Lewis Valentine, 5/15. Nodir, rhwng bachau petryal, a chyda marc cwestiwn, mai ar Hydref 15, 1947, y lluniwyd y llythyr, ond ni all hynny fod. Ar Hydref 18, 1948, y bu farw I. D. Hooson, ac yn y llythyr hwn y mae Kate Roberts yn dweud iddi fynd i'w angladd. Cyfeiria hefyd at y cinio i anrhydeddu Éamon de Valera, ac ar Hydref 23, 1948, y bu hynny. Lluniwyd y llythyr, felly, yn fuan iawn ar ôl Hydref 23.

45   Ibid.

46   Ibid.

47   Ibid.

48   Kate Roberts, 'Croeso Plaid Cymru i Mr. de Valera', *Y Faner*, Hydref 27, 1948, t. 1.

49   Ibid.

50   Ibid.

51   Kate Roberts, 'Cronfa Achub Ewrop', ibid., Hydref 6, 1948, t. 5.

52 D. Myrddin Lloyd, 'Kate Roberts', *Gwŷr Llên*, Golygydd: Aneirin Talfan Davies, 1948, t. 222.

53 Ibid., t. 227.

54 Ibid., t. 228.

55 *Annwyl D.J.*, llythyr 93, Nos Nadolig, 1948, t. 161.

56 Ibid., llythyr 94, Ionawr 8, 1949, t. 162.

57 Ibid.

58 Papurau Lewis Valentine, 5/18, llythyr oddi wrth Kate Roberts, Ionawr 11, 1949.

59 Ibid.

60 Ibid.

61 Ibid.

62 Ibid.

63 *Annwyl D.J.*, llythyr 94, Ionawr 8, 1949, t. 163.

64 Ibid.

65 Ibid.

66 Papurau Kate Roberts, 794, llythyr oddi wrth Lilla Wagner at Kate Roberts, Chwefror 2, 1949.

67 *Annwyl Kate, Annwyl Saunders*, llythyr 131, Ebrill 27, 1949, t. 149.

68 Ibid.

69 Ibid.

70 Ibid., llythyr 132, Ebrill 30, 1949, t. 150.

71 Ibid.

72 Ibid.

73 Ibid., t. 151.

74 Saunders Lewis, 'Cwrs y Byd', *Y Faner*, Mehefin 1, 1949, t. 8.

75 Ibid.

76 Gwilym R. Jones ('Mignedd'), 'Ledled Cymru', ibid., Mai 25, 1949, t. 4.

77 Ibid.

78 Hugh Bevan yn adolygu *Stryd y Glep*, *Y Llenor*, cyf. XXVIII, rhif 4, Gaeaf 1949, t. 261.

79 John Gwilym Jones yn adolygu *Stryd y Glep*, *Lleufer*, cyf. 5, rhif 4, Gaeaf 1949, t. 201.

80 Ibid., t. 200.

81 Hugh Bevan yn adolygu *Stryd y Glep*, t. 264.

82 Davies Aberpennar yn adolygu *Stryd y Glep*, *Y Traethodydd*, cyf. CV (XVIII), 1950, t. 44.

83 *Annwyl D.J.*, llythyr 98, Mai 27, 1949, t. 170.

84 Ibid.

85 Ibid., llythyr 99, Mai 31, 1949, t. 171.

86 Ibid., llythyr 101, Ionawr 24, 1950, t. 175.

87 Papurau Lewis Valentine, 5/19, llythyr oddi wrth Kate Roberts, Ionawr 17, 1950.

88 Ibid.

89 Ibid.

90 Ibid.

91 Ibid.

92 *Annwyl Kate, Annwyl Saunders*, llythyr 136, Ionawr 6, 1950, t. 155.

93   Ibid.

94   Ibid., llythyr 135, Ionawr 5, 1950.

95   *Annwyl D.J.*, llythyr 102, Chwefror 2, 1950, t. 177.

96   'Ledled Cymru', *Y Faner*, Chwefror 8, 1950, t. 4.

97   Ibid.

98   *Annwyl Kate, Annwyl Saunders*, llythyr 136, Ionawr 6, 1950, t. 156.

99   Ibid.

100   Ibid., llythyr 139, Ebrill 26, 1950, t. 158.

101   Ibid., t. 159.

102   Ibid.

103   Papurau Cassie Davies, 244, llythyr oddi wrth Kate Roberts, Mehefin 2, 1950.

104   'Ledled Cymru', *Y Faner*, Gorffennaf 19, 1950, t. 4.

105   *Annwyl Kate, Annwyl Saunders*, llythyr 141, Gorffennaf 15, 1950, t. 161.

106   'Dyddiadur Iaeth', *Erthyglau ac Ysgrifau Llenyddol Kate Roberts*, t. 66; ymddangosodd yn wreiddiol
      yn *Y Faner*, Ionawr 26, 1955.

107   Cyhoeddwyd 'Te P'nawn' yn rhifyn Mehefin 14, 1950, o'r *Faner*, t. 4, yn lle'r nodiadau arferol
      yn y golofn 'Ledled Cymru', a'i hailgyhoeddi yn *Gobaith a Storïau Eraill*.

108   Cyhoeddwyd 'Y Trysor' yn rhifyn Ebrill 12, 1950, o'r *Faner*, t. 3, a'i hailgyhoeddi yn *Gobaith a
      Storïau Eraill*.

109   Kate Roberts, 'Rhyddiaith Saunders Lewis', *Saunders Lewis: Ei Feddwl a'i Waith*, Golygydd:
      Pennar Davies, 1950, t. 64.

110   *Annwyl Kate, Annwyl Saunders*, llythyr 143, Medi 15, 1950, t. 164.

111   Papurau Lewis Valentine, 5/20, llythyr oddi wrth Kate Roberts, Ionawr 8, 1951.

112   Ibid.

113   Ibid.

114   Ibid.

115   *Annwyl D.J.*, llythyr 107, Mawrth 13, 1951, t. 183.

116   Ibid.

117   NLW MS 23991 i E, 8: cerdyn post oddi wrth Kate Roberts, Chwefror 23, 1951.

118   *Annwyl D.J.*, llythyr 107, Mawrth 13, 1951, t. 184.

119   Ibid., tt. 184–5.

120   *Annwyl Kate, Annwyl Saunders*, llythyr 146, Mehefin 23, 1951, t. 167.

121   Ibid.

122   Ibid.

123   Papurau Lewis Valentine, 5/21, llythyr oddi wrth Kate Roberts, Gorffennaf 22, 1951.

124   Ibid.

125   Ibid.

126   Ibid.

127   Ibid., 5/24, llythyr oddi wrth Kate Roberts, Mai 5, 1952.

128   Ibid.

129   *Annwyl Kate, Annwyl Saunders*, llythyr 151, Gorffennaf 3, 1952, tt. 170–1.

130 'Ysgrifennu Atgofion', *Erthyglau ac Ysgrifau Llenyddol Kate Roberts*, t. 21; ymddangosodd yn wreiddiol yn *Y Faner*, Mai 31, 1950.

131 *Annwyl Kate, Annwyl Saunders*, llythyr 153, Gorffennaf 23, 1952, t. 172.

132 Papurau Kate Roberts, 3207, llythyr oddi wrth R. Williams Parry at Morris T. Williams, Mehefin 29, 1944.

133 'Kitchener Davies', t. 150.

134 Ibid., t. 151.

135 'Fy Hen Gi', tt. 54–5.

136 Ibid., t. 55.

137 *Annwyl D.J.*, llythyr 111, Rhagfyr 19, 1952, t. 189.

138 'Storïau D. J. Williams', *Y Faner*, Ebrill 26, 1950, t. 7.

139 *Annwyl D.J.*, llythyr 111, Rhagfyr 19, 1952, t. 189.

140 Ibid., llythyr 112, Rhagfyr 27, 1952, t. 190.

141 Ibid., t. 191.

142 Papurau Lewis Valentine, 5/25, llythyr oddi wrth Kate Roberts, Ionawr 7, 1953.

143 Ibid.

144 Ibid.

145 Ibid., 5/26, llythyr oddi wrth Kate Roberts, Mai 16, 1953.

146 Ibid.

147 Ibid.

148 Ibid.

149 Ibid., 5/28, llythyr oddi wrth Kate Roberts, Ionawr 18, 1954.

150 Ibid.

151 Ibid.

152 Ibid.

153 Llythyr yng nghasgliad y teulu, llythyr oddi wrth Kate Roberts at Lena Roberts, Chwefror 23, 1954.

154 *Radio Times*, Mai 21, 1954, t. 24.

155 *Annwyl Kate, Annwyl Saunders*, llythyr 165, Mehefin 7, 1954, t. 180.

156 Ibid., t. 181.

157 Ibid.

158 *Annwyl D.J.*, llythyr 122, Mehefin 11, 1955, t. 199.

159 Ibid.

160 Ibid., llythyr 125, Gorffennaf 14, 1955, t. 202.

161 *Annwyl Kate, Annwyl Saunders*, llythyr 165, Mehefin 7, 1954, t. 181.

162 *Annwyl D.J.*, llythyr 131, Ebrill 17, 1956, t. 214.

163 Ibid., llythyr 132, Gorffennaf 10, 1956, tt. 214–15.

164 Ibid., t. 215.

165 Ibid., llythyr 133, Gorffennaf 31, 1956, t. 217.

166 Ibid., t. 218.

167 Ibid.

168   Llythyr yng nghasgliad personol Bobi Owen, Dinbych, llythyr oddi wrth Kate Roberts at Mathonwy Hughes, Mehefin 20, 1956.

169   Ibid.

170   Ibid.

171   *Annwyl D.J.*, llythyr 134, Rhagfyr 28, 1956, t. 219.

172   *Annwyl Kate, Annwyl Saunders*, llythyr 169, Ionawr 13, 1957, t. 183.

173   NLW MS 23991 i E, 9, llythyr oddi wrth Kate Roberts, Ionawr 29, 1957.

174   Ibid.

175   *Annwyl D.J.*, llythyr 137, Ebrill 10, 1957, t. 224.

176   'Islwyn Williams', t. 194.

177   *Annwyl D.J.*, llythyr 137, Ebrill 10, 1957, t. 225.

178   Ibid.

179   Ibid.

180   Ibid.

181   Papurau Huw T. Edwards, A1/332.

182   Ibid.

183   Ibid.

184   Ibid., A1/331, llythyr oddi wrth Kate Roberts at Huw T. Edwards, Ebrill 17, 1957.

185   Ibid.

186   Ibid.

187   Ibid., A1/332a.

188   Ibid.

189   Ibid. Ymddangosodd y llythyr gwreiddiol, dan y pennawd 'Pobol Ddigri Ydym!', yn *Y Faner*, Mawrth 28, 1957, t. 4.

190   Ibid.

191   Ibid., llythyr oddi wrth Kate Roberts at Huw T. Edwards, Ebrill 30, 1957.

192   Ibid.

193   Papurau Lewis Valentine, 5/31, llythyr oddi wrth Kate Roberts, Mai 21, 1957.

194   Ibid.

195   Elis Gwyn Jones, 'Llyfr sy'n cychwyn cyfnod newydd yn hanes y nofel Gymraeg', *Y Faner*, Mai 23, 1957, t. 7.

196   Ibid.

197   Papurau Huw T. Edwards, llythyr oddi wrth Kate Roberts at Huw T. Edwards, Gorffennaf 4, 1957.

198   'Marw Mrs. Ellis D. Jones, Tal-y-sarn', *Y Faner*, Gorffennaf 4, 1957, t. 4.

199   Ibid.

200   'Marw Mrs. Ellis D. Jones, Tal-y-sarn', *Y Ddraig Goch*, cyf. 29, rhif 8, Awst 1957, t. 7. Ceir rhai mân wahaniaethau rhwng y ddwy deyrnged, ar wahân i'r paragraff a hepgorwyd.

201   Gwilym R. Jones, *Rhodd Enbyd*, t. 116.

202   NLW MS 23991 i E, 13, llythyr oddi wrth Kate Roberts, Rhagfyr 9, 1957.

203   *Annwyl Kate, Annwyl Saunders*, llythyr 141, Rhagfyr 20, 1957, tt. 230–1.

[204]   Ibid., t. 230.

[205]   Ibid., t. 231.

Pennod 12: Haf Bach Mihangel 1958–1967

[1]   *Annwyl Kate, Annwyl Saunders*, llythyr 170, Mawrth 24, 1958, t. 183.

[2]   Ibid., llythyr 172, Mai 20, 1958, t. 186.

[3]   Rhydwen Williams, 'K.R. a'r Teledu', *Kate Roberts: Ei Meddwl a'i Gwaith*, Golygydd: Rhydwen Williams, 1983, t. 26.

[4]   Ibid., tt. 27–8.

[5]   *Annwyl D.J.*, llythyr 146, Rhagfyr 2, 1958, t. 238.

[6]   Ibid., t. 239.

[7]   Ibid, t. 238.

[8]   Ibid.

[9]   *Annwyl Kate, Annwyl Saunders*, llythyr 175, Gorffennaf 24, 1959, t. 188.

[10]   *Annwyl D.J.*, llythyr 147, Ebrill 6, 1959, tt. 239–40.

[11]   Gruffydd Parry yn adolygu *Te yn y Grug*, *Lleufer*, cyf. 15, rhif 2, Haf 1959, t. 90.

[12]   Ibid., t. 91.

[13]   'Ysgrifennu Atgofion', t. 21.

[14]   Papurau Lewis Valentine, 5/34, llythyr oddi wrth Kate Roberts, Awst 27, 1959.

[15]   Ibid.

[16]   *Annwyl D.J.*, llythyr 149, Awst 21, 1959, t. 244.

[17]   Ibid., llythyr 152, Rhagfyr 16, 1959, t. 247.

[18]   Ibid., tt. 247–8.

[19]   *Annwyl Kate, Annwyl Saunders*, llythyr 176, Hydref 7, 1959, t. 190.

[20]   'Gwraig Wadd: Gwilym R. Jones yn Holi Kate Roberts', *Erthyglau ac Ysgrifau Llenyddol Kate Roberts*, t. 117; ymddangosodd y sgwrs yn wreiddiol yn *Yr Arloeswr*, rhif 3, Sulgwyn 1958.

[21]   Ibid., t. 121.

[22]   Kate Roberts, 'Gras a Llechi/Pennod Ragarweiniol', ibid., t. 24.

[23]   *Annwyl D.J.*, llythyr 160, Rhagfyr 6, 1960, tt. 259–60.

[24]   NLW MS 23991 i E, 26, llythyr oddi wrth Kate Roberts, Rhagfyr 22, 1959.

[25]   Papurau Kate Roberts, 1302, llythyr oddi wrth Alun Llywelyn-Williams at Kate Roberts, Ionawr 1, 1961.

[26]   Papurau Kate Roberts, 1308, llythyr oddi wrth Gwenallt at Kate Roberts, Ionawr 23, 1961.

[27]   *Annwyl Kate, Annwyl Saunders*, llythyr 178, Mawrth 8, 1961, t. 191.

[28]   Ibid., t. 192.

[29]   *Annwyl D.J.*, llythyr 161, Mai 20, 1961, t. 260.

[30]   Ibid.

[31]   Papurau Kate Roberts, 2222, llythyr oddi wrth Kate Roberts at Lena Roberts, Chwefror 15, 1961. Ceir adroddiad ar y daith, 'Gwyliau', yng Ngholofn y Merched yn *Y Ddraig Goch*, cyf. 35, rhif 6, Mehefin 1961, t. 6.

[32]   NLW MS 23991 i E, 33, llythyr oddi wrth Kate Roberts, Mehefin 15, 1961.

[33] 'Cyflwyno Bathodyn y Gymdeithas i Kate Roberts, D.Litt./Cyflwyno'r Dr. Kate Roberts gan Alun Llywelyn-Williams, M.A.', *Trafodion Anrhydeddus Gymdeithas y Cymmrodorion*, Sesiwn 1961, Rhan 2, t. 9.

[34] Ibid., t. 10.

[35] *Annwyl D.J.*, llythyr 163, Awst 24, 1961, t. 262.

[36] Ibid., t. 263.

[37] Ibid.

[38] *Y Lôn Wen*, t. 8.

[39] 'Fy Hen Gi', t. 55.

[40] *Annwyl Kate, Annwyl Saunders*, llythyr 71, Tachwedd 14, 1932, t. 94.

[41] Ibid.

[42] *Y Lôn Wen*, t. 7.

[43] 'Trwy Lygaid Plentyn', *Erthyglau ac Ysgrifau Llenyddol Kate Roberts*, t. 31; ymddangosodd yn wreiddiol yn *Y Llenor*, cyf. X, rhif 1, Gwanwyn 1931.

[44] *Annwyl Kate, Annwyl Saunders*, llythyr 71, Tachwedd 14, 1932, t. 94.

[45] Papurau Lewis Valentine, 5/38, llythyr oddi wrth Kate Roberts, Ebrill 24, 1962.

[46] Papurau Cassie Davies, 108, llythyr oddi wrth Kate Roberts, Medi 26, 1962.

[47] Ibid., 109, llythyr oddi wrth Kate Roberts, Hydref 24, 1962.

[48] Papurau Kate Roberts, 1380, llythyr oddi wrth John Gwilym Jones at Kate Roberts, Hydref 8, 1962.

[49] Islwyn Ffowc Elis yn adolygu *Tywyll Heno*, *Lleufer*, cyf. 18, rhif 4, Gaeaf 1962, t. 178.

[50] Ibid., t. 179.

[51] Ibid., t. 180.

[52] Ibid., t. 182.

[53] *Annwyl D.J.*, llythyr 167, Chwefror 3, 1963, t. 272.

[54] 'Iolo', 'Noson lawen dragwyddol', *Western Mail Week-end Magazine*, Ionawr 5, 1963, t. 6.

[55] Ibid.

[56] NLW MS 23991 i E, 40, llythyr oddi wrth Kate Roberts, Ionawr 9, 1963.

[57] Ibid.

[58] Papurau Lewis Valentine, 5/40, llythyr oddi wrth Kate Roberts, Rhagfyr 22, 1962.

[59] NLW MS 23991 i E, 40, llythyr oddi wrth Kate Roberts, Ionawr 9, 1963.

[60] Ibid.

[61] Ibid.

[62] 'Griffith John Williams', *Erthyglau ac Ysgrifau Llenyddol Kate Roberts*, t. 192; ymddangosodd yr ysgrif yn wreiddiol yn *Y Faner*, Ionawr 24, 1963.

[63] Papurau Cassie Davies, 110, llythyr oddi wrth Kate Roberts, Chwefror 22, 1963.

[64] Ibid., ii.

[65] Ibid., ii–iii.

[66] Ibid., iii.

[67] Ibid.

[68] Ibid., iii–iv.

69 Ibid., iv.

70 *Annwyl Kate, Annwyl Saunders*, llythyr 180, Mai 9, 1963, t. 194.

71 Ibid.

72 Ibid., llythyr 179, Mai 8, 1963, t. 193.

73 Ibid., llythyr 180, Mai 9, 1963, t. 195.

74 *Annwyl D.J.*, llythyr 168, Mawrth 9, 1963, t. 273.

75 Llythyr ym meddiant y teulu, llythyr oddi wrth Kate Roberts at Lena Roberts, Hydref 24, 1963.

76 Ibid.

77 Ibid.

78 *Annwyl Kate, Annwyl Saunders*, llythyr 183, Mehefin 23, 1964, t. 199.

79 Ibid.

80 Ibid.

81 'Rhwng Dau', tt. 122–3.

82 Ibid., t. 126.

83 *Annwyl Kate, Annwyl Saunders*, llythyr 182, Mai 19, 1964, tt. 197–8.

84 'Yr Eglwys, y Byd a'r Wladwriaeth', *Erthyglau ac Ysgrifau Llenyddol Kate Roberts*, t. 392; ymddangosodd yr ysgrif yn wreiddiol yn *Y Drysorfa*, cyf. 134, Mehefin 1964.

85 Ibid., tt. 392–3.

86 Godfrey John, 'Keeping Welsh Alive', *The Christian Science Monitor*, Gorffennaf 29, 1964, t. 9.

87 Ibid.

88 Ibid.

89 Ibid.

90 Ibid.

91 Ibid.

92 NLW MS 23991 i E, 53–4, llythyr oddi wrth Kate Roberts, Medi 14, 1964. Cyfeiriodd at yr ymweliad hwn mewn llythyr at D. J. Williams yn ogystal, *Annwyl D.J.*, llythyr 174, Medi 8, 1964, t. 280.

93 *Annwyl D.J.*, llythyr 174, Medi 8, 1964, t. 280.

94 NLW MS 23991 i E, 55, llythyr oddi wrth Kate Roberts, Rhagfyr 19, 1964.

95 Ibid.

96 Ibid.

97 *Annwyl Kate, Annwyl Saunders*, llythyr 190, Medi 9, 1965, t. 210.

98 Ibid., llythyr 188, Mai 15, 1965, tt. 205–6.

99 Ibid., t. 206.

100 Ibid.

101 Papurau Cassie Davies, 115, llythyr oddi wrth Kate Roberts, Medi 12, 1965.

102 *Annwyl Kate, Annwyl Saunders*, llythyr 190, Medi 9, 1965, t. 209.

103 Papurau Cassie Davies, 118, llythyr oddi wrth Kate Roberts, Ionawr 30, 1966.

104 Ibid.

105 Ibid.

106 *Annwyl D.J.*, llythyr 187, Ionawr 20, 1966, t. 296.

[107] NLW MS 23991 ii E, 78, llythyr oddi wrth Kate Roberts, Medi 21, 1966.

[108] Ibid.

Pennod 13: Edrych yn Ôl 1968–1985

[1] *Annwyl Kate, Annwyl Saunders*, llythyr 201, Rhagfyr 25, 1967, t. 223.

[2] Papurau Cassie Davies, 123, llythyr oddi wrth Kate Roberts, Ebrill 26, 1968.

[3] *Annwyl D.J.*, llythyr 200, Awst 28, 1968, t. 310.

[4] 'D. Gwenallt Jones', *Erthyglau ac Ysgrifau Llenyddol Kate Roberts*, t. 171; ymddangosodd yr ysgrif yn wreiddiol yn *Y Faner*, Ionawr 2, 1969.

[5] *Annwyl D.J.*, llythyr 204, Ionawr 29, 1969, t. 314.

[6] Ibid.

[7] Papurau Cassie Davies, 127, llythyr oddi wrth Kate Roberts, Ebrill 14, 1969.

[8] Papurau Lewis Valentine, 5/56, llythyr oddi wrth Kate Roberts, Gorffennaf 3, 1969.

[9] Ibid.

[10] Ibid.

[11] John H. Watkins yn adolygu *Prynu Dol a Storïau Eraill*, *Y Traethodydd*, cyf. CXXVIII, 1973, t. 131.

[12] Ibid.

[13] Ibid., tt. 132–3.

[14] *Annwyl D.J.*, llythyr 209, Rhagfyr 30, 1969, t. 320.

[15] Papurau Lewis Valentine, 5/54, llythyr oddi wrth Kate Roberts, Ionawr 5, 1970. Gwnaeth Kate Roberts gamgymeriad gyda'r dyddiad: Ionawr 5, 1969, a roddodd fel dyddiad yn y llythyr gwreiddiol.

[16] *Annwyl Kate, Annwyl Saunders*, llythyr 209, Mawrth 7, 1970, t. 230.

[17] Llythyr yng nghasgliad y teulu, llythyr oddi wrth Kate Roberts at Lena Roberts, Ionawr 19, 1970.

[18] Caradog Prichard, 'Storïau Saith Deg', *Barn*, rhif 93, Gorffennaf 1970, t. 249.

[19] Ibid.

[20] Ibid.

[21] Papurau Cassie Davies, 135, llythyr oddi wrth Kate Roberts, Rhagfyr 22, 1970.

[22] 'Cathrin Daniel', *Erthyglau ac Ysgrifau Llenyddol Kate Roberts*, t. 147; ymddangosodd yr ysgrif yn wreiddiol yn *Y Faner*, Chwefror 25, 1971.

[23] Archifdy Gwynedd, XM/4595/46, llythyr oddi wrth Kate Roberts at Priscie Roberts, Awst 9, 1971.

[24] 'Cyflwyno Cae Gors [*sic*] i Gymru', *Y Faner*, Mai 13, 1971, t. 5.

[25] Ibid.

[26] Ibid.

[27] Papurau Cassie Davies, 137, llythyr oddi wrth Kate Roberts, Mai 17, 1971.

[28] Ibid., 146, llythyr oddi wrth Kate Roberts, Chwefror 2, 1972.

[29] NLW MS 23991 ii E, 140, llythyr oddi wrth Kate Roberts, Mai 8, 1972.

[30] Ibid.

[31] Ibid., 169, llythyr oddi wrth Kate Roberts, Rhagfyr 31, 1973.

32   Llythyr yng nghasgliad personol Bobi Owen, Dinbych; llythyr oddi wrth Kate Roberts at Harri Jones, Clerc Cyngor y Dref, Dinbych, Mai 22, 1947.

33   R. M. Owen, 'Dim Tresbasu', *Y Bigwn*, Hydref 2007, t. 9.

34   Ibid.

35   Ibid.

36   Bryn Rowlands, 'Mrs Williams, Y Cilgwyn', *Barn* (Rhifyn Teyrnged Kate Roberts), rhif 209, Mehefin 1980, t. 167.

37   Ibid.

38   Ibid.

39   Ibid.

40   'Trwy Lygaid Plentyn', t. 31.

41   *Y Lôn Wen*, t. 99.

42   Kate Roberts yn adolygu *Maes Mihangel*, J. G. Williams, *Y Traethodydd*, cyf. CXXX, 1975, t. 72.

43   Gwilym R. Jones, 'Dr Kate Roberts/Cymraes Amlyca'r Ganrif Hon', *Y Faner*, Ebrill 26, 1985, t. 5.

44   W. I. Cynwil Williams, 'Kate Roberts 1891–1985/Cyfarfod i goffáu'r Doctor Kate Roberts ac i ddiolch am ei chyfraniad (Yn y Capel Mawr, Dinbych, Dydd Sul, 4 Awst, 1985, am 2.00 o'r gloch)', *Y Traethodydd*, cyf. CXI, 1985, t. 175.

45   'Dr Helen Rowlands', *Erthyglau ac Ysgrifau Llenyddol Kate Roberts*, t. 187; ymddangosodd yr ysgrif yn wreiddiol yn *Y Faner*, Chwefror 23, 1955.

46   'Kate Roberts 1891–1985 …', t. 177.

47   Ibid., t. 178.

48   Ibid.

49   Ibid.

50   Ibid.

51   Ibid., t. 180.

52   Ibid., tt. 180–1.

53   'Fy Hen Gi', t. 53.

54   'Kate Roberts 1891–1985 …', t. 181.

55   Ibid., t. 182.

56   Ibid.

57   Ibid.

58   'Kate Roberts – Cefndir, Crefft, Cred', *Kate Roberts: Ei Meddwl a'i Gwaith*, t. 37.

59   Ibid., t. 32.

60   Ibid., tt. 34–5.

61   *Annwyl Kate, Annwyl Saunders*, llythyr 215, Chwefror 13, 1976, t. 234.

62   Ibid.

63   'Kate Roberts 1891–1985 …', t. 184.

64   NLW MS 23991 iii E, 217, llythyr oddi wrth Kate Roberts, Gorffennaf 28, 1977.

65   Ibid., 228, llythyr oddi wrth Kate Roberts, Mai 17, 1978.

66   NLW MS 23991 iv E, 289, llythyr oddi wrth Kate Roberts, Tachwedd 15, 1982.

67   Papurau Kate Roberts, 2530, dyddiadur 1978.

68   Ibid., cofnodion Ionawr 4 a Ionawr 10, 1978.

69   Ibid., cofnod Ionawr 11, 1978.

70   Ibid., cofnod Ionawr 21, 1978.

71   Ibid., cofnodion Ionawr 9 a Chwefror 1, 1978.

72   Ibid., cofnod Chwefror 8, 1978.

73   NLW MS 23991 iii E, 244, llythyr oddi wrth Kate Roberts, Rhagfyr 17, 1979.

74   Papurau Cassie Davies, 127, cerdyn oddi wrth Kate Roberts, Mawrth 22, 1979.

75   NLW MS 23991 iii E, 237, llythyr oddi wrth Kate Roberts, Ebrill 9, 1979.

76   Ibid., iv E, 250, llythyr oddi wrth Kate Roberts, Mehefin 16, 1980.

77   Ibid., 255, llythyr oddi wrth Kate Roberts, Hydref 9, 1980.

78   Papurau Kate Roberts, 2534, dyddiadur 1982, cofnod Ionawr 3, 1982.

79   NLW MS 23991 iv E, 293, llythyr oddi wrth Kate Roberts, Ionawr 26, 1983.

80   Ibid., 297, llythyr oddi wrth Kate Roberts, Ebrill 27, 1983.

81   Papurau Kate Roberts, 1958, llythyr oddi wrth Islwyn Ffowc Elis at Kate Roberts, Chwefror 10, 1981.

82   W. H. Pritchard, 'Tysteb Genedlaethol Dr. Kate Roberts', *Y Goleuad*, Mehefin 10, 1983, t. 5.

83   Ibid.

84   *Annwyl Kate, Annwyl Saunders*, llythyr 217, Mawrth 8, 1983, t. 235.

85   Ibid., llythyr 218, Mai 14, 1983, t. 236.

86   W. H. Pritchard, 'Dr. Kate Roberts – Cymwynaswraig Ardal', *Y Goleuad*, Mai 10, 1985, t. 3.

87   Gwilym R. Jones, 'Dr Kate Roberts/Cymraes Amlyca'r Ganrif Hon', *Y Faner*, Ebrill 26, 1985, t. 5.

88   Ibid.

89   R. Tudur Jones, *Y Cymro*, Ebrill 23, 1985; dyfynnir yn 'Kate Roberts 1891–1985/Cyfarfod i goffáu'r Doctor Kate Roberts ac i ddiolch am ei chyfraniad ...', t. 183. Ni cheir copi o rifyn Ebrill 23, 1985, o'r *Cymro* yn Llyfrgell Genedlaethol Cymru.

MYNEGAI

D.J. Williams

Y Cawr o Rydcymerau
gan Emyr Hywel

£14.95

ANNWYL D.J.

Llythyrau D.J., Saunders, a Kate

Golygwyd gan
EMYR HYWEL

y Lolfa

£14.95

Cofio 75 mlynedd ers llosgi'r Ysgol Fomio

'CYTHRAL O DÂN'

ARWEL VITTLE

Rhagair gan
DAFYDD WIGLEY

y Lolfa

£7.95

Am restr gyflawn o lyfrau'r Lolfa, mynnwch
gopi am ddim o'n catalog
neu hwyliwch i mewn i'n gwefan

www.ylolfa.com

lle gallwch archebu llyfrau ar-lein.

TALYBONT CEREDIGION CYMRU SY24 5HE
ebost ylolfa@ylolfa.com
gwefan www.ylolfa.com
ffôn 01970 832 304
ffacs 832 782